UN MORT QUI DÉRANGE

Éditeurs :
LES ÉDITIONS LA PRESSE, LTÉE
44, rue Saint-Antoine ouest
Montréal H2Y 1J5

Conception graphique de la couverture :
JEAN PROVENCHER

Illustration de la couverture :
BEN STAHL

Traduction française de *Nerve Endings*
publiée à la suite d'une entente entre l'éditeur original,
Crown Publishers Inc., New York, USA, et les Éditions
La Presse, Ltée.

Dépôt légal :
BIBLIOTHÈQUE NATIONALE DU QUÉBEC
3e trimestre 1986

ISBN 2-89043-188-6

1 2 3 4 5 6   91 90 89 88 87 86

UN MORT QUI DÉRANGE

WILLIAM MARTIN

traduit de l'américain par
Jacques Constantin

la presse

à mes parents

REMERCIEMENTS

Ce livre est un ouvrage de fiction. Mais les meilleures histoires s'enracinent dans la réalité, et je désire remercier chacune des personnes à qui mon récit doit un peu de son cachet d'authenticité :

Les docteurs Sang Cho et Anthony Sahyoun, pour m'avoir permis d'assister, dans leurs salles d'opération, à des interventions de chirurgie rénale ;

Mme Janet Delorey, pour ses descriptions émouvantes et fidèles de l'expérience vécue par un greffé du rein ;

le docteur Garner Haupert, pour ses réponses empressées à mes questions sur le traitement et la guérison d'un cas réussi de greffe rénale, qui m'a servi de modèle pour le héros de ce livre ;

Mlle Sondra Madison, qui m'a fait visiter le Kidney Centre, clinique de dialyse de Boston ;

le docteur Edward O'Hara, grâce à qui plusieurs portes s'ouvrirent devant moi ;

MM. John Frenning et Eli Noam, dont les opinions et les renseignements m'ont initié à l'industrie de la télédistribution ;

M. William F. Kuntz, qui m'a éclairé sur certains points délicats de la loi sur les sociétés.

Je remercie également Debra Greenfield et Rhoda Weyr pour les encouragements qu'elles m'ont prodigués au cours de la rédaction de cet ouvrage ; mon éditeur, Pamela Thomas, pour son bon sens et son travail acharné ; et ma femme, Christine, pour sa patience et sa compréhension.

William Martin

PREMIÈRE PARTIE

GREFFES PRINTANIÈRES

1

Le soleil, avant son apparition, frappe de ses rayons le sommet de l'antenne de télévision qui, tel un fuseau, émerge de l'île. Tandis qu'il pointe à l'horizon, la lumière du jour tombe, parfaitement et synchrone, sur l'île. Elle dévale les falaises de granite, faisant passer du blanc au vert foncé la cime des pins du Maine, pour ensuite dorer les bardeaux et les cheminées des maisons des pêcheurs de homard. Harry Miller ouvre alors les yeux.

Il bascule ses jambes hors du lit et regarde par la fenêtre. Par ce ciel clair, et cet océan calme, le thermomètre indique 15 degrés Celcius. Un matin de juin comme celui-ci, Harry ne se donne pas la peine de tapoter du doigt le baromètre accroché près de la fenêtre. Après soixante-douze ans dans l'île, il sait ce que réservent chaque saison et chaque caprice de la mer. Il enfile un vieux pantalon kaki et une chemise de laine rouge, lace ses bottines et descend l'escalier.

Dans la cuisine, il se verse une tasse de café. Son fils, avocat à Boston, lui a fait cadeau d'une cafetière qui s'allume automatiquement quand on est encore au lit. Harry pense en lui-même que son vieux percolateur fait du bien meilleur café ; il s'en sert encore pendant les week-ends. Mais sa femme trouve commode la cafetière automatique et Harry est content de satisfaire ce petit caprice. Mince compensation, pense-t-il, en regard de toutes les années qu'Ellie Miller a passées auprès de lui. Ne lui a-t-elle pas prodigué son amour et ses soins, jouant auprès de lui les infirmières quand il faillit perdre la vie en mer ? Ne l'a-t-elle pas aidé à élever deux robustes garçons ? N'a-t-elle pas partagé sa peine lorsque la mer leur a ravi l'un d'eux ?

Harry ouvre d'un coup de pied la porte à moustiquaire et sort. Il vit au bord de la mer. Son voisin le plus proche se trouve à près d'un kilomètre. Une pinède entoure la maison au nord et à l'est ; à l'ouest s'étend un potager. Au sud, le terrain forme sur six ou sept mètres un plateau herbeux, glisse doucement sur le granite, puis plonge dans la mer.

Rumrunner's Bulge s'étend au sud-ouest de la maison de Harry. Dans les années 20, l'endroit, alors désert, offrait un point de débarquement idéal pour les contrebandiers canadiens d'alcool. Il est à présent parsemé de petits chalets d'été, que dissimule un épais bois de pins. Vu de la pelouse de Harry, Rumrunner's Bulge rappelle encore la forêt vierge, et c'est ainsi qu'il l'aime.

Au-delà de la colline s'élèvent les falaises de granite, qui sont, pour Harry Miller, le berceau et l'âme de l'île. Aujourd'hui connues sous le nom de Cutter's Point, elles étaient là bien avant les pins, les prairies, les étangs ; avant les Indiens et bien avant les pêcheurs bostonnais qui, emportés à la dérive, avaient débarqué dans l'île un dimanche de Pâques au dix-septième siècle ; avant la ville et la flotte ; avant les tailleurs de pierre venus gruger le sol granitique de l'île ; avant les magnats de l'âge d'or, qui amarrèrent leurs yachts dans les eaux profondes et construisirent leurs retraites du côté du nord de l'île ; avant les vacanciers, qui y louent des chalets à la belle saison, entre la dernière tempête du printemps et les premiers feux de l'automne. L'île, que les pêcheurs bostonnais avaient nommée Easter's Haven « Havre de Pâques », a survécu à tout cela avec ses falaises. Seuls la mer et le ciel étaient là avant elle.

Harry Miller a passé là sa vie et s'est voué à l'étude des traditions de l'île. Selon la légende, Dieu a fait surgir de l'Océan ces falaises de granite un matin de Pâques pour guider dans la tempête les pêcheurs égarés.

Elles fournissent à présent un rempart à la maison d'Andrew MacGregor, cet insulaire devenu légende lui-même. Sa famille, propriétaire de la moitié ouest de l'île, a érigé sa fortune sur le granite des carrières creusées dans les falaises. Cette fortune, il l'a lui-même arrondie grâce à la radio, aux journaux, à la télévision et aux télécommunications. C'est lui qui, en 1954, dressa l'antenne qui apporta aux insulaires la télévision. Il passe pour l'un des hommes les plus riches d'Amérique, ce dont personne n'a la certitude, car les sociétés qu'il détient restent à caractère privé et il mène depuis vingt ans une vie d'ermite. Il se déplace incognito entre ses diverses résidences, situées à New York, à Palm Beach et au Wyoming. Il n'apparaît en public que sur bandes vidéo.

Harry Miller est parmi les rares personnes qui aient visité la maison de MacGregor, appelée Brisbane Cottage ; mais il a toujours gardé le silence sur ce qu'il y a vu. Le respect de la vie privée, dit-il, est l'un des droits fondamentaux de l'homme, quelles que soient sa richesse et sa puissance. Une seule chose importe aux yeux de Harry : MacGregor aime l'île à la façon de tous les insulaires et met toute sa puissance à la protéger.

À l'est de la maison de Harry, l'anse de Louder's Pond s'ouvre sur la mer. Deux fois par jour, la marée l'envahit, entoure le quai de Harry, passe sous le pont et se déverse dans l'étang salin situé au-delà de la route. Deux fois par jour, la mer reflue, laissant à peine assez d'eau pour soutenir la quille du *Ellie B.,* le bateau de Harry. Par-delà l'anse s'étend jusqu'à Louder's Point ; puis ce sont les maisons d'autres pêcheurs de homard, le port, le débarcadère du traversier et l'agglomération de Easter's Landing. La mer est étale et l'*Ellie B.* repose, immobile, sur l'eau calme de l'anse. C'est le meilleur homardier qu'il a jamais piloté : étanche, fiable et tenant bien la mer. Pendant sept ans, l'*Ellie B.* a remorqué ses casiers à homard et, chaque hiver, l'a amené dans le golfe du Maine à la recherche de la crevette du Nord. Mais, comme son pilote, le bateau prend de l'âge. Et Harry voit mal comment l'un ou l'autre pourrait seul affronter un autre hiver de grosse mer.

Harry replie les doigts de sa main droite. L'arthrite raidit les jointures. Plus jeune, il ne craignait rien de l'hiver. Et aujourd'hui, en plein mois de juin, il n'arrive plus à chasser de ses articulations le froid qui les engourdit.

Le ronflement d'un bateau à moteur parvient à son oreille et attire son regard vers le sud-ouest. Ça doit être le *Fog Lady,* le bateau d'Izzy Jackson, dont le sillage scintille tandis qu'il quitte, dans un bouillonnement d'écume, le quai d'Andrew MacGregor. Izzy vit seul dans une des petites îles de la Pentecôte ; il travaille à son compte, mises à part des courses ou d'autres bricoles pour Andrew MacGregor. La plupart des habitants d'Easter's Haven le tiennent pour un original, mais Izzy Jackson ne ferait pas de mal à une mouche. Souvent, au petit matin, Harry entend son bateau s'avancer dans le passage, au rythme haletant d'un moteur qui fume et perd de l'huile, tandis qu'Izzy, à l'arrière, jette des têtes de poisson en pâture aux mouettes.

Ce matin, cependant, aucun oiseau n'escorte le bateau d'Izzy. Un nommé Roger Darrow, producteur de télévision, est arrivé dans l'île et Izzy lui fait faire le tour des petites îles qui entourent Easter's Haven. Alors que les pêcheurs de homard comme Harry connaissent dans tous ses recoins le fond de l'eau dans la baie de Penobscot, Izzy, lui, connaît les îles comme sa poche ; il passe son temps à les parcourir quand il ne baye pas aux corneilles.

Hier, Harry a lui-même montré au producteur les environs d'Easter's Haven et répondu à toutes ses questions — jusqu'à ce que l'étranger commence à l'interroger sur Andrew MacGregor. Harry accueille avec joie les visiteurs dans son île. Il aime les vacanciers qui, venus admirer le paysage et déguster le homard, repartent en ne laissant que leur souvenir. Il aime les écrivains et les peintres qui cherchent ici l'inspiration. Mais il déteste les étrangers qui viennent fouiner, poser des questions et dérober à l'île une part de son mystère.

Plus loin sur la route, un autre pêcheur de homard sirote son café en observant le bateau d'Izzy Jackson. Cependant, Cal Bannister n'a pas attendu l'arrivée du soleil dans sa chambre pour commencer sa journée. Il n'a pas encore vécu assez longtemps dans l'île pour en épouser les rythmes. En fait, il n'a pas fermé l'oeil de la nuit. Cal Bannister tient à la main une boulette de *plastic,* malléable et explosive, quelques bouts de fil électrique et un réveil numérique à pile, juste assez puissant pour servir de détonateur. Il a reçu de Los Angeles l'ordre de tuer le producteur de télévision, et les événements passés le contraignent à l'obéissance. Il a déjà tué, et cela fait partie du passé qu'il est venu fuir ici. Mais son séjour dans l'île doit l'avoir métamorphosé, puisque le petit engin que sa main tient encore n'est pas raccordé au réservoir d'essence du bateau d'Izzy Jackson.

Cal Bannister regarde le *Fog Lady* onduler doucement sur les vagues, dans le halètement anémique de ses machines. Pour un accident, c'est une cible parfaite, pense-t-il. Sur un si vieux rafiot, percé de tous bords, il pourrait susciter une explosion qu'on impute à une combustion spontanée. Cependant, quelque chose l'a empêché de mettre son projet à exécution. Il croit, sans en être sûr, entendre la voix de sa conscience, pourtant muette depuis des années.

Il soupèse le petit paquet, se disant que d'autres occasions, s'il les désire vraiment, se présenteront avant que Roger Darrow ne quitte l'île.

Bannister regarde à nouveau le *Fog Lady.* Jackson l'a peint d'un orange phosphorescent afin, dit-il, qu'on le voie dans le brouillard le plus épais. Par cette matinée ensoleillée, le bateau se détache comme un homard cuit sur un lit d'algues. Carl peut voir les filins à la proue, les trois casiers à homard à l'arrière et le fauteuil pliant qu'Izzy a installé sur le pont. Il n'aperçoit ni Izzy ni le producteur de télévision. Sans doute attendent-ils dans la cabine, que le soleil réchauffe l'eau.

Il remarque alors une petite volute de fumée qui s'échappe de la chambre des machines. Il ne s'agit pas de gaz d'échappement.

À peine a-t-il repris conscience qu'il se passe quelque chose d'anormal, des flammes jaillissent de la cale et le *Fog Lady* bondit hors de l'eau. Le pont est réduit en morceaux. Le pare-brise vole en éclats. Le temps que le bruit de l'explosion atteigne le rivage et fasse vibrer les vitres de la maison de Cal Bannister, le bateau reste suspendu au-dessus de l'eau. Puis, il s'écrase sur les flots, se rompt en deux et se change en brasier.

D'un bond, Harry Miller quitte la tablée où il prenait son petit déjeuner et se précipite vers la porte. Il voit le *Fog Lady* en flammes au milieu du passage. Il se retourne vers sa femme et lui demande d'apporter la trousse de premiers soins. Puis il court à son bateau.

Cal Bannister, lui, n'a pas bougé. Il observe la minuscule silhouette d'un homme qui, les avant-bras en flammes, surgit de la cabine du *Fog Lady,* tournoie dans une folle danse de panique et de douleur, puis tombe à l'eau et disparaît.

L'arrière du *Fog Lady* sombre peu après lui, tandis que la proue et la cabine brûlent encore.

L'épouse de Cal apparaît à la porte arrière de la maison. Il lui demande d'appeler la Garde côtière, mais il ne quitte pas des yeux l'épave. Les flammes l'hypnotisent.

Il voit l'*Ellie B.* se diriger à toute allure vers le *Fog Lady* et un sentiment de soulagement l'envahit. Il n'a ni tué le producteur de télévision ni désobéi aux ordres. Cela, on saura bien le reconnaître en haut lieu. Il verse sur le sol le fond de sa tasse de café et se dirige vers la maison. Puis il s'arrête, pris d'un soudain mal de ventre. Ce malaise, il l'a déjà ressenti lorsqu'il a tué pour la première fois, dans une rizière vietnamienne. Il refuse de se voir imputer, par les personnes intéressées, ou par qui que ce soit d'autre, le meurtre du producteur de télévision.

2

Peu après midi, un hélicoptère décolla d'Easter's Haven et tournoya au-dessus du passage. Juste en dessous, les pêcheurs de homard s'affairaient à leurs casiers, un voilier solitaire pourchassait la brise de juin et le traversier contournait Louder's Point. L'hélicoptère survola les îles de la Pentecôte et se dirigea vers Boston à cent soixante kilomètres à l'heure.

Les chantiers navals du Maine et du New Hampshire apparurent sur le tapis bleu du sol, puis l'île de Monhegan et Portsmouth, dont les noms évoquent un glorieux passé maritime. Puis, s'égrenèrent les villages de pêcheurs, les colonies d'artistes et les clubs nautiques de la côte nord du Massachusetts, suivis par les petites villes industrielles, les vaisseaux de bois à trois ponts et l'aéroport de Logan.

L'avion privé de la Société MacGregor Communications, déjà prêt lorsque l'hélicoptère atterrit à quatorze heures trente, reçut quinze minutes plus tard l'autorisation de décoller. À dix-sept heures trente, heure du Pacifique, il se posait sur la piste de l'aéroport international de Los Angeles.

On était à l'heure de pointe. L'autoroute de San Diego ressemblait à un serpent métallique qui aurait rampé d'Inglewood à Sepulveda Pass, et la Chevrolet louée mit près de trois quarts d'heure pour atteindre Sunset Boulevard. Durant le trajet, la radio dévidait les succès du jour et racontait la victoire des Dodgers à Saint Louis. Elle débita des nouvelles sur les dernières prises de vues dans l'est de Los Angeles et dans la vallée de San Fernando. On décrivit l'engorgement que connaissaient les autoroutes de San Diegeo, Santa Monica, Harbor et Ventura ainsi que l'échangeur à quatre niveaux.

Puis on y alla de prévisions météorologiques, tâche rarement difficile dans le sud de la Californie. Temps prévu pour le mois de juin : couverture nuageuse et brouillard le matin, cédant la place au soleil l'après-midi, avec *smog* plus ou moins dense dans les vallées intérieures.

La Chevrolet prit la direction de l'ouest à Sunset Boulevard. Les eucalyptus s'étalaient en arche basse au-dessus de la route. Les Rolls Royce et les Jaguar filaient entre deux rangées de maisons blotties derrière des conifères et des plantes tropicales à larges feuilles. Les arroseurs automatiques déversaient leur pluie fine et rythmée sur les pelouses qu'ils faisaient scintiller.

Après quelques kilomètres, l'automobile quitta Sunset Boulevard et grimpa dans les collines retirées de Pacific Palisades. À chaque tournant, les maisons devenaient plus imposantes, les pelouses plus vertes, les courts de tennis plus nombreux et l'air plus pur. La voiture s'arrêta enfin dans l'allée circulaire d'une maison de style espagnol et un jeune homme en sortit.

Celui-ci traversa la pelouse et le trottoir de briques, tira sur un cordon à la porte d'entrée ; une sonnette retentit quelque part dans la maison.

C'était un homme grand et mince; ses traits délicats et ses cheveux blonds le faisaient paraître plus jeune qu'il n'était probablement. Une mise un peu plus négligée l'aurait facilement fait passer pour un poète famélique, ou pour un chargé de cour d'anglais de quelque petit collège de Nouvelle-Angleterre. Mais son complet gris tombait sans un pli, son col était boutonné et sa cravate soigneusement nouée.

Un visage de femme s'encadra dans le judas. Elle entrebaîlla la porte et risqua un coup d'oeil à l'extérieur.

— Oui ?

— Ai-je l'honneur de parler à madame Jeanne Darrow ?

Elle répondit par l'affirmative, mais n'ouvrit que lentement, comme si elle sentait d'instinct quelque chose de fâcheux.

— Je m'appelle John Meade, déclara le jeune homme. Je suis le neveu d'Andrew MacGregor et son adjoint administratif.

Cela prit un moment avant que le nom de MacGregor fasse son chemin dans l'esprit de Jeanne Darrow et, la seconde suivante, celle-ci sentit les muscles de son estomac se contracter.

— Puis-je entrer ? demanda doucement Meade.

— C'est au sujet de mon mari ?

La contraction musculaire gagnait à présent sa gorge.

Il hocha la tête.

Elle le fit entrer et referma la porte. Le vestibule était sombre et frais, avec ses murs de stuc et son sol de tuiles rouges.

Elle passait nerveusement les mains sur sa robe de tennis blanche. Chaussée d'espadrilles, elle mesurait un mètre soixante-dix. Elle avait le corps élancé, féminin, athlétique. Elle venait de disputer trois matchs ardus, sur un nouveau court de terre battue, chez un voisin. L'effort gonflait encore les veines de son bras droit et la transpiration avait plaqué des petites mèches à ses tempes.

Jeanne Darrow avait hérité des traits et des cheveux sombres de sa grand-mère, beauté irlandaise qui, arrivée en Californie pour devenir star, avait passé trente ans comme couturière dans les ateliers de la MGM. Jeanne portait les cheveux courts, en une coupe dégradée qui mettait en valeur l'expression ouverte et franche de son visage ; d'un regard on pouvait deviner ses sentiments. Sa carrière d'actrice avait connu des hauts et des bas ; son meilleur rôle avait été celui d'une jeune mère qui trouve que son détergent favori rend le linge moins blanc que celui de sa voisine. À l'âge de trente et un ans, Jeanne Darrow possédait ce charme direct qui, aux yeux des publicitaires, est l'image même de la ménagère américaine moyenne. Or, elle n'était pas cela.

— Pouvons-nous nous asseoir ? demanda John Meade.

Jeanne n'esquissa pas un mouvement. Elle parlait doucement et lentement, s'efforçant de peser chaque mot.

— Qu'est-il arrivé à mon mari ?

— Il y a eu un accident.

C'était ce qu'elle craignait.

— Grave ?

— Il visitait la baie de Penobscot en bateau de pêche. Le bateau a explosé.

— Est-il gravement blessé ? demanda-t-elle. Peu lui importaient les détails.

— Il a des brûlures au second degré sur les avant-bras.

Elle le regarda pendant un moment.

— Vous avez parcouru cinq mille kilomètres pour m'annoncer *cela* ?

— Hélas non. Le jeune homme hésita. Il souffre également d'un grave traumatisme crânien.

Jeanne Darrow pâlit sous son hâle. La couleur de sa peau vira au jaune.

John Meade n'avait préparé aucune tournure pour annoncer la nouvelle avec ménagement.

— Votre mari est maintenu en vie par des machines et va mourir si on débranche celles-ci.

Pendant un moment, Jeanne Darrow sembla ne pas comprendre. Dieu, dans le cosmos, s'amusait à un jeu cruel qui transformait en cauchemar un après-midi de rêve. Elle restait immobile, les yeux fixés sur Meade, la main gauche crispée sur la bande de tissu éponge enroulée autour de son poignet droit. Puis, son corps se mit à trembler. Elle tenta de reprendre contenance. Ses yeux se remplirent de larmes. De sa gorge, un cri jaillit, qu'elle essaya en vain de refouler. Elle parcourut le corridor à la course et entra dans la cuisine, dont elle claqua la porte.

John Meade resta dans l'entrée et écouta Jeanne Darrow donner libre cours à son chagrin. Ce furent d'abord des sanglots lents, presque rythmés, où elle articulait le nom de son mari. Elle le répéta encore et encore ; puis elle commença à pleurer. Elle pleura doucement pendant dix minutes ou plus.

John Meade, entendant un fracas dans la cuisine, prit le corridor et ouvrit la porte.

La cuisine était inondée de soleil. Le mur ouest était vitré et des portes coulissantes ouvraient sur le patio. Au-delà, une piscine et un court de tennis se fondaient dans le paysage. De luxueux chaudrons de cuivre pendaient à un râtelier accroché au plafond. Des carreaux de céramique recouvraient le comptoir. On y voyait trôner un pot rempli d'ustensiles colorés, à côté d'un robot culinaire. Le réfrigérateur, d'un bleu foncé harmonisé à la céramique, murmurait poliment dans le coin. Jeanne Darrow, debout au milieu de la cuisine, regardait d'un oeil vide les débris de verre cassé qui jonchaient le sol.

— Puis-je vous donner quelque chose à boire ou appeler votre médecin ? demanda Meade.

— J'ai cassé mon service à sangria, dit-elle.

Elle ouvrit une petite armoire à côté du réfrigérateur, en sortit un balai et rassembla méthodiquement les éclats de verre en un tas bien égal. Puis elle les poussa dans le ramasse-poussière et les jeta dans la poubelle. Elle contempla le couvercle de celle-ci pendant quelques minutes, puis, s'asseyant près de la cuisinière, se mit à rire amèrement.

— Mon mari est à l'article de la mort dans un hôpital à l'autre bout du pays et moi je balaye ce fichu plancher.

Elle remuait lentement la tête de droite à gauche et son rire devint sanglot.

— Je pense qu'à présent je prendrais ce verre.

— Je vais vous le préparer, dit Meade.

Elle lui indiqua du doigt le bar et demanda un gin-tonic.

Puis elle se ravisa.

— Je prendrai peut-être seulement une gorgée de scotch. Le gin-tonic se boit dans des occasions plus gaies.

Meade lui versa deux doigts de scotch et s'assit à ses côtés. Il attendit, avant d'enchaîner, qu'elle eût avalé une gorgée.

— Madame Darrow, il faut que vous sachiez que vous devez donner votre accord.

— À quoi ?

— Votre permission de débrancher les appareils qui gardent votre mari en vie.

— Merde, murmura-t-elle faiblement, sur un ton presque défaillant.

Elle s'en sentait incapable, quelle que soit la gravité des blessures de son mari. Elle secoua violemment la tête.

Meade pose la main sur celle de Jeanne.

— Il n'y a rien d'autre à faire. C'est ce que vous diraient les médecins.

— Je vais leur parler moi-même.

— Il n'est pas nécessaire de vous rendre au Maine, madame Darrow. Votre mari ne vous reconnaîtrait pas. Je suis avocat. Il vous suffit de signer les formules que j'ai apportées et de trouver un témoin parmi vos parents ; nous prendrons soin du reste.

Une soudaine colère envahissait Jeanne.

— Juste une petite signature sur la ligne pointillée, ma petite dame, c'est cela, hein ? Nous allons débrancher votre mari et vous l'envoyer à la maison dans une petite boîte. Et merci et salut. Eh bien, non, mille fois non ! Elle se mit debout et commença à arpenter la pièce.

— J'aurais préféré que cette tâche soit confiée à quelqu'un d'autre, madame Darrow. Mais le pêcheur de homard qui a retiré de l'épave le corps de votre mari l'a apporté directement sur notre quai. Il savait que notre hélicoptère était le seul espoir de sauver votre mari. Nous avons immédiatement transporté celui-ci à l'hôpital, sur la terre ferme, et les médecins ont tout tenté.

Jeanne Darrow continuait à marcher à grands pas. Elle n'écoutait pas.

— Il fallait que quelqu'un vous annonce la nouvelle, poursuivait Meade. Monsieur MacGregor a dit que vous deviez en être informée aussitôt que possible.

Jeanne s'arrêta et fonça sur Meade.

— J'irai dans le Maine pour le voir. Je veux sentir sa main pendant qu'elle est encore chaude. Elle se tut, refoula un autre sanglot et reprit son calme. D'ailleurs, c'est moi qui devrai procéder à l'identification.

Meade avala péniblement sa salive avant de reprendre.

— Nous devrons, je le crains, vous demander d'obtenir le dossier dentaire. Le médecin légiste en aura besoin pour confirmer l'identité.

Elle soupira et s'assit de nouveau au comptoir.

— Vous voulez dire que je ne pourrai pas voir son visage ?

— L'explosion l'a défiguré, madame Darrow.

Elle secoua encore la tête avec violence et colère, résolue à demeurer maîtresse d'elle-même. Elle se pencha en avant, son visage touchant presque celui de Meade.

— Je pars pour le Maine, monsieur Meade. Je veux voir mon mari vivant avant de le laisser mourir.

3

Achète bien qui achète chez Henry Long. Efface ça avant que quelqu'un le voie et qu'on te prenne pour un gâteux.

Essaye encore. *Long met la fortune à vos pieds.* Bonne façon de perdre un client ! Essaye de nouveau.

Harry Long, c'est l'atout-prix... Les clients n'ont que faire de calembours ni de jeux de mots. Efface-moi ça et recommence.

Retourne aux bonnes vieilles règles. Pense au produit que tu essaies de vendre. Énumère ses qualités. Énonce les raisons qui pourraient amener quelqu'un à désirer ce produit. Explique ce qui fait l'infériorité des concurrents. Dans le cas de ce client, il s'agit avant tout du prix. Et ne vas pas raconter que la plupart des souliers achetés dans les établissements Henry Long se désintègrent à la première pluie. Pense plutôt en termes de population cible : quel groupe vises-tu ? Et puis... au diable ce merdier !

James Whiting lança son crayon contre le mur et déchira la feuille de papier étalée devant lui. Depuis un mois, il éprouvait de plus en plus de difficulté à trouver les bons mots, les phrases vivantes, les rimes accrocheuses qui autrefois faisaient de lui l'un des meilleurs rédacteurs publicitaires de Boston. Au moins, pensait-il, sa créativité avait survécu à sa santé. Il était malade depuis plus d'un an et son état ne cessait d'empirer.

Il se frotta les yeux, endoloris par l'effort. Il quitta sa table de travail et passa dans la salle de séjour.

James Whiting vivait à Beacon Hill, dans un immeuble en copropriété qui avait d'abord appartenu à un marchand du dix-neuvième siècle. Whiting avait acheté l'appartement le jour même où il l'avait vu. Il avait admiré les détails d'origine soigneusement préservés — les manteaux de cheminées en marbre, les portes d'acajou, les moulures et les médaillons qui ornaient le plafond — et avait décidé que ce serait le cadre idéal pour la vie d'un célibataire de trente-trois ans. Il avait meublé le salon de fauteuils Reine-Anne, d'une causeuse victorienne garnie d'acajou, d'un tapis chinois et d'un petit piano à queue. Lampes signées Stiffel, téléviseur de marque Sony, équipement stéréo de Bang et Olufson : tout respirait le bon goût et l'élégance, tout était conçu pour charmer la femme capable d'apprécier les belles choses de la vie, dont faisait partie James Whiting. Mais la vie en avait décidé autrement.

Whiting marcha jusqu'à la fenêtre en saillie et regarda la rue Mount Vernon, bordée d'arbres ; les réverbères à gaz brillaient devant les façades en briques rouges. De cette fenêtre qui surplombait le trottoir, Whiting pouvait voir la coupole du State House, illuminée au sommet de la colline, et le flot de circulation qui se déplaçait à vive allure dans Charles Street.

Quelque part sur la colline, un tilleul était en fleurs, mais Whiting n'en remarqua pas l'arôme. Des fenêtres d'en face parvenaient les accords, tout en douceur, du *Prélude en ré* de Rachmaninov, mais Whiting ne les entendait pas. Il avait autrefois passé des heures assis à sa fenêtre, à écouter son voisin répéter ses pièces de récital. Depuis l'aggravation de son mal, la musique ne faisait qu'ajouter à la trame des bruits de la ville.

Il regarda les voitures qui se déplaçaient là-bas dans Charles Street ; il se demandait vaguement où elles pouvaient bien aller. Il remarqua alors un jeune couple qui remontait la rue. L'homme et la femme mirent longtemps à remonter la colline, s'attardant dans les coins sombres pour s'enlacer et s'embrasser. De sa fenêtre non éclairée, Whiting les surveillait à loisir. Voici qu'ils s'arrêtaient sous le réverbère en face de l'immeuble.

« Allons, Jack, embrasse-moi », disait la femme. Elle passa les mains autour du cou de son compagnon, tira son visage vers elle et l'embrassa.

Whiting pouvait entendre leur respiration et l'idée lui vint de leur lancer un seau d'eau froide. On lui avait fait le coup un jour, à lui et à une amie collégienne.

Le jeune couple desserra son étreinte, le temps pour l'homme d'entraîner la femme loin de la lumière, dans la petite allée qui longeait l'immeuble de Whiting. Ce dernier ne les voyait plus mais les entendait encore. Il fixait les ténèbres, l'oreille tendue.

— Hé ! Jack, qu'est-ce que tu fais ? demanda la femme.

— Ça, répliqua l'homme.

Celui-ci fit en effet quelque chose et la femme gloussa ; Whiting se demandait à quoi ils jouaient.

— Oh ! Jack. Si quelqu'un venait...

— Eh bien, qu'il vienne, ricana Jack.

Et les amoureux de pouffer de rire. Whiting réalisa qu'ils étaient saouls. Puis les rires cessèrent. On s'embrassait probablement. La respiration de la femme se faisait haletante. L'homme lui faisait quelque chose d'agréable. Whiting, l'oreille aux aguets, imaginait la scène. Il entendit des pas qui descendaient la côte. Les bruits s'arrêtèrent brusquement dans l'allée. Puis les pas se perdirent dans le lointain.

— Allons-nous-en, Jack, murmura la femme après un moment.

— Ça me plaît, Carla... Là, comme ça. Il fit quelque chose à quoi elle répondit par une autre respiration profonde.

— Oh ! Jack chéri, rentrons à la maison, pour finir ça correctement.

— Personne ne peut nous voir, répondit-il.

— Je suis nerveuse, Jack.

— Laisse le temps.

À ce qu'on pouvait entendre, il l'embrassait à nouveau mais cela ne dura pas.

— Allons, Jack, allons-nous-en ! Il y a des gens tout autour, leurs fenêtres ouvertes.

Jack poursuivait son jeu. Cette fois, elle se fâcha.

— Jack, ça suffit. Quelqu'un pourrait nous entendre.

Whiting, retenant son rire, cria à tue-tête :

— Ouais, Jacky qu'est-ce que t'essayes de faire ? Réveiller le voisinage ?

Pendant un moment, ce fut le silence. Puis la femme se mit à crier : « Cochon de voyeur ! » et le couple s'enfuit en remontant la rue.

Whiting s'effondra dans un fauteuil et se mit à rire à gorge déployée. Mais ce ne fut pas long : ses accès d'hilarité étaient toujours brefs et la plaisanterie n'avait pas été très drôle.

Il s'assit dans l'appartement silencieux, le regard dans les ténèbres. Un an plus tôt, il aurait souhaité aux amoureux bonne chance dans leur recherche du plaisir et serait retourné à son travail. Mais aujourd'hui, il les enviait. Ils étaient jeunes, ils se donnaient l'un à l'autre, ils avaient quelques verres dans le nez et, pour autant qu'il pût dire, ils étaient en pleine santé. Des gens si bien nantis étaient dignes d'envie et Whiting pouvait bien en rire si cela lui chantait.

Whiting, pour un moment, se prenait en pitié. Il résistait généralement à cette forme d'apitoiement, qui ne lui faisait aucun bien ; son corps avait besoin de toute l'aide que pouvait lui fournir son esprit. D'ordinaire, sa maladie l'aidait dans cette résolution en simplifiant sa vie et en concentrant son attention sur un seul fait : il souffrait d'une lésion rénale en phase terminale. Il savait que, faute de se rendre trois fois la semaine à la clinique de dialyse et de se brancher à la machine qui faisait le travail de ses reins, il souffrirait de violents maux de tête, l'urée empoisonnerait son corps, des dépôts de sel se formeraient sur sa peau et ce serait la mort. D'habitude, il n'avait guère besoin de geindre sur son sort, sachant que, pour survivre, il devait se colleter avec la maladie, la traiter le plus efficacement possible et essayer de rester en vie.

Mais pour Whiting la dialyse n'était rien d'autre qu'une mesure temporaire, un moyen de tenir à distance les poisons jusqu'à ce que quelqu'un lui fasse don d'un rein. Système imparfait, elle ne pourrait jamais éliminer de son corps tout le poison et souvent — c'était le cas de James Whiting — elle rendait l'homme impuissant.

Au cours de nuits comme celle-ci, où il combattait à armes inégales contre la dépression, où la jalousie envers les êtres sains le poussait à agir comme il venait de le faire, James Whiting s'asseyait dans le noir et se demandait si, quelque part en Nouvelle-Angleterre, un jeune homme heurtait de plein fouet un poteau avec sa voiture ou souffrait d'une hémorragie cérébrale ou si un adolescent, las de la vie, absorbait une dose mortelle qui donnerait à James Whiting une chance de survie.

Aux prises avec de telles pensées, Whiting se sentait toujours mal à l'aise. Mais son médecin lui avait conseillé de ne pas penser aux donneurs possibles, car ces derniers étaient loin de s'imaginer ce qui leur arriverait et Whiting ne saurait jamais rien d'eux.

Il se rendit dans la cuisine ; celle-ci était démunie de fenêtres, et à peine assez grande pour qu'il puisse s'y retourner. D'un coup sec il ouvrit le réfrigérateur et la lumière éclaira son visage. Malgré l'allure émaciée de la mâchoire, le visage était boursouflé, particulièrement autour des yeux et sous le menton. Le mauvais fonctionnement des reins entraînait la rétention d'eau par tout le corps, et l'enflure de celui-ci ne se résorberait pas avant la prochaine dialyse. Il avait été bel homme, mais à présent, les cernes foncés, derrière les lunettes à monture de corne, le faisaient ressembler à un étudiant qui, à l'époque des examens, se bourre d'amphétamines et passe ses nuits à étudier. Seuls ses cheveux, soigneusement peignés et partagés par une raie sur le côté gauche, n'avaient pas changé depuis l'apparition de la maladie.

Les lunettes et la coiffure, les pantalons de popeline, les *topsiders,* les vestons de tweed et les chemises Lacoste : tout cela faisait partie de l'image estudiantine qu'il avait cultivée à Harvard à la fin des années 60 et qu'encore aujourd'hui il voulait projeter. Certes, il avait fréquenté à Boston l'école publique, et ses opinions, inclinant vers la gauche, rejoignaient celles de ses condisciples, pour qui les jeans, les chemises de travail et le débraillé général faisaient partie du manifeste politique. Pourtant, James Whiting avait opté pour le style traditionnel. Celui-ci avait toujours convenu à cet individualiste et lui convenait encore parfaitement.

Il avait deux ou trois amis proches et entretenait une bonne relation avec sa mère et sa soeur ; il ne sentait aucun désir d'attirer l'attention sur lui-même, sauf lorsqu'il remarquait une femme séduisante. Dans un métier où il importe autant de vendre sa salade que d'enfoncer les concurrents, James Whiting avait toujours choisi de laisser son travail parler en sa faveur. Jusqu'à sa maladie, cela lui avait réussi et il avait été en mesure de cultiver ses autres amours : l'art, la musique, la bonne chère, les *Boston Celtics,* le ski de randonnée et la compagnie de femmes intéressantes.

Un an plus tôt, il faisait bien quatre-vingts kilos de muscles, sur une charpente d'un mètre quatre-vingts. Il pratiquait régulièrement l'haltérophilie et jouait au racketball lorsqu'il ne pouvait pas skier. Mais il avait perdu son tonus musculaire et sa force en même temps que sa puissance sexuelle ; la rétention de liquide lui donnait une apparence flasque et molle, et les séances devant sa table de travail le vidaient de son énergie.

Il lâcha une bordée d'injures à la vue du contenu du réfrigérateur. Ce qu'il voulait, c'était une Molson et un sandwich au salami badigeonné de moutarde forte. Son néphrologue lui imposait un régime à base de céréales, d'oeufs, de lait, de viande bouillie ou rôtie en petites portions, de poisson cuit au four, de fruits frais et de légumes ne contenant aucun potassium. Fort heureusement, il pouvait boire chaque jour du café et une bière ; mais il ne devait pas absorber plus de deux litres de liquide par vingt-quatre heures. Les aliments frits ou salés, les gâteaux achetés à la pâtisserie du coin, la moutarde, le salami et le plaisir : tout cela lui était interdit.

Il ne voulait ni d'un sandwich au poulet sur pain blanc, ni d'un oeuf brouillé, ni d'une pomme. Il prit une bouteille de Molson, l'ouvrit et en prit une lampée. Lorsqu'il reprit son souffle, la moitié de la bouteille était vide et il se sentait de plus en plus en colère... contre son docteur, contre sa maladie, contre la bouteille de bière à moitié vide. Il finit celle-ci d'un seul trait et sentit disparaître la colère qu'il lui vouait. Mais il avait atteint sa limite quotidienne de liquide et il voulait une autre Molson.

Il prit une deuxième bouteille et la tint dans sa main, tentation rafraîchissante par cette chaude nuit de juin. Il savait dans quel état cela le mettrait pour le traitement du lendemain soir, mais il ouvrit la bouteille et la but à petites gorgées. Pendant un moment, il retint la bière dans sa bouche, laissant l'écume pétiller autour de ses gencives. Tant qu'à faire une entorse à son régime, il voulait en jouir jusqu'à la dernière goutte.

Il but de nouveau et, à pas lents, se dirigea vers la fenêtre. Cette fois, c'est du Chopin qu'il entendait. La douceur de ce flux musical, jointe aux vapeurs de la bière, avait quelque chose d'apaisant. Il écoutait, il regardait, se demandant si quelqu'un était en train de mourir. Sans cet espoir, il ne pourrait pas vivre ainsi beaucoup plus longtemps.

4

À Hollywood, la nouvelle se répandait à la vitesse d'une rumeur. À sept heures trente, heure du Pacifique, tous les anciens amis de Roger Darrow, ceux qui avaient travaillé dans son entourage, ceux qui le considéraient comme un maudit fils de pute, bref tous ceux à qui son nom disait quelque chose savaient qu'il gisait dans un hôpital du Maine, le crâne écrasé et le visage défiguré.

Harriet Sears fut la première à apprendre la nouvelle. Elle était en train de lire un scénario, dans la salle de séjour de son appartement de Santa Monica, lorsque le téléphone sonna.

Jeanne raconta à Harriet ce qui s'était passé et celle-ci en fut frappée de stupeur. Elle connaissait Roger Darrow depuis les débuts de celui-ci à la télévision alors que, jeune prodige, il rédigeait des scripts pour des émissions comme *les Défenseurs*. Elle avait joué un rôle dans l'émission qui avait valu à Darrow son premier « Emmy » — l'équivalent, pour la télévision, des « Oscars » du cinéma. Il avait d'ailleurs écrit pour elle une pièce, un *one-woman-show*, sur Dorothy Parker.

— Que puis-je faire pour t'aider, ma chérie ? demanda Harriet après un moment. Veux-tu que je vienne, ou devrais-je faire à ta place ces pénibles appels téléphoniques ?

— Les deux, répondit Jeanne.

Harriet vida son verre de vodka-tonic et se rendit à sa chambre pour s'habiller. Elle revêtit une ample blouse d'artiste et des jeans, assez flatteurs sur une femme de soixante ans. Elle n'avait pas été l'une des starlettes les plus douées de son époque. Ses jambes, son sourire, une personnalité qui crevait l'écran avaient été ses principaux atouts et avaient fait d'elle, selon les termes d'un journaliste, « la Betty Grable de l'intelligentsia ».

L'âge et l'abus des bains de soleil avaient ridé sa peau. Ses cheveux grisonnaient rapidement et elle les ramenait à présent dans un chignon en forme de brioche ; c'était la coiffure favorite de femmes comme Henrietta Redgate, personnage qu'elle incarnait alors. Mais elle avait encore les jambes et le sourire qui avaient valu à ses photos d'être épinglées jadis dans toutes les cantines de G.I. ; peut-être même sa personnalité s'était-elle affirmée avec l'âge.

— Scène 85, prise 4, dit la voix.

Les mains qui tenaient l'ardoise soulevèrent la claquette et la laissèrent retomber. Un X dessiné au crayon gras envahit l'écran. L'ardoise disparut. La caméra était braquée sur la porte d'entrée d'une somptueuse demeure sudiste.

— Action !

Henriette Redgate, majestueuse dans sa robe de taffetas bleu, passa la porte et traversa le portique. La caméra la suivit jusqu'à un jeune homme debout près d'une des colonnes. Il portait l'uniforme de capitaine de l'armée confédérée.

— Je ne prétends pas comprendre les motifs de cette guerre, dit-elle, mais votre père était convaincu qu'un homme doit prendre racine quelque part. Je souhaite seulement que... Elle baissa la tête et refoula un sanglot. Je souhaite seulement que — nouveau sanglot — que votre frère...

Elle baissa les yeux. Elle semblait chercher maladroitement ses mots. J'aurais seulement souhaité que votre frère... ne soit pas un tel crétin.

Harriet Sears et Peter Cross, l'acteur qui jouait le rôle de son fils, regardèrent la caméra et éclatèrent de rire.

— Coupez.

— Ton ex-femme prend de l'âge, lança une voix venue de l'obscurité qui régnait devant l'écran. Elle avale la moitié du texte depuis quelque temps.

— Dommage qu'elle n'ait jamais appris à avaler autre chose. On serait encore mariés.

Pendant quelques secondes, l'amorce du film défila sur l'écran.

— Scène 85, prise 5. Claquette. X. Action !

Sonnerie du téléphone.

— Merde, dit une voix. On décrochait le récepteur. Rudermann à l'appareil.

— Howard, c'est Harriet.

— Oh ! Harriet, justement, nous étions en train de parler de toi, chérie.

Quelqu'un ricana dans la salle.

Harriet pouvait entendre sa propre voix en train de jouer une scène.

— Peux-tu arrêter la projection pendant quelques minutes, Howard ?

— J'ai seulement une heure pour visionner les prises, Harriet. J'espère que ce que tu as à me dire est important.

— J'ai une nouvelle terrible à t'apprendre, Howard. S'il te plaît, arrête la projection.

— Sur la console qu'il avait devant lui, Rudermann pressa le bouton d'intercom. Il demanda au projectionniste d'arrêter le film et d'allumer les lumières.

Howard Rudermann était assis aux côtés de son metteur en scène, de son monteur et de Peter Cross, sa vedette, dans une relique de Hollywood, l'une des salles de projection des studios Burbank. Vingt-cinq fauteuils de chêne et de cuir, aux dossiers surélevés et aux accoudoirs portant cendriers de cuivre étaient alignés comme les trônes du collège des cardinaux. Rudermann, chaque fois qu'il travaillait aux Studios Burbank, visionnait ses prises de vues dans cette salle ; elle lui rappelait la vraie Hollywood, telle qu'il l'avait connue quarante ans plus tôt, lorsque Jack Warner assistait à la projection des ses films et aboyait des ordres à de jeunes assistants comme Howard Rudermann. Et voilà, grands dieux, qu'une femme dirige l'unique studio et que la plupart des actions de la Fox ont été vendues à des promoteurs immobiliers.

Rudermann portait une chemise couleur canneberge, largement ouverte sur sa poitrine. Son ventre débordait de ses jeans bien coupés, et ses cheveux bouclés, oeuvre d'un coiffeur, lui encadrait la figure. Des couronnes de porcelaine recouvraient ses dents blanches. Trop uniforme et trop foncé, son hâle sentait l'artifice. Rudermann avait une face de sybarite. Des années de sexe et de débauche, de repas copieux et bien arrosés, avaient boursouflé la figure, l'avaient arrondie, et expliquaient maintenant son affaissement. Mais elles avaient du même coup effacé les rides soucieuses qui marquent la plupart des hommes de soixante ans.

— Terrible, qu'est-ce que ça veut dire, terrible ?

Il savait qu'Harriet exagérait rarement.

Elle lui apprit la nouvelle, aussi doucement, aussi calmement que possible. Elle savait que Rudermann allait réagir très mal. Roger Darrow avait été la planche de salut de Rudermann, le jeune homme qui avait insufflé vie aux Productions Rudermann, à une époque où Howard n'arrivait pas à décrocher un seul contrat pour la télé.

Howard Rudermann laissa parler Harriet sans rien dire. Lorsqu'il en eut assez entendu, il lâcha simplement le récepteur et se cacha le visage dans les mains.

La nouvelle de l'accident faisait à présent clignoter les standards à travers toute la ville. De son bureau de Sunset Strip, Vicki Rogers, la chroniqueuse des affaires mondaines, composait un numéro au cadran.

Dans l'attente d'une réponse, elle caressait la broche en onyx épinglée au revers de sa veste. Ses cheveux courts, coupés à l'ange, étaient aussi noirs que l'onyx. Ses lèvres d'un rouge vif contrastaient avec sa chevelure, et elle portait toujours une paire d'immenses lunette teintées. À quarante-deux ans, elle gardait des traits délicats, presque juvéniles, et ses lunettes, selon son humeur, pouvaient lui donner une expression dure et professionnelle, ou faire paraître son visage plus petit et plus vulnérable que jamais.

Elle appelait Vaughn Lawrence, l'un des plus célèbres animateurs de jeux ou de *talk-shows* télévisés d'Amérique ; c'était à la fois l'une de ses relations professionnelles les plus précieuses et un ancien amant. Quelque chose lui disait que Vaughn Lawrence en savait plus long sur la mort de Darrow que n'importe qui d'autre en ville.

Lawrence avait été une personnalité de second plan à la radio de la côte Est, jusqu'à son arrivée à Hollywood en 1958; les jeux télévisés constituaient à l'époque un excellent tremplin. Il avait engagé un agent; celui-ci avait convaincu les producteurs d'un nouveau jeu, *Devinez mon poids,* que Vaughn Lawrence, le disc-jockey le plus dynamique de New York, était leur homme.

Devinez mon poids avait duré seulement six semaines, mais Vaughn Lawrence était devenu l'une des personnalités les plus populaires et les plus sûres de la télévision. Il était passé de *Devinez mon poids* à *Pile ou face* puis *Déjeuner avec Vaughn* et à *Des gens et des prix.* Chemin faisant, il avait bâti pour lui-même une fortune considérable et une plus modeste, pour son agent; en fils consciencieux, il avait investi une grande partie de son argent dans la télévision.

Les Productions Lawrence / Sunshine dégurgitaient désormais six jeux télévisés par semaine. La compagnie possédait à Los Angeles une station de télévision indépendante reliée à un satellite et captée par des services de télédistribution dans toute l'Amérique. Elle exploitait cinq chaînes de télédistribution qui jouissaient de la faveur populaire et Vaughn Lawrence avait organisé le financement de la plus importante émission jamais produite directement pour la télédistribution, *Les Redgate de Virginie.*

C'était l'un des hommes les plus respectés de Hollywood, ses entreprises lui ayant apporté puissance et réussite; mais personne, pas même son agent, ne lui faisait confiance.

Vaughn Lawrence était au lit lorsque sonna le téléphone. Mais il était bien éveillé, portant sur lui Kelly Hammerstein, l'un des mannequins qui posaient à côté des cadeaux dans l'émission *Des gens et des prix.* Les seins et le ventre de Kelly brillaient sous la fine couche d'une huile corporelle achetée dans quelque boutique de Beverly Hills. Plus tôt dans la journée, durant l'enregistrement de l'émission, elle avait caressé un poste de télévision couleur, un réfrigérateur-congélateur et un bel ensemble de salle à manger en acajou. Ses caresses allaient maintenant à Vaughn Lawrence.

— Peut-être vaudrait-il mieux répondre, dit-elle pendant la seconde sonnerie.

— Laisse faire, dit Lawrence.

— Je ne serai pas capable de me concentrer.

— Je vais t'aider. Il se haussa sur les coudes et prit entre ses lèvres un des seins huileux.

Elle le repoussa doucement.

— Oublie le téléphone, grommela-t-il.

— Mais c'est peut-être mon agent.

Vaughn Lawrence en perdait ses ardeurs.

Elle décrocha le récepteur et quelqu'un demanda Lawrence, qui secoua la tête.

— Il est occupé, dit Kelly. C'est de la part de qui, s'il vous plaît ?

— Vicki Rogers.

Elle en tomba presque du lit.

— Vicki Rogers, la chroniqueuse ? Ah ! Oui, bonjour mademoiselle Rogers... C'est Kelly Hammerstein. Puis-je transmettre votre message ?

Lawrence empoigna le récepteur.

— Qu'y a-t-il, Vick ?

— Vaughn, mon chou, es-tu au courant de la nouvelle ?

— Quoi ?

— Roger Darrow a eu un accident. Son bateau a explosé dans le Maine.

— C'est grave ?

Lawrence ne paraissait guère bouleversé.

— Plutôt grave, dit Vicki. On le garde artificiellement en vie. S'il s'en sort, il paraît qu'il fera une bonne potiche.

— C'est toujours les meilleurs qui partent, dit Lawrence. Ce type était bourré de talent. S'il y passe, ça fera un vide.

— Puis-je te citer ?

Lawrence ne répondit pas. Il se concentrait sur les mains huilées de Kelly, qui se frayaient un chemin le long de ses cuisses.

— Dis-moi, Vaughn. Comment s'appelle la fille ?

— Kelly Hammerstein, dit Lawrence à l'autre bout du fil.

Kelly esquissa un sourire.

— Et je pense même que tu devrais la rencontrer. Ce serait bon pour sa carrière si tu pouvais en toucher un mot dans ta rubrique.

Pour ces bonnes paroles, les mains de Kelly cessèrent de vagabonder et accordèrent à Vaughn une récompense immédiate.

Vicki, au bout du fil, entendait la respiration de Vaughn s'accélérer.

— Avant que tu ne passes aux choses sérieuses, Vaughn mon chéri, j'ai une question à te poser.

Lawrence fit entendre un grognement.

— Qui a essayé de le tuer ?

Lawrence se mit à rire.

— Ne m'as-tu pas dit que c'était un accident ?

— J'ai bien dit ça, mais s'il y a quelqu'un au courant de ce qui se passe réellement parmi les habitants de cette petite colonie d'artistes, c'est bien toi, mon chéri.

— Tu plaisantes, dit Lawrence, d'une voix où elle sentait la colère. Retourne à tes phantasmes, moi, je m'occupe des miens.

Vaugh Lawrence raccrocha et sentit les lèvres de Kelly Hammerstein l'envelopper.

Vicki Rogers regarda au loin les piscines, les riches demeures et les palmiers de Beverly Hills. Le soleil glissait vers le Pacifique et le ciel, jaune à midi, resplendissait maintenant de tons cuivre et rouille presque phosphorescents. Elle se demanda ce que savait Vaughn Lawrence et comment elle pourrait en tirer parti.

Lorsqu'il ne se trouvait pas dans son bureau qui surplombait MacArthur Park, Len Haley siégeait généralement au 901. Il s'arrêtait parfois chez Langers, la charcuterie fine au coin de Wilshire et d'Alvorado ; il y mangeait du pastrami chaud et s'y sentait presque New-Yorkais. D'autres fois, il poussait en automobile jusqu'à El Cholo pour manger un repas à la mexicaine. Mais le 901, près du cimetière d'autos de Figueroa, entre le campus de la University of South Carolina et le Convention Centre de Los Angeles, était son port d'attache.

À quarante-quatre ans, il avait la carrure et la musculature d'un haltérophile un peu trop amateur de bière. Il avait le nez rouge et congestionné ; à deux reprises il se l'était fait casser par des gardes, dans une prison du Nord-Vietnam. Ses cheveux noirs et courts, assortis à sa moustache, soulignaient un visage rond et coloré.

La plupart des gens aimaient Len Haley dès la première rencontre. Sa poignée de main était franche et son regard direct ; il pouvait discourir sur à peu près n'importe quoi, mais ses sujets favoris étaient le baseball et le bon vieux temps — entendez : les années 50 et le début des années 60.

L'interlocuteur ne soupçonnait pas qu'au cours de la rencontre Len Haley le scrutait de la tête aux pieds, tout en gravant dans sa mémoire son nom, son visage et sa voix. Et bien peu prenaient conscience de la colère qui couvait derrière la façade de bonhommie de Len Haley.

Haley commanda un *hamburger* au fromage et regarda la télévision au-dessus du bar. Les Red Sox jouaient contre les Angels. Une année, les grands champions frappaient pour les Sox et battaient les Angels à plates coutures. L'année suivante, ils jouaient pour les Angels et massacraient les Sox. L'équipe qui payait le plus pouvait s'offrir les meilleurs frappeurs. Aucune fidélité, aucune tradition. Rien d'étonnant à ce que Len perdit tout intérêt pour ce qui avait été *Le* sport.

— Hé, Hank, lança-t-il au barman. Peux-tu mettre les nouvelles s'il te plaît ?

Len Haley voulait regarder les nouvelles. Il attendait impatiemment un reportage que la station de télédistribution de Los Angeles allait probablement transmettre.

— Ils vont sûrement gagner. Change de station.

— N'oublie pas qu'ils jouent à Fenway Park, Len. À Fenway, tout peut changer à la dernière minute.

Haley éclata de rire.

— Si les Angels arrivent à contrer une avance de 8 à 0, je préfère ne pas voir ça !

Le barman haussa les épaules et changea de canal.

Haley écouta pendant plusieurs minutes le pilote de l'émission d'information, qui lisait son texte. Puis, apparut à l'écran la photo de Roger Darrow, et Haley tendit l'oreille.

— Roger Darrow, producteur de *Flint,* l'une des émissions policières les plus populaires de la télévision, a été hospitalisé dans un hôpital du Maine, où il lutte contre la mort...

Haley écouta le reste du compte rendu, puis retourna vers la cabine téléphonique à l'arrière du bar et composa le numéro de Vaughn Lawrence.

Lawrence répondit au huitième coup.

— C'est Haley. Mon gars n'a pas loupé sa cible. J'ai besoin de dix briques.

— Mais Darrow n'est pas mort, rétorqua Lawrence.

— À ce qu'il paraît, c'est tout comme. Dix briques pour mon gars du Maine.

Len Hailey raccrocha.

5

Au début, Jeanne Darrow ne regarda pas son mari. Elle regardait plutôt le respirateur placé à côté du lit. Il s'agissait d'un cylindre de plexiglas, au sommet d'une console couverte de boutons, de jauges et de voyants. Le cylindre était doublé d'un caoutchouc plié en accordéon. Chaque fois que le caoutchouc se dilatait pour remplir le cylindre, l'air s'engouffrait dans un tube qui aboutissait à la bouche du patient, dont la poitrine se gonflait alors sous le drap. Lorsque le caoutchouc retombait au fond du cylindre, le thorax s'abaissait.

Jeanne se rapprocha du corps. Le visage était enveloppé de bandages. Le tube du respirateur entrait par une ouverture pratiquée dans la gaze, le tube nasal par une autre. Du bout des doigts jusqu'aux biceps, les bras étaient emmaillotés des pansements qu'on utilise dans le traitement des brûlures du premier degré et des brûlures légères. Un tube intraveineux déversait goutte à goutte de l'eau et des substances nutritives dans une veine située au-dessus du bandage. Des électrodes attachées par du sparadrap à la poitrine surveillaient les battements du coeur, qui étaient forts et réguliers. Le moniteur cardiaque émettait son signal, avec la régularité d'un métronome.

Jeanne se tenait aux côtés de son mari, dans une cabine blanche qui lui rappelait un sépulcre. John Meade et le docteur Jason Sanderson, chirurgien en chef du John MacGregor Memorial Hospital, se tenaient debout près de la porte, qui s'ouvrait sur l'étage principal de l'unité des soins intensifs.

Elle tenait à la main l'anneau nuptial de son mari. On pouvait y lire, gravés, les mots «A Roger, de Jeanne», suivis de la date de leur mariage, qui remontait à six ans. Cela lui semblait si lointain et pourtant, pensait-elle, ils avaient passé si peu de temps ensemble.

Jeanne toucha son mari à l'épaule, l'une des rares parties de son corps qui ne fût pas recouverte.

— Avec tous ces bandages, je ne peux même pas savoir si c'est lui.

— C'est pourtant bien lui, hélas. Le docteur Jason Sanderson entrait dans la cabine.

Jeanne posa sa main sur les bandages qui couvraient le front de son mari.

— Pourrais-je voir ses yeux ? Cela me ferait du bien.

Sanderson inspira profondément. Il était à la fin de la trentaine, ce qui était fort jeune pour un chirurgien-chef ; physique hollywoodien, teint bronzé, coupe de cheveux soignée et élégant complet trois-pièces, que soulignait un noeud papillon écossais, le plus traditionnel de tous les accessoires médicaux. Malgré sa grande renommée, il avait l'air d'un acteur passant une audition pour décrocher un rôle de médecin dans un feuilleton télévisé.

— Je suis au regret de vous dire que ses yeux sont... qu'ils ont été...

— Vous voulez dire qu'il n'a plus d'yeux ?

Sanderson hocha la tête.

Jeanne s'assit sur la chaise pliante placée à côté du lit. Elle ferma les yeux, s'agrippa aux bords de la chaise et courba la tête. Elle savait que son mari avait eu le visage écrasé, mais elle avait espéré que l'explosion aurait épargné les yeux.

— Laissez-moi un moment, s'il vous plaît, dit-elle sans relever les yeux. J'ai besoin d'être seule avec mon mari.

Pendant vingt-quatre heures, elle avait lutté contre son chagrin. Elle avait réduit en miettes son service à sangria. Elle avait ensuite ressenti ce choc qui vous engourdit. Et elle avait conservé espoir que son mari ne fût pas aussi gravement blessé qu'il ne le paraissait.

À son arrivée à l'hôpital, elle avait étonné Sanderson par sa compréhension des méthodes et des traitements médicaux d'urgence.

— Je vous croyais actrice, lui avait-il lancé.

Elle lui avait raconté comment elle avait quitté le monde artistique pour devenir employée paramédicale au bureau du *Sheriff du comté* de Los Angeles.

— Voilà un métier fort éloigné de la vie d'actrice !

— Pas tellement, avait-elle répondu. Lorsque mon équipe débarque d'un hélicoptère pour sauver un promeneur tombé dans un ravin, il me faut agir comme si je maîtrisais la situation. C'est là mon meilleur rôle.

Sanderson et le neurochirurgien de l'hôpital lui avaient alors montré les radiographies du crâne de son mari ; la partie frontale avait été brisée en éclats, qui s'étaient logés au cerveau. Ils lui avaient également fait voir l'électro-encéphalogramme. La ligne droite tracée sur le rouleau de papier indiquait l'absence de toute activité électromagnétique du cerveau : celui-ci ne fonctionnait plus, et Roger Darrow, à toutes fins utiles, avait cessé de vivre.

— L'état de votre mari correspond à la définition que Harvard donne de la mort cérébrale, lui avait expliqué Sanderson ; puis il avait commencé à énumérer les normes que la Faculté de médecine de Harvard avait, la première, adoptées.

— Je connais tout cela, avait interrompu Jeanne. Aucune respiration spontanée après trois minutes sans respirateur ; aucune réponse aux stimuli très douloureux ; pupilles fixes, dilatées ; aucune toux ; absence des réflexes nauséeux, cornéen et tendineux profond ; électro-encéphalogramme plat ; persistance de ces symptômes pendant quarante-huit heures chez un patient qui n'a pas pris de médicaments et dont la température corporelle est supérieure à trente-trois degrés Celsius.

Sanderson avait acquiescé.

— Vous devez donc savoir que, demain matin, nous allons déclarer officiellement la mort cérébrale. Après cela, la décision n'appartient qu'à vous.

Puis, seule dans la pièce au chevet de son mari, Jeanne Darrow serrait les bords de la chaise, comme pour rassembler ses propres forces. Elle se leva enfin, marcha vers le lit et se pencha sur le corps.

Roger — un mètre quatre-vingt-huit, quatre-vingt-six kilos — était superbement en forme avant l'accident. Son organisme avait livré une lutte acharnée pour rester en vie. Il aurait mieux valu pour eux deux qu'il eût été un peu plus faible et que son désir de vivre fût moins tenace. Elle ne serait pas aujourd'hui devant une décision dont elle se sentait incapable.

Lentement, comme à contrecoeur, elle abaissa le drap qui couvrait la poitrine. Les pectoraux étaient affreusement contusionnés et lacérés. Elle remarqua qu'un mois d'absence du club de santé de Beverly Hills avait déjà amaigri Roger et diminué son tonus musculaire.

Elle observa le soulèvement et la retombée mécanique du thorax, au rythme du respirateur placé à côté du lit. À part quelques poils autour des mamelons, le thorax était complètement glabre. Elle étendit la main et toucha la cage thoracique sous laquelle le coeur battait artificiellement.

— Si j'étais vous, je ne pousserais pas la curiosité plus loin, dit doucement Sanderson en entrant à nouveau dans la pièce. Elle se retourna.

— Il se peut que vous ayez du cran, mais avant que vous abaissiez le drap, je dois vous dire que ce n'est vraiment pas joli à voir.

Dans l'exercice de son métier, Jeanne Darrow avait vu des blessures par balles, des fractures multiples, des plaies sanglantes et béantes dans la chair humaine, mais elle avait toujours su prendre ses distances par rapport à ces visions d'horreur, pour se mesurer au problème du traitement d'urgence. Comme la plupart des gens qui possèdent une formation médicale, elle avait appris à faire du patient et de la blessure des abstractions.

Mais plus maintenant, pas avec son mari. Elle eut un haut-le-coeur.

Elle recouvrit le corps avec le drap, qu'elle ajusta tendrement autour du cou, juste sous les bandages qui emmaillotaient le visage. Elle entendait le rythme lent du respirateur et le signal régulier du moniteur.

Elle avala avec difficulté sa salive, à plusieurs reprises ; il fallait accepter, se disait-elle, que ce corps sculptural ne soit plus bon qu'à fournir des pièces détachées. Il n'y avait aucun espoir. Roger avait perdu tout ce qui faisait de lui un être humain. Elle décida qu'elle autoriserait le débranchement du respirateur et le prélèvement des reins pour une transplantation.

Puis, elle dut vomir.

Les reins d'une personne saine pompent chaque jour près de deux mille litres de sang. De ce flux, les reins filtrent environ deux cents litres d'eau, de glucose, de sel, de potassium, de calcium, d'urée, de créatinine, d'acide urique, d'acides aminés et de bicarbonate ; ils les renvoient dans l'organisme et n'en gardent qu'environ deux litres.

Ces matières filtrées, qui contiennent les produits chimiques non désirables et les déchets du métabolisme cellulaire, s'accumulent dans de petits réservoirs accrochés aux reins. Puis, elles descendent par les uretères jusqu'à la vessie, qui les élimine sous forme d'urine.

En quatre mois, James Whiting n'avait pas connu une seule fois le plaisir de vider une vessie pleine. Pendant tout ce temps, ses reins s'étaient complètement bloqués, et il avait vécu grâce à la machine qui nettoyait son sang ; elle lui donnait la vie en échange d'une petite parcelle de lui-même.

À onze heures trente du soir, Whiting partait pour la séance de dialyse. L'immeuble de la clinique — deux étages de pierre artificielle et de béton préfabriqué — était situé près de l'université de Boston. Trois soirs par semaine, Whiting s'y rendait pour un traitement qui durait six heures.

Il aimait cet horaire nocturne, qui lui permettait de dormir pendant le traitement et de conserver un rythme de vie à peu près normal. Au cours de la journée, il essayait de se conformer aux habitudes de vie qui avaient toujours été siennes, mais il haïssait la nuit. Il détestait s'éveiller d'un rêve où il se voyait plein de santé, pour se trouver seul dans son lit, à baigner dans une mare de sueur froide et visqueuse et à contempler les ombres du plafond. Mieux valait se réveiller dans un endroit aux murs blancs et aux lumières fluorescentes toujours allumées, où tout le monde vivait la même incertitude.

La principale clinique de dialyse était au premier : le pupitre des infirmières et quarante postes, dont chacun se composait d'une unité de dialyse, d'un fauteuil inclinable en vinyle bleu et d'un téléviseur fixé au plafond par un bras articulé.

Les habitués de la clinique étaient à la limite de l'état ambulatoire et la plupart souffraient de maladies chroniques. Un grand nombre d'entre eux, âgés, faibles ou trop malades, ne pouvaient espérer une greffe ; ils étaient promis, malgré la dialyse, à une longue et lente détérioration. D'autres, comme Whiting, attendaient l'appel téléphonique providentiel, qui leur fournirait une seconde chance. Mais l'attente probable était longue et décourageante. Des quarante mille cas traités par dialyse aux États-Unis, seulement un tiers environ étaient considérés comme de bons candidats à la transplantation. Et chaque année, seulement trois ou quatre mille recevaient un nouveau rein.

Certains patients réagissaient par le repli sur soi et la passivité. Ils avaient peu de chose à dire au personnel médical, ne faisaient aucun effort pour s'informer du processus de dialyse et, dans certains cas extrêmes, se tiraient les couvertures par-dessus la tête pour fuir tout contact personnel au cours du traitement. D'autres personnes, actives et pleines d'assurance comme Whiting, manifestaient colère et ressentiment contre leur maladie, contre les gens en bonne santé, contre l'appareil même. Ils savaient que leur vie dépendait de cette machine, qui devenait pour eux une sorte de parent autoritaire, haï pour le régime sévère qu'il imposait, et aimé — ou tout au moins respecté — pour le soutien qu'il apportait.

Suzy, l'infirmière de service le mardi soir, accueillit James Whiting à l'entrée et l'expédia au poste numéro cinq. Tandis qu'elle allait chercher le matériel nécessaire — aiguille, solution de dialysat, antiseptique — Whiting retira ses chaussures sport et ses jeans et monta sur le pèse-personne. Celui-ci indiquait quatre-vingts kilos.

— Deux kilos trois en trois jours ? s'exclama Suzy.

Celle-ci, quoique âgée de vingt-quatre ans seulement, lui rappelait sa mère.

— Votre limite est fixée à deux litres de liquide par jour, Jim. La dialyse ne peut pas en retirer plus.

Whiting sourit. Les deux bières de la nuit précédente avaient été savoureuses, l'avaient mis en verve et lui avaient procuré le sommeil. Mais, pour un tel bien-être, il allait souffrir.

La main sur la hanche, Suzy lança :

— Bon, combien de liquide avez-vous absorbé aujourd'hui, y compris le *Jell-O* ?

— Je ne mange jamais de *Jell-O*. Impossible d'ingurgiter un machin qui tremblotte dans la cuiller.

Elle se mit à rire et le fit asseoir.

Il s'étendit sur le fauteuil inclinable et tendit le bras gauche.

— Vous commencez par me gronder, ensuite vous m'infligez cette torture.

Elle lui attacha le bras au fauteuil.

— Mais ce n'est qu'une douleur bien légère, ma chère, poursuivit-il. Petite douleur est bonne pour le corps et l'esprit et nous rend avides de sensations plus fortes.

— Vous avez encore lu cet écrivain français pervers, n'est-ce pas ?

Suzy repère sur l'avant-bras le petit noeud, appelé fistule, où l'artère radiale et la veine céphalique avaient été reliées par une opération chirurgicale. Elle plaça son stéthoscope sur la fistule, pour bien entendre ce bruit particulier, semblable à un écoulement rapide, que faisait le sang en passant directement de l'artère à la veine. Puis, elle aseptisa le bras et serra le tourniquet.

— Nous devons profiter de tout ce qui nous aide à vivre avec notre douleur, et remercier Dieu de tout ce qui nous aide à en jouir, dit Whiting. Le marquis de Sade, à l'époque où il devenait le père de votre arrière-arrière-grand-mère, a conçu une philosophie sur la jouissance qu'on peut tirer de la douleur.

L'infirmière introduisit l'aiguille. Whiting tressaillit de douleur. L'aiguille perça la fistule et, dès le premier essai, pompa du sang artériel. Whiting refusait toujours l'anesthésie locale, sachant que la fistule durerait plus longtemps sans piqûre de novocaïne. Il détourna le regard jusqu'à ce qu'il entendit le bruit sec que faisait l'infirmière en déchirant le ruban adhésif qui allait tenir l'aiguille en place.

Quelques moments plus tard, James Whiting sentit la fraîcheur familière irradier dans son bras, et il regarda sa propre substance couler par le tube de plastique, dans le serpentin du dialyseur.

L'infirmière partie, Whiting s'allongea, écoutant le battement rythmé de la pompe à sang et le murmure de l'unité de filtrage. L'un et l'autre s'étaient fondus au bruit confus dont bourdonnait sa tête. Rumeur lointaine, toujours présente malgré ses contours indéfinissables, et qui devenait plus nette au fur et à mesure qu'il glissait vers l'inconscience. Certains patients, en s'endormant, entendaient les vagues de l'océan. D'autres les bruits de la ville. Couché à la clinique ou dans son lit, ou assis devant sa table de travail, Whiting entendait les bruits de la dialyse. Cependant, il évitait de regarder l'appareil, tant que les bruits de celui-ci ne lui avaient pas apporté la détente. Car ils avaient quelque chose d'utérin, et Whiting éprouvait toujours un certain choc à se sentir relié par le cordon ombilical non pas à un être de chair et de sang, mais à une tuyauterie d'acier inoxydable.

James Whiting ne s'était jamais intéressé aux sciences physiques ou au fonctionnement d'appareils comme le dialyseur à serpentin. À l'école secondaire, il n'arrivait pas à mordre aux cours de science ; il avait fini par choisir un cours unique de géologie, surnommé « Des cailloux pour les cancres », pour satisfaire aux exigences du programme de sciences donnant accès au diplôme.

À Harvard, il avait étudié la littérature et la musique. Pour sa distraction, il écrivait des poèmes humoristiques. Il avait fourni au *Harvard Lampoon* des pastiches d'écrivains célèbres. Il avait en outre collaboré à la rédaction de sketchs pour un spectacle du « Hasty Pudding Club ». C'était, sous le titre de *I want to hold your gland*, une parodie de groupes rock anglais, un tissu de calembours et de mauvais jeux de mots. Le spectacle devait son énorme succès à la tradition qui l'entourait.

Jim ne s'était préoccupé de sciences que le jour où sa propre chimie sanguine était devenue souci quotidien. À présent, il essayait d'acquérir le maximum de connaissances sur le fonctionnement des reins, la composition chimique du sang et la technique de l'hémodialyseur. Il connaissait tous les accidents qui pouvaient entraîner sa mort au cours de la dialyse, depuis l'infection de la fistule jusqu'à l'hémorragie due au mauvais fonctionnement du serpentin du dialyseur. Il savait combien faibles étaient les chances de survie dans de tels cas, mais connaissait les mesures à prendre.

Il regarda le dialyseur. Son propre sang s'écoulait de son artère, passait à travers le serpentin et la solution épuratrice, pour revenir à la veine. Un peu de lui-même, de sa substance intime, était livré à cet appareil. Mais il se sentait en sécurité. Il éteignit la lumière au-dessus du fauteuil et s'abandonna au sommeil. Inexplicablement, il dormit cette nuit-là à poings fermés, comme si son corps avait prévu ce qui allait se passer. Il se réveilla vers six heures du matin, soulagé à défaut de se sentir frais et dispos.

Il rentra chez lui en taxi, prit une douche et se prépara un petit déjeuner: oeufs brouillés saupoudrés de gruyère râpé, toasts, jus d'oranges et café — dosant tout selon les exigences de son régime alimentaire. Il mit son déjeuner sur un plateau et l'apporta à sa chambre. Il s'assit dans le fauteuil voisin du lit et alluma la radio. C'était l'émission *Musique du matin*, qu'animait Robert J. Lurtsema. La dépression contre laquelle Whiting luttait depuis plusieurs jours commençait à se dissiper, comme après chaque séance de dialyse. Il humait le parfum des lilas qui fleurissaient le petit jardin sous sa fenêtre. La spiritualité et la précision d'un *Concerto brandebourgeois* de Bach le remplissait d'un sentiment d'harmonie et d'espoir.

Comme il avançait la main vers son verre de jus d'oranges, le téléphone sonna. Whiting interrompit son geste à mi-chemin. Deuxième sonnerie. Il consulta sa montre: sept heures trente-cinq. Son coeur se mit à battre à grands coups. Personne, pas même sa mère, ne l'appelait avant huit heures.

Il s'essuya les mains à sa serviette et jeta un coup d'oeil à son nécessaire d'hôpital, cette valise qu'il tenait prête sur une tablette de son placard. Elle contenait pyjamas, robe de chambre, pantoufles, crème à raser, rasoir, brosse à dents, ainsi que plusieurs romans qu'il avait toujours désiré lire. Le nécessaire se trouvait là depuis que, à la Banque d'organes, le nom et les coordonnées vitales de Whiting avaient été portés sur la liste d'attente de l'ordinateur.

Il décrocha le récepteur.

— Allô!

— Jim? C'est le docteur Stanton à l'appareil.

Et Whiting comprit que, cette fois, ça y était. Ses mains se mirent à trembler.

— Qu'est-ce qui se passe?

— Nous avons trouvé un donneur.

— Un donneur?

La voix de Whiting se brisa. Il avala sa salive et tenta de baisser d'une octave :

— Un donneur ?

— Nous pensons que oui, déclara Stanton comme s'il parlait de la pluie ou du beau temps.

— Quand ? demanda Whiting. Quand est-ce qu'on y va ?

— Calmez-vous. On n'a même pas encore reçu le rein, et à son arrivée il nous restera encore à faire les dernières vérifications. Le donneur est actuellement en salle d'opération. Cependant, ayant su la nuit dernière que le rein allait être mis à la disposition de la médecine, on a confié à l'ordinateur le groupe sanguin et l'antigène d'histocompatibilité.

— Quand est-ce qu'on y va ? répéta Whiting.

— Du calme, Jim. L'ordinateur a craché votre fiche et celle de trois autres personnes. Votre nom est le premier sur la liste d'attente, et c'est vous qui habitez le plus près du donneur, poursuivit Stanton. Alors, si les dernières vérifications indiquent que les tissus sont compatibles, vous recevrez un nouveau rein demain matin. Et un rein unique marche aussi bien que deux.

L'espace d'un instant, James Whiting fut envahi d'un sentiment de culpabilité. Certains patients attendaient pendant des années un rein que leur système pût accepter. Un grand nombre d'entre eux mouraient avant qu'on trouvât un donneur. Whiting, lui, n'avait attendu que quatre mois. Mais tout était une question de chance. James Whiting avait eu la déveine d'être terrassé par une maladie appelée glomérulonéphrite, puis la chance que meure quelqu'un dont le système ressemblait au sien.

— Quand a eu lieu votre dernière dialyse ? demanda Stanton.

— Elle vient juste de se terminer.

— Et votre dernière transfusion ?

Depuis plusieurs mois, on donnait à Whiting des transfusions sanguines pour aider à préparer son système immunitaire à l'implantation d'un organe étranger.

— Il y a une semaine.

— Bien. Très bien. Avez-vous pris votre petit déjeuner ?

— Je suis en train de manger.

— Que ce soit votre dernier repas.

À l'autre bout du fil, Whiting eut un petit rire.

— Je veux parler d'aujourd'hui, Jim, aujourd'hui seulement. Dans un mois, vous pourrez manger des frites et boire de la bière jusqu'à en éclater ; tant que vous n'aurez pas de problèmes de reins, je n'y verrai rien à redire. Pour le moment, restez près du téléphone. S'il y a un ennui, je vous appelle aussitôt.

— Tout ce que je vous demande, c'est d'obtenir ce rein le plus vite possible.

Stanton raccrocha.

Whiting resta assis un moment à regarder la vapeur qui tourbillonnait au-dessus des oeufs. Puis, il se leva lentement et lança un long, un irrésistible cri de joie.

6

A onze heures ce matin-là, deux reins fraîchement prélevés arrivèrent à l'aéroport de Boston, à bord d'un avion privé. Ils étaient placés dans une machine Belzer à perfusion, qui les gardait au frais et y faisait circuler un flux régulier de plasma afin de préserver leur système vasculaire. Un technicien médical, chargé de veiller sur eux, leur fit traverser Boston à toute allure, jusqu'à la New England Organ Foundation. Là on mélangea au sérum sanguin de Whiting un échantillon des globules blancs du donneur. Si l'on constatait l'apparition d'anticorps dans le sérum, la transplantation ne pourrait avoir lieu, car le système immunitaire du receveur rejetterait immédiatement l'organe. Si, au bout de quelques heures, aucun anticorps n'apparaissait, on procéderait à la transplantation.

À l'arrivée des reins à Boston, le docteur Jason Sanderson, à titre de chef de l'équipe régionale de transplantation pour la côte du Maine, faisait les cent pas avant la conférence de presse organisée à son hôpital de Rocktown, dans le Maine ; on allait y annoncer la mort de Roger Darrow, producteur du fameux feuilleton télévisé *Flint*. Quoiqu'il ait eu largement le temps d'enfiler son complet, il avait gardé la blouse verte du chirurgien qu'il avait portée au cours du prélèvement des reins, et qui, pensait-il, lui donnait un air plus solennel.

Jeanne Darrow n'accorda aucune entrevue à la presse. Elle attendait dans une autre partie de l'hôpital, en compagnie de John Meade. Elle portait la même robe de tricot vert qu'à son départ de Los Angeles et avait les yeux très cernés. John Meade paraissait frais et détendu dans son blazer bleu et son pantalon gris.

Il suggéra à Jeanne de rencontrer Andrew MacGregor, de passer la nuit à Brisbane Cottage et de retourner à Los Angeles le lendemain matin. Elle refusa, alléguant son désir de rentrer chez elle dès après l'autopsie et l'incinération.

Elle n'avait aucune raison de s'attarder dans le Maine. Elle se savait en état de choc, malgré le calme avec lequel elle avait agi jusqu'à présent. La compagnie d'amis et de membres de sa famille lui était plus nécessaire qu'une nuit de sommeil dans la chambre d'invités d'Andrew MacGregor. Cela avait été une erreur, pensait-elle, de venir seule dans le Maine. Mais personne n'aurait pu rendre sa décision moins déchirante.

Sanderson entra dans la pièce, et Jeanne se leva.

— Tout s'est très bien passé, dit Sanderson après un moment de silence maladroit. Si nous pouvons faire quelque chose pour vous...

— Vous le pouvez, répondit-elle avec fermeté. Je désirerais être informée de ce qui arrive aux reins.

— Certainement. Nous vous dirons quand et où ils ont été transplantés, dit Sanderson. Et si vous en exprimez le désir, nous vous informerons de l'état des receveurs.

— C'est tout ?

Jusqu'à ce moment, Jeanne n'avait pas pensé au-delà de la chirurgie.

— Est-ce à dire que ce qui reste de mon mari va fonctionner sur une personne dont je ne connaîtrai même pas l'identité ?

— Une greffe rénale est toujours un coup de dé, dit Sanderson d'un ton sec. La probabilité que les receveurs rejettent les reins de votre mari est de 50 pour cent. Vous risquez d'être très déçue d'un échec. Si vous connaissez personnellement l'un des receveurs, votre colère pourrait se tourner contre lui, qui n'aurait pas accepté le don de votre mari.

— C'est ridicule, dit Jeanne.

— D'un autre côté, poursuivit Sanderson, si la greffe réussit, le receveur aura envers vous une dette à vie. Et peut-être attendrez-vous de lui des choses que vous ne demanderiez pas à votre meilleur ami.

— Ridicule, répéta Jeanne.

Sanderson hocha la tête avec solennité.

— Je suis désolé, madame Darrow, mais le corps médical est unanime là-dessus.

Jeanne jeta à Meade un regard suppliant. Meade se plongea les mains dans les poches.

— Ce sont les ordres du médecin, madame Darrow. Je ne peux vous aider.

Jeanne n'avait plus la force de poursuivre la discussion; du reste, elle n'était pas sûre que cela en valût la peine. Elle reconnaissait dans son soudain attachement aux reins de son mari une tentative irrationnelle pour garder en vie ce dernier. Mais il était mort. C'était là tout ce qui importait. Elle marcha vers les fenêtres, s'entoura de ses propres bras et commença à se balancer d'avant en arrière. Elle voulait rentrer chez elle.

James Whiting essayait de se rappeler une prière apprise aux leçons dominicales de l'église épiscopale Saint James. Tout ce dont il put de souvenir c'était : « À présent, je me couche et m'endors. » Comme prière, c'était suffisant et il la laissa résonner dans sa tête tandis que la civière roulait en douce vers l'ascenseur.

L'essai de compatibilité s'était révélé négatif. James Whiting se dirigeait vers la salle d'opération. Enfin.

Et il avait peur. Comme quiconque s'en va en chirurgie, même pour une intervention mineure, et quelque confiance qu'on voue à son chirurgien.

James Whiting savait que, si tout allait bien, il vivrait une nouvelle vie. Mais au préalable, il devait souffrir une petite mort. Trois heures d'insenbilité, d'un sommeil sans rêve, tandis que des hommes armés de scalpels lui ouvriraient le corps et lui scruteraient les entrailles.

Et s'ils commettaient quelque erreur ? S'ils trouvaient quelque chose d'imprévu ? Si on lui administrait trop de gaz ? Il pourrait se réveiller privé de raison. Ou ne pas se réveiller du tout.

Sa mère et sa soeur l'avaient embrassé avant que le garçon de salle ne roulât la civière dans le corridor. À présent, l'une des infirmières de la salle d'opération lui parlait doucement, essayant d'apaiser la peur que, il le savait, elle pouvait lire dans ses yeux. Mais il ne s'était jamais senti aussi seul.

Sous le drap de la civière, il était nu et tous ceux qui passaient dans le corridor — docteurs, infirmières, patients, visiteurs — semblaient l'étudier comme une pièce de quelque musée de la médecine. Un bref instant, il se demanda si on voyait à travers le drap ses parties génitales.

Puis s'ouvrirent les portes d'acier de l'ascenseur. L'échéance approchait. Il sentit le saut que fit l'ascenseur lorsque le véhicule y pénétra. L'estomac de Whiting se contracta lorsque l'ascenseur amorça la descente. À ses côtés, l'infirmière poursuivait son murmure. Les autres passagers avaient les yeux braqués sur lui, même si leurs visages feignaient l'indifférence. Leur attitude était plus discrète que celle des gens qu'il avait observés dans le corridor ; mais tous — il en était sûr — se félicitaient de n'être pas à sa place sur la civière.

Le temps d'un éclair, il éprouva contre eux tous une grande rancoeur. On était dans un hôpital, nom de Dieu ! N'avaient-ils jamais vu un patient en route pour la chirurgie ?

À chaque arrêt que l'ascenseur faisait pour laisser un passager, le coeur de Whiting cessait de battre. Puis à chaque démarrage, il cognait à se rompre. La descente semblait interminable et l'injection de démérol administrée dans la chambre n'avait pas encore commencé à agir.

La civière quitta enfin l'ascenseur et roula dans un court corridor. Whiting entendit le bourdonnement d'un moteur électrique déclenchant l'ouverture d'une porte à deux battants. De l'autre côté, la civière déboucha dans une zone d'air frais, conditionné et, semblait-il, saturé d'oxygène.

Pendant un moment, la peur qui tenaillait la poitrine de Whiting relâcha son étreinte. Peut-être était-ce l'effet du démérol ou le simple changement d'air, mais il se sentait soulagé, presque détendu. Il avait atteint le saint des saints, le bloc chirurgical Morton. Bientôt, il connaîtrait son avenir.

C'était un monde étrange, dont les habitants portaient des uniformes verts, des chapeaux bizarres, des masques; leurs souliers étaient recouverts de papier. Mais le démérol faisait son effet et Whiting commençait à se sentir chez lui dans le bloc chirurgical. Des chaussures recouvertes de papier? pensa-t-il. Bouillies avec un peu de sauce piquante, elles ne dépareraient pas un menu chinois de Hu-nan.

La civière s'arrêta devant une cabine de verre. À l'intérieur, une infirmière était assise à un pupitre tandis que plusieurs autres, en tenue chirurgicale, consultaient des tableaux ou faisaient la conversation. Pendant que son infirmière posait une question à la surveillante, Whiting laissa errer son regard vers le plafond. Quelque chose était collé là-haut, juste au-dessus de lui. Whiting se prit à loucher.

Une affiche représentant une face de roger-bontemps étalait un large sourire à l'intention de chaque patient qui passait en civière près du poste: disque jaune cerné d'une ligne noire, deux yeux noirs, une bouche aux commissures relevées et, en-dessous, le mot « Souriez! »

— Souriez mon cul! grommela Whiting.

L'infirmière baissa les yeux sur lui.

— Qu'avez-vous dit, monsieur Whiting.

— Souriez, mon cul. Et du regard il désignait le plafond. Après cela, vous allez me susurrer qu'aujourd'hui est le premier jour de ma nouvelle vie.

— Ce sera peut-être vrai.

Whiting entendit une voix familière et sentit sur son épaule la main du docteur Joseph Stanton. Levant les yeux, il aperçut le visage amical.

Stanton était dans la quarantaine avancée, forte carrure, mains en battoirs et cheveux bruns en broussailles recouverts d'un bonnet de chirurgien. Dans l'équipe de Yale, où il avait joué à la défense, son mètre quatre-vingt-treize et ses quatre-vingt-quinze kilos lui avaient valu le surnom de « l'Ours ». À présent, il pesait cent quatre kilos et il sentait toujours quelque hypocrisie à conseiller à ses patients de perdre du poids.

Mais James Whiting aimait la carrure de Stanton. Il se sentirait en sécurité en s'abandonnant à la puissante étreinte de l'Ours.

— Vous avez un rein qui vous attend, Jim, alors allons-y.

— Très bien, répondit Whiting, mais ne me demandez pas de sourire.

Il se sentait somnolent à présent et n'était pas sûr de ne pas divaguer.

— Pas besoin de sourire, répondit Stanton.

Il ajusta son masque et donna une grande tape sur le flanc de la civière.

— Viens-t'en.

Franchissant des portes battantes, on poussa Whiting jusqu'à la salle d'opération n° 5. Là, tout était tranquille, paisible. Le silence du tombeau, pensa Whiting. Il préférait décidément le brouhaha du poste des infirmières.

Les seules textures qu'on pût percevoir étaient la surface lisse de l'acier inoxydable et la rugosité uniforme du ciment peint en vert clair. On entendait les machines bourdonner, siffler et pomper. On voyait s'allumer des voyants, danser des oscilloscopes et glisser des infirmières occupées à préparer la salle. Les unes comptaient les instruments. D'autres arrangeaient les tables et les plateaux. D'autres encore empilaient du linge chirurgical sur la table d'opération.

Au-dessus de tout cela trônait la lumière. Elle apparaissait à Whiting comme l'oeil impassible d'un cyclope mécanique, la gueule béante d'une tuyauterie étincelante et fluorescente, qui allait percer les ténèbres intérieures de son corps. Il ferma les yeux et pensa de nouveau à la prière. Les bruits de la salle d'opération lui parurent soudain distants, désagréables, mais sans guère de signification, comme le hurlement lointain d'une sirène de police par une nuit d'été.

— Jim, Jim.

Whiting ouvrit les yeux. Dans le cercle de lumière, il aperçut le visage du docteur Stanton.

— Voici le docteur Baum, l'anesthésiste, dit Stanton à travers son masque. C'est lui qui va vous endormir.

Un autre visage s'interposa entre Whiting et la lumière.

— Il est si ennuyeux que ça ? marmonna Whiting.

L'anesthésiste se mit à rire et fit une piqûre à Whiting.

— Seulement pour ses patients, glousa Stanton d'un ton ironique. Et pour ses amis.

— Alors, *O.K.*

Whiting ferma à nouveau les yeux.

— Demandez-lui seulement de changer l'huile et de permuter les pneus.

Et ce fut tout ce dont Whiting put se souvenir.

Après l'autopsie, le médecin légiste, à la demande personnelle d'Andrew MacGregor, avait rendu le corps immédiatement. Son rapport préliminaire déclarait que les blessures de Roger Darrow avaient été infligées par l'explosion et qu'il n'avait pas l'intention de demander une enquête.

Un corbillard avait transporté le corps au Crématorium Hanson, à Rocktown, tandis que Jeanne Darrow et John Meade suivaient dans une limousine noire. Jeanne avait décidé de suivre les instructions de son mari. À sa mort, avait-il dit un jour, il désirait être incinéré immédiatement, sans fanfares ni funérailles; plus tard, quand serait apaisée la douleur de ses proches, on honorerait sa mémoire au cours d'un service religieux. Jeanne n'avait pas jugé utile de transporter à l'autre bout du pays le corps mutilé, à seule fin de l'incinérer à Los Angeles.

Si incroyable que cela lui parût, la petite boîte contenant les cendres était nichée au fond de son sac de voyage. Jeanne essayait de chasser cette pensée, tout en s'installant dans le Boeing de la TWA, pour le départ de 17 heures qui reliait Boston à Los Angeles.

On servait le dîner, pour lequel Jeanne avait commandé du flétan cuit au four. Elle avait grand-faim, n'ayant presque rien mangé depuis deux jours. Elle pressa sur son poisson un jus de citron, dont elle huma la fraîcheur. Tout à coup, elle eut l'appétit coupé et une fois de plus les larmes lui vinrent aux yeux.

Le soir qui avait précédé le départ de Roger Darrow, celui-ci avait préparé l'un de leurs repas favoris: du mako grillé au beurre citronné et garni de citrons fraîchement tranchés. Et voici que, dans la cabine du 747, l'odeur du citron déclenchait le retour sur cette soirée passée un mois plus tôt.

Roger avait dressé la table près de la piscine, dans le crépuscule profond du Pacifique. Jeanne avait allumé des bougies et préparé une salade de laitue et de concombres frais. Roger paraissait détendu, en paix avec lui-même, et elle avait espéré que leur relation commence à s'améliorer.

Le calme était revenu entre eux après un an et demi de bouleversements. Au coeur de leur mésentente, il y avait eu leur incapacité de concevoir un enfant et, par la suite, l'attirance que Roger Darrow avait éprouvée pour une jeune actrice nommée Miranda Blake. Pendant six mois, il avait entretenu une liaison avec elle et Jeanne avait contre-attaqué rageusement en prenant elle-même un amant. Miranda rentrée à New York, Roger et Jeanne Darrow étaient revenus l'un vers l'autre. Le nouveau travail de Jeanne avait apporté à celle-ci renouvellement et satisfaction. Roger avait commencé à élaborer de nouvelles idées pour un feuilleton destiné à remplacer *Flint,* dont les cotes d'écoute avaient finalement baissé.

Jeanne s'était efforcée de voir dans leurs retrouvailles printanières un temps de renouveau et d'espoir. Mais elle avait perçu, sous le calme apparent de son mari, l'agitation, la frustration, l'incertitude face à l'avenir. Il avait eu presque tout, pensait-elle, mais il n'avait jamais appris l'art d'être heureux.

Au cours de cette dernière soirée, ils avaient mangé tranquillement, en écoutant la rumeur nocturne de Pacific Palisades et, sur le magnétophone, le saxo ténor de Georgie Auld. Ils avaient partagé une bouteille de chablis, produit d'un vignoble californien. Puis, dans l'euphorie d'une fin de repas, Roger avait annoncé sa décision de partir pour un long voyage.

Il lui avait expliqué que, depuis des années, il rêvait de traverser le pays avec, pour seul bagage, sa caméra et ses idées, d'où sortirait un documentaire sur les États-Unis. L'incroyable expansion des réseaux de télédistribution à travers le pays lui fournissait, disait-il, un sujet en or. Et il centrerait celui-ci sur l'énigmatique personnage d'Andrew MacGregor, dont les concessions de télédistribution s'étendaient d'un océan à l'autre. Il avait besoin, expliquait-il, de changer l'orientation de sa carrière et de sa vie, et ce voyage lui donnerait l'occasion de réaliser ce double objectif.

Alors, naïvement — presque stupidement, pensait-elle avec le recul — elle avait offert de l'accompagner. Il lui avait répondu, sans changer le ton de sa voix ni l'expression de son visage, qu'elle était l'une des causes de son départ et qu'il n'était pas sûr de revenir auprès d'elle.

Au cours de leur vie commune, son mari s'était montré tantôt romanesque et passionné, tantôt égocentrique et cruel. Il l'avait blessée et elle lui avait rendu la pareille. Peu importait qu'il revînt ou non, avait-elle répondu ce soir-là. Roger était parti sur-le-champ, et ils ne s'étaient jamais dit adieu.

Elle aurait aimé pouvoir revivre cette soirée, revivre les années avec lui. Mais il était mort et seules restaient de lui les bandes vidéo enregistrées au cours du voyage. Elle souffrirait aussi longtemps de son départ que de sa mort.

Les infirmières soulevèrent le corps de James Whiting et le déposèrent sur la table d'opération. L'anesthésiste plaça dans la trachée-artère le tube qui allait pomper de l'oxygène et de l'oxyde nitreux dans les poumons de Whiting. Une infirmière introduisit dans le pénis un cathétère de Foley, par lequel on injecterait une solution antibiotique pour nettoyer la vessie.

Jerry Haller, l'infirmier affecté au nettoyage des instruments, achevait de compter les éponges et les instruments qu'il passerait à Stanton au cours de l'opération ; à la fin de celle-ci, il recompterait les instruments utilisés et les éponges sanglantes, pour s'assurer que rien ne soit laissé dans le corps du patient.

Dans la salle de nettoyage, voisine de la salle d'opération, se trouvaient le docteur Stanton, son adjoint le docteur Richard Hoffman, ainsi qu'un jeune médecin stagiaire et un interne ; du coude jusqu'au bout des doigts, tous étaient badigeonnés d'un savon antiseptique. L'interne allait assister à sa première opération et le médecin stagiaire à sa première greffe rénale. Stanton percevait leur nervosité. Lui-même en ressentait quelque peu. Il est toujours bon, pensait-il, de se sentir nerveux avant une opération chirurgicale, comme un athlète avant une compétition.

Dans la salle d'opération, les infirmières aidèrent Stanton et les autres à revêtir leurs blouses et leurs gants. Le docteur Hoffman prit un tampon de gaze, le trempa dans une solution antiseptique et en bagigeonna l'estomac de Whiting, dont la peau prit la teinte orangée d'un cuir. On étendit des champs stériles autour du corps de Whiting et tout fut prêt pour l'opération.

Le docteur Stanton se tenait d'un côté de la table, avec l'interne à sa droite et, à sa gauche, Jerry Haller et les instruments.

Hoffman et le médecin stagiaire se tenaient de l'autre côté du patient. Stanton regardait Haller. Celui-ci avait fait quatre ans de service dans une unité mobile — une « MASH » au Viêt-nam ; il était depuis trois ans le meilleur infirmier que Stanton ait eu comme préposé aux instruments. Sans un mot, Stanton tendit la main, et Haller y déposa un scalpel.

La lame, effilée comme un rasoir, traça un demi-cercle sur l'abdomen de James Whiting, où elle laissait un mince trait rouge. Avec un tampon de gaze, le docteur Hoffman essuyait le sang qui perlait le long de l'incision. Puis, Stanton et Hoffman exercèrent une pression légère sur les côtés de la coupure, et, ouvrant celle-ci, dévoilèrent la fine couche de graisse jaune située en dessous.

Stanton réclama le couteau électrochirurgical, qu'on utilise pour entailler les couches tissulaires et cautériser les vaisseaux sanguins. De la pointe du couteau, il toucha l'un des vaisseaux principaux, dont le sang s'écoulait dans l'incision. L'extrémité du vaisseau grésilla en dégageant une petite bouffée de fumée. Hoffman désigna un autre vaisseau, que Stanton cautérisa. Stanton grimaçait un peu, à cause de la fumée qui s'élevait de l'incision et qui répandait une odeur de chair brûlée semblable à l'odeur âcre des cheveux roussis à la flamme d'une bougie.

— Nous devons atteindre la veine iliaque externe et l'artère iliaque interne, dit-il à ses jeunes assistants. Nous allons mettre environ une heure pour y parvenir et préparer les vaisseaux à l'anastomose.

Il toucha de son couteau électrique un autre vaisseau sanguin, qui grésilla.

— Nous plaçons le rein à l'avant de l'abdomen, à l'extérieur du péritoine, pour le rendre plus accessible. S'il y a rejet et que nous devons ouvrir à nouveau pour enlever le rein, nous n'aurons pas à aller trop loin.

Stanton jeta un coup d'oeil à l'anesthésiste :

— Comment va-t-il ?

— Bien.

— Fais en sorte qu'il continue à rêver d'une bonne et longue pisse.

Des rêves, Jeanne Darrow n'en faisait guère à bord de l'avion de la TWA, en route vers Los Angeles. Elle avait picoré son repas du bout des lèvres, avait demandé un oreiller et une couverture et s'était roulée en boule pour dormir. Mais en avion elle ne parvenait pas à bien dormir. Tout au plus se laissait-elle gagner par une sorte de somnolence, mi-sommeil et mi-veille, bercée par la monotonie mais troublée par le bruit des moteurs. Dans son agitation, elle restait assez consciente de ses pensées pour ne pas y voir des rêves, mais les sentait se dérouler dans l'incohérence propre au subconscient. Elle vit le visage de son mari, la dernier soir près de la piscine. Elle vit le citron qu'elle avait pressé sur le poisson. Elle vit le bandage qui entourait la tête de son mari. Elle vit l'homme qui, revêtu d'une blouse verte de chirurgien lui avait déclaré terminée la vie de son mari. Elle vit la formule qu'elle avait signée pour autoriser le prélèvement des reins. Elle se vit elle-même, vêtue de noir.

Puis, Jeanne Darrow s'assit, complètement réveillée. L'acceptation de la mort, de la séparation irrémédiable, faisait lentement son chemin, par petites étapes douloureuses. Jeanne venait juste de franchir l'une d'elles. Elle s'était vue sous les traits d'une veuve.

Elle regarda par le hublot et aperçut des pâturages. On était quelque part au-dessus du Midwest. Elle se demanda si son mari avait trouvé réponses à ses questions au milieu de ces champs de blé et de ces petites villes, ou si, à son arrivée sur la côte du Maine, il était dans le même état de confusion et de frustration qu'à Los Angeles.

Elle se demanda où étaient rendus les reins de Roger Darrow. En un sens, c'était l'héritage qu'il laissait. Elle trouvait quelque ironie à la pensée que ces reins, censés redonner vie à deux personnes, puissent transmettre à celles-ci la perpétuelle insatisfaction qu'avait connue Darrow.

Cela faisait bien une heure et demie que l'abdomen de James Whiting était ouvert. Les champs stériles s'étaient bordés de rouge. Les instruments étaient posés sur l'estomac, près de l'incision, afin que le chirrugien puisse les saisir rapidement. Les couches de peau, de graisse, d'oponévrose et de muscle résistaient aux écarteurs. Les organes intérieurs, encore enveloppés de la fibre blanche et luisante du péritoine, paraissaient agités de soubresauts de colère, comme une famille d'animaux dont le terrier aurait été envahi.

Le docteur Stanton et son assistant avaient repéré l'artère iliaque interne, l'avaient soulevée de son lit tissulaire et, la pinçant, l'avaient sectionnée à l'endroit où ils allaient la raccorder à l'artère rénale. Puis, ils avaient préparé de même la veine iliaque externe.

Stanton leva les yeux vers l'horloge. Il lui semblait que seulement quelques minutes s'étaient écoulées. Il avait eu vaguement conscience des questions que le jeune médecin stagiaire et l'interne lui avaient posées ; il leur avait répondu par automatisme, de cette voix venue comme d'un autre chirurgien, qui regarderait par-dessus son épaule et commenterait avec calme le travail que les mains du vrai Joseph Stanton effectuaient dans les entrailles du patient.

La radio diffusait la sixième symphonie de Tchaïkovski, la *Pathétique*. Stanton aimait cette présence de la musique dans la salle d'opération. Elle estompait les autres bruits : cliquetis des instruments qu'on passait de la table au patient, chuchotements des infirmières qui allaient et venaient, rythme régulier du respirateur, entrées et sorties des étudiants en médecine et des autres visiteurs de la salle d'opération et, en fond sonore, ce bourdonnement sourd qui lui semblait être la respiration même de l'hôpital.

Il fit un pas en arrière :

— Nous sommes prêts.

« Pour clore le concert Tchaïkovski de cet après-midi, déclamait à la radio une voix distinguée, nous entendrons maintenant l'*Ouverture 1812* ».

Stanton regarda la radio :

— Pas ici, pas question ! Je n'ai jamais opéré au bruit des canons et je n'ai pas l'intention de commencer ça.

Il ordonna à l'infirmière de fermer la radio.

Puis il ouvrit la machine à perfusion, débrancha les vaisseaux rénaux et glissa les mains sous le rein. Il souleva doucement celui-ci et le posa dans une cuvette en acier remplie de glace concassée et de sérum.

— Voici un organe vivant, messieurs, dit-il sans se retourner. Il semble peut-être gris et sans vie, mais c'est le plus complexe des systèmes de filtration que l'on connaisse.

Il rapporta la cuvette à la table d'opération et, le regard tourné vers l'interne et le jeune stagiaire, lança :

— C'est ici que commence notre vrai boulot !

L'étape décisive de l'intervention chirurgicale allait s'ouvrir. On appelle « délai ischémique chaud » l'intervalle entre le moment où le rein est retiré de la machine à perfusion et celui où il commence à accueillir le sang du receveur. Tout au long du travail des chirurgiens, la température du rein s'élève sans que ses cellules soient nourries. Plus le délai ischémique se prolonge, plus s'accroît le risque de complications ou d'échec.

— C'est moi qui ferai la plupart des points, dit Stanton. J'utiliserai surtout des sutures à la soie 5.0. Pendant que je poserai les points, le docteur Hoffman maintiendra ensemble les vaisseaux sanguins, afin que la suture n'exerce pas une pression trop grande sur le tissu vasculaire. Les mots-clefs à ne pas oublier sont *rapidité mais prudence.* Et si nous avons à choisir entre les deux, nous devons faire un compromis et agir *à la fois* avec rapidité et prudence.

Le silence emplit la salle, troublé seulement par le battement du respirateur et le signal du moniteur cardiaque. Stanton s'assura que chacun était à son poste, puis, s'adressant à une infirmière ambulante :

— Déclenchez le chronomètre.

Sur le mur, face à Stanton, se trouvait un grand chronomètre, dont les trois aiguilles étaient à zéro. L'infirmière actionna une manette et la seconde aiguille commença sa course.

— Je veux ouvrir les pinces dans moins de trente minutes, dit Stanton.

Il plongea les mains dans la cuvette, retira le rein du sérum et l'enveloppa dans une serviette chirurgicale. Il le plaça sur l'abdomen de Whiting, à côté de l'incision.

— Allons-y, dit-il.

Après quoi il parla le moins souvent possible.

— Suture. Succion. Soie 5.0. Une autre. Forceps à angle droit, s'il vous plaît. Passez-moi le rein. 5.0. Suture. 5.0. Ciseaux. À vous la suture, docteur. Bon. Prenez la suivante. Succion. 5.0. Succion. Attachez. 5.0. Encore une. 5.0. Angle droit. Succion. À vous le rein, docteur. 5.0. Succion. Attachez. 5.0. Succion. Ciseaux. Bon. On l'a fait en 23 minutes.

— Bon, répéta-t-il après un coup d'oeil à l'horloge.

Les artères et les veines avaient été complètement anastomosés. Le rein, livide et sans vie en comparaison des tissus rouges qui l'entouraient, était posé au sommet de l'incision, comme une lettre prête à glisser dans une enveloppe. L'uretère, long et jaune, gisait sur le champ stérile à côté du rein.

— Nous sommes prêts à enlever les pinces, annonça Stanton.

Des pas glissèrent autour de la table d'opération. Les jeunes médecins qui maintenaient les écarteurs changeaient de position, comme des mannequins qui se préparent à la pose suivante. Les infirmières ambulantes se voyaient assigner de nouvelles tâches. L'anesthésiste injecta trois médicaments — l'héparine, le mannitol et le lasix — dans le tuyau n° 4 de Whiting. Et Joseph Stanton prit une profonde respiration.

Même après des centaines de greffes rénales, ce moment-ci est toujours excitant, pensait Stanton. Il annonça qu'il relâchait la pince de la veine. Tout le monde, y compris les infirmières, se rapprocha pour regarder par-dessus son épaule.

— Vous allez voir, dit-il, un petit miracle : le mariage de la biologie et de la technologie.

Il enleva la pince hémostatique de l'artère iliaque. Le sang commença à affluer dans le rein. La masse grise se mit à gonfler, à vibrer, à battre au rythme de la vie qui l'emplissait, à se réveiller de sa mort passagère. Le gris se teintait de pourpre. La couleur se répandait à travers le rein. La couleur et, avec elle, une nouvelle vie pour le patient allongé sur la table.

Stanton enleva la seconde pince hémostatique, puis observa les jeunes stagiaires. Ils s'efforçaient ordinairement d'afficher l'espèce de professionnalisme détaché, presque nonchalant, coutumier aux hommes de l'art. Mais, au-dessus du masque chirurgical, ils avaient les yeux écarquillés.

Stanton avança la main et toucha le rein.

— Il en rosit de contentement, dit le docteur Hoffman.

Jerry Haller se mit à rire :

— C'est ce que dit l'obstétricien lorsque le bébé arrive tout bleu, et absorbe sa première dose d'oxygène.

— Précisément, dit Stanton.

Il jeta encore un coup d'oeil à l'interne et au stagiaire. Tous deux observaient la couleur du rein, qui devenait de plus en plus vive. Après un bon moment de silence, il dit :

— Bien, ce rein nous a fait à tous une forte impression. À présent, ficelons cet uretère et installons le patient sur un bassin de lit.

Il demanda qu'on injecte par le cathéter une solution saline dans la vessie de Whiting. La solution gonflerait la vessie et la rendrait plus facile à inciser. Après quoi il demanda un couteau à transpercer.

— Hé ! dit l'interne.

— Eh bien, quoi ? Stanton leva les yeux.

— Regardez l'uretère.

Une goutte de liquide perlait à l'extrémité de l'uretère. Les contractions péristaltiques avaient poussé hors du canal le liquide, qui se répandait sur le champ stérile à côté de l'incision. Une autre goutte commençait à se former à la même place. Le rein commençait déjà à nettoyer le système de James Whiting.

— De la belle urine claire, lança Stanton avec fierté. Notre formule magique marche à merveille.

7

Environ une semaine plus tard, Jeanne Darrow prit la boîte contenant les cendres de son mari et parcourut l'autoroute de la côte du Pacifique, jusqu'à l'endroit, proche de Zuma Beach, où l'autoroute de Mullholland rejoignait la mer. Elle suivit sur plusieurs kilomètres la route sinueuse à l'intérieur des terres, jusqu'à un point élevé, dans les montagnes couvertes de chaparral et adossées à la côte. Elle emprunta une bretelle qu'elle connaissait bien et stationna son véhicule.

Chose rare en juin, le ciel matinal était clair. Le soleil, qui venait de se lever au-dessus des montagnes, projetait des ombres nettes, tranchées au couteau, et le paysage se divisait en deux plans : d'une part des pics de lumière rougeâtre et, de l'autre, des arroyos et des canyons baignant encore dans la nuit. Au-delà de l'ombre qui, à ses pieds voilait l'arroyo, derrière une chaîne de collines, s'étendait la toile de fond bleue du Pacifique. Cela avait toujours été pour Jeanne et Roger un endroit de prédilection.

Jeanne contempla l'océan pendant un moment, puis elle prit la boîte et entreprit de descendre le sentier qui menait au fond de l'arroyo. Une demi-heure plus tard, elle se tenait dans un petit buisson de sycomores, sur la rive d'un étroit cours d'eau. Au-dessus d'elle, le soleil avait commencé à rôtir le chaparral, mais au fond de l'arroyo, dans une ombre fraîche, l'eau de la rivière murmurait doucement dans sa course vers l'océan.

Jeanne Darrow était remplie d'un indéfinissable sentiment de deuil et de solitude et pourtant, dans cette clairière déserte, elle se sentait en paix, seule pour la dernière fois avec son mari, à l'abri du reste du monde, des regards indiscrets de Hollywood et de la presse.

Elle s'agenouilla près du courant et toucha l'eau; celle-ci était glacée. Elle retira la main, déverrouilla la boîte et l'ouvrit. Un morceau de tissu recouvrait les cendres. Elle l'enleva délicatement et sentit un frémissement à l'estomac. Au milieu des particules de cendre grise, elle aperçut avec surprise des morceaux blancs. Elle réalisa que c'était des fragments des os de son mari. Elle tendit la main pour les toucher, mais en fut incapable.

Elle se dit qu'elle devait faire vite, sous peine d'être encore assise là au coucher du soleil, à examiner le contenu de la boîte.

Elle avait fouillé les poésies de Browning, de Donne et de Housman, à la recherche d'un texte de circonstance, mais avait jugé suffisant un simple « Je t'aime », suivi d'une prière silencieuse. Elle regarda une fois de plus les fragments d'os, puis versa le contenu de la boîte dans le cours d'eau. Les fragments coulèrent à pic. Les cendres flottèrent un moment à la surface et, tournoyant dans le remous, disparurent au fil du courant.

Roger était bel et bien mort, maintenant.

C'était un peu après sept heures du matin. Cette heure du jour avait toujours eu leur préférence, pensa-t-elle. La plupart des histoires d'amour commencent le soir. La leur avait commencé au petit matin.

Darrow, alors jeune producteur de trente-trois ans, était responsable de l'une des émissions télévisées les mieux cotées des États-Unis ; cousu de succès, il était fier de lui-même. Jeanne, jeune étudiante de vingt-quatre ans, était retournée au collège après deux ans de lutte pour s'imposer comme actrice à New York. Elle avait enfin décidé de faire prémédicale. Héritière de l'intelligence et des aptitudes de son père, elle s'était persuadée de pouvoir suivre celui-ci dans la profession médicale. Mais, elle avait également hérité des aspirations de sa grand-mère à la carrière d'actrice ; et il lui était encore difficile d'y renoncer, malgré les années passées à New York.

Le matin où Jeanne et Roger s'étaient rencontrés, *Flint* avait été tourné, en extérieur, à la University of Southern California. Jeanne accourait à la salle à manger pour le petit déjeuner. Darrow se promenait sur le campus, une tasse de café à la main. Comme ils allaient se croiser, leurs regards se rencontrèrent. Il lui sourit. Elle détourna les yeux et poursuivit sa marche. Il l'observa un instant, puis lui annonça qu'on cherchait des figurants pour la première prise de vue.

Elle avait été incapable de résister à l'invitation et, dans les mois qui suivirent, elle ne sut rien refuser à Darrow.

Les gens disaient que c'était un cas d'attirance des contraires : d'un côté Roger Darrow, le producteur de télévision qui chaque jour concevait l'idée d'une nouvelle émission mais se lassait vite de ses entreprises ; de l'autre, Jeanne Byrne, jeune étudiante de prémédicale, guérie du virus des planches. On trouvait bon pour Roger Darrow d'aimer quelqu'un d'étranger à « l'industrie », une personne calme, équilibrée, rationnelle, qui envisageait le monde autrement que comme une série de bons emplacements de tournage.

Mais le monde de Roger Darrow la séduisit, et elle séduisit Roger. Après son diplôme d'études prémédicales, elle renoua avec son rêve de devenir actrice. Elle épousa Roger Darrow. Dans la somptueuse demeure de celui-ci, à Pacific Palisades, elle vécut une vie de rêve. Elle faisait l'envie de la moitié des femmes, à Hollywood comme dans les cours d'art dramatique où elle tentait de troquer ses propres émotions contre celles d'autres personnages.

Elle commença des apparitions dans un théâtre local de Los Angeles et joua les utilités à la télévision. Elle décrochait à l'occasion, grâce à l'intervention de son mari, un rôle principal dans un feuilleton hebdomadaire ; son agent plaça même dans *Variety* une annonce conseillant à tous d'observer Jeanne Darrow, cette nouvelle et rafraîchissante figure, dans tel ou tel rôle de *Lou Grant* ou de *La croisière s'amuse*. Pendant plus de cinq ans, elle fut ainsi ce visage frais et nouveau. Mais elle était incapable de jouer de la comédie. Elle n'avait ni présence, ni sens du rythme, ni talent.

Malgré les encouragements de son mari, malgré les rôles qu'il ne cessait de lui offrir dans *Flint*, elle se gardait d'accepter, ne voulant pas le compromettre. Puis un jour, réaliste, elle pria son agent de ne plus l'appeler. Elle laissa tomber ses cours de théâtre et disparut de la scène.

Elle devint tout simplement la femme du producteur de Hollywood. Elle étudiait l'aménagement paysager trois matinées par semaine. Elle travaillait bénévolement chaque après-midi dans un centre hospitalier de jour. Au tennis, son service devint redoutable. Devant ses fourneaux, elle s'adonna à la nouvelle cuisine et passa une année à essayer de concevoir un enfant. Mais elle n'était pas heureuse. Devant son incapacité à devenir enceinte, les liens entre elle et son mari commencèrent à se relâcher et chacun se tourna vers d'autres partenaires.

Après avoir bravement accepté l'échec de sa carrière d'actrice, Jeanne Darrow, disait-on, n'avait plus aucune ressource pour reconstruire sa propre identité. Mais Jeanne Darrow était plus forte qu'on ne le croyait, et désormais l'opinion des autres ne lui importait plus. Elle savait qu'il lui fallait du temps pour faire le point sur sa vie et que si, pendant une certaine période, celle-ci semblait vide et sans but, cela n'était qu'une étape dans un processus de croissance et de changement.

Chacun vécut ses liaisons. Cependant, le couple semblait survivre. Lorsqu'elle se sentit prête, elle s'inscrivit au programme de formation paramédicale du comté de Los Angeles et entreprit une nouvelle carrière.

Jeanne était devenue technicienne médicale d'urgence, catégorie A. Elle savait réduire une fracture, pratiquer la respiration bouche à bouche, administrer une piqûre ou brancher sur place un flacond de sérum. Elle pouvait sauter d'un hélicoptère ou descendre en rappel une falaise rocheuse avec au dos une trousse de premiers soins. Elle s'était attiré le respect de ses collègues et avait enfin retrouvé confiance en elle-même. Sans cette confiance, sans cette force nouvelle, elle n'aurait pu, elle le savait, traverser les semaines qu'elle venait de vivre depuis son dernier repas en compagnie de son mari.

Elle scruta la surface de l'eau. Elle ne voyait plus les fragments osseux. Déjà, ils s'étaient mêlés au lit de la rivière.

Hollywood est la plus grande ville américaine née d'une industrie — celle du cinéma — et la mort d'une personnalité du milieu ne passe pas inaperçue. Les acteurs et les actrices qui ont passé les dernières années de leur vie dans l'obscurité connaissent un ultime moment de gloire lorsque les nouvelles du soir annoncent leur décès. Des cameramen, des monteurs, des artisans du cinéma de Hollywood, dont les noms n'ont jamais figuré qu'en petits caractères dans les génériques, jouissent d'une brève célébrité lorsque le *Los Angeles Times* publie leur photo et leur filmographie. Et à Hollywood, la mort d'un metteur en scène ou d'un producteur important éveille autant d'intérêt que celle d'un sénateur ou d'un membre du Congrès.

Trois chaînes de télévision, le poste-radio spécialiste des nouvelles, les principaux journaux de Los Angeles, le *Hollywood Reporter* et *Variety* évoquèrent la mort et les funérailles de Roger Darrow, pourtant, à peu près aucun rédacteur en chef ne jugea utile d'envoyer un reporter dans le Maine, où, assuraient les rapports officiels, il n'y avait rien à apprendre.

Vicki Rogers, cependant, dans l'émission *Sur la côte* — cinq minutes de bavardage, diffusées simultanément dans le cadre de plusieurs *talk-shows* locaux au moment de la pause-café — avait soulevé diverses hypothèses sur les raisons du voyage de Darrow:

— La version officielle veut qu'il ait été à la recherche de matériaux pour le tournage d'un documentaire, sorte de panorama sur l'Amérique et les Américains, de la Californie au Maine. D'autres attribuent son départ à une dispute avec Howard Rudermann, associé de longue date à ses productions. Ou peut-être ses problèmes conjugaux l'ont-ils lancé à travers l'Amérique, à la poursuite d'une aventure personnelle. Des personnes bien informées disent qu'il n'avait jamais plus été le même après sa rupture avec une jeune et fraîche beauté, aujourd'hui disparue de la scène.

À dix heures ce matin-là, trois cents personnes — amis et membres de la famille, acteurs et écrivains, agents et publicitaires, directeurs de studio, techniciens de Hollywood, parasites et badauds, attirés par les déclarations de Vicki Rogers — accoururent vert Forest Lawn, à Burbank, pour le service religieux. L'église, réplique de la Old North de Boston, offrait un cadre idéal pour des funérailles hollywoodiennes: elle ressemblait à un décor de cinéma et dominait l'arrière des studios Disney.

Le service commença au son de la musique: Jeffrey Davis, musicien très en demande dans les studios de cinéma, joua *Jésus, que ma joie demeure,* de Bach. Plus tard, il joua à l'orgue un intermède musical qui prétendait sublimer le thème musical de *Flint* en transformant en chant funèbre l'introduction syncopée d'un téléroman policier. Pour la sortie, Davis se mit au piano et joua *'Taint Nobody's Biz-Ness If I Do,* chanson favorite de Roger Darrow. Ce fut du reste la partie la plus émouvante de la cérémonie.

Il y eut des lectures:

— Et le Seigneur s'écria: « Lazare, lève-toi. »

(Il a dû recourir à des effets spéciaux, pensa Howard Rudermann.)

— Oui, en vérité, je traverse une vallée de mort, mais je ne crains aucun mal.

(Pour sûr, pensa Vaughn Lawrence, je suis dans cette vallée le dernier des fils de garce.)

— Regardez les lis des champs... Salomon, dans toute sa splendeur, n'était pas vêtu comme l'un d'eux.

(Mais ça ne vaut pas ceux qui cherchent à être partout premiers, se disait Len Haley.)

Il y eut encore les éloges funèbres.

Billy Singer, le prédicateur le mieux coté de la télévision étasunienne, était spécialement venu de Youngstown, Ohio, pour parler de Darrow.

— C'était un homme d'honneur et de dignité, dans un monde imparfait. Il a créé le personnage de Jess Flint, un des plus populaires de la dernière décennie, personnage qui a fourni à notre jeunesse un exemple et à nous tous un rayon d'espoir. Roger Darrow était un homme à la recherche de la vérité.

(Excellente performance, même si l'acteur était insupportable, pensa John Meade.)

Peter Cross, le jeune acteur qui avait atteint la célébrité en incarnant Jess Flint, parla au nom de la communauté artistique de Hollywood.

— Il travaillait ferme et ne faisait jamais de compromis; il voulait que chaque spectacle soit aussi bon que l'échantillon pilote. Et nous étions tous prêts à nous décarcasser pour lui.

pensa s'asseoir près de l'îlot dont faisait partie la cuisinière et d'où elle aurait pu pendant quelques minutes observer le travail. Mais elle ne voulait pas avoir l'air d'exercer quelque surveillance.

Elle poussa la porte à battants qui séparait la cuisine de l'office. Cette pièce avait les dimensions d'un vaste cabinet, et Jeanne, dans la rénovation de la maison, avait soigneusement restauré les armoires-vitrines et les comptoirs recouverts de tuiles rouges. Ici, pour quelques instants, elle pouvait être seule. Elle prit la cafetière sur le comptoir et se versa une tasse de café, qu'elle but à petites gorgées en pensant à la clairière sur la montagne.

Vaughn Lawrence se commanda une téquila. John Meade demanda un martini sec, sur glace. Kelly Hammerstein alla chercher les consommations et les deux hommes se trouvèrent seuls pour la première fois.

Le bureau de Roger Darrow était lambrissé de noyer et tapissé de bibliothèques. Au sol, un boukhara ; au-dessus du foyer, une gravure de prix, signée Winslow Homer et intitulée *la Corne de brume.* Derrière la table de travail, des photographies tapissaient le mur. On avait tiré les rideaux pour atténuer l'éclat du soleil et Lawrence avait allumé la lampe de table, comme s'il ne se sentait exister qu'avec quelque lumière artificielle pour lui éclairer le visage.

Il passait sept heures et demie par semaine sous les projecteurs d'un studio. Tous les vendredis après-midi, il enregistrait, pour diffusion la semaine suivante, cinq demi-heures de *Des gens et des prix,* son jeu télévisé. Chaque matin, de neuf heures à dix heures, il animait *Déjeuner avec Vaughn,* son *talk-show.*

Il appartenait à la première génération d'animateurs de jeux télévisés, qui ne différait guère de la deuxième ou de la troisième, si ce n'est que la plupart de ses représentants atteignaient la fin de la cinquantaine. Son visage avait déjà subi deux ridectomies et les rides du cou se faisaient menaçantes. Son poids, cependant, n'avait augmenté que d'un kilo depuis son arrivée à Hollywood. Lawrence possédait une caractéristique physique que de nombreux jeunes gens essayaient de copier : ses yeux. Il gardait toujours ceux-ci à demi ouverts, comme s'il venait de s'éveiller, ou s'assoupissait, ou encore se plongeait dans quelque plaisir intime. Pour ses admirateurs — les ménagères et retraités, spectateurs assidus de son émission — c'était des yeux lascifs, somnolents et sexy. Pour les ennemis qu'il s'était faits dans le monde de la télévision, c'était des yeux de serpent.

John Meade s'assit dans un fauteuil en cuir, à côté du pupitre. Il portait un costume bleu foncé à fines rayures grises. Sa cravate était nouée avec soin et chaque cheveu était à sa place. Son visage rasé de près semblait luire à la lumière. Il ressemblait à un jeune animateur ambitieux, fraîchement arrivé d'une lointaine station UHF pour étudier dans l'ombre du maître. Cependant, il aurait préféré n'avoir jamais croisé la route de Vaughn Lawrence.

— Quel soulagement de vous rencontrer face à face, déclara Lawrence. Sans une armée d'avocats dans les jambes.

— Je préfère la présence des avocats, répliqua Meade.

Lawrence arborait le sourire sadique, normalement réservé à l'ingénieur au chômage qui perdait le gros lot au dernier tour de roue.

— Quant à moi, je préfère un bon détective. Il peut s'avérer plus utile que mes avocats quand les jeux sont faits.

Meade croisa les jambes pour dissimuler sa nervosité.

Vaughn Lawrence pouvait au besoin rester impassible pendant des heures. Sa longue carrière à la télévision, il la devait au calme imperturbable qu'il affichait toujours : tantôt dans l'animation d'un débat au cours de son *talk-show,* ou tantôt accueillant, figé comme une gentille statue, les baisers d'une gagnante surexcitée par le jeu de *Des gens et des prix.*

— Nous voici presque des alliés, dit Meade. Qui est votre homme de main à Easter's Haven ? Est-ce Bannister ?

Lawrence secoua la tête.

— Je n'en sais rien. Mon gars se trouve à Los Angeles et l'un des hommes est dans l'île. Et même si je le savais, je ne vous dirais rien jusqu'à ce que la *SEC* * approuve notre fusion.

— Nous mettrons six mois ou plus, après l'examen de la proposition par la SEC, pour apporter à la structure de notre société les ajustements exigés.

Lawrence acquiesca.

— Dans ce cas, vous devrez attendre. Comme je l'ai appris quand vous avez essayé de marcher sur mes plates-bandes, c'est toujours bon d'avoir quelqu'un sur place chez Andrew MacGregor. On ne sait jamais ce qu'on peut trouver.

— Ou ce qu'on peut faire avec ce qu'on sait, répondit Meade. Vous êtes un homme d'affaires astucieux, Lawrence. Si je suis contraint de fusionner avec quelqu'un, autant que ce soit avec vous.

Lawrence ne fit pas un geste, mais pendant un moment, ses yeux s'ouvrirent tout à fait, comme si la remarque de Meade lui avait plu.

— Cependant, ajouta Meade, je voyais plus qu'une simple coïncidence dans le fait que le bateau de Roger Darrow ait explosé à Easter's Heaven.

Lawrence n'eut même pas un battement de paupières.

** SEC : Securities and Exchange Commission.* Organisme fédéral chargé, aux États-Unis, de surveiller les émissions d'actions et d'obligations de firmes commerciales et industrielles

— Lui avez-vous parlé dans l'île ? demanda-t-il à Meade, qui acquiesça de la tête.

— Vous a-t-il enregistré sur bande vidéo ? (Meade fit encore oui.)

— De quoi avait-il l'air ?

— D'un impotent. Incapable de nuire à qui que ce soit.

— Il constituait une menace, répondit Lawrence. Il avait traversé le pays en tournant des bandes vidéo, en posant des questions sur votre oncle et ses systèmes de télédistribution.

Après un silence, Lawrence ajouta :

— Il a même interviewé Reuben Merrill, membre du Congrès, au sujet de cette fusion à l'amiable entre votre compagnie et la mienne.

— Il ne s'agit pas d'une fusion à l'amiable, dit Meade sans changer d'intonation.

— Chut ! Vaughn Lawrence porta un doigt à ses lèvres.

— Pour notre bien à tous les deux, je garderais ça pour moi, John. Ainsi que vos hypothèses sur la mort de Darrow.

Meade détourna les yeux vers la gravure au-dessus de la cheminée, comme s'il n'avait pas remarqué le ton condescendant de Lawrence.

— Souvenez-vous, John, poursuivit Lawrence, vos secrets sont les miens, et les miens sont les vôtres. Dans l'intérêt de nos projets communs, il faudrait que les choses restent ainsi.

Afin de protéger Jeanne Darrow, Harriet Sears avait barré la route à Vicki Rogers.

— Comment va-t-elle, Harriet ? demanda Vicki.

— Rien que ne puissent guérir quelques mois de larmes et quelques années d'oubli.

— Comme c'est romanesque, commenta Vicki.

Elle portait une veste grise avec une jupe assortie et un chemisier blanc orné d'une broche en onyx. Pour l'instant, Vicki avait un air vulnérable derrière ses lunettes, comme si elle essayait d'y cacher son chagrin. Elle prit les deux mains de Harriet dans les siennes.

— Je suis tellement désolée, ma chère. Cela doit être terrible pour elle.

Harriet acquiesça d'un vague signe de tête. Elle n'aimait pas Vicki Rogers. Pas plus que ne l'aimaient la plupart des gens de Hollywood, d'ailleurs. Mais Harriet était l'une des rares personnes qui osât le laisser voir.

— Et vous devez être également consternée ?

Vicki se tut, puis ajouta :

— Roger a écrit certains de vos meilleurs textes.

— Il était doué d'une imagination étonnante, dit Harriet dans un sourire. Vous aussi, d'ailleurs.

Le visage de Vicki se ratatina derrière ses lunettes.

— Je rapporte ce que le public veut savoir.

— Au mépris de la vérité, lança Harriet. Il n'y avait aucune dispute entre Roger et Howard. Et quant à ce qui se passait entre Roger et Jeanne, personne ne doit fourrer son nez là-dedans.

— Un personnage important, connu dans tout le pays a été tué. Quelqu'un devrait se poser des questions sur les raisons de sa mort.

— Son bateau a explosé, voilà la raison. Et c'était un accident. C'est ce qu'ont déclaré et la Garde côtière et le bureau du Shériff du comté de Granite. Il n'y a aucune raison pour fouiller sa vie privée.

Harriet parlait d'une voix sifflante et courroucée, juste assez fort pour dominer le babil qui remplissait le reste de la maison.

— Si je pense que l'implication de sa mort est dans sa vie privée, eh bien j'irai chercher là.

— Vos mains puent ? demanda Harriet.

— Quoi ?

— Je demande si vos mains puent. Cela doit, si vous passez votre journée à chercher les poux dans le nombril des gens.

Vicki et Harriet échangèrent des regards furibonds. Dans sa jeunesse, Harriet avait connu Hedda Hopper et Louella Parsons. Comparée à elles, Vicki Rogers manquait totalement de classe.

— Pourquoi la protégez-vous comme une mère ? demanda Vicki.

— C'est mon amie.

Dans la bibliothèque de Roger Darrow, Howard Rudermann faisait la connaissance de John Meade.

— Howard a été l'associé de Darrow, dit Lawrence. C'est lui qui produit *Les Redgate de Virginie,* et il fait du beau travail, même sans Darrow.

Rudermann était assis au bord du sofa, une assiette de biscuits en équilibre sur le genou.

— Vous pouvez dire à monsieur MacGregor qu'il verra à l'écran chaque sou qu'il a investi.

Rudermann aimait utiliser avec des profanes le jargon de Hollywood.

— Et grâce aux spectateurs, je vais pouvoir fonder mon Réseau du patrimoine américain, dit Lawrence.

Rudermann acquiesça un peu trop vigoureusement de la tête.

— Ce type d'émissions est une partie de poker ; mais Vaughn sait que c'est le seul moyen de progresser. Maintenant que la télédistribution peut financer de grosses machines comme les *Redgate* nous supplanterons bientôt les réseaux classiques.

— Votre associé ne voulait rien savoir des *Redgate,* dit Meade, pour la seule raison, semble-t-il, que monsieur Lawrence et mon oncle le finançaient.

Rudermann haussa les épaules.

— Roger n'avait plus tout à fait sa tête à lui, depuis quelques mois. Il lui arrivait un tas de choses.

— Monsieur Lawrence me dit que Darrow tournait des bandes vidéo en parcourant le pays.

— Ouais. Il voulait faire une série, dit Rudermann. Il l'aurait intitulée *Mon Amérique.*

— Avez-vous vu les prises de vue ? demanda Meade.

— Personne ne les a vues, pas même Jeanne. Le départ de Roger l'avait mise dans un tel état qu'elle a empilé les bandes dans le bureau au fur et à mesure qu'il les envoyait.

(Rudermann enfourna un gâteau.)

— C'est une bonne petite, mais elle peut parfois être têtue comme une mule.

Lawrence se déplaça légèrement, de façon à éviter la lumière éblouissante de la lampe de table.

— Elle n'a pas autorisé la presse à voir les bandes ? demanda-t-il ?

— Pas du tout.

Rudermann léchait les miettes de gâteau qui lui collaient aux doigts.

— Elle m'a promis que je serais la première personne de l'extérieur à les voir et que je produirais la série si on peut en faire quelque chose.

Le regard de Lawrence passa de Rudermann à Mead.

— N'adoreriez-vous pas jeter un coup d'oeil aux bandes de Roger Darrow, histoire de voir ce qu'il faisait alors qu'il aurait dû être en train d'aider Howard à finir les *Redgate ?*

Meade ne répondait pas.

Lawrence se pencha et ouvrit le tiroir central du pupitre de Darrow.

— Ferme ça, dit Rudermann aussi brutalement qu'il le put. Ce qu'il y a là-dedans ne te regarde pas.

— Ne sois pas si scrupuleux, Howard. Cela ne te ressemble pas.

Lawrence ouvrit deux autres tiroirs, puis, arborant son sourire d'animateur de télé, sortit du pupitre une pile de bandes vidéo. Il en prit une au hasard :

— San Francisco. Bande Numéro 1, le 9 mai.

— Remets ça en place, Vaughn, dit Rudermann.

Lawrence, la cassette à la main, jeta un coup d'oeil à Meade.

— Devons-nous remettre cela à sa place, John ?

— Je ne pense pas que cela soit correct, dit Rudermann.

— Allons, Howard.

Lawrence passait et repassait la cassette sous le nez de Rudermann, comme un morceau de sucre.

— Cela pourrait faire un fameux documentaire.

Rudermann recommença à protester, puis se tut.

Le tube de l'appareil se réchauffa rapidement, passant du vert au gris phosphorescent. Les haut-parleurs stéréo reliés à l'appareil se mirent à chuinter. Vaughn Lawrence se pencha en avant. Howard Rudermann desserra sa cravate et déposa son assiette sur la table. John Meade buvait à petites gorgées.

La bande sonore émit quelques borborygmes. Puis on entendit un son mat, comme celui de balles de tennis projetées sur un mur. C'était le bruit du vent soufflant dans le micro. Puis, quelqu'un sur la bande grommela : « Merde. »

Dans la pièce, les trois hommes reconnurent la voix ; mais aucun ne parla. Puis une image apparut sur l'écran de télévision. Tout d'abord, elle fut tremblotante, incertaine. La caméra dansait comme une folle. Puis, le trépied bien ancré, l'image se stabilisa et devint nette.

Nous voici au sommet des collines du comté de Marin, d'où nous dominons les eaux du Golden Gate. Les premiers lambeaux de brouillard de l'après-midi se bousculent et, comme des morceaux de papier de soie poussés par le vent, s'accrochent au grand pont orangé qui barre l'écran. Au loin, bien encadrée par les piles du pont, brasille la ville de San Francisco. Un homme entre dans le champ de la caméra, à laquelle il tourne le dos. Il trouve l'endroit où il veut se placer, se retourne et sourit.

Pendant un moment, personne dans la pièce ne prononce une parole, ne fait un mouvement ou même ne respire. Puis, Howard Rudermann murmure : « Jésus. »

Roger Darrow est grand et costaud. Son nez, cassé à l'arête, accuse une nette asymétrie. Mais, c'est le sourire qui domine ce visage et semble définir sa personnalité, un sourire franc et spontané. Et en bon producteur, Roger a bâti son personnage autour de son meilleur atout. Pour sa première bande, il a soigneusement choisi l'emplacement, le genre de coiffure, les vêtements et même l'heure de l'enregistrement.

Il existe peu d'endroits en Amérique où la beauté de la nature et le génie humain — le Golden Gate et le pont qui le traverse — s'unissent aussi étroitement. Sur le promontoire qui domine le pont, le vent souffle; Darrow lui fait face, afin qu'il lui ébouriffe les cheveux et lui donne un air byronien. Ses vêtements — un pantalon kaki au pli impeccable, ceinture de cuir brun, chemise militaire à épaulettes, au col empesé et ouvert, aux revers boutonnés sur les poches — évoquent l'uniforme d'un soldat de fortune. Et les rayons du soleil filtrent à travers le brouillard, baignant le versant de la colline, le pont et la perspective lointaine dans une lumière dorée, propre à la côte du nord de la Californie. Roger Darrow se présente comme un moderne chevalier errant, sur le point de s'embarquer pour une quête mystique à travers un monde ensorcelé.

— Il est temps de faire quelque chose de neuf, annonce-t-il. Après avoir produit quatre cents heures d'émissions à oublier sitôt diffusées, je veux créer quelque chose qui dure.

(Il fait une pause pour donner à son introduction un rythme plus dramatique.)

— Ceci en est le commencement.

— Ce que je m'apprête à enregistrer sur ces bandes vidéo, c'est à la fois une recherche et un brouillon en vue d'une étude sur la vie aux États-Unis dans les années 1980. Je veux explorer les systèmes qui nous unissent et les éléments qui font notre force. Je parlerai de transport, de production alimentaire, de politique, de religion, d'environnement. Et par-dessus tout, je veux parler de télévision. Car la télévision, que nous le voulions ou non, est le ciment qui lie notre société. C'est elle qui nous rend compte des expériences sociales que nous vivons : des lancements de fusée, des élections, des assassinats, des compétitions sportives. Elle est la voix qui, autour du feu de camp, nous raconte notre histoire et crée nos mythes.

— Il semble qu'il ait eu les yeux plus grands que la panse, commenta John Meade.

— Il a toujours été comme ça, d'ajouter Rudermann. Mais il arrivait toujours à le digérer... jusqu'à la dernière fois.

— Cette fois, conclut Lawrence, il s'est fait bouffer.

— Et puisque je vais aborder le domaine de la télévision, je devrai également parler d'un des hommes les plus fascinants, les plus mystérieux et les plus puissants de la télévision d'aujourd'hui : Andrew MacGregor.

— Depuis plus de trente ans, il construit un véritable empire dans le domaine des communications. Il possède des stations THF et des stations de radio ; il a été l'un des premiers hommes en Amérique à reconnaître l'importance de ceci...

Darrow tient à la main un morceau de câble, épais d'environ 2,5 centimètres. Une gaine de caoutchouc protège deux brins de fil électrique étroitement enroulés l'un à l'autre.

— Dans quelques années, le câble coaxial, véhicule d'une centaine de canaux d'information, reliera 70 p. cent des foyers de ce pays à des réseaux de divertissement, à des banques de données, à des systèmes de sécurité privés, ainsi qu'au marché boursier, aux églises, aux hôpitaux, aux centres communautaires, à l'administration municipale — et aux autres foyers. Nous sommes en train de devenir, bon gré mal gré, une société câblée.

Darrow hocha la tête, content de cette dernière phrase. Il s'amuse ferme. Il semble à l'aise devant la caméra.

— Grâce au câble coaxial et à toutes ses connexions, nous sommes en train d'étendre les ramifications de notre système nerveux national.

— En 1954, Andrew MacGregor a fondé l'une des premières stations de télédistribution d'Amérique et, depuis, il ne cesse d'en créer de nouvelles. Il a des concessionnaires d'un océan à l'autre et, à soixante-dix-huit ans, demeure à la pointe de sa technologie.

Darrow présente à la caméra un petit bouton-poussoir.

— Ceci fait partie d'un nouveau système interactif à double sens, appelé le « Responsable », qu'il vient de mettre au point.

Les spectateurs poussent le bouton, parlent devant la télévision et racontent à Andrew MacGregor ce que celui-ci désire savoir à leur sujet.

Ce petit système confère à Andrew MacGregor une puissance énorme.

Darrow observe un temps d'arrêt, en reporter de télévision expérimenté ; il fixe le sol.

— Il y a neuf mois, Andrew MacGregor décida d'étendre encore son empire. Il tenta d'acquérir les Lawrence / Sunshine Productions, afin d'avoir la haute main sur le logiciel de programmation de dix canaux, sans compter son propre matériel de diffusion.

— Il semblait avoir amassé assez d'actions pour absorber la compagnie lorsque, subitement, il retira son offre.

Vaughn Lawrence regardait les autres. Un sourire effleurait sa figure. Tous connaissaient l'histoire de sa résistance face aux MacGregor Communications ; seul John Meade connaissait les raisons de sa victoire.

— Six mois plus tard, MacGregor et Lawrence décidèrent de produire en participation Les Redgate de Virginie, *bien dont mon associé et moi détenons les droits. Puis, la semaine dernière, l'industrie de la télédistribution apprenait avec stupeur que les Mac-*

Gregor Communications déposaient à nouveau devant la SEC les documents de la Hart-Scott-Rodino, et annonçaient leur intention de fusionner avec les Lawrence / Sunshine Productions. Chose plus étonnante encore, il s'agirait d'une fusion à l'amiable et, selon les rapports publiés, Vaughn Lawrence deviendra vice-président, sous la présidence de MacGregor, de la nouvelle entreprise de production et de télédistribution. L'une des questions auxquelles je veux apporter réponse est celle-ci : Comment Vaughn Lawrence a-t-il pu combattre cette mainmise pour ensuite se hisser à un tel poste ?

John Meade se tourna vers Vaughn Lawrence :

— C'est étonnant tout ce qu'on peut apprendre à la lecture du *Wall Street Journal.*

— On en apprend encore plus en usant ses fonds de culottes, répondit Lawrence. Rien qu'en mettant un bloc sur l'autre, et en luttant comme un fou quand quelqu'un essaye de t'enlever ce que tu as bâti.

Rudermann regarda Meade et attendit une réponse. Meade leva à nouveau son verre de martini :

— C'est une attitude qui vous a gagné l'admiration de mon oncle.

Sur l'écran de télévision, Roger Darrow continuait son discours :

— *J'ai toujours désiré trouver le portrait de ce pays à l'aide de l'électronique, à la manière dont Alexis de Tocqueville l'a fait avec des mots il y a cent quatre-vingts ans.*

Le visage de Darrow devient solennel et grave.

— *Pour une multitude de raisons personnelles, c'est pour moi le bon moment d'entreprendre un voyage, et de nombreux endroits où Andrew MacGregor s'est mis les doigts ont pour moi une résonance intime.*

— *Et par-dessus tout, l'étrange danse nuptiale d'Andrew MacGregor et de Vaughn Lawrence m'a incité à poser quelques questions importantes.*

— *Information est synonyme de pouvoir et les hommes qui, dans notre société câblée, produisent et distribuent l'information sont les plus puissants de tous. Certains hommes accumulent le pouvoir pour son seul goût, d'autres pour l'argent qu'il procure et d'autres enfin parce qu'ils portent en eux une vision. Je pense que nous devons cerner la vision qu'Andrew MacGregor a de notre pays et les raisons qui lui imposent, pour la promouvoir, de créer une compagnie comme Lawrence/Sunshine.*

Restée seule dans l'office pendant plusieurs minutes, Jeanne Darrow décida de retourner à ses invités. Elle poussa la porte battante et pénétra dans la salle à manger. Trouvant celle-ci bourrée de monde, elle rebroussa chemin, traversa la cuisine et prit le corridor, où elle remarqua que la porte du bureau de son mari était fermée. Le bruit indiquait qu'on regardait la télévision, impolitesse qui la choqua. S'approchant de la porte fermée, Jeanne Darrow reconnut la voix de son mari.

La porte du bureau s'ouvrit à toute volée et heurta violemment la bibliothèque.

— Espèces de salauds ! hurla Jeanne.

Elle arrêta l'appareil vidéo. L'image disparut. La cassette jaillit de la fente. Jeanne la retira de l'appareil et, pivotant sur elle-même, lança autour d'elle un regard courroucé.

— Ceci — elle serrait la cassette dans son poing fermé — est strictement personnel. Vous n'avez pas à y mettre votre sacré nez !

Howard Rudermann se leva, les mains suppliantes :

— Je peux t'expliquer, Jeannie.

— Tu ne m'expliqueras rien. Vous n'aviez pas le droit de regarder ça, ni de fouiller le pupitre de mon mari.

Harriet Sears apparut dans l'encadrement de la porte :

— Qu'est-ce qui ne va pas, Jeannie ?

— Ils sont en train de regarder les bandes de Roger, répondit Jeanne, tremblante de rage.

— On a fait ça parce qu'on voulait t'aider, avança Rudermann.

— Tu as fait ça parce que tu es un sale type, Howard ! corrigea Harriet.

— Moi-même. Je ne les ai pas regardées, ces bandes ! hurlait Jeanne.

Le bruit de la bibliothèque attirait des gens venus des autres parties de la maison. Du corridor, Vicki Rogers risqua un coup d'oeil. Harriet lui claqua la porte au nez.

— Je ne regarderai pas ces bandes, tant que je n'en aurai pas la force, poursuivait Jeanne. Je me fiche de leur contenu. Pas moyen, pour l'instant, de garder mon sang-froid devant cela.

— C'est pour ça que nous voulons t'aider, expliqua Rudermann. Nous voulons savoir ce que Roger fabriquait.

— Tout ce qui l'intéressait, c'était de se chercher lui-même, répondit Jeanne. C'est pourquoi ces bandes demeurent propriété privée.

Elle ferma le pupitre à clef et quitta la pièce.

— Jeannie, appela Harriet.

— Ça va aller.

Elle bouscula Vicki Rogers et gagna l'escalier.

Harriet retourna vers les hommes restés dans le bureau.

— Quelle bande d'idiots vous faites !

— Ces cassettes ont peut-être une grande importance, plaida Rudermann.

— Je pense que vous devriez respecter la volonté de Jeanne, répondit Harriet.

— Nous ne savions pas que nous étions en train de violer ses désirs, dit John Meade en offrant ses excuses.

Harriet le dévisagea, puis, désignant les autres :

— Êtes-vous avec eux ?

— C'est le neveu d'Andrew MacGregor, avança Rudermann.

— Je sais qui il est, répondit Harriet. Et lui, plus que tout autre, doit savoir ce que veut dire respecter la vie privée des gens.

— Bonne réplique, Harriet, dit Lawrence. Tu devrais penser à faire carrière dans la littérature.

— Quand je serai en perte de vitesse, je me ferai animatrice de jeux télévisés. (Elle s'arrêta.) De toute manière, tu peux peut-être me dire ce qu'un animateur de jeux télévisés peut chercher dans les enregistrements personnels de Roger ?

Lawrence sourit, les yeux hypocrites et mauvais.

— Je fais partie de son fan club.

Puis, il sortit, l'air dédaigneux. Meade s'inclina devant Harriet et quitta à son tour.

— Parfois je me pose des questions au sujet de Vaughn Lawrence, dit Rudermann après un moment.

— Alors pourquoi as-tu signé avec lui un contrat pour trois films ?

— Les affaires sont les affaires, répondit Rudermann dans un haussement d'épaules.

Jeanne se tenait debout près de la fenêtre de sa chambre, les bras enroulés autour de la taille. Elle regardait au dehors le court de tennis vide et se balançait d'avant en arrière, comme pour bercer un enfant. Harriet frappa à la porte, puis entra.

— Tu sais, Jeannie, commença-t-elle doucement, Howard a peut-être raison au sujet des bandes.

Jeanne arrêta son mouvement de balancier.

— Non, toi aussi ?

— Pour ton propre bien. Tant que tu n'auras pas regardé Roger dans les yeux une dernière fois, tu ne seras jamais capable de faire face à la vie. .

— Je viens de signer son certificat de décès, Harriet. J'ai tout juste éparpillé ses cendres dans la nature. Il me faudra quelque temps avant de m'asseoir devant la télé pour regarder Roger qui me parle. Et puis, je ne peux lui pardonner de m'avoir quittée — car c'est bien ça qu'il faisait.

— Tu peux le croire meilleur que ça, reprit Harriet en secouant la tête.

— Nom d'un chien! répliqua Jeanne. Fais-moi confiance pour savoir ce dont j'ai besoin dans le moment. Et ce dont j'ai besoin, ce n'est pas l'examen morbide des quatre dernières semaines de mon mari.

Harriet leva la main à sa gorge et caressa nerveusement le collier de perles qu'elle portait avec un chemisier blanc et un pantalon noir. La plupart des Américains connaissaient ce geste. Elle l'avait utilisé en 1945, alors qu'elle jouait le rôle d'une Américaine interrogée par les nazis dans *Attente du Jour J;* puis en 1958, lorsqu'elle incarnait le mère de Salomé dans une épopée biblique italienne; et encore dans *Les Redgate de Virginie.* Chaque fois qu'elle était bouleversée, nerveuse ou mal à l'aise, sa main se portait à sa gorge.

— Je ne suis pas une radoteuse, dit-elle, et je n'essaierai pas de te dicter la conduite de ta vie. Mais n'enterre pas le dernier projet de Roger sous prétexte que vous êtes restés en brouille. Cela n'est juste ni pour lui ni pour toi.

Prévenant toute réponse de Jeanne, Harriet posa les mains sur les épaules de celle-ci, qu'elle serra avec force, comme pour y imprimer ses paroles:

— C'est tout ce que j'ai à dire à ce sujet. Je te promets.

Jeanne prit les mains de Harriet et les tint dans les siennes.

— Les quelques prochains mois ne vont pas être faciles, Harriet. J'aurai besoin de toute ton aide et de tous tes conseils.

Vaughn Lawrence et John Meade se tenaient ensemble dans le coin de la salle à manger, encombrée de monde. Lawrence mangeait de la salade de melon, Meade sirotait un café.

— À votre avis, qu'est-ce que Jeanne va faire des bandes vidéo? demanda Meade.

— S'asseoir dessus, répondit Lawrence.

— Vous semblez bien sûr de vous.

Lawrence eut un léger sourire.

— Jeanne est faite, à parts égales, de stoïcisme irlandais et du besoin d'introspection propre aux Californiens du Sud. Elle éprouve toutes sortes de sentiments qui réclament attention, comme disent les psychotérapeutes, mais son côté stoïque les tient en respect. Je parie qu'elle va garder les bandes dans un coffre-fort, les visionnera dans quelques mois, puis, les ayant remises en lieu sûr, laissera filer.

— Comment pouvez-vous en être sûr ?

— Je ne le suis pas, mais tant que je tiens Rudermann, je suis en liaison directe avec Harriet Sears ; je peux donc savoir exactement ce que Jeanne pense. Si elle se met à parler de rendre public le contenu des bandes, j'userai de mon influence pour l'en empêcher.

Meade remuait distraitement son café.

— Des moyens plus subtils, je l'espère, que ceux dont vous avez usé contre son mari.

— Il se peut que ces bandes soient totalement inoffensives, ou ça peut être de la dynamite. Nous n'en savons rien. Mais si Darrow était sorti vivant de cette île, il en aurait rapporté des preuves écrasantes contre vous et moi.

— Ce n'était pas une raison pour le tuer.

Meade but une gorgée de café et replaça la tasse sur la soucoupe qu'il tenait de la main gauche.

— Il se peut que vous sachiez utiliser les rouages du pouvoir que votre oncle a créés, mais vous n'avez pas appris à les protéger. Maintenant que j'en fais partie, je ferai tout mon devoir pour en assurer le fonctionnement. (Lawrence engouffra un morceau de melon.) Parce que je ne vous aime pas, Meade, et que je n'aime pas ce que vous avez tenté contre moi. Je ne tiens pas à finir enterré avec vous sous les décombres de votre oncle.

Vicki Rogers s'approchait d'un pas tranquille, essayant de s'immiscer dans la conversation.

— Dites-moi un peu, de quoi peuvent discuter deux puissants personnages de la télévision, après les funérailles de Roger Darrow ?

Lawrence tourna le regard vers Vicki.

— De salade de melon.

8

Nous remettons son corps aux profondeurs qu'il aimait, Seigneur, et à l'océan qui était sa patrie. Nous te prions de veiller à jamais sur l'âme de cet homme simple et bon.

Le révérend John Forbison, de la Première Église congrégationaliste d'Easter's Haven, leva les yeux au ciel et parla d'une voix assez forte pour dominer le bruit de la vague et celui des bateaux dont les moteurs tournaient au ralenti.

— Entre tes mains, nous remettons son esprit.

À la poupe du patrouilleur, les garde-côtes soulevèrent le cercueil en pin, le posèrent un moment sur le plat-bord, puis le laissèrent glisser doucement dans la mer.

Harry Miller, dont le bateau se balançait à quelques mètres du patrouilleur, regarda disparaître le cercueil lesté. Puis, il entra dans sa cabine et tira trois longs coups de sirène. Izzy Jackson avait toujours annoncé ainsi son arrivée, par trois longs coups, et c'était devenu, parmi les pêcheurs de homard, une superstitieuse tradition. Chaque fois que quelqu'un achetait ou construisait un nouveau bateau, Izzy était invité à bord pour actionner la sirène et attirer la bonne fortune. Voilà qu'aujourd'hui la flottille formait, pour ses funérailles, un convoi dont chaque bateau, au-dessus du tombeau marin, emplissait l'air de ses appels stridents ou éclatants.

Izzy Jackson ne laissait ni argent, ni testament, ni famille. Ses seuls biens avaient été le *Fog Lady* et, sur une petite île propriété d'Andrew MacGregor, la maisonnette qu'il habitait. Le seul souhait immuable qu'on lui connût, parce qu'il l'avait souvent exprimé, était que son corps fût jeté à la mer.

Le service religieux avait pris fin. Le bateau patrouilleur quittant le flottant cortège funèbre mit le cap sur la côte.

Cal Bannister, dont le bateau fermait le convoi, observait Andrew MacGregor qui, monté à la poupe de son bateau de plaisance, jetait à la mer une couronne de fleurs. Le bateau de MacGregor, le *Communicator,* était suivi des Miller à bord de leur *Ellie B.* À l'endroit où le cercueil avait été immergé, Ellie Miller jeta à l'eau un bouquet de roses. Puis vinrent les frères Webb — Samson et McGee — propriétaires de l'hôtel de l'île. McGee lança une bouteille qui, pleine de bière, sombra parmi les roses. Venait ensuite, au complet, la famille de Donhegan ; au nom des six, la plus jeune des filles laissa tomber des fleurs sauvages. Et la ronde se déroulait, chaque bateau laissant un souvenir à l'endroit où le cercueil avait été englouti.

Quand passa l'embarcation de Cal Bannister, le tombeau d'Izzy Jackson ressemblait à un jardin flottant.

— Chacun a apporté une fleur ou quelque chose, dit Lanie, la femme de Cal. Moi, j'ai rien apporté.

— T'inquiètes pas, grommela Cal. Personne ne regarde.

— Faut qu'on laisse qué'qu'chose, dit-elle.

C'était une femme grande et solide, dont les épais cheveux noirs paraissaient toujours hirsutes. Elle portait des jeans propres et un pull blanc à col roulé, en relief deux caractéristiques qui dès l'abord avaient attiré son mari. Bien qu'elle n'eût que vingt-sept ans, les profondes rides autour de sa bouche donnaient à penser que Lanie Bannister avait vécu et que la vie n'avait pas toujours été tendre pour elle. Mais il y avait quelque chose de naïf, de presque puéril, à la gêne qu'elle éprouvait de n'avoir pas une fleur à offrir.

— Si on laisse rien, ils vont penser qu'on aime pas leurs coutumes.

— C'est pas une coutume, dit Cal. C'est le premier type en vingt ans qui s'est fait enterré en mer.

Lanie regarda devant elle la file de bateaux, avec en tête la vedette de la Garde côtière et le yacht de MacGregor.

— Ben, je laisserai pas les gens penser qu'on veut pas être avec eux.

Elle allongea le bras et arracha à Cal la casquette de baseball bleue qu'il avait sur la tête.

— Hé, donne-moi ça, ordonna Cal.

Elle lança à l'eau la casquette.

— Nom de Dieu! hurla Cal. Ça m'a coûté dix dollars, au stade des Dodgers. Tu mérites une gifle!

— Je te l'ai dit en arrivant ici, répliqua-t-elle avec fermeté: finies les gifles.

Cal la regarda de travers:

— Je t'ai pas touchée depuis qu'on est ici, pas vrai?

Elle s'approcha et lui mit la main au creux des reins.

— Non, seulement quand c'était agréable. Cet endroit nous a porté bonheur, mon chou. C'est pour ça que je veux montrer que j'en fais partie.

— Ouais, t'est pas née ici et personne sait que j'y suis né, moi. Ça fait que ça va ben prendre dix ans avant que les pêcheurs de homard comprennent qu'on a gagné notre place.

— Ça m'est égal, dit-elle.

C'était aussi l'avis de Cal. Ébloui de soleil, entouré d'un horizon bleu sans nuage, il se sentait en sécurité, presque en paix. Il avait vécu toute sa vie dans la jungle des villes et voici que tout son être s'adaptait, se retrouvait. Sa peau, pâlie par toutes ses années d'un travail nocturne, avait retrouvé son hâle. Dans ce nouvel espace, son corps se sentait à l'aise. Mais même sur l'eau, ses yeux étaient en mouvement constant, les muscles de son cou se contractaient au plus léger changement du vent, au moindre craquement du bateau.

Enfant, il avait aimé l'île, ses forêts sombres, ses carrières et leurs étangs aux eaux glacées, ses prairies couvertes de bruyère et, tout autour, l'océan sans bornes. Il aurait aimé y vivre pour toujours. Mais il en avait été chassé, alors qu'il avait sept ans, un jour d'été. Sa mère avait été appelée chez Andrew MacGregor — au grand étonnement de Cal, car c'était d'habitude le jeudi soir qu'elle se rendait à Brisbane Cottage. Au retour, elle avait annoncé à Cal qu'ils quitteraient l'île, mais que M. MacGregor leur avait généreusement donné l'argent nécessaire pour trouver une nouvelle maison.

Cal ne sut jamais ce qu'Andrew MacGregor avait dit à sa mère et celle-ci ne lui avait jamais reparlé de cet homme. Plus vieux, il soupçonna MacGregor d'avoir renvoyé sa maîtresse du jeudi soir, furieux de ce que celle-ci partageât ses faveurs avec un autre homme, le bon et révérend Forbison. Il se pouvait aussi que MacGregor, tout à fait indifférent au sort de la mère de Cal, n'ait pas voulu qu'une telle aventure vînt semer le malheur dans la famille d'un ministre du culte.

Le petit garçon et sa mère commencèrent alors une vie errante. Elle fit tous les métiers : serveuse dans un bar, secrétaire, croupière, coiffeuse. Elle affichait un mauvais goût marqué dans le choix des hommes et un fort penchant pour l'alcool. Aussi Cal passait-il presque toutes ses soirées seul, tantôt devant la télé, tantôt dans les rues de la ville où le hasard les avait menés ce mois-là. Les rues, malgré leur inhospitalité, avaient appris à Cal l'art de se débrouiller pour survivre.

À ses quatorze ans, ils habitaient Las Vegas et Cal réussissait à se faire admettre dans les casinos ; là, il repérait les joueurs qui gagnaient gros et buvaient ferme. Avec un compère, il suivait leur piste à la sortie du casino et, dans une ruelle ou un terrain de stationnement, tentait de les soulager de leur magot. Puis, Cal entra par la petite porte dans le commerce de la drogue. Un ami de sa mère lui fournissait la marijuana qu'il vendait à ses camarades d'école, d'abord à Las Vegas, puis à Los Angeles où sa mère venait d'aboutir. Ses liens avec l'univers de la drogue firent de Cal l'un des étudiants les plus populaires de la vallée de San Fernando, malgré une personnalité qu'une fille qualifiait de capricieuse, de bête et de coriace.

Les travailleurs sociaux et la police locale n'avaient jamais été capables de mettre la main au collet de Cal Bannister ; le conseil de révision le trouva six mois après la fin du cours secondaire. Il avait quitté sa mère, qui se saoulait à mort dans un appartement de Burbank, et il vivait à Venice, parmi une bande de motards. Dix mois plus tard, le voilà préposé à une mitrailleuse à bord d'un hélicoptère, dans le delta du Mékong et trafiquant la drogue à Saïgon.

Le matin du 19 avril 1970, au cours d'un raid contre une position viêt-cong, son hélicoptère fut abattu et lui-même fut capturé. Par la suite, après deux mois d'une pénible marche à travers la jungle, il fut amené à une prison près d'Hanoï. C'est là qu'il fit la connaissance du lieutenant Len Haley, officier de trente ans qui dirigeait le camp, tenait tête aux gardes et insufflait aux hommes de son entourage la volonté de vivre.

Le lieutenant Haley devint le commandant de Cal Bannister et, en même temps, son conseiller et son ami. Il soigna Cal, qui, grâce à lui, se remit de sa longue marche dans la jungle. Haley passa deux semaines au trou, dans la saleté et la chaleur — à se nourrir de riz rance et à se protéger contre les rats — pour s'être interposé lorsque deux gardes s'apprêtaient à battre à mort Cal Bannister. C'est lui qui apprit à Cal comment survivre.

À la libération des prisonniers, en 1973, Cal et Len Haley échangèrent la promesse de rester en contact mais bientôt leurs chemins se séparèrent.

Grâce à de bonnes relations en Asie du Sud-Est, Cal Bannister trouva l'occasion de s'établir comme contrebandier de drogue, mais il manquait, en toute chose, de la persévérance qui mène au succès. Après deux importantes livraisons de drogue à Los Angeles, il se reposa sur ses lauriers.

Il s'acheta la moto Harley-Davidson du modèle le plus coûteux et se joignit à une bande de motards connue sous le nom de « Vandales ». Il passa ainsi quelques années à parcourir, vrombissant, les autoroutes du sud de la Californie, à rouler, rugissant, sur les routes de montagnes ou à travers les petites villes, à ouvrir de nouveaux chemins sur le sol délicat du désert du Mojave. Dans les bars, il jouait des poings et avait généralement le dessus. Il sifflait des litres de bière, reniflait de la cocaïne et contractait chaque mois une nouvelle maladie vénérienne.

Pour soutenir un tel mode de vie, il offrait ses services à des gens qui avaient besoin de protection personnelle ou de force physique. Au cours d'une guerre de la drogue en Californie du Sud, il traversa la frontière mexicaine, traqua un groupe de contrebandiers et assassina leur chef dans son lit. Un jour, la fille d'un fabricant de textile de Los Angeles fut enlevée et le suspect fut acquitté pour vice de forme. Le père se tourna vers le monde interlope, qui alimentait son entreprise en main-d'oeuvre immigrée clandestinement. Cal Bannister fut engagé pour battre le suspect jusqu'à l'os ; il le battit à mort. Une autre fois, il fit exploser un yacht au cours d'une réception à Marina del Rey, tuant ainsi deux chefs de la pègre et une petite armée de trafiquants de drogue. Sa réputation s'étendait. La liste de ses clients alignait un nombre croissant de noms puissants et prestigieux. Mais il demeurait un mercenaire — jusqu'à sa nouvelle rencontre avec Len Haley.

Haley avait fondé à Los Angeles une agence de détectives et travaillait sur un cas qui l'amena dans le voisinage de Cal Bannister. Ils renouèrent leur vieille amitié. Cal Bannister entra au service de l'agence, faisant bénéficier de son expérience spéciale certains des plus importants clients de Haley. Parmi ceux-ci, un animateur de jeux télévisés, nommé Vaughn Lawrence.

Cal Bannister travailla comme un forcené et mena la vie d'un motard, jusqu'à sa rencontre avec Lanie, serveuse dans un petit restaurant de Fresno. Lanie emménagea chez lui et, à partir de ce jour-là, Cal commença à changer. Un jour, il déclara à Haley son intention de quitter le métier avant qu'il ne fût trop tard et d'emmener Lanie vivre dans l'île où il était né. Haley lui déclara qu'on ne pouvait pas, après la vie trépidente qu'il avait menée, trouver le bonheur dans une petite vie tranquille. Mais Cal n'approuva qu'à demi.

Pourtant, six mois plus tard, c'est Len Haley qui fournit à Cal l'occasion attendue. Vaughn Lawrence, disait-il, traitait avec Andrew MacGregor, mais ne faisait confiance ni au vieux ni à ses associés. Haley désirait poster dans l'île de MacGregor quelqu'un qui pût réagir sur-le-champ si Lawrence avait besoin d'une information ou d'un coup de main. En échange, Cal recevrait l'argent nécessaire à l'achat d'une maison et d'un bateau et prendrait ainsi un nouveau départ.

Personne dans l'île d'Easter's Haven n'avait reconnu Cal Bannister. Pas même son nom, car sa mère en avait changé lorsqu'ils avaient quitté l'île. Les pêcheurs de homard, voyant en Carl un concurrent, ne réservèrent pas à celui-ci et à sa femme un accueil chaleureux. Seul fit exception Harry Miller, convaincu que tout homme a droit à sa chance, pour peu qu'il ait le coeur à l'ouvrage. Or, Cal travaillait ferme. Il apprit à piloter le bateau à pêche et à poser des casiers à homard. Il passait sur l'eau plus de douze heures par jour. Sur la rade communale, il se montrait habile à réparer les diesels en panne. Il s'inscrivit à la coopérative des pêcheurs de homard. Peu à peu, il gagna leur respect et leur amitié.

La seule demande de Len Haley avait porté sur la cueillette de renseignements : il s'agissait d'obtenir des photographies d'Andrew MacGregor et ses empreintes digitales — tâche plutôt difficile. Muni d'un téléobjectif et mettant à profit sa connaissance de la topographie de l'île, Cal avait pris des photos de MacGregor en train de prendre un bain de soleil, nu, comme le vieux en avait l'habitude même en septembre. Lorsque leurs bateaux se croisèrent pour la première fois, le vieux envoya la main à Cal ; celui-ci s'arrêta et lui offrit une bière : une « Rolling Rock », en bouteille consignée. Tom Dodd, chauffeur et garde du corps du vieux, s'objecta, mais MacGregor avala tout de même la bière. Cal Bannister expédia à Len Haley la bouteille vide, et pendant huit mois, il ne reçut plus de nouvelles de Los Angeles.

À présent, il craignait que l'explosion du *Fog Lady* ne marque la fin de sa tranquillité.

Lanie se pencha par-dessus bord, regardant dans la direction du yacht de MacGregor. Elle vit à la poupe le vieil homme debout, droit comme un I, les mains croisées derrière le dos, une petite casquette de marin sur la tête. John Meade se tenait non loin de là. Edgar Lean et sa femme étaient aussi à bord — c'étaient, depuis trente ans, le maître d'hôtel et la femme de chambre de MacGregor. Dans une chaise longue, à côté de MacGregor, une jeune femme aux cheveux blonds.

— Pour sûr, les gens d'ici l'aiment, dit Lanie.

— Il a fait beaucoup pour presque tout le monde ici, répondit Cal. C'est un peu le grand-père de la place.

— C'est-y pour ça que les gens disent rien, même si sa petite amie a l'air de sa petite-fille ?

— C'est sa nièce. Elle fait la navette entre l'île et New York.

— Elle a l'air drôlement familière.

À Easter's Landing, la vedette de la Garde côtière vira vers le nord et mit le cap sur sa base, située de l'autre côté de l'île. Le *Communicator* tourna vers le sud, en direction du quai privé de MacGregor. Le reste de la flottille pénétra en haletant dans le petit port, bien abrité d'Easter's Landing. Et tous les pêcheurs et leurs familles remontèrent la rue jusqu'à Webb House pour y prendre le petit déjeuner et porter un dernier toast à la mémoire d'Izzy Jackson.

Webb House était le seul hôtel de l'île et le seul restaurant ouvert durant la morte-saison. En juillet et août, les touristes emplissaient l'hôtel ; celui-ci, le reste de l'année, devenait le centre de la vie communautaire de l'île. Construite au tournant du siècle, Webb House avait un petit air désuet, mais les frères Webb la tenaient propre et peinte de frais. Dans la salle à manger, une cloison de chêne et de vitrail séparait du bar une douzaine de tables et de chaises et une rangée de compartiments en chêne. Le bar lui-même, joliment travaillé dans le chêne et recouvert de marbre, avait vieilli comme un bon vin — vin qu'on servait d'ailleurs rarement durant la morte-saison.

Samson et McGee Webb remplissaient des pichets de bière, qu'ils distribuaient aux pêcheurs de homard. Les femmes de l'île allaient et venaient de la cuisine à la salle à manger, apportant sur des plateaux les oeufs au bacon et les pots de café fumant. Les enfants gambadaient, remplissaient la salle de bruit. Cal et Lanie Bannister partageaient une table avec Ellie Miller.

Au bar, Samson Webb et Harry Miller discutaient. Samson avait déjà trois bières de trop dans le nez.

— Je persiste à dire que MacGregor devrait être ici, lançait Samson, dont la taille, les longs cheveux et l'épaisse barbe noire étaient bien assortis à un tel nom.

— Il va pas trop bien, dit Harry.

Samson s'appuyait d'un coude au bar.

— Tu veux pas dire qu'il a l'intention de rejoindre Izzy Jackson bientôt ?

Harry se raidit. Dans leurs conversations, Samson et lui tombaient rarement d'accord. Ils se battaient parfois, bien que Harry fût deux fois plus petit que Webb.

— Si t'étais un homard, Samson, tu serais bon pour les déchets, dit Harry.

Cal Bannister s'approcha du bar pour commander un pichet de bière.

— Tiens, v'là le nouveau, grommela Samson.

— J'suis ici depuis neuf mois, répondit Cal. Quand c'est que je vas cesser d'être nouveau ?

— Tu seras toujours un nouveau, reprit Samson. Et les nouveaux, c'est des imbéciles.

— Pourquoi ça ?

— Parce que l'île, elle vit dans le passé.

— Ça s'applique à la plupart d'entre nous, intervint Harry.

Samson fit mine de ne pas voir Harry. Il parlait à Cal.

Du pouce, il montrait la fenêtre :

— Et ça, c'est la faute au vieux bonhomme assis là-bas sur son rocher.

McGee Webb gagnait en coup de vent l'extrémité du bar.

— Moins de parlote et plus de bière, ça serait ben meilleur pour le commerce, lança-t-il à Samson.

McGee était beaucoup plus petit que son frère, et de plusieurs années son aîné.

Samson attendit que son frère soit retourné à son robinet à bière avant de s'acharner à nouveau sur Cal.

— T'en connais un bout sur les moteurs. T'as même travaillé une ou deux fois sur le bateau d'Izzy.

(Cal sentait la moutarde lui monter au nez.)

— Penses-tu vraiment qu'il a explosé comme on le dit ? Par accident, je veux dire ?

Cal fronça les sourcils.

— C'est ce que la Garde côtière a dit. Qu'est-ce que tu veux savoir ?

Harry but une gorgée de bière, se demandant pourquoi Cal semblait furieux.

Samson était trop saoul pour s'en rendre compte.

— Ben, v'là ce gars de Hollywood qu'est venu tourner pour le réseau national un film sur Easter's Haven. Tu te rends compte, il va montrer la place à tous les promoteurs et les hommes d'affaires de là-bas, qui brûlent d'investir leur argent, et c'est justement de ça que l'île a besoin. Le champ de Saint Bartholomew, ça serait l'endroit idéal pour installer une conserverie ou bâtir des habitations en copropriété.

Harry secoua la tête. Il combattait depuis des années les projets de lotissement de Samson et, grâce à MacGregor, il avait toujours gagné.

— Pis, qu'est-ce qu'on apprend ? poursuivit Samson. V'là ce type de Hollywood qu'est réduit en bouillie, et nous autres toujours assis ici à vivre comme en 1906 — et c'est justement ça, que veut MacGregor.

— Arrête de tourner autour du pot, Samson, dis ce que tu penses, souffla Harry.

Samson le regarda.

— Tout ce que je veux dire, c'est que les temps changent. L'île en a plus pour longtemps à vivre de touristes, de homards et de gars qui peignent des mouettes sur des cendriers. Toi et MacGregor, vous feriez mieux de regarder les choses en face.

Harry se mit à rire. On aurait dit un grognement.

Samson regarda Cal.

— T'es pour ou contre ?

— Contre quoi ?

— Que le gouvernement fédéral achète l'île Saint John et se serve des cavernes de granite pour emmagasiner des déchets nucléaires ?

— C'te guerre-là, on l'a faite il y a deux ans, Samson, dit Harry. C'est une affaire classée.

— Jusqu'à la mort de MacGregor. À ce moment-là, il y aura plus personne pour alerter ses petits copains à Washington chaque fois qu'on essaie de faire qué'qu'chose ici. Ça voudrait dire des emplois pour l'île, et de l'activité pour la piste d'atterrissage, et pis sans danger pour aucun de nous. (Il regarda Cal à nouveau.) Tu es pour ou contre ?

Cal haussa les épaules. Il se sentait comme devant des examinateurs.

— Eh ben, le pays a besoin d'endroits comme ça, je pense, et Saint John est à huit kilomètres de tout. Mais la plupart des gens viennent ici pour fuir la pollution et retrouver la tranquillité.

Samson Webb observa Cal pendant un moment, puis se tourna vers Harry.

— Bon j'pense que t'as trouvé un autre partisan. (Il secoua le pouce en direction de Cal.) Il s'écoute parler, comme un avocat qui vient ici en août passer deux semaines sur son bateau en fibre de verre.

En un éclair, Cal Bannister allongea le bras droit par-dessus le bar et agrippa Samson Webb par le col.

— Je dis ce que je pense !

Webb pesait 104 kilos et Cal seulement 86, mais Cal le souleva presque de terre. Webb, devenu écarlate, s'accrochait des deux mains à l'avant-bras de Cal. Puis, dans un geste vif et mesuré qu'aucun dîneur ne remarqua, Cal relâcha Webb, tourna les talons et regagna sa table à grandes enjambées.

Samson resta sidéré. Harry Miller était impressionné. Car rares étaient ceux qui tenaient tête à Samson Webb.

— Il est chatouilleux, hein ? commenta McGee.

— Je vas lui arracher la tête, dit Samson en faisant le tour du bar.

Harry lui mit la main sur la poitrine :

— Attends que le monde ait fini de manger, Sam. Une tête qui roule, et pis ils vont en perdre l'appétit.

— Mesdames et messieurs...

(À l'autre extrémité de la salle à manger, le révérend Forbison s'était levé.)

— Puisque nous voilà tous servis, prions...

Une heure plus tard, le repas était terminé. La communauté avait bu à la mémoire d'Izzy Jackson et les familles quittaient une à une l'hôtel Webb. À la porte, McGee Webb et le révérend Forbison échangeaient une poignée de main. Samson, lourdaud, trônait derrière le bar.

— Hé, Bannister, appela Samson.

Cal fit sortir sa femme, puis s'approcha du bar :

— Ouais ?

Samson Webb se pencha et remplit deux verres de bière. Souriant, il en tendit un à Cal.

— T'es trop rapide pour un gros comme moi.

— J'ai juste un petit fusible, déclara Cal après un silence.

Samson leva son verre.

— Bon, t'as qu'à venir ici régulièrement, on l'arrosera bien pour qu'il s'allume pas.

Cal sourit lentement.

Harry Miller s'approcha du bar, et Samson tira une autre bière.

— Content de voir que pas une tête n'a sauté, dit Harry.

— Ça vaut pas la peine, ajouta Cal.

Samson Webb hocha la tête :

— C'est sacrement vrai. Harry et moi, on est d'accord sur rien, mais on continue à boire un coup ensemble.

— L'île est trop petite pour qu'on fasse autrement, commenta Harry.

Le Cal d'autrefois aurait déjà été dans la ruelle, à se battre à coups de poings ou de couteaux. Mais Easter's Haven était un endroit pas comme les autres. C'est pour ça qu'il y était revenu.

En route vers chez lui, il s'arrêta à la poste, et Lanie courut prendre le courrier. Elle trouvait rarement dans la boîte autre chose que de la publicité. Mais elle aimait aller cueillir le courrier : cela la faisait se sentir intégrée à la ville. Elle revint, tenant à la main une pile de circulaires et trois enveloppes. Sous le regard de Cal, Lanie examinait une des enveloppes. La chaleur du soleil et la bière mettaient Cal dans un état de détente paresseuse. Il pensait au plaisir de rentrer à la maison et de trousser Lanie.

— Qué'qu'chose d'intéressant? demanda-t-il.

— De la paperasse, deux factures, et puis ceci.

Elle lui tendit une longue enveloppe blanche, sur laquelle étaient inscrits son nom à lui, avec le numéro de sa case postale. Aucune adresse d'expéditeur, mais le cachet de Beverly Hills. Il examina l'enveloppe, puis l'enfouit dans sa poche.

— Qu'est-ce que c'est, Cal ? demanda Lanie.

— Je ne sais pas.

— Ouvre-la.

— Quand on sera à la maison.

— Je veux la voir, Cal, demanda-t-elle.

— Il embraya sa Ford Bronco et démarra. Ils enfilèrent le quartier commercial, long de quelques coins de rue seulement, passèrent devant Webb House, franchirent le petit embouteillage près de l'embarcadère du traversier et gagnèrent Brisbane Road. En dix minutes, ils étaient chez eux. Cal tira le frein à main et coupa le contact.

— O.K., on regarde l'enveloppe, dit Lanie.

— Merde ! Pas avant que j'en décide !

Les sourcils de Cal se rejoignirent en une ligne continue. La lèvre supérieure, qu'il avait mince, se serrait contre ses dents jusqu'à disparaître presque. L'épaisse barbe, non rasée depuis plusieurs jours, semblait plus noire que jamais. Les muscles du cou et de la mâchoire se contractaient involontairement.

Devant cet air menaçant, Lanie gardait toujours ses distances. Dans la personnalité de son mari, cela faisait partie du côté irrationnel, effrayant. Mais celui-ci s'était estompé depuis leur arrivée dans l'île, et sa réapparition après plusieurs mois avait pour Lanie quelque chose d'inquiétant.

Cal sauta de l'auto et entra dans la maison. C'était un chalet sans étage, avec une cuisine minuscule, une vaste salle de séjour et deux chambres. Cal entra dans leur chambre, dont il ferma la porte. Il déchira l'enveloppe. À l'intérieur, dix billets de cent dollars flambant neufs, accompagnés d'une note. Les billets étaient si frais qu'ils collaient les uns aux autres. La note disait : « Pour services rendus. L.H. »

Cal sentit la sueur perler à son front et les muscles de son cou se contracter. Il avait laissé son passé le plus loin possible, mais pas encore assez loin.

Il entra dans la salle de séjour. Il tendit à sa femme la note ainsi que trois des billets.

— J'ai remorqué le yacht d'un gars jusqu'à Green Harbor, il y a quelques semaines. Je suppose qu'il vient de la côte Ouest.

Tandis qu'elle lisait la note, Cal Bannister sortit sur la pelouse et regarda les falaises. Au-delà de celles-ci, la maison d'Andrew MacGregor dominait la mer. Cal, de la main gauche, se tenait l'avant-bras droit. Il était capable de tuer n'importe qui dans l'île. Il pouvait survivre de chasse et de pêche et couper son propre bois. Il savait réparer son moteur et aider sa femme à élever leurs enfants. Mais, comparé à des hommes comme Andrew MacGregor ou Vaughn Lawrence, Cal Bannister n'avait aucun pouvoir. Or, seul compte le pouvoir.

9

Le docteur Joseph Stanton mouilla une serviette et en entoura le pénis de James Whiting.

— Détendez-vous.

Whiting s'allongea, les yeux au plafond, et compta les trous des panneaux acoustiques qu'il y voyait.

De sa main gauche, Stanton tenait doucement le pénis. De l'index et du pouce droits, il saisit le cathéter qui pénétrait dans le corps de Whiting. Sans autre avertissement, il tira.

— Jésus Christ! hurla Whiting.

Mais la douleur s'évanouit en un instant.

— Ne le dérangez pas pour si peu, dit Stanton tout en enroulant le cathéter et en le jetant. Gardez-le en réserve pour les problèmes graves.

— Pour réapprendre à pisser, par exemple?

Stanton se dirigea vers le lavabo et se lava les mains.

— Non. Pisser c'est comme monter à bicyclette. Une fois qu'on sait...

— Même chose pour le sexe?

— Ça l'a été pour toutes les autres greffes que j'ai faites. Il faut laisser le temps.

Cela se passait six jours après l'intervention chirurgicale. Whiting se reposait dans une chambre privée qui, ensoleillée, dominait le Riverway. On lui avait enlevé du bras les tubes intraveineux et il était désormais débarrassé du cathéter. Il n'aurait plus à arpenter les couloirs en poussant à ses côtés un petit sac d'urine.

— Les choses paraissent aller bien, dit Stanton.

— Combien de temps ça prendra pour que je sorte d'ici ?

— Encore une semaine peut-être, répondit Stanton en s'asseyant au bord du lit. Si tout va bien. Cependant, vers le onzième jour qui suit l'opération, on peut s'attendre à quelque épisode de rejet.

James Whiting savait que son système immunitaire, qui protégeait son corps de l'infection, travaillait à détruire son nouveau rein. Pour ce système, le rein était un élément étranger, un envahisseur, comme un virus ou une écharde. Mais les tests de compatibilité avaient annoncé une faible réaction de rejet. Pour la combattre, Whiting prenait deux immunodépresseurs, la Prednisone et l'Imuran ; jusqu'à présent, son taux de globules blancs, baromètres de la réaction, était presque normal. Ses médecins allaient surveiller de près ce taux, mais chaque jour gagné justifiait son optimisme.

Le succès de l'opération, cependant, ne signifiait pas son retour complet ou définitif à la santé. Les immunodépresseurs pouvaient produire certains effets secondaires déconcertants, de la perte des cheveux jusqu'à une plus grande, à l'infection. Et, dans la plupart des greffes, on pouvait prévoir que le corps rejetât l'organe un jour ou l'autre. Mais s'il pouvait survivre quelques mois avec son nouveau système, James Whiting était presque assuré de garder le rein au moins deux ans. Passé ce délai, les chances commenceraient à s'amenuiser — jusqu'à n'être plus que de 50 p. cent — de le garder au delà de cinq ans. (La greffe du rein d'un parent ou mieux encore, d'un jumeau identique, aurait considérablement accru cette possibilité.)

Mais James Whiting était prêt à jouer le jeu, dans l'espoir que des traitements inédits et de nouveaux médicaments, comme le Cyclosporin, améliorent ses chances dans les années à venir.

— Naturellement, dit Stanton, il y a toujours la possibilité que vous ne viviez aucune phase de rejet.

— Ce serait formidable !

Stanton se leva d'un air décidé et donna à Whiting une petite tape sur la jambe.

— Ce qui est formidable, c'est que vous avez un rein en bonne santé.

— Hé, docteur...

Stanton s'arrêta dans l'embrasure de la porte.

— Qui était-il ?

— Qui ?

— Le donneur ?

Stanton rentra dans la chambre. Il s'attendait à cette question, mais pas si tôt.

— Pourquoi êtes-vous si sûr que c'était « il » ?

— Bon d'accord. À qui appartenait ce beau rein en bonne santé ?

Stanton se rassit sur le bord du lit.

— Je vous dirai ce que je dis à tous mes greffés et qui suffit à les rassurer. Le donneur était un homme, âgé d'environ quarante ans, et n'avait jamais souffert de maladie grave. Il a subi de graves blessures à la tête dans un accident et il a été gardé en vie par une machine jusqu'à ce que son état réponde aux critères de la mort cérébrale. Il avait signé une carte de donneur, mais il ne s'attendait pas à mourir ce jour-là. Et il ignorait complètement que James Whiting allait recevoir son don posthume.

(Stanton s'arrêta un instant.)

— C'est tout ce que je peux vous dire, parce que c'est tout ce que je sais.

Whiting attendit quelques minutes après le départ de Stanton, puis il prit des numéros du *Boston Globe* parus au cours des huit derniers jours. Peu lui importaient les opinions de son éditorialiste favori ou les résultats des derniers matches des Red Sox. Il voulait lire la chronique nécrologique. Par-delà ce que Stanton avait dit ou caché, la curiosité de Whiting restait complète au sujet du donneur. Il ne cessait de s'interroger sur la personne avec qui il avait noué une si étroite relation biologique. Curiosité tout aussi naturelle, pensa-t-il, que celle qu'on porte à ces ancêtres.

Le journal du 7 juin ne présentait pour Whiting aucun candidat vraisemblable au titre de donneur. Il passa à la page nécrologique du 8. Au sommet, plusieurs longs avis de décès et, en dessous, des articles plus courts sur la mort de gens plus obscurs.

Whiting regarda d'abord le titre de gauche. JOHN WELCH, directeur à la retraite de Raytheon. En dessous, une photo du disparu : un homme à l'apparence aigre, avec des lunettes sans monture et une fine moustache. La photo avait été prise en 1949. « John Welch, vice-président à la retraite de Raytheon, est mort le 3 juin à son domicile de Brookline après une longue maladie. Il était âgé de 82 ans. » On n'effectue pas de greffe avec des reins de quatre-vingt-deux ans.

Sous M. Welch, se trouvait le portrait d'un jeune homme de la région, qui posait pour des photographies de mode ; il avait été tué dans un accident d'auto. Son âge semblait convenir. Whiting continua sa lecture jusqu'aux mots *tué instantanément.* La mort instantanée élimine toute possibilité de greffe.

L'oeil de Whiting glissa vers la photographie de droite. On pouvait y voir un homme au physique agréable et au sourire triomphant, vêtu d'un smoking et arborant une statuette. Sous la photo, la légende annonçait: « Roger Darrow recevant son Emmy pour *Flint,* en 1978. »

Le titre disait: ROGER DARROW, PRODUCTEUR DE TÉLÉVISION, MEURT D'UN ACCIDENT DE BATEAU, DANS LE MAINE. Whiting n'avait pas entendu parler de Roger Darrow et n'avait vu *Flint* qu'une fois au cours des huit années où l'émission avait été télédiffusée. Règle générale, il ne regardait la télévision que si elle diffusait une de ses annonces.

Il commença à parcourir le récit du décès; au second paragraphe, une phrase retint son attention: « maintenu artificiellement en vie pendant quarante-huit heures ».

Il retourna au début du paragraphe:

«Après l'accident, Darrow fut transporté au John MacGregor Memorial Hospital, à Rocktown, dans le Maine. Là, les médecins constatèrent des brûlures, des fractures et de graves blessures à la tête. Le lauréat de trois prix « Emmy » fut branché à un respirateur et son corps maintenu artificiellement en vie jusqu'à ce qu'on constatât la mort cérébrale. »

Whiting lut deux fois la phrase suivante:

«Avant le débranchement du respirateur, les organes de M. Darrow ont été prélevés pour être transplantés. »

Ce pourrait être mon homme, pensa Whiting. Il continua à lire:

« Roger Darrow était né dans l'Iowa, où il avait été élevé. Orphelin à l'âge de huit ans, il passe d'un foyer nourricier à un autre jusqu'à son installation à Hollywood à l'âge de dix-huit ans. En quelques années, il s'était imposé comme l'un des plus talentueux écrivains pour la télévision. Il remportait en 1967 son premier « Emmy », avec *Un Noël en Iowa,* récit semi-autobiographique d'un jeune garçon qui rêve de connaître le monde au-delà de sa ferme natale.

« En 1975, Roger Darrow et un producteur bien connu, Howard Rudermann, s'associèrent pour créer le personnage de *Flint,* séduisant détective privé qui vivait dans une luxueuse maison de San Francisco et jouissait, en dehors de son travail, des bonnes choses de la vie. Il finissait chaque semaine par défendre la cause d'une personne qui avait besoin de son aide sans pouvoir se payer ses services. Les épisodes avaient pour thèmes des sujets d'actualité comme la pollution chimique, la corruption urbaine ou le racisme. *Flint* fut l'une des émissions de télévision les plus populaires.

« Au moment de sa mort, Darrow achevait un voyage en automobile à travers le pays. Il avait amassé les matériaux d'un documentaire sur la vie aux États-Unis, et se trouvait dans le Maine pour interviewer l'énigmatique Andrew MacGregor.

« Quoique l'enquête sur les circonstances de sa mort ne soit pas encore terminée, tout indique que l'explosion du bateau fut accidentelle, et le médecin légiste du comté de Granite n'ordonnera pas d'enquête plus poussée.

« Un service funèbre en l'honneur de Darrow, dont les restes seront incinérés, ... »

Whiting fut secoué d'un étrange frisson. Roger Darrow n'était pas seulement mort. Il n'était plus que cendres, à la seule exception de ses reins.

« ... aura lieu à Hollywood au cours de la semaine prochaine. Il laisse son épouse, Jeanne Darrow, ancienne actrice. »

Whiting regarda de nouveau la photographie. Puis, il fut distrait par une sensation familière, un léger chatouillement, une pression dans le bas-ventre.

Il avait besoin d'uriner.

Il mit les jambes hors du lit et saisit, sur la table de chevet, la bouteille de plastique graduée. Depuis une semaine, l'urine s'écoulait, par le cathéter, de sa vessie vers le sac en plastique accroché au lit. Désormais, plus aucun intermédiaire, si ce n'était le donneur. Whiting ouvrit son pyjama et tint la bouteille à l'angle voulu. Son excitation était égale, il le sentait, à celle qui s'emparerait de lui au moment de faire l'amour pour la première fois après sa greffe. Il plaça son pénis dans le goulot de la bouteille. Sensation agréable, intense, qu'il aurait presque voulu prolonger.

Puis, il décida de se lever. C'est debout que les hommes urinent. Le rebord de la bouteille était froid, et pendant un moment, l'urine refusa de couler. Puis, elle vint. Il faudrait pour mesurer ce que ressentait Whiting, avoir passé quatre mois sans uriner.

Puis, lorsque tout fut fini, Whiting plaça la bouteille, à demi pleine, sur la table de nuit. Il se laissa tomber sur le lit et sonna l'infirmière. À l'entrée de celle-ci dans la chambre, il lui annonça fièrement son exploit.

— Comment vous sentez-vous ? demanda-t-elle.

— Merveilleusement, répondit-il. Si j'étais fumeur, ce serait le moment d'allumer une cigarette.

James Whiting se savait désormais au seuil d'une nouvelle vie. Il s'étira, et pensa aux femmes qu'il avait rencontrées depuis un an. Il se demandait à laquelle il ferait d'abord signe. Il pensait aux restaurants qu'il pourrait fréquenter sans restriction. Il imaginait tous les clients qu'il pourrait accepter au fur et à mesure que les forces allaient lui revenir. Il se prit même à rêver à la création de sa propre agence.

L'identité du donneur importait peu, se disait-il — qu'il fût producteur de télévision ou jeune suicidé. Le meilleur moyen de lui exprimer sa gratitude était de faire bon usage de son don. Tout ce qui comptait, c'était la seconde vie qui s'ouvrait devant James Whiting.

DEUXIÈME PARTIE

LE SOLSTICE D'HIVER

10

Le soleil a perdu de sa force. Chaque jour, il se lève plus tard et se déplace plus près de l'horizon. La glace a commencé à se former sur les lagunes, le long des rives de la Charles ; dans quelques semaines, la rivière sera gelée.

En dépassant au pas de course le club nautique de Boston, James Whiting a le sentiment de franchir une étape :

— Voilà trois semaines que je fais du jogging et c'est la première fois que je vais aussi loin sans avoir envie d'abandonner la partie.

— J'en ferai un topo sur les ondes ce soir, déclare Dave Douglas, qui court péniblement à ses côtés.

Dave habite l'appartement au-dessus de celui de Whiting. C'est un des plus proches amis de ce dernier. Toute la nuit, il présente des disques à la radio. Court de taille, affligé de quatorze kilos superflus, il est en plus mauvaise condition physique que Whiting. Mais il pousse toujours ses forces jusqu'à leur dernière limite, et c'est justement ce que Whiting attend d'un partenaire au jogging.

Six mois après sa greffe, James Whiting semble avoir retrouvé santé et vigueur. Les immunodépresseurs, qui ont stoppé avec succès le rejet, n'ont entraîné aucun effet secondaire appréciable. Les défenses corporelles sont restées assez fortes pour prévenir l'infection. Le visage a perdu les boursouflures qu'y avait formées la rétention d'eau, et l'absorption de médicaments n'a fait apparaître aucun bourrelet. Chute de cheveux : presque nulle. Whiting n'a connu ni les troubles mentaux ni les douleurs aux articulations. Bref, il a bénéficié d'une des greffes les mieux réussies du docteur Stanton, sans aucune complication ultérieure. Cela tient principalement à ce que Whiting a reçu son rein avant que la phase terminale de la maladie ne fasse tous ses ravages ; le reste de son système était encore en bonne santé.

Il fréquente désormais les meilleurs restaurants. Il s'est abonné aux joutes des « Celtics ». Il prend l'avion pour New York et ne rate aucune première de Broadway. De nouveau, ses textes publicitaires se vendent à prix d'or. Son médecin lui a permis de reprendre le ski de fond. Et peu à peu, il retrouve sa forme physique.

James Whiting et Dave Douglas suivent au petit trot la rivière, jusqu'au Hatch Memorial Shell, où les Boston Pops donnent leurs concerts d'été. Puis, ils traversent l'Esplanade et escaladent le talus jusqu'à la passerelle Arthur-Fiedler. Whiting a les poumons en feu et les muscles des mollets contractés. Il y a trois jours, il a dû s'arrêter ici. Mais aujourd'hui, il veut, avant de s'arrêter, atteindre le coin des rues Charles et Beacon, un demi-kilomètre plus loin. Il prend un nouvel élan et augmente sa vitesse.

— Whiting, t'es en train de me tuer, soupira Dave Douglas.

— Ce qui ne me tue pas me donne de la force, répondit Whiting.

— T'es fou.

— T'as réussi à me suivre. (Whiting aspira l'air à grandes goulées.) On a besoin d'efforts comme celui-ci pour passer d'une journée à l'autre.

— Bon, maintenant que tout ça est du passé, que dirais-tu de trouver de nouvelles idées ?

Whiting crache. Sa bouche s'emplit à nouveau de salive, comme pour apaiser le feu de sa poitrine. Il continue à courir, attendant, pour répondre à Dave, de trouver un nouvel aphorisme.

Seulement, Whiting est encore impuissant. Il n'est pas rare, dans les cas de dialyse, de voir l'impuissance persister quelque temps après une transplantation, mais pas pendant six mois. Quelques semaines après sa sortie de l'hôpital, il a essayé de faire l'amour avec l'une des infirmières du service de dialyse, à qui il faisait la cour. Ç'a été un échec, et ce qui était un problème physique est devenu, les mois suivants, problème mental. Un psychologue lui a prédit la récupération de sa puissance sexuelle mais, a-t-il précisé, le contexte émotif importera tout autant que les attraits physiques de sa partenaire.

Nous voici, à la fin de décembre, et James Whiting soupçonne dans son échec sexuel le symptôme d'une insatisfaction personnelle beaucoup plus profonde. Il mène aujourd'hui une vie immensément plus intéressante qu'avant la greffe, mais, d'une certaine manière, cela ne lui suffit pas.

Whiting franchit la passerelle piétonnière, rassemble toutes ses forces et court le long de Charles Street. Quelques minutes plus tard, il atteint, flageolant, l'intersection. Il se sent au bord de l'effondrement. Il crache de nouveau, s'asseoit sur une borne-d'incendie et décide que la prochaine fois il atteindra son but.

— T'es sûr que tu ne voudrais pas pousser une pointe chez Rébecca pour déguster des croissants au chocolat et prendre un café ? demande Dave Douglas après quelques minutes, comme ils descendaient Charles Street.

Whiting secoue la tête.

— C'est le temps des fêtes, Dave. T'es censé surveiller ton tour de taille.

— Ouais. Regarde comme il s'élargit. À propos des fêtes, est-ce que tu viens ce soir?

— Je dois aller à la réception de la boîte, ce soir. Pas possible de m'en tirer.

Dave Douglas émet un petit rire lubrique, du genre qu'on entend généralement dans les vestiaires sportifs.

— Est-ce que Patty Benjamin sera là?

Whiting hoche la tête et sourit. Il n'a jamais appartenu à ce type d'hommes qui discutent, avec leurs camarades masculins, de leurs conquêtes féminines. Il a toujours mis un point d'honneur à respecter cette règle. Celle-ci maintenant le protège, puisque seuls ses médecins et quelques jeunes femmes déçues sont au courant de son impuissance.

— Bon, reprit Douglas, après ta réception, amène-la chez moi.

— S'il n'est pas trop tard, dit Whiting distraitement.

Ils obliquent pour grimper la colline, pendant que Dave bavarde sur ses invités de ce soir-là. Mais Whiting n'écoute pas. La température de son corps a baissé. Sa sueur est froide. Et le soleil est trop bas pour chasser les ombres glacées qui couvrent Mount Vernon Street.

On est au 21 décembre, jour le plus court de l'année, et les invitations ne cesseront d'affluer jusqu'au Nouvel An. Tandis que Douglas cause, Whiting se demande pourquoi les gens en sont venus à tant vouloir célébrer le solstice d'hiver. De tout temps, cela avait été une fête païenne. Puis les Hébreux en avaient fait le Chanukah, ou fête des lumières. À un moment donné, au quatrième siècle, les Chrétiens décidèrent que le 25 décembre serait une bonne date pour la célébration de Noël — même si la plupart des biblistes situent la naissance du Christ plus tôt dans l'année.

Au solstice d'hiver, le pire est encore à venir. Alors que tout le monde festoye, l'air devient plus froid, la neige s'accumule et janvier approche.

Ce qu'on peut conclure, pense Whiting en se glissant sous une douche chaude une demi-heure après, c'est que les gens ne sont jamais satisfaits; leurs attentes sont toujours démesurées. Fin décembre, ils bambochent comme des païens pendant plus d'une semaine, pensant ainsi échapper à la déprime d'un long hiver. S'ils pouvaient gagner dix mille dollars de plus par année, leur bonheur serait à son comble. S'ils pouvaient obtenir un autre rein et une autre chance de survie, ils nageraient en pleine félicité et ne se plaindraient plus jamais.

Mais dans la vie, les choses sont rarement aussi simples. Elles ne l'ont pas été pour James Whiting. Peut-être Patty Benjamin y pourrait-elle quelque chose ?

— J'ai décidé que le moment est venu, dit Jeanne Darrow.

— Le moment de quoi? demanda Harriet.

— De regarder les bandes.

Elle étendit les jambes et sentit la chaleur du soleil sur ses cuisses. Les deux femmes étaient assises sur le patio, à côté du court de tennis de Jeanne.

Quelques jours auparavant, le début des pluies avait marqué l'arrivée de l'hiver à Los Angeles. Dans le sud de la Californie, les saisons pouvaient changer en douceur : un peu plus de chaleur et de *smog* en été, puis des jours plus courts et les vents secs de Santa Ana à l'arrivée de l'automne. Mais l'hiver faisait irruption à Los Angeles comme le printemps en Nouvelle-Angleterre. Le *smog* se dissipait. Chaque jour, la température dépassait les 20 degrés Celsius, pour retomber la nuit à cinq degrés. Les oiseaux de paradis étaient en fleurs. Les boutons de camélia atteignaient la taille d'un oeuf de rouge-gorge. Et après la première pluie, l'air devenait clair, vif, avec quelque chose de revigorant. La neige saupoudrait les montagnes voisines. Le parfum âcre des eucalyptus humides dévalait les collines, traversait les canyons, envahissait les boulevards et les stationnements. Les collines brûlées redevenaient vertes.

Le début de l'hiver avait rappelé à Jeanne les rythmes de la nature, les cycles qui règlent le retour des saisons et la vie des gens. Ainsi, sentait-elle toucher à sa fin son cycle de solitude et de dépression.

Elle venait de vivre un morne été, essayant de puiser des forces aux sources qui s'offraient : dans son travail ; dans le bon sens et la bonne humeur qu'irradiait toujours Harriet Sears ; dans la certitude qu'un jour elle pourrait, sur les vidéos, voir son mari tel qu'il était les dernières semaines de sa vie, et peut-être découvrir, par-delà les suppositions qu'elle avait échafaudées, ce qu'il avait vécu dans ces jours-là.

Tout au long de l'été, elle avait agi de façon à n'avoir pas le temps de penser à son mari. Elle avait travaillé cinq et parfois six jours par semaine, accourant sur les lieux des accidents, tantôt au volant de l'ambulance et tantôt à bord de l'hélicoptère.

De retour chez elle le soir, elle jouait au tennis ou nageait. Elle s'attardait devant la télévision, ne se glissant dans le lit vide qu'avec l'assurance d'y trouver le sommeil. Elle s'effondrait, épuisée, pour ne se réveiller qu'à l'aurore, l'esprit encore hanté par quelque rêve bizarre où revenait toujours Roger Darrow.

Elle se souvenait alors du corps nu et musclé qui se glissait vers elle dans la pénombre du petit matin. Elle se rappelait le tendre contact de la bouche sur ses seins ; la douceur des mains qui glissaient le long du dos ; la force de l'étreinte lorsqu'elle lui murmurait de la serrer fort, plus fort ; et les mains qu'il fermait sur ses fesses alors qu'elle-même l'enveloppait de son corps.

Au lever du soleil, elle sombrait à nouveau dans le sommeil, hantée, durant ces premiers mois, par le souvenir de son mari.

Pendant les week-ends, elle donnait des leçons de tennis aux enfants de sa soeur, dans le comté d'Orange. Elle refit la décoration de la maison, à l'exception du bureau de Roger. Ne se sentant pas prête, elle repoussa les avances de plusieurs hommes, dont quelques-uns l'attiraient pourtant.

C'est ainsi qu'elle passa les quelques mois qui suivirent la mort de Roger à renforcer la trame de sa vie, afin que, le moment venu de combler le vide resté au centre, l'étoffe tint bon.

En ce mois de décembre, elle se sentait prête à affronter Roger à nouveau, pour la dernière fois. La douleur serait vive, mais Jeanne se savait désormais apte à la supporter.

— J'ai décidé de faire ce dernier voyage avec Roger. Harriet n'en fut pas surprise.

— Seule, je suppose.

Jeanne essuya la transpiration qui perlait à son front avec une serviette éponge qu'elle se drapa ensuite autour du cou. Elle avait une allure vigoureuse, athlétique.

— Il n'y a pas d'autre moyen.

Harriet remit sa raquette dans son étui. Depuis la mort de Roger, les deux femmes jouaient plusieurs fois la semaine, et jamais Harriet n'avait mentionné les bandes.

— De toute façon, et sans doute à cause des bavardages de Howard, le bruit va courir que tu as finalement décidé de regarder les bandes. Ton téléphone va se mettre à sonner comme si tu avais fait signer au fantôme de Margaret Mitchell un contrat pour la rédaction d'une suite à *Autant en emporte le vent.*

(Harriet prit sur la table une carafe de vin blanc et en versa deux verres.)

— Il faudra que tu sois assez forte pour résister aux avances des réseaux, des producteurs et de tous les Vaughn Lawrence.

Jeanne sirotait son vin, dont la fraîcheur lui pétillait sur la langue.

— Ne t'inquiète pas, Harriet. Si les prises de vue sentent le roussi ou qu'elles touchent des choses trop personnelles, je ne les ferai voir à personne, même pas à toi.

— C'est la seule méthode à adopter, ma chérie.

— Je pensais que cela te décevrait. Il y a six mois, tu m'accusais d'enterrer la dernière oeuvre de mon mari. Il reste fort possible que ça finisse comme ça.

Harriet posa la main sur le bras de Jeanne.

— Tu avais raison. Il est mort. Rien ne lui rendra la vie. Et tu ne dois pas te laisser blesser par ce qu'il a confié à ces cassettes.

— Ce n'est pas mon intention. C'est pour cela que j'ai attendu tout ce temps.

Harriet serra le bras de Jeanne.

— Bon. Le visionnement de ces bandes ne devrait être pour Jeanne Darrow qu'une sorte de thérapie. Au diable tout le reste !

On était dans l'après-midi du samedi qui précédait Noël ; c'est, à Easter's Haven, le plus grand jour de l'année. Tous les magasins de la ville, y compris ceux qui étaient fermés pour le reste de l'hiver, étaient décorés de guirlandes et de couronnes de Noël. Une foule en liesse remplissait les rues. Des haut-parleurs perchés sur les réverbères diffusaient des chants de Noël, et les gens chantaient tout en déambulant d'un magasin à l'autre.

Chaque année depuis plus de cinquante ans, Andrew MacGregor donnait ce jour-là sa réception de Noël — avec musique, alcool, plats chauds et feu d'artifice, sur la pelouse de Brisbane Cottage. Insulaires et estivants, tous étaient les invités d'Andrew MacGregor, qui faisait là une seule apparition annuelle en public.

Les estivants revenaient dans l'île pour vérifier leur chalet et acheter des cadeaux de Noël. Les artistes qui demeuraient sur place réalisaient ce jour-là près de trente pour cent de leur chiffre d'affaires annuel. Et au fumoir, près du quai, les insulaires vendaient du poisson frais et des homards, du hareng et du saumon fumés, et la chair de crabe que leurs femmes passaient l'hiver à mettre en conserve.

À l'hôtel Webb, les chambres se réservaient six mois à l'avance, et le restaurant se remplissait d'une foule qui buvait la bière à profusion, dégustait la soupe de poisson et faisait bonne chère. Cinq personnes travaillaient au bar. Les fenêtres de la façade, avec leurs voeux de Noël griffonnés à la main, se couvraient de buée. Autour du piano, un groupe chantait des airs de Noël, et même Samson Webb admettait que, ce samedi-là, Andrew MacGregor était pour l'île un vrai Père Noël.

La porte de l'hôtel Webb s'ouvrit à toute volée, et l'on vit entrer dans le restaurant Harry Miller, Pete Donhegan et Cal Bannister.

— Joyeux Noël, Samson Webb ! lança Harry.

— Dieu vous bénisse tous, cria Donhegan.

Ils s'accoudèrent au bar et Harry commanda trois whiskies-bières, aux applaudissements de plusieurs personnes.

Samson déposa sur le bar trois verres d'alcool et trois bières.

— Vas-y, Harry. C'est ta soirée !

Puis, se tournant vers Cal :

— Et toi, assure-toi qu'il reste sobre.

— Il est sobre comme le granite, commenta Cal sans escamoter un seul mot.

— Et deux fois plus dur, d'ajouter Harry.

Celui-ci passa un bras autour de Cal et regardant les autres :

— Excusez-nous, les gars. Cal et moi, on a des affaires à discuter.

Harry entraîna Cal vers une table vide, à l'arrière du bar. Cal était intrigué, ne se connaissant pas de problèmes à discuter avec Harry Miller.

Harry retira sa casquette à carreaux et se frotta les mains. Ses paumes caleuses faisaient entendre un bruit semblable à celui de deux papiers de verre frottés l'un contre l'autre.

Cal tenait à la main son verre d'alcool:

— À ta santé, Harry!

Harry leva sa bière:

— Et joyeux Noël!

Cal avala d'une seule lampée deux onces de whisky. Ses yeux s'humectèrent brièvement et il reposa bruyamment le verre sur la table.

— Alors, qu'est-ce que je peux faire pour toi, Harry?

Harry dévisagea Cal un moment avant de parler.

— Depuis que t'es arrivé que ça me trottait dans la tête, Cal. Et pis, hier soir, ça m'a frappé.

— Ouais?

— Qui c'est que t'es?

Harry sourit. Il avait les dents jaunies, avec, autour de chacune des dents inférieures, une bordure brune, seul signe de décrépitude sur ce corps dur comme roc ou sur ce vieux visage anguleux.

Dans la main de Cal, la bière parut soudain glacée. Cal jeta un coup d'oeil à la ronde, pour s'assurer que personne n'écoutait.

— Euh, ouais, poursuivait Harry dans un sourire — car il ne voulait pas avoir l'air menaçant. Le premier jour que j't'ai vu, j'me suis dit: la tête de ç'jeune-là m'est pas inconnue.

Cal se redressa sur sa chaise et s'écarta de Harry.

— J'oublie jamais un visage, poursuivait Harry, et tôt ou tard j'arrive à mettre tout ça ensemble. La nuit dernière, j'me suis creusé la cervelle et j'me suis rappelé l'histoire d'une femme nommée Iris Dunne. Elle était coiffeuse ici, y a p't-être vingt-cinq ans de ça.

Le visage de Cal perdit toute expression.

L'air embarrassé, Harry regardait son verre.

— Elle était coiffeuse, et pas mal d'autres choses. Et pis — il regarda Cal dans les yeux — elle avait un petit garçon nommé Calvin. Un gentil gosse, qui jouait souvent avec Tommy, mon garçon.

— J'veux pas qu'le monde sache ça, dit Cal froidement.

— J'm'en doute un peu.

Pendant un instant, Cal se demanda ce que le vieux comptait faire de ce qu'il savait. Et puisqu'il connaissait l'identité de Cal, quelles autres choses pouvait-il deviner? Cal sentait se contracter les muscles de son cou. Il se voyait déjà payant une rançon à Harry Miller.

— Mais, j'peux pas remonter plus loin que ça, ajouta Harry.

Cal sourit, son corps se détendait. Il se rappela qu'on était à Easter's Haven, et non pas à Los Angeles ou à Las Vegas. Et qu'il avait devant lui Harry Miller, et non un vulgaire truand. Harry Miller, c'était l'historien de l'île, son raconteur. Il avait pris Cal et Lanie en amitié dès le jour de leur arrivée. Dans l'île, les gens faisaient confiance à Harry. Les gens se faisaient confiance entre eux.

Harry tendit la main et Cal la saisit.

— Cet endroit a besoin de sang neuf, dit Harry. Ça me fait chaud au coeur quand un jeune gars revient ici après avoir vu du pays.

Cal leva sa bière et fit cul sec :

— J'suis revenu parce que j'aime cet endroit. J'l'ai toujours aimé.

— Mon fils aîné l'aimait aussi, répondit Harry. Il l'aimait trop pour s'en méfier.

Harry se tut un moment, regardant dans son verre le faux-col que formait la bière. Cal connaissait l'histoire de Tommy Miller, mort en mer, bien que Harry en parlât rarement.

— Eh ben, m'sieu, dit Harry après un moment, depuis que j'ai perdu mon gars, j'ai pas d'associé pour la pêche d'hiver.

Cal se pencha en avant, les bras croisés sur la table. Harry continuait :

— C'est l'temps de prendre quelqu'un, quelqu'un d'grand et fort, à qui j'pourrais apprendre ce que j'sais sur la pêche au homard et sur la pêche à la crevette d'hiver.

Harry lançait une offre et Cal n'avait pas besoin d'y réfléchir bien longtemps. Il sourit à Harry puis commanda à Samson deux whiskies-bières.

Samson apporta les verres et Cal et Harry trinquèrent.

— Aux deux nouveaux associés ! dit Harry.

— Et moi, j'souhaite apprendre tout ce que tu sais.

Cal heurta le verre de Harry avec le sien et but.

Le crépuscule tombait, dans un ciel d'un gris lumineux, argenté. Quelques jours auparavant, la ville de Easter's Landing était sombre, assoupie, gelée sous un hiver hâtif. Mais ce jour-là, elle vibrait de la joie de Noël. Dans leurs anoraks, les estivants avaient un air plus étranger encore qu'en juin. MacGregor était dans l'île. Et tout le monde, cette nuit, allait célébrer la naissance du Christ et le retour de la lumière.

Sur la rue principale, Cal, pressant le pas, passa devant le magasin général, le magasin des alcools, l'épicerie-droguerie, la quincaillerie Keenan, la banque, et s'arrêta devant la galerie Sandler, ouverte pour la première fois depuis octobre. M. Sandler était peintre, et Mme Sandler fabriquait des bijoux. Elle avait confectionné un magnifique collier de petits coquillages parfaitement polis et arrondis, montés sur une chaîne en or. Avec les boucles d'oreilles assorties, l'ensemble coûtait quatre-vingt-neuf dollars. Cal connaissait l'envie qu'en avait Lanie, ayant un jour vu celle-ci en admiration devant la vitrine. Mais elle n'en avait jamais exprimé le désir — à cause, il le savait — de son prix trop élevé.

Sans hésitation, Cal Bannister entra dans la boutique, déposa sur le comptoir un des billets de cent dollars qu'il portait depuis six mois dans son portefeuille, et acheta le collier et les boucles d'oreilles.

Ç'allait être le plus beau Noël de sa vie.

11

La réception de Noël que James Whiting appréciait le moins, c'était la soirée du samedi chez Brad Henshaw, dans un appartement du trentième étage de Prudential Center : arbre de Noël ultramoderne en aluminium, décoré de guirlandes de plastique rouge ; bande sonore débitant des nouveautés du genre *Jingle Bell Rock, Holly Jolly Christmas,* ou *The Chipmunk Song;* boules de gui suspendues partout, même dans les toilettes ; boisson chaude à goût de punch hawaïen avec une pointe de vodka ; bière Kirin ; plateaux de hors-d'oeuvre — rouleaux impériaux miniatures, beignets de crevettes et ailes de poulet — venus d'un restaurant chinois de Boylston Street ; des invités qui remplissaient, d'un mur à l'autre, le salon, la cuisine et la salle à manger ; nuages de fumée de cigarette flottant dans l'air chaud ; manteaux empilés dans la chambre, avec, caché en dessous, au moins un couple. Bref, le genre de réception que James Whiting fuyait généralement ; mais il était ici pour affaires.

— Six mois après, tu parais plus en forme que jamais, assurait Henshaw.

Whiting et lui étaient debout dans le coin, près de la table des hors-d'oeuvre. Whiting suivait des yeux la jupe de Patty Benjamin, qui lui tournait le dos et se dirigeait vers le bar. Cette nuit, espérait Whiting, allait être « la » nuit.

— Je crois qu'on peut cesser de te porter à bout de bras, poursuivit Henshaw, et recommencer à t'ensevelir de travail.

Whiting avait les yeux rivés sur Patty.

— Tu ferais mieux de sourire, murmura-t-il à Henshaw, parce que vous ne m'avez jamais porté à bout de bras. Au plus creux de ma maladie, j'ai écrit les meilleurs textes publicitaires que ton agence ait jamais produits.

Henshaw éclata de rire. Directeur d'une agence publicitaire, affichant une tenue vestimentaire impeccable, il adorait parler métier. Sous sa chevelure soignée, il n'était guère plus vieux que Whiting.

— Bon, pense un peu à tout ce que nous attendrons de toi dans les années à venir. Nous avons de gros clients, qui sont là à n'attendre que Whiting.

Whiting se mit à rire.

— C'est bien, très bien, tu devrais penser à écrire toi-même des textes publicitaires.

Patty Benjamin revenait avec deux bouteilles de bière. Elle en tendit une à Whiting. C'était la quatrième fois qu'ils sortaient ensemble et Whiting sentait Patty aussi intéressée que lui-même.

— Vous ai-je entendus parler d'un gros client ? demanda Patty en sirotant sa bière. Jim et moi, nous n'avons pas travaillé ensemble à un gros projet depuis sa sortie de l'hôpital. Et nous formions pourtant la meilleure équipe de l'agence.

— Tu as raison, dit Henshaw. À présent, grâce à tes dessins, tous les rédacteurs écrivent à la façon de Whiting, et les textes de Whiting font que tous les dessins ont l'air d'être de toi. D'ailleurs, ajouta-t-il dans un sourire, nous n'aimons pas voir travailler ensemble des gens qui ont une liaison : c'est mauvais pour leur boulot.

Du coin de l'oeil, Whiting vit le visage de Patty rougir de colère. Avant qu'elle ne pût dire quelque chose de regrettable, Whiting se tourna vers Henshaw :

— Si c'est le cas, alors je tiens pour fausses les rumeurs qui courent au sujet de ta secrétaire et de toi.

Henshaw lança à Whiting un regard furibond, puis sourit.

— Tu ferais mieux de te surveiller, Jim. Sinon tu auras besoin non seulement d'une greffe du rein, mais aussi d'une greffe de boulot.

Puis, il s'éloigna.

— Quel imbécile, déclara Patty.

— S'il doit mettre quelqu'un à la porte, il vaut mieux que ce soit moi.

Whiting but une gorgée de bière et s'éclarcit la gorge.

— D'ailleurs, le mot « liaison » suggère quelque chose d'illicite. Or, nous sommes deux célibataires adultes, hétérosexuels, normaux et pétants de santé.

— On dirait un texte publicitaire, commenta Patty.

Whiting, lui, avait l'impression de vouloir se convaincre lui-même de quelque chose.

Il s'était senti attiré vers Patty Benjamin dès le jour où elle était entrée chez Diehl, Diehl et Henshaw. Elle avait les yeux brun foncé et des cheveux qui lui tombaient sur les épaules. Elle était plus petite que les femmes qui attiraient généralement Whiting ; mais son corps était parfaitement proportionné à son ossature et la forme de son derrière était la plus parfaite que James eût jamais vue. D'autres femmes lui avaient affirmé que sa réaction initiale à leur égard devrait être d'ordre intellectuel ou émotif ; mais il semblait toujours réagir d'abord au physique. Les femmes les plus belles n'étaient pas toujours celles dont il appréciait le plus la compagnie en fin de compte, mais, estimait-il, la plupart des femmes avaient au moins une caractéristique propre à le séduire avant qu'elles ne prononcent un seul mot. Cela pouvait être un sourire, une coiffure, une paire de belles jambes ou, dans le cas de Patty Benjamin, un derrière rond comme une pomme.

Cependant, deux ans de travail avec Patty Benjamin l'avaient convaincu que la collaboration entre collègues ne devrait pas déborder les questions professionnelles. « Ne trempez pas votre stylo dans l'encre de la compagnie », telle était la devise de Brad Henshaw. Whiting admirait l'esprit de Patty, son intelligence et l'énergie qu'elle apportait au travail. S'il se permettait parfois de la suivre longuement des yeux lorsqu'elle quittait la salle, il s'était contenté de son amitié. Devenu malade, il avait plus besoin d'amis que de maîtresses. Mais six mois après sa greffe, il lui fallait une amante.

Une heure plus tard, il se trouvait au salon de Patty Benjamin, dans l'appartement que celle-ci habitait à Back Bay. De petites ampoules blanches tissaient un réseau de lumière autour de l'arbre de Noël. Patty était en train de remplir deux choppes de *wassail*. Whiting craquait une allumette au-dessus du petit bois déjà amassé dans le foyer. Elle avait tout préparé, pensa-t-il. Elle avait même mis le punch à réchauffer sur la cuisinière.

Les flammes dansèrent. Le petit bois s'enflamma. Whiting jeta dans le feu deux bûches d'érable. Il eut bientôt sous le nez une choppe de *wassail* fumant. Il s'en échappait un parfum de cidre, d'ananas, de clou de girofle, de vodka et de brandy. Il flaira autre chose.

— Joyeux Noël ! murmura-t-elle.

Ils s'assirent sur le sofa, buvant le punch à petites gorgées, et regardant les flammes envelopper les bûches. Un concerto pour piano de Mozart, parfait antidote contre trois semaines de chants de Noël, s'égrenait doucement en fond sonore. L'atmosphère, pensa Whiting, était parfaite. Patty avait veillé à chaque détail, y compris la touche de Shalimar, qu'il venait seulement de remarquer.

Sans un mot, il l'embrassa. Chaude et moite, la bouche de Patty se promenait, par petites mordures, sur son menton puis dans son cou. Les mains de Whiting couraient à l'arrière du pull à col roulé. Elle lui tendit sa bouche et ils s'embrassèrent de nouveau.

Il lui glissa la main sous l'aisselle et lui toucha les seins. La respiration de la jeune femme se faisait plus rapide. Il se mit à rire.

— Tu aimes ça ?

— Oui.

Elle l'embrassa encore.

— Et il me semble que toi non plus, tu ne détestes pas cela.

Elle glissa la main sous la chemise de Jim. De sa paume ouverte, elle caressait la poitrine et, du bout des ongles, grattait doucement le mamelon. Il se sentit parcouru d'un courant d'énergie nerveuse. Patty gratta de nouveau avec l'ongle et le courant se localisa. Puis, délicatement, elle commença à frotter du bout des doigts, et James Whiting sut que cette nuit allait être la bonne. Patty avait trouvé un point sensible, une zone érogène, et Jim réagissait enfin.

Il se tourna vers elle comme pour lui faire sentir ce qui arrivait. Il aurait aimé lui avoir parlé de sa longue attente, de son impuissance prolongée. Mais il pourrait la complimenter plus tard. Pour l'instant, il voulait caresser l'objet de son imagination.

Il se coucha sur le dos et Patty s'allongea sur lui. Tandis qu'ils s'embrassaient, il promenait les mains jusqu'à l'ourlet de la jupe. Patty portait des bottes, sur d'épais bas de laine. Lentement, il glissa les mains sous la jupe et remonta derrière les cuisses. Il sentit raidir le corps de la jeune femme. Puis il atteignit la partie supérieure des bas et se sentit envahi par la joie des fêtes. Les cuisses étaient chaudes et douces; il s'y attarda un moment, les frottant doucement du bout des doigts. Puis ses doigts, glissés à l'intérieur du slip de soie, caressèrent enfin la chair si longtemps admirée. Il ferma les yeux, se mit à rêver, et les mots d'un vieux texte publicitaire dévalèrent d'un coin perdu de sa mémoire. *Doux et moelleux, gracieux et ferme. Chaque moitié s'adapte parfaitement à la main, taille universelle.* Il embrassa Patty, pour étouffer son propre rire.

Patty lui rendit son baiser et pressa son pubis contre le sexe dressé. Mais celui-ci retomba, perdit toute fermeté — soudainement et complètement.

James se dit qu'il ne fallait pas prêter attention à cela. Il embrassait Patty, la caressait. Il s'efforçait de concentrer dans l'extrémité de ses propres doigts toute sa sensibilité. Il ramenait à sa poitrine les mains de la jeune femme. Mais voilà que les caresses de celle-ci avaient quelque chose d'ennuyeux, d'irritant presque. Le courant ne passait plus : ni dans sa tête, ni dans son corps. Il écarta les mains de Patty et s'assit.

— Qu'est-ce qui ne va pas ? demanda-t-elle. T'ai-je fait mal au rein ?

Il secoua la tête et expliqua ce qui s'était passé. Gentille et compréhensive, Patty se dit flattée d'avoir obtenu quelque succès auprès de lui. Elle suggéra une sortie au cinéma, ou une promenade, ils pourraient ressayer plus tard. Ils avaient tout le temps, assurait-elle. Rien ne pressait.

Mais James Whiting voulait s'en aller. Il n'avait pas envie de parler et ne se sentait pas assez à l'aise avec Patty pour s'asseoir en silence devant le feu. Elle l'assura de sa compréhension. Il l'embrassa, et partit en annonçant qu'il lui ferait signe.

Il descendit la Gloucester Street vers Marlborough, puis Marlborough vers le jardin public. Il était huit heures. L'air était froid comme du cristal. Les réverbères à gaz brillaient comme des morceaux de glace incandescente. Tout le long de la rue, les gens se réunissaient dans les maisons pour célébrer Noël. Des bougies étaient allumées aux grandes fenêtres. Dans les maisons de Back Bay, la lueur des foyers dansaient sur les plafonds. Des ampoules clignotaient sur les branches des sapins fraîchement coupés. Et les gens chantaient des airs de Noël ; mais Whiting ne s'arrêtait pas pour écouter.

Au coin de Berkely Street, il passa près d'un jeune couple. Bras dessus bras dessous, ivres et heureux, ils se souciaient peu du froid. Un étudiant de Harvard et sa petite amie de Wellsley, pensa Whiting ; ils profitent de leur dernier rendez-vous avant les vacances.

Le garçon regarda Whiting et leva le petit flacon argenté qu'il tenait à la main.

— Joyeux Noël, vieux !

— Joyeux Noël, mon cul, répondit Whiting ; et il se hâta de traverser la rue.

— Et vive l'esprit des fêtes ! cria la fille.

12

Sur la bande magnétoscopique, Easter's Haven parut à Jeanne Darrow aussi sinistre que dans ses cauchemars. Filmé de l'ouest, depuis l'embarcadère du traversier, cela semblait une forteresse, entourée de murs de granite et surmontée de pins debout comme des soldats sur un rempart.

Jeanne Darrow lisait toujours une revue en commençant par la dernière page ; de même, elle ne pouvait jamais résister à l'envie de lire la dernière page d'un roman avant d'entamer le chapitre un. Lorsqu'elle prépara le visionnement des bandes de son mari, elle choisit de regarder d'abord la dernière.

Après tout, elle connaissait la fin de l'histoire. Elle prendrait connaissance des conclusions que son mari avait tirées, elle saurait ses dernières pensées : elle comprendrait mieux ainsi, se disait-elle, les changements qu'il avait vécus au cours du voyage et pourrait juger par elle-même de la validité des conclusions.

Il était quatre heures trente de l'après-midi. On était au jour le plus court de l'année. Le soleil était couché et la température avait commencé à baisser. Jeanne Darrow s'assit en tailleur sur le sofa de cuir du bureau de son mari, un verre de vin blanc posé devant elle sur la table à café. Elle n'entrait pas souvent dans cette pièce, restée à peu près dans l'état où son mari l'avait laissée sept mois auparavant. Un petit arbre de Noël en céramique, qu'il lui avait offert, était posé sur le pupitre, à l'endroit même où il le plaçait chaque année.

Il n'y avait dans la maison aucune autre décoration de Noël, si ce n'est, dans le salon, le grand arbre nu. Elle l'avait acheté quelques jours plus tôt, mais n'avait pu se décider à le tailler seule. Elle attendrait que son père et la famille de sa soeur viennent dîner, la veille de Noël.

À l'écran, cependant, c'était le mois de juin et Jeanne Darrow était avec son mari sur le traversier d'Easter's Haven.

— L'île, dit hors champ la voix de Roger Darrow, fait environ dix kilomètres de large d'est en ouest, et quinze du nord au sud. Il y a quelques routes, ainsi qu'une piste d'atterrissage, où deux petits avions font la liaison entre l'île et le monde extérieur. Mais ce lien n'est pas ce que cherchent la plupart des gens qui viennent à Easter's Haven.

L'île grossit sur l'écran. L'image disparaît un moment, puis le traversier s'avance dans le passage, et la caméra se braque sur le toit rouge de Brisbane Cottage.

— Voici l'endroit où il vit, dit la voix de Darrow.

La maison est en partie cachée sous les pins. Un hélicoptère attend sur son aire, à côté de la maison. Un long escalier de bois dévale les trente mètres de la falaise jusqu'au bord de l'eau, où l'on a construit un abri et un quai.

— Au pied de la falaise, voici l'anse dite « Cutter's Cove », raconte Darrow. Il y a soixante ans, le granite d'Easter's Haven était taillé à même les falaises et expédié à partir de ce quai par la John MacGregor Quarrying Company. C'est sur ces rochers que, au propre comme au figuré, Andrew MacGregor a construit son entreprise électronique.

Cutter's Point, qui ferme l'anse à l'est, défile devant l'objectif. Puis, la terre rejoint le niveau de la mer au moment où la colline de Rumrunner apparaît sur l'écran. La caméra de Darrow fait un zoom vers le centre de l'île, que les falaises ne masquent plus à la vue. Là se dresse au-dessus des pins l'antenne de télévision géante. Ses feux rouges clignotent, même de jour. Elle paraît démesurée par rapport à tout ce qui l'entoure.

— Une transformation du paysage, grommelle Roger Darrow.

Pendant quelques secondes la bobine tourne à vide dans la cassette. Puis la caméra, postée sur le quai municipal, photographie la cale vide du traversier. Si l'on en juge par la longueur des ombres et l'absence de véhicules dans le stationnement, la scène se passe tôt le matin.

Roger Darrow s'avance face à la caméra. Il porte des jeans, un tee-shirt bleu et des espadrilles. Son visage semble tiré malgré le hâle, et sa chevelure est ébouriffée, mal peignée. Il s'assied sur l'un des pilotis du quai et sourit à la caméra.

Jeanne éteignit le poste de télévision. De nouveau, elle sentait sourdre les larmes. Elle n'avait pas pleuré depuis un mois et, si elle regardait ces bandes, ce n'était pas pour se remettre à verser des larmes. Elle quitta la bibliothèque et suivit le couloir jusqu'à la cuisine. Elle poussa les portes à ressorts et pénétra dans l'office, puis dans la salle à manger et, par le hall, arriva au salon. Elle allait d'un pas rapide, tête baissée, et ses talons résonnaient sur la tuile rouge. Puis elle fit volte-face et retourna dans le bureau. Elle remit la télévision en marche, et prit place sur le sofa, se promettant de retenir ses larmes.

— Après tout ce que j'ai vu au cours de ce dernier mois, disait Darrow, c'est agréable de trouver un endroit calme et tranquille, où le temps semble suspendu.

Il embrasse du regard le pont et le quai.

— L'endroit sera plus actif le mois prochain, avec l'arrivée des estivants ; mais pour l'instant, il appartient aux pêcheurs de homard et à leurs familles, dont la vie est étroitement liée à celle de l'île.

Darrow présente ensuite Harry Miller, le pêcheur de homard qui sera son guide dans l'île. Harry Miller s'amène devant la caméra, où il semble mal à l'aise. Il lève brièvement la main et sort du champ de la caméra.

— Je suis chanceux de l'avoir comme guide aujourd'hui, dit Darrow. Car, si ce que j'ai entendu est vrai, personne ne connaît mieux que lui Easter's Haven.

Sous le soleil rayonnant de ce matin de juin, Roger Darrow ajuste sa caméra à travers le pare-brise du camion de Harry Miller, qui parcourt les rues et les routes désertes. Il traverse la ville d'Easter's Landing, passe devant l'église de la première paroisse (qui est aussi la seule, commente Harry), puis l'immeuble à un seul étage où les écoliers, de la première à la huitième année, apprennent à déchiffrer le monde extérieur.

— On se sent loin des collines de Hollywood, plaisante Roger Darrow.

Ils traversent St. Bartholomew's Field: des acres et des acres d'herbe, de broussailles et de douces collines, parsemées de rochers et de cailloux. Ils suivent Atlantic Road jusqu'à Green Harbor, avec ses villes démesurées et ses yachts en cale sèche. Puis ils reprennent en direction sud par Midland Road, qui traverse le centre de l'île.

Ils longent l'aéroport: une seule piste coupant à travers champs, un bâtiment à un étage servant de tour de contrôle et de salle d'attente; dans un stationnement poussiéreux, un camion de ravitaillement et quelques autos.

Changement de décor.

La caméra est perchée au sommet d'une carrière; six mètres plus bas, un étang d'eau douce.

— Autrefois dans cette île, deux cents hommes travaillaient comme tailleurs de pierre tout au long de l'année, raconte, hors champ, la voix de Harry. Notre granite a servi à construire des bâtiments à Boston, à New York, à Chicago. À présent, c'est fini, sauf pour cette carrière-ci.

La caméra se déplace lentement vers la droite et saisit Harry Miller au moment où celui-ci se penche vers la carrière.

— Ceci était-il une entreprise de MacGregor? demande, hors champ, la voix de Roger Darrow.

— Euh — ouais.

— Pouvez-vous définir vos relations avec Andrew MacGregor?

— Non, tranche Harry tout en s'éloignant.

— Que pensez-vous de l'abandon des carrières? demanda Darrow. Harry continua à marcher.

— Le monde change.

— Et votre île est laissée pour compte?

Darrow parle rapidement, n'arrivant pas à retenir Harry.

— Pour ceux qui aiment ça comme ça, c'est pas si mal, répond Harry par-dessus son épaule. D'ailleurs, le monde nous laisse pas tranquilles, même quand on voudrait.

— Vous voulez parler des touristes?

Harry s'arrête.

— Je veux parler des gars comme vous.

Changement de décor.

La caméra est plantée au milieu d'un vaste champ verdoyant, semé de rochers et de blocs de granite et dominé par les pieds squelettiques de l'antenne de télévision. La caméra s'incline doucement et fait un zoom jusqu'à ce que l'antenne remplisse le champ. Puis Roger Darrow se poste en face de l'appareil.

— Nous venons de voir le fondement de la fortune d'Andrew MacGregor. Nous avons aperçu des beautés naturelles capables d'attacher un homme à cet endroit: les champs, la plage, l'épaisse forêt de pins. Mais nous voyons ici l'ultime symbole, le plus spectaculaire peut-être, de l'influence d'Andrew MacGregor sur l'Amérique. À treize kilomètres au large des côtes de l'Atlantique, au point le plus élevé d'Easter's Haven, se dresse l'une des premières antennes de télédistribution construites aux États-Unis.

— En 1954, MacGregor voulut regarder les séries mondiales. Mais l'antenne la plus proche se trouvait à cent trente kilomètres de là. Comme les signaux de la télévision traditionnelle ne suivent pas la courbure terrestre, il faut, au-delà d'une centaine de kilomètres, une antenne pour les capter. MacGregor a érigé le monstre qui se dresse derrière moi, puis a tissé le réseau de câbles qui transmet les signaux à chaque maison de l'île.

Darrow se tait un moment et regarde le sol à ses pieds, comme pour mettre de l'ordre dans ses propres idées.

— La télévision a apporté un divertissement à ces gens qui passaient leurs soirées d'hiver à écouter hurler le vent. Mais elle a du même coup introduit le vingtième siècle, pour le meilleur ou pour le pire, dans une île qui existait hors du temps.

Darrow prend une profonde respiration.

— La télévision constitue un divertissement et un mode d'éducation, mais aucun endroit n'est à l'abri de son influence. Elle nous unit...

Il s'arrête encore et réfléchit à la phrase suivante.

— Elle nous unit dans la médiocrité. Elle nous impose une vision uniforme du monde et s'efforce de réduire toute chose à son expression la plus rudimentaire, afin que les plus simples d'entre nous puissent comprendre le message.

La colère commence à percer dans la voix de Roger Darrow.

— Et ce que je dis s'applique aussi à la télédistribution, avec ses centaines de canaux d'information générale et ses systèmes bilatéraux pour tous les usagers. Là aussi, quelqu'un prend pour nous toutes les décisions en matière de programmation; et pourtant, quand chaque soir vous pressez les boutons et répondez aux questions, vous gardez la trompeuse illusion d'être aux commandes. Mais seuls ceux qui possèdent les canaux sont maîtres du jeu, et, s'ils ne sont pas gens d'honneur, tant pis pour nous tous.

Quelque chose ici ne va pas, pensa Jeanne. Roger mettait l'accent sur chaque mot, comme s'il marquait le point culminant du récit. Il ponctuait d'un mouvement de tête la fin de chaque phrase. Ce n'était plus le Roger Darrow simple et détendu, l'homme au sourire facile. Le voyage l'avait changé.

— J'ai mes propres théories sur Andrew MacGregor et Vaughn Lawrence; sur les raisons qui les ont poussés à unir leurs forces; sur l'usage qu'ils comptent faire d'un pouvoir énorme: celui que leur donne l'antenne que voilà derrière moi. Mais après avoir parcouru ce pays sur cinq mille kilomètres, je n'ai qu'une question: qu'est-ce que j'en ai à foutre?

L'image disparaît tout à fait.

Jeanne éteignit la télévision et se rendit à la cuisine, où elle se versa un autre verre de vin. Elle avait attendu six mois avant de prendre connaissance des derniers mots que lui adressait Roger. Elle avait laissé le temps bâtir un mur autour d'elle, mais ce que l'électronique lui apportait de Roger battait déjà en brèche ce rempart.

Presque malgré elle, Jeanne retourna à la bibliothèque. Elle savait proche le point culminant du reportage et, avec lui, celui de leur vie à deux.

Lorsque Roger Darrow réapparaît à l'écran, aucun indice ne permet de déterminer combien de temps s'est écoulé. Sont-ce des heures? Sont-ce des jours? Darrow est assis sur une véranda. Derrière lui, une immense pelouse verte s'étend jusqu'au sommet d'une falaise. Au-delà, on aperçoit le traversier pourfendre les eaux du passage. On est chez Andrew MacGregor. Darrow ne paraît plus épuisé. Il vient de prendre un coup de soleil: il a le nez et le front d'un rouge vif. Il porte un tee-shirt en coton et un maillot de bain et ses cheveux sont humides; il sort de la baignade.

— J'ai été favorablement impressionné par l'hospitalité du neveu de MacGregor, John Meade et, — il sourit comme un petit garçon espiègle — des autres membres de la famille. Je n'ai pas encore obtenu une entrevue avec l'homme lui-même; mais j'ai sur lui les idées plus claires qu'au cours des dernières semaines et je me crois en mesure de tirer quelques conclusions après mon périple de cinq mille kilomètres.

Darrow se penche en avant, comme pour livrer ses confidences à la caméra.

— J'ai vu la société la plus complexe, la plus artificielle au monde. Deux cent vingt millions de gens, dont la plupart ont le niveau de vie le plus élevé de la terre; une société soutenue par des centaines de systèmes, tous si étroitement entremêlés que la rupture de l'un d'eux entraînerait en un mois et demi le démantèlement du

reste. Alimentation, énergie, transport, communication, environnement : tout est interrelié.

Il se rasseoit et secoue la tête.

— Mais personne ne mesure cela, et personne ne s'en inquiète.

Il se tait pendant un instant, le regard sur l'océan. Un aviso pénètre dans le passage d'Easter's Haven et le visage de Darrow reprend son air tendu.

— Nous nous rappelons tous ce qui est arrivé en 1979 lors de la crise du pétrole. Qu'arriverait-il si deux mauvaises récoltes épuisaient nos réserves nationales de céréales ? Qu'arriverait-il si les usines hydroélectriques de la vallée de l'Ohio s'arrêtaient de fonctionner afin que les pluies acides ne détruisent plus les lacs et les étangs de la Nouvelle-Angleterre ? Qu'arriverait-il si se rompait, à San Francisco, l'aqueduc du réservoir de Hetch Hetchy ? Qu'arriverait-il si, à Los Angeles, un séisme précipitait sur les autoroutes toutes les passerelles piétonnières et rompait les grandes canalisations de gaz ? Et qu'arriverait-il si quelqu'un pressait le bouton rouge qui déclenche l'envoi des missiles ?

Jeanne prit conscience de ce qu'elle ne connaissait pas cet homme, dont la pensée semblait se dévider sans logique ni sens — et qui, pourtant, assurait avoir les idées claires. Elle aurait dû, constatait-elle, regarder les bandes à partir du début ; rien ne l'avait préparée à ce qu'elle venait d'entendre.

— Nous devrions nous inquiéter de toutes ces choses.

Darrow se penche vers la caméra, et, tandis qu'il gesticule, ses mains ne cessent de sortir et d'entrer dans le champ de celle-ci.

— Mais personne ne s'en préoccupe ni ne s'en inquiète, parce que la télévision nous persuade que nous maîtrisons les événements. Dans tout ce pays, les gens ont baissé les bras devant la complexité de l'électronique et se sont abandonnés à ses spectacles magiques que leur apportent les Vaughn Lawrence, les Andrew MacGregor et les gars comme moi.

De nouveau, il s'enfonce dans sa chaise et, d'un oeil vide, fixe longuement la caméra. Puis il dit doucement :

— Nous devrions être en admiration devant ce pays, ce continent. Nous devrions nous émerveiller de la résistance d'un aussi fragile système. Mais non. Nous sommes engourdis. Nous avons perdu notre fibre morale. Nous avons perdu notre capacité d'étonnement. Aux mains de la télévision, aux mains de grandes entreprises qui, comme MacGregor Communications, nous font miroiter une vie facile tant que nous leur en payons le prix. Aux mains de religions qui réduisent Dieu à quelque vulgaire vedette d'un carna-

val télévisé. Voilà ce que j'ai vu au cours de ce voyage, et voilà ce qui m'a foutu la déprime.

Il prend une profonde inspiration qui ressemble à un soupir. Le voici au point culminant de son exposé. Sa voix, presque mélodramatique, se fait murmure.

— Le seul émerveillement qui nous reste, c'est peut-être devant l'enfant qui avale sa première gorgée d'air ; l'émerveillement de la vie qui se perpétue et se développe ; l'émerveillement de l'espoir — l'espoir de retrouver ce que nous avons perdu.

Et c'est là qu'a sombré mon mariage. Je t'aimais, Jeannie. Mais notre amour, faute d'avoir engendré l'espoir, n'a plus l'avenir pour lui. J'ai besoin de cet espoir. J'ai besoin d'un enfant. J'ai besoin...

L'image disparut. La bande était arrivée à sa fin.

Jeanne Darrow ne sut jamais combien de temps, assise, elle avait gardé les yeux rivés sur l'écran vide. Assez longtemps pour ne plus sentir sa douleur intérieure, tant celle-ci était devenue intense. Tout à coup, elle lança à toute volée son verre de vin, qui s'écrasa sur l'écran. Elle hurla :

— Tu étais stérile, espèce de salaud !

13

Vu de loin, le feu d'artifice d'Easter's Haven épanouissait ses fleurs sur un champ de velours noir. Lorsqu'une fusée s'élançait et explosait, son tonnerre grondait d'un bout à l'autre du détroit, les falaises de granite s'illuminaient et l'on apercevait un instant sous l'éclair la maison d'Andrew MacGregor. Puis, les pétales de lumière colorée s'ouvraient, se métamorphosaient en de nouvelles floraisons, avant de disparaître dans l'épaisseur des ténèbres.

Les lumières de Rocktown laissaient à l'horizon une légère traînée grise. À Easter's Landing, les lumières de Noël scintillaient autour du quai de la ville. À l'entrée du port, la bouée blanche lançait ses éclairs à intervalles réguliers. Les lumières rouges de l'antenne de télévision clignotaient, chacune à son rythme. Et chaque constellation dans le ciel de décembre, se déployait en trois dimensions.

Des bougies blanches brillaient à chaque fenêtre de Brisbane Cottage. C'était une maison élégante, à l'architecture classique : le rez-de-chaussée et un étage sous un tout surélevé, de hautes fenêtres et une véranda courant sur toute la façade. Les fondations de la maison et les piliers de la véranda étaient de granite. Le reste de la maison était recouvert de bardeaux de cèdre teints en brun et ornés de moulures de couleur crème ; le rouge foncé des volets répondait à la couleur du toit.

Andrew MacGregor passait désormais plus de la moitié de l'année à Brisbane Cottage ; mais celui-ci gardait encore l'allure des retraites estivales dont les richards avaient parsemé la côte Est — grands hôtels particuliers construits en bois, ou grandes villas d'été.

De grands feux de joie ronflaient dans les poubelles et jalonnaient le demi-acre de pelouse. Environ 250 personnes s'étaient réunies pour la fête : vacanciers en vêtements de ski ; insulaires en jeans, gilets de duvet et pulls de laine ; enfants gambadant joyeusement dans l'excitation des feux et des lumières. L'air vibrait des chants de Noël entonnés par un choeur de vacanciers et d'habitants de l'île. Des flacons de bourbon et de cidre chaud circulaient de main en main. Au-dessus des tasses de « punch du pêcheur », spécialité de la maison MacGregor, des volutes de vapeur s'élevaient dans l'air froid. Sandwichs au jambon, fèves au four, pain brun et ragoût de poisson — celui-ci oeuvre de Samson Webb — étaient mis à chauffer sur des cuisinières en plein air. Sur deux tables s'amoncelaient des biscuits et des pâtisseries venus de tous les États de la Nouvelle-Angleterre.

À côté du cercle de lumière, des camionnettes, des jeeps, des motoneiges, trois Volvo, une Mercedes et deux traîneaux tirés par des chevaux étaient stationnés pêle-mêle. Les skis de fond semblaient pousser dans la neige comme un buisson de fibre de verre.

Au sommet de l'escalier qui montait à la véranda, le maître de céans, Andrew MacGregor en personne dominait la scène. Assis dans un fauteuil, enveloppé de couvertures, il arborait un large sourire, sous un bonnet de laine où disparaissaient ses oreilles. Le vieil homme semblait aux anges, saluait de la main ses vieux amis, bavardait avec les enfants et dégustait son propre punch.

Cal et Lanie Bannister, tendrement enlacés, se tenaient près d'un des feux. Ils buvaient tasse sur tasse du « punch du pêcheur », mélange de jus de fruits, d'épices, de vodka, de triple-sec et d'autres bonnes choses qui réchauffaient l'intérieur mais ne pouvaient rien contre les orteils gelés. Cependant, Cal et Lanie étaient insensibles au froid ; ils avaient fait l'amour tout l'après-midi.

— Oyez, oyez ! cria, du haut de l'escalier de la véranda, le révérend Forbison, la voix épaissie par la bonne chère et le punch.

La foule se calma, le choeur cessa de chanter et les enfants retournèrent vers leurs parents.

Andrew MacGregor se leva lentement et vint au bord de la véranda. Il portait un long manteau épais, surmonté de son bonnet rouge. Le froid et le punch lui avaient fait le nez et les joues d'un rouge vif. Il paraissait voûté, ratatiné, et son bonnet lui donnait l'air d'une épave humaine abandonnée. Difficile, se disait Cal Bannister, de croire que cet homme a régné sur un empire de communications.

— Joyeux Noël, Andy! cria une voix avinée, à l'arrière de la foule.

— Et Joyeux Noël à vous! répondit MacGregor. Joyeux Noël à vous tous!

La voix, pensa Cal, était plus impressionnante que l'allure générale. Et, tout en parlant, le vieil homme se redressait la taille et semblait grandir, comme un vieil acteur qui retourne sur les planches. Puis, se ravisant, il retira son bonnet et lissa ses cheveux, blancs comme la neige. Cal sentit alors la puissante présence d'Andrew MacGregor.

Sur la véranda, derrière le vieil homme, Cal reconnu Edgar et Mary Lean, les serviteurs de MacGregor; John Meade; Thomas Dodd, le garde du corps du chef de famille; et la nièce de MacGregor, vêtue d'un lourd manteau bleu, sur un ventre qui commençait depuis peu à devenir proéminent.

— On dirait que la nièce de MacGregor est enceinte, murmura Lanie.

Cal hocha la tête, se demandant qui était le père.

— Fais-moi un enfant, murmura Lanie.

Non loin de là un flash étincela. MacGregor lança un regard au photographe. Tom Dodd fendit la foule et se dirigea vers une femme d'âge moyen, habitante de l'île, qui tenait à la main un appareil Polaroïd.

MacGregor lui sourit.

— Je n'ai qu'une seule chose à vous demander, vous tous qui êtes ici. Pas d'appareils et pas de photos. Nous savons tous cela.

Bannister observa Tom Dodd, qui demandait courtoisement à la dame de lui remettre le cliché, ce qu'elle fit. Dodd nota son adresse et promit de lui envoyer une nouvelle pellicule.

Andrew MacGregor appela alors une petite fille qui se tenait au premier rang de la foule. Elle grimpa l'escalier et il la prit dans ses bras.

— Voici Sally Donhegan, annonça MacGregor; c'est elle qui, cette année, a l'honneur d'allumer l'arbre de Noël.

La petite fille pressa un bouton placé sur l'un des piliers de la véranda. L'épinette bleue qui dressait ses douze mètres près du bord de la falaise fit jaillir ses lumières multicolores, tel un spectaculaire feu d'artifice. La pelouse qui s'étendait devant la maison de

MacGregor s'illumina comme en plein jour. L'assistance lança des cris de joie et le choeur entonna *Joy to the World*. Andrew MacGregor se mit à chanter, bientôt accompagné de toute l'assistance.

Cal Bannister ne prisait pas tellement les fêtes de Noël. Dans le sud de la Californie, c'était synonyme de chants de Noël insipides débités par les haut-parleurs des centres commerciaux, d'arbres verts saupoudrés de neige artificielle, et de Pères Noël en bermudas rouges. Mais ici, l'atmosphère avait quelque chose de magique. Pour la première fois depuis des années, Cal se mit à chanter. Le choeur entonna ensuite *Deck the Halls*, puis *Jingle Bells*.

— C'est le plus beau Noël que j'ai jamais connu, déclara Lanie Bannister à Harry Miller quand les chants se furent tus. Tout le monde forme une grande famille.

— C'est comme ça depuis cinquante ans, dit Harry. Et les gens ont pas l'air de s'en fatiguer. Faut croire que c'est une bonne coutume.

Ils faisaient partie d'un groupe rassemblé autour d'un des feux de joie, au milieu de la pelouse. Il y avait là les Donhegan ; les Smithfield, famille d'estivants, amis des Miller ; les Sandler et Samson Webb.

— Raconte-nous comment tout ça a commencé, demanda madame Sandler.

— Oh ! intervint Ellie Miller, il le raconte tous les ans. Changeons un peu de sujet.

— C'est poétique, papa. Raconte.

C'était John, fils de Harry et avocat à Boston. Il marchait dans la neige, à la tête de sa famille. Il dépassait Harry d'une tête, mais il avait la même mâchoire carrée et le même éclair amical dans les yeux gris perçants. Ses deux fils, âgés de huit et de six ans, étaient le plus grand sujet de fierté de Harry. John tendit à son père une chope de punch fumant.

— Racontez-nous l'histoire, papa. Nous mourons tous d'impatience de l'entendre, insista la femme de John, grande blonde qui avait l'allure d'une estivante.

— Ouais, vas-y, raconte, fit en écho un autre homme, un étranger à la forte carrure et à l'épaisse barbe noire.

Cal regarda l'étranger, puis, Harry Miller, qui sembla hésiter un court instant, comme surpris ou effrayé à la vue de cet homme. Ce dernier était habillé comme un pêcheur de homard — casquette bleue, jeans, bretelles, une épaisse chemise de laine sur un pull à col roulé. Cal pensa le reconnaître, sans en être sûr.

Harry Miller scruta un moment le visage de l'étranger, puis leva sa chope, but une longue gorgée de punch et se lança dans son récit.

— C'était pendant l'hiver de 1932, commença-t-il. Il faisait un des temps les plus sinistres, les plus noirs et les plus froids que les pêcheurs aient connus. J'avais vingt ans, pis l'île traversait une mauvaise passe. Personne n'avait un sou vaillant et je prévoyais qu'au printemps ben des maris tourneraient leur fusil contre leur femme et ben des mères feraient bouillir leurs enfants dans la baignoire.

— Oh ! Harry, dit Ellie. Il y a des enfants qui écoutent.

— C'est la pure vérité, dit Harry. La réclusion, ça vous donne une maladie terrible, pis y se passe pas un hiver sans que quelqu'un dans l'île devienne cinglé.

Autour de Harry, le groupe commençait à grossir. Cette histoire était, à Noël, une tradition aussi vivace que le feu d'artifice. Quand Harry commençait son récit, que le reflet des feux dansait sur son visage et que la foule faisait cercle autour de lui, on voyait fondre chez lui la réserve propre aux habitants de la côte Est. Il devenait le conteur d'histoires.

— Eh ben, par un après-midi de décembre j'me trouvais au centre de l'île, sur une des terres de MacGregor, en train de me couper un arbre de Noël. Tout à coup, je lève les yeux et qui c'est qu'est là, si c'est pas le révérend Win Berry, l'ancien ministre de l'île, mort depuis six mois.

— Un fantôme ? demanda le plus jeune petit-fils de Harry.

— En chair et en os.

(Harry s'accroupit, de manière à regarder le petit garçon dans les yeux.)

— J'ai étendu la main et elle est passée à travers lui.

(Harry étendit le bras et toucha son petit-fils.) Le petit garçon fit un bond en arrière et la foule se mit à rire. Harry se redressa et jeta autour de lui un regard contrarié, jusqu'à ce que les rires s'éteignent. Puis il poursuivit son histoire.

— J'y ai dit : « Win, on t'a perdu dans une tempête, au mois de juin. T'es mort. » Et il m'a répondu : « Harry, un berger ne quitte jamais son troupeau. » J'y ai demandé ce qu'y voulait. Y a rapproché son visage du mien...

Harry fit le tour du cercle d'auditeurs en regardant chacun de ceux-ci dans les yeux.

— À ce moment-là, j'ai senti l'haleine froide et puante du spectre. Et Win Berry m'a dit : « J'ai beaucoup de peine pour toi, Harry. Tu t'es querellé avec ton vieil ami. »

Harry recula au centre du cercle. Chacun de ses mouvements, comme dans une chorégraphie, était calculé.

— Eh ben, les gars, c'était vrai. Andy MacGregor et moi, on avait eu une dispute, quelques jours à peine avant la mort de Win Berry. MacGregor avait licencié un groupe de tailleurs de pierre, y compris mon vieux père et moi. J'y ai dit ce que j'pensais et on s'est battu... à coups de poing. Deux vieux amis ! (Harry secoua la tête.)

Y a rien de pire que la haine entre deux vieux copains. Alors, Win Berry m'a dit: « La maison d'Andrew MacGregor vit une vie nouvelle. Un fils, né il y a six semaines et qui va passer à Easter's Haven son premier Noël. C'est un bon temps pour une réconciliation. »

Harry baissa la voix, comme honteux de sa réponse.

— J'y ai répondu : « Révérend, que vous soyez vivant ou non, je m'excuserai pas pour une bagarre dont je suis seulement à moitié responsable. » Immédiatement, j'me suis dit : ça y est.

Harry s'accroupit de façon à se mettre au niveau des enfants; mais il savait que les adultes étaient eux aussi suspendus à ses lèvres.

— J'avais dit qué'qu'chose qui pouvait rendre fou un fantôme. Et y a jamais eu grand monde pour raconter ce qu'un fantôme pris de folie peut faire.

Harry se redressa lentement. Il prit sa respiration. Il ménageait tous ses efforts dramatiques.

— Win Berry m'a regardé d'un air triste. Il a hoché la tête et m'a dit: « T'es mort depuis longtemps, Harry, depuis longtemps. » Et sur ces mots, il est parti, évanoui parmi les flocons de neige qui commençaient à tomber. Au même instant, j'ai ressenti le plus grand frisson qui m'a jamais traversé: le frisson de la tombe, que c'était, un froid à vous dresser les cheveux sur la tête. Et j'ai entendu encore résonner ces mots : « T'es mort depuis longtemps. »

Lanie Bannister serrait le bras de Cal comme elle le faisait, au cinéma, lorsque le suspense devenait trop intense pour elle. Puis, soudain, elle relâcha son étreinte. Quelque chose l'avait distraite. Cal regarda sa femme et celle-ci lui dit de regarder au-delà de la foule, qui comprenait maintenant de quatre-vingts à quatre-vingt-dix personnes.

De l'autre côté du cercle, la nièce d'Andrew MacGregor se tenait debout à côté de l'étranger barbu.

— J'pense que j'la connais, murmura Lanie. Chaque fois que j'l'ai vue, son visage m'a dit quelque chose.

Cependant, c'était plutôt l'étranger à la barbe noire qui piquait la curiosité de Cal. Mais ou bien celui-ci avait bu trop de punch, ou bien ses seize mois dans l'île lui avaient émoussé les sens : il n'arrivait pas à se rappeler où il avait vu cet homme. Et cela l'ennuyait. Dans le passé, il avait dû sa survie à sa faculté de reconnaître un visage, une stature, ou le tracé d'une piste dans la jungle.

Mais ici, se disait-il, au cours de cette fête de Noël à Easter's Haven, c'était la sécurité. Les yeux de l'étranger tombèrent sur Cal. Pendant un moment, les deux hommes se regardèrent. Puis, comme d'un commun accord, tous deux ramenèrent leur regard sur Harry Miller.

— Alors j'ai fini de couper cet arbre, qui faisait bien deux mètres de haut ; j'lai chargé sur mon traîneau et j'l'ai monté jusqu'ici. J'étais pas venu ici depuis six mois et j'ai été surpris de voir la maison toute sombre dans le temps de Noël. D'habitude, elle était toute éclairée comme à c't'heure ; mais ce jour-là on apercevait seulement de la lumière dans la cuisine, pis dans le salon d'en haut.

— J'ai tout de même décidé de sonner à la porte, continuait Harry. Y était p't'être six heures. Après un moment, MacGregor a ouvert. Dans c'temps-là, c'était un homme jeune et fort, avec des cheveux noirs comme du jais et des yeux capables de tout couper, sauf le granite. Avant que je me rende compte qu'y souffrait, j'y ai dit : « Joyeux Noël. J'ai apporté un arbre pour vous, votre femme et votre beau p'tit garçon. J'ai un peu honte, mais j'ai jamais vu vot' p'tit gars. »

Harry baissa de nouveau le ton. La foule se rapprocha.

— Y m'a regardé un moment en silence et j'commençais à me demander s'y allait pas m'fermer la porte au nez. Pis y a dit, dans un souffle : « Il est mort, Harry. Mon petit garçon est mort. »

— Oh ! Non ! pleura Lanie Bannister.

Samson Webb reniflait. Ellie Miller, debout à côté de lui, tira de sa poche un petit paquet de mouchoirs de papier et lui en tendit un.

— « Mon fils est mort il y a dix jours », poursuivit Harry. « À New York, d'une pneumonie. Tous les médecins et tout l'argent du monde n'ont pu le sauver. Nous avons enterré notre enfant et nous sommes revenus à Easter's Haven. Ma femme n'a pas quitté la chambre depuis notre arrivée ici. »

Harry prit une profonde respiration et fit une pause bien calculée.

— Eh oui, mes amis, j'étais là, debout sur la véranda, avec la neige qui tombait et un arbre de Noël à la main. J'me d'mandais dans quelle partie de l'au-delà ce fichu fantôme passait son temps, lui qu'avait pas appris la mort de l'enfant.

Des gens de la foule riaient nerveusement.

— Pis, poursuivit Harry, Andy MacGregor a regardé l'arbre et ses yeux ont comme repris vie. Y a étendu la main et touché le sapin.

Harry étendit le bras, comme MacGregor l'avait fait cinquante ans auparavant.

— Y m'a dit : « C'est un bel arbre, tout de même. » J'y ai demandé de le prendre. J'y ai dit que ça pourrait faire plaisir à Madame de voir ça dans la grande salle. Andy MacGregor a secoué la tête, en disant qu'y aurait pas de décoration dans la maison c't'année-là. Il est sorti jusqu'à la marche d'en haut, pis il a regardé le paysage. « La tombée de la nuit, Harry, c'est un mauvais moment », qu'y m'a dit. « Un moment difficile à passer quand on est dans le deuil. Tout devient noir et froid, t'as l'impression que jamais tu reverras le soleil. » J'me souviens d'ces mots-là comme si c'était hier.

Harry s'arrêta de parler et regarda la foule, fixant chacun dans les yeux quand c'était possible.

— À ce moment précis, comme si un déclic s'était produit en lui, Andry MacGregor a empoigné l'arbre de Noël par le tronc et me l'a retiré des mains en disant : « Allons-y ! » Y a descendu en courant la pelouse couverte de neige, jusqu'au bord de la falaise, là où pousse à présent c'te grosse épinette. De toute sa force, y a levé l'arbre dans les airs — (Harry leva les bras au-dessus de sa tête, puis les laissa retomber) — et l'a planté dans la neige. Puis, y est rentré à la maison en courant.

Harry se retourna vers la maison. Il parlait très vite. L'auditoire était hypnotisé.

— D'abord, le hall s'est illuminé, pis le salon et la salle à manger. Pis, une par une, les lumières se sont allumées dans les chambres et j'ai vu sa vieille mère et sa tante courir à l'intérieur. Raison qu'a se demandaient c'qui s'passait.

Y est r'sorti à la course, poursuivit Harry. Y tenait sous le bras une longue guirlande d'ampoules, une rallonge électrique et une bouteille de scotch — au diable la prohibition !

— « Aide-moi à enrouler ça », qu'il m'a crié. Harry hurlait aussi, en mimant la scène avec de grands gestes. « On va décorer cet arbre à l'extérieur. On va trinquer à l'extérieur. Et on va montrer le poing à la neige, au froid et à cette sacrée obscurité. »

La foule commença à applaudir. Harry baissa les bras le long du corps et attendit que le calme revint. Il baissa la voix.

— C'est ce qu'on a fait. Et quand on a branché l'électricité, que l'arbre a éclairé tout c'te sacrée pelouse, j'vous jure que j'ai vu Win Berry flotter dans les airs, près du bord de la falaise. Et y me souriait. Y savait que les gens ont besoin de leurs amis dans les moments difficiles.

— Ainsi soit-il, ajouta le révérend Forbison, au premier rang du groupe.

— Sacrément bien dit, ajouta Samson Webb.

Mais Harry n'avait pas terminé son récit.

— J'ai trouvé un pétard dans ma poche. Je l'ai sorti, je l'ai allumé et je l'ai jeté en l'air. Ça a fait un bruit du tonnerre et Andy a commencé à chanter *Joy to the World*. Je me suis joint à lui et on a chanté à en perdre le souffle, tant qu'on s'est rappelé les paroles. Pis on s'est passé la bouteille une couple de fois. Au troisième tour, Andy s'est arrêté et a levé les yeux vers la véranda. Sa mère et sa vieille tante étaient là qui reluquaient par la fenêtre. Sa femme, enveloppée dans un châle, était rendue dehors, Après tout ce temps dans sa chambre, elle avait l'air un peu tremblante. Mais elle a marché dans la neige, droit vers cet arbre et elle a dit : « Je prendrais bien une gorgée d'alcool. » Après une bonne lampée, elle m'a souhaité un joyeux Noël, pis elle a enlacé son mari. Ce soir-là, j'ai connu un homme heureux.

Les gens se remirent à applaudir, mais Harry leva les mains pour demander le silence.

— Elle nous a quittés à présent, ajouta-t-il doucement. Elle est morte quelques années plus tard. La seule femme qu'il ait jamais aimée. Mais ce soir-là, on a lancé qué'qu'chose qui tient toujours bon.

— Une tradition, dit Forbison.

— Joyeux Noël, Harry, cria MacGregor.

Harry Miller fouilla dans sa poche, en retira un pétard, qu'il alluma et jeta dans les airs.

— Joyeux Noël !

Le pétard explosa, salué par les acclamations de la foule.

Lanie Bannister riait et pleurait à la fois. John Miller se jetait au cou de son père, tandis que Samson Webb enlaçait par les épaules la femme de Harry. Cal jeta un coup d'oeil vers le groupe près duquel il avait vu la nièce de MacGregor et l'étranger. L'homme avait disparu dans la foule en liesse. La nièce de MacGregor s'en retournait vers la véranda.

Lanie s'essuya les yeux et se moucha. Elle regarda son mari, dont elle suivit les yeux au-delà du parterre. Elle observa la jeune femme qui montait l'escalier de la véranda, où Andrew MacGregor était assis dans un fauteuil, sous une montagne de couvertures. La jeune femme s'agenouilla, adressa quelques mots au vieil homme et l'embrassa sur le front.

Lanie porta ses lèvres à l'oreille de son mari.

— J'la reconnais maintenant. Elle se fait appeler Mary MacGregor, mais je l'ai vue à la télévision. C'était une actrice. Elle s'appelait Miranda Blake.

14

James Whiting était assis dans l'obscurité et regardait les branches nues qui frôlaient sa fenêtre. Le fauteuil était chaud et moelleux, avec des oreilles qui protégeaient contre les courants d'air. En une heure, il avait délesté de quatre rasades la bouteille de Jack Daniels. Là-haut, la sauterie de Dave Douglas battait son plein et Whiting pouvait entendre le bruit de la musique et des rires.

Lové dans son cocon douillet, James Whiting s'apitoyait sur lui-même. Le bourbon lui faisait un tiède liquide amniotique. Ses questions se divisaient et se multipliaient à l'infini. Pourquoi, venu si près de la réussite, avait-il essuyé un échec avec une femme qui lui plaisait ? Pourquoi son impuissance persistait-elle ainsi après la dialyse ? Pourquoi faisait-il partie des cinquante pour cent de patients que la dialyse prive de leur capacité sexuelle ? Et, d'ailleurs, pourquoi avait-il dû subir cette dialyse ? Pourquoi cette maladie des reins ? Pourquoi lui ? Il but une gorgée de bourbon. Pourquoi lui ? Il avait refusé de se poser cette question lorsque la maladie l'avait frappé.

Mais cette nuit, il irait jusque-là. Après tout, c'était Noël. Il but une gorgée et posa de nouveau la question : Pourquoi lui ? Pourquoi avait-il été choisi pour subir cette agonie de l'an dernier ? Et quel était l'auteur de ce choix ? Était-ce Dieu ? Y a-t-il un Dieu préposé à ce choix ? Pourquoi un Dieu intelligent aurait-il imposé à James Whiting une telle misère ? Et si c'est Dieu qui a fait ça, Whiting trouverait-il dans une autre vie quelque compensation à ses tourments d'ici-bas ?

Ou, peut-être devrait-il grimper sur le toit et menacer du poing la voûte sombre et vide de la fatalité, parce qu'il n'y aurait d'autres raisons aux malheurs de l'homme que le cafouillage de ses gènes, la faiblesse de son système ou la conjonction des étoiles à sa naissance ?

Whiting saisit la bouteille de bourbon. Il buvait trop mais, ce soir, le bourbon avait juste assez engourdi son cerveau ; demain matin, il souffrirait d'un mal de tête qui lui interdirait de s'apitoyer sur son sort. Il inclina la bouteille au-dessus du verre, mais elle était vide. Presque à regret, il alluma la lumière pour trouver dans le bar une nouvelle bouteille. En se levant, il entendit un chant s'élever de la rue. Il l'entendait déjà depuis quelques minutes, mais il venait seulement d'en prendre conscience. De la fenêtre en saillie, il regarda à l'extérieur.

Trois couples, bougies allumées en main, montaient la rue en chantant des airs de Noël; s'arrêtant devant les maisons aux fenêtres éclairées, ils offraient leur sérénade. À Beacon Hill, c'était de tradition, à la veille de Noël: les chanteurs et les carillonneurs parcouraient les rues et y répandaient la joie des fêtes. Whiting consulta sa montre pour s'assurer qu'il n'était pas saoul depuis trois jours. On était bien au 21 décembre.

Les voix pleines de rires chantaient *Deck the Halls*. La vapeur de leur haleine dansait au rythme de la chanson avant de disparaître dans l'air. Les voyant s'approcher de sa fenêtre, Whiting recula. N'ayant aucun motif de réjouissance, il n'était pas d'humeur à entendre des chants de Noël. Les chanteurs s'arrêtèrent néanmoins, attirés par la lumière de l'étage supérieur.

« Fidèles brebis, soyez heureuses / car Dieu vous apporte le repos / Qu'aucun nuage n'obscurcisse votre ciel [1]... » L'harmonie était précise et délicate. La voix du soprano dominait les autres et glissait à travers la mélodie. Comme un patin bien aiguisé sur la glace fraîche. «Souvenez-vous que le Christ, notre Sauveur, est né le jour de Noël [1]... »

Whiting fut de nouveau attiré vers la fenêtre.

« Pour nous sauver tous des griffes de Satan / alors que nous étions égarés [1]... »

Un sourire se dessina sur les lèvres de Whiting.

« Oh ! quelle nouvelle douce et agréable, douce et agréable ! Oh ! quelle nouvelle douce et agréable [1] !...

Whiting entendit des applaudissements qui fusaient des fenêtres de l'étage supérieur, et quelqu'un demanda *Les anges dans nos campagnes.* »

Les chants reprirent, et Whiting sentit se dissoudre en lui la déprime, l'apitoiement et les vapeurs du bourbon. Des centaines de fois, il avait entendu ce chant durant les semaines qui précédaient Noël, mais jamais chanté ainsi. Au refrain, la voix du soprano s'éleva jusqu'au *Gloria*, et James Whiting sentit un frisson à la nuque.

Six étrangers s'étaient arrêtés pour faire entendre leurs chants. Et ceux-ci l'avaient touché. La beauté de leurs voix l'avait fait revivre ; ils lui avaient rappelé le simple pouvoir de la générosité.

Les chants terminés, des applaudissements et des cris, des « joyeux Noël » jaillirent des fenêtres de l'appartement d'en-haut et les chanteurs commencèrent à s'éloigner.

Whiting ne pouvait les laisser partir ainsi. Il fit jouer le verrou et leva la guillotine. L'hiver s'engouffra dans la pièce.

— Hé ! cria-t-il. Sa voix se répercutait bizarrement sur les fenêtres et les murs. Hé ! Joyeux Noël !

— Joyeux Noël ! répondirent les chanteurs.

— Pourquoi cesser de chanter ? Faut pas !

---

1. Traduction libre.

— Vous voulez entendre un chant particulier ? demanda l'un des hommes.

— Le nom du soprano et son numéro de téléphone.

Les chanteurs se mirent à rire.

— Carla Glynn, répondit l'un des hommes.

— C'est à l'Opéra de Boston qu'elle devrait chanter !

— Merci ! de répondre le soprano.

— Moi, je suis Jack, ajouta l'homme. Je suis son mari.

— Eh bien, Jack et Carla, et vous tous : Joyeux Noël !

Alors, se souvenant des noms entendus une nuit de juin, il ajouta :

— Je ne me plaindrai plus si vous revenez réveiller le voisinage.

Pendant un moment, Jack sembla déconcerté. Il fit quelques pas vers la fenêtre et leva les yeux. Dans la lumière de la bougie que Jack tenait à la main, Whiting constata, à sa mimique, que la mémoire lui revenait. J'aurais dû me la fermer, pensa Whiting.

Jack se mit à sourire, puis à rire. Il leva le bras et agita la main :

— Joyeux Noël !

— Vous aussi, cria Whiting.

L'un des chanteurs entonna *Joy to the World.* Les autres lui firent écho et le groupe poursuivit son chemin. Whiting les écouta jusqu'à ce qu'ils eurent atteint le sommet de la colline. Puis il ferma la fenêtre et retourna dans la pièce. Il n'avait pas remarqué le froid. Quelque chose d'autre le préoccupait. Il n'avait cessé, depuis six mois, de repousser cette pensée qui désormais s'imposait à lui.

— Jim, vous savez bien qu'on ne révèle jamais le nom des donneurs.

Le docteur Joseph Stanton était assis derrière son bureau et jouait négligemment avec un trombone. Deux jours s'étaient écoulés depuis le Nouvel An.

James Whiting tenait à la main la coupure de journal qui annonçait la mort de Roger Darrow. Il la conservait depuis juin dans son portefeuille.

— Je ne quitterai pas ce bureau avant de savoir si c'est lui le donneur.

— Pourquoi ? Qu'est-ce que ça peut bien vous faire ?

— J'ai besoin d'occuper mon esprit.

Stanton commençait à déformer nerveusement le trombone.

Whiting croisa les bras, se déclarant prêt à faire le siège tout l'après-midi.

Joseph Stanton décida alors de lui dire la vérité. Il fallut multiplier les appels téléphoniques, user souvent de flatterie et quelquefois de menaces, mais, en fin de compte, Stanton obtint le nom et l'adresse du donneur.

Au moment où Whiting se dirigeait vers la porte, Stanton lui lança un avertissement :

— Jim, vous allez rencontrer des gens qui seront choqués de vous voir. Vous allez essayer de mettre à vue la trame d'une autre vie et peut-être échouerez-vous. Vous découvrirez peut-être dans le donneur un être fascinant ; ou, au contraire, une répugnante crapule. Vous trouverez plus probablement, comme en nous tous, un mélange de forces et de faiblesses. Ça ne vous aidera pas à garder votre rein et je ne vois pas en quoi ça pourrait contribuer à guérir votre impuissance. Mais puisque vous m'avez forcé à violer le secret professionnel, j'espère que ça vous aidera à trouver ce que vous cherchez.

— Tout ce que je désire, c'est dire merci.

TROISIÈME PARTIE

LES PHANTASMES DE LOS ANGELES

15

Nous atterrirons vers 15 heures, heure du Pacifique, disait la voix dans le haut-parleur. Le temps est clair et ensoleillé et la température est de 14 degrés.

James Whiting recula de trois heures sa montre, jusqu'à ce qu'elle indiquât 9 h 18, puis il regarda par le hublot. Entre les nuages, il apercevait les collines enneigées du centre du Massachusetts et discernait une route à six voies qui ressemblait à l'autoroute du Massachusetts.

À l'heure de l'apéritif, on survolait l'État de New York. On servit le déjeuner — steak convenable, légumes, petits pains ronds, vin rouge de Sebastiani — au moment où le lac Érié était en vue. Puis ce furent le dessert et le café, et le fleuve Mississippi, ruban d'argent déroulé dans le froid.

Whiting ne regarda pas le film. Il préférait savourer la musique classique diffusée aux écouteurs, regarder les champs de blé, les montagnes et les déserts qui défilaient sous lui. Au-dessus du Grand Canyon, Whiting avait cinq verres de vin dans le nez et la *Huitième Symphonie* de Beethoven lui résonnait dans la tête ; c'est ainsi, pensa-t-il, qu'on doit écouter Beethoven. Puis le Grand Canyon disparut. La terre devint plate et brune, et Whiting se demanda quelle sorte de ritournelles publicitaires un Beethoven composerait de nos jours pour gagner sa croûte.

Bong!

— Le capitaine du bord a allumé le signal d'interdiction de fumer. Nous vous prions de regagner vos sièges, d'éteindre vos cigarettes, de boucler vos ceintures et de vous préparer à l'atterrissage à Los Angeles.

Whiting écrasa son mégot, boucla sa ceinture et jeta un coup d'oeil par le hublot. L'appareil, tout en survolant les montagnes, perdait rapidement de l'altitude. Whiting remarqua des flots de brume jaunâtre qui roulaient doucement à travers les cols et s'accrochaient au flanc des montagnes. Ce n'était pas la visqueuse purée brune qu'on voit stagner en été dans la vallée, mais c'était du « smog ». Le jet y plongea, les montagnes disparurent et Los Angeles déroula son long tapis.

Du haut des airs, la ville ressemblait à une immense grille faite de rues et de pâtés de maisons banlieusardes, et qui s'étalait vers la mer en une parfaite symétrie. Çà et là, des collines. Les autoroutes, sillonnant la grille comme les ruisseaux et les rivières traversent les fermes, dévalaient les montagnes jusqu'au bord de la mer et joignaient les quatre coins de l'horizon.

L'avion avait atteint une altitude assez basse pour que Whiting pût voir sur les autoroutes les automobiles se déplacer suivant huit, dix, ou douze voies, à un rythme régulier, comme les globules le long des vaisseaux sanguins. L'avion, au milieu des vibrations et des grondements, déploya son train d'atterrissage.

Voici qu'on s'approchait assez pour apercevoir la piste de course de Hollywood Park et le Forum de Los Angeles, tous deux noyés dans un désert de béton sur lequel étaient peints des milliers de petits rectangles blancs. Il se souvint de statistiques : les deux tiers de la surface de Los Angeles sont consacrés au déplacement et au stationnement des automobiles.

Dès ses premiers pas, à l'extérieur de l'aérogare, Whiting, dans l'air tiède, se sentit allégé de cinq kilos. Le brouillard qu'il avait aperçu du haut des airs n'était pas visible au niveau du sol ; sur l'aéroport, le trottoir était jalonné de palmiers. Le soleil brillait, la plupart des immeubles étaient blancs, les rues propres. Whiting mit ses lunettes de soleil, inspira profondément et ses poumons se remplirent des gaz d'échappement des véhicules.

Il sauta dans un taxi :

— Hôtel Bonaventure, s'il vous plaît.

Le taxi démarra et descendit Century Boulevard. Le Ramada Inn et le Holiday Inn de l'aéroport. Le gratte-ciel Tishman. Hughes Airwest. *Danseuses nues, vingt-quatre heures par jour* et *Studio de massage suédois* au motel Airport. La passerelle enjambant l'autoroute de San Diego. Le Forum de Los Angeles — où, assurait le chauffeur de taxi, les Lakers allaient remporter encore cette année le championnat. Hollywood Park. Motels pour turfistes. Cinéma en plein air. Stations-service et petits centres commerciaux, flanqués d'immenses stationnements. Un supermarché appelé *chez Ralph.* Rues en pente, bungalows californiens sagement alignés, palmiers élancés et maigrichons. Et, partout, des panneaux publicitaires. La ville semblait un paradis pour rédacteurs d'annonces. *Jordache fait chic. Demandez la marque Bull. Savourez la différence. Visitez la montagne Magique.* Et *utilisez Afro-Sheen.*

— Inglewood, c't'un quartier noir, dit le chauffeur.

En comparaison du ghetto noir de Boston, pensa Whiting, on dirait le comté de Westchester.

— Pourquoi cette feuille d'aluminium enroulée autour du tronc de chaque palmier ? demanda-t-il.

— Pour empêcher les rats de monter, répondit le chauffeur. Les rats aiment les dattes, et pas seulement à Inglewood. Même à Beverly Hills, y a des rats qui grimpent aux arbres.

Le chauffeur éclata de rire.

Jack-in-the-Box. Taco Bell. McDonald. Un Burger King, ça vous tente ? Une affiche en forme de beignet géant, sur le toit d'un minuscule restaurant. Puis, le taxi emprunta l'autoroute du Port, qui circule à dix mètres au-dessus du sol. Devant se dressait le demi-cercle abrupt des montagnes, ce mur qui emprisonnait le *smog* et réduisait à l'aspect de nains les gratte-ciel du centre-ville. Le chauffeur du taxi énuméra les montagnes, à partir de la gauche : les montagnes de Santa Monica, les collines de Hollywood ; les collines Verdugo, celles de San Gabriel et de San Bernadino ; puis le mont Baldy, trois mille mètres, blanc et massif, émergeant du *smog* comme Moby Dick sortant de la brume avant de plonger vers le *Pequod.*

Whiting descendit à l'Hôtel Bonaventure, cet ensemble de cinq cylindres de verre dressé au bord de l'autoroute du Port. Sa chambre, située dans la tour nord-est, donnait sur les autres gratte-ciel du centre-ville, et sur les cours de chemin de fer. De la fenêtre, on voyait encore un panneau coiffant un immeuble de dix étages et proclamant, en énormes lettres rouges aux violentes lumières, que « Jésus est notre sauveur ». On apercevait plus loin le mont Baldy, c'est-à-dire le mont Chauve. Whiting se demanda pourquoi, dans une ville aussi débordante d'imagination, personne n'avait songé à donner un nom plus seyant à cette montagne couverte de neige.

Sa douche prise, Whiting enfila un pantalon gris et une chemise bleue. Puis il s'assit au bord du lit, décrocha le téléphone et demanda les renseignements. Une voix enregistrée lui recommanda d'utiliser l'annuaire ; mais quant à être au bout du fil, il obtiendrait le numéro désiré, sous promesse de le noter par écrit. Cette réprimande, proférée par une voix enregistrée, était pour lui chose nouvelle.

— Quelle ville, s'il vous plaît ? demanda la voix, humaine cette fois, de l'opératrice.

— Pacific Palisades, Roger Darrow.

Whiting épela le nom, tout en espérant qu'il ne s'agît pas d'un numéro confidentiel. C'était de Stanton qu'il tenait l'adresse.

Whiting inscrivit le numéro et, sans même raccrocher, se mit à composer. Il se sentait comme un collégien de fraîche date, qui appelle une étudiante de deuxième année pour obtenir un rendez-vous. Les mains moites, il répétait intérieurement son discours. Il laissa le téléphone sonner une fois, puis raccrocha. Il avait parcouru cinq mille kilomètres, mais là ses nerfs craquaient.

Il jeta un chandail sur ses épaules et sortit faire une promenade. Dix-huit heures. Dans les larges boulevards rectilignes, tout le flot d'automobiles semblait s'écouler vers l'extérieur de la ville, et les hauts bâtiments montraient leur face de pierre aux quelques rares piétons restés sur les trottoirs. Whiting parvint enfin à une oasis, nommée Olvera Street : double rangée de bâtiments sagement alignés, avec leurs murs crépis, leurs toits de tuiles rouges, leurs balcons qui, de l'étage, dominaient une rue à peine assez large pour une charrette et son âne. Olvera Street, c'était le berceau de Los Angeles, l'endroit où s'était établie la première colonie espagnole au dix-huitième siècle.

Whiting s'installa dans un petit restaurant mexicain, qui donnait sur une fontaine décorée de céramique. Il commanda une *Dos Esquis* et deux *enchiladas* au fromage. Il observait les touristes assis autour de la fontaine ; ils affichaient un air déçu, comme s'ils s'étaient attendus à trouver au coeur de ce centre-ville quelque Disneyland mexicain.

Son repas avalé, Whiting loua une auto et acheta une carte de la ville. Au lieu de se diriger, comme il en avait l'intention, vers la maison de Roger Darrow à Pacific Palisades, il remonta l'autoroute jusqu'à Hollywood. Il stationna avenue du Vermont et aperçut l'enseigne de Hollywood, dont les neuf lettres géantes, alignées à flanc de collines, flottaient dans les ténèbres au-dessus de la ville : parfait symbole de ce mélange de magie et d'artifice dont est faite Hollywood.

Les quelques heures qui suivirent passèrent à déambuler le long de Hollywood Boulevard, avec ses restaurants célèbres, ses boutiques de mode, ses terrains de stationnement, ses *sex-shops,* ses boutiques de glaciers, ses galeries de jeux vidéo, ses prostitués mâles, ses touristes, ses épaves humaines et ses vieux cinémas. Sa promenade se termina dans la cour du Chinese Theater. Il mit les pieds dans les empreintes de ceux de Clark Gable. Il vit dans le béton les traces de la tentative que Bette Grable avait faite d'imprimer le galbe de ses jambes. Et, comme les touristes d'Olvera Street, il sentit une légère déception : ce sanctuaire du cinéma accusait la fatigue et le vieillissement, malgré sa peinture fraîche et sa propreté. Il avait imaginé quelque chose de plus grandiose. Pourvu, pensait-il, que la visite chez Roger Darrow, quand enfin il en trouverait le courage, ne lui apporte pas la même déception.

Le lendemain matin, en suivant les indications d'un des commis de la réception, Whiting mit presque une heure à se rendre en voiture à Pacific Palisades. C'était samedi, et par ce matin de janvier, à Los Angeles, le thermomètre indiquait 18 degrés, le ciel était clair et les camélias commençaient à fleurir.

James Whiting stationna dans l'allée semi-circulaire, sonna à la porte de la maison de Roger Darrow, se passa la main dans la chevelure et se redressa la taille. Il portait une chemise Lacoste verte, un pantalon de popeline, et des *Topsiders.* Les mains dans les poches, il feignait une aisance qu'il était loin de ressentir.

La porte s'ouvrit lentement et Jeanne Darrow regarda à l'extérieur. Les cheveux maintenus par une visière, elle portait une robe de tennis. Whiting la trouva moins étrange et moins belle qu'il ne l'avait imaginée. Déception numéro un. Il sourit.

— Madame Darrow ?

— Oui.

— Je m'appelle James Whiting. J'ai parcouru un long chemin pour vous rencontrer. Puis-je vous parler quelques minutes ?

— Si vous venez de Salt Lake City pour me convertir à la religion mormone, vous êtes mal tombé.

Elle entreprit de refermer la porte. Whiting ne s'attendait pas à des sarcasmes.

— Je ne suis pas mormon, dit-il en riant. Je suis épiscopalien en principe, mais le plus souvent, agnostique. Nous ne distribuons pas de brochures et ne demandons pas d'argent. Nous passons seulement de longues nuits d'insomnie à nous interroger sur le sens de la vie.

Elle sourit.

— Alors, que vendez-vous ?

— Rien. Je suis venu vous remercier.

Elle ouvrit un peu plus grande la porte. Sa curiosité semblait piquée.

— De quoi ?

Il décida de ne plus attendre un instant.

— Il y a presque sept mois, j'ai reçu l'un des reins de votre mari.

Jeanne Darrow resta silencieuse. L'air incrédule, elle regardait Whiting. Deux moineaux bavardaient dans le buisson de camélias, à côté de la porte. Une musique douce filtrait de la maison. Et James Whiting sentait la chaleur lui monter au col et envahir son front.

— Est-ce une mauvaise plaisanterie ? Une simple lettre aurait peut-être mieux fait l'affaire.

— Ce n'est pas une plaisanterie, répondit-il.

Il sentait la transpiration perler à sa lèvre supérieure. Rapidement, il raconta son histoire, depuis le jour de la greffe jusqu'à sa dernière visite au médecin.

Lorsqu'il eut terminé, Jeanne essaya de dissimuler son trouble dans un haussement d'épaules et un rire nerveux.

— Alors, que voulez-vous que je vous dise ?

Il sourit.

— Je voudrais que vous répondiez par un *je vous en prie* lorsque je vous dirai *merci*.

Elle sembla se radoucir quelque peu.

— Bon. Je vous en prie.

— Pas si vite. Je ne vous ai pas encore remercié.

Il espérait au moins une invitation à prendre le café. Mais rien ne vint.

Il tendit la main, qu'elle prit. Elle avait la poignée ferme. Whiting enveloppa la main de la jeune femme dans les siennes.

— Votre mari a fait un acte de charité, madame Darrow, et j'en ai été le bénéficiaire. Et même s'il n'en sait rien, vous devez, vous, le savoir. Vous éprouverez peut-être quelque réconfort à apprendre que, incapable de survivre, il ait pu aider quelqu'un d'autre à le faire. Et c'est pour moi un réconfort de pouvoir exprimer ma reconnaissance.

Jeanne Darrow ressentit, l'espace d'un instant, une jalousie absurde. Son mari avait destiné à ce parfait étranger son ultime don.

— Vous sentez-vous réconforté, à présent ? lança-t-elle.

— Franchement, non, dit-il. J'avais espéré que nous puissions parler un peu plus.

— De Quoi ?

— De votre mari. J'aimerais en savoir un plus long sur lui — il hésitait — pour ma propre tranquillité d'esprit.

Il aurait voulu réserver cela pour la suite, mais il n'était plus sûr qu'il y aurait une suite.

— Monsieur Whiting, dit-elle. J'essaie depuis six mois d'apprendre à vivre sans mon mari et je n'ai pu trouver la paix de l'esprit. Je ne pense pas pouvoir vous aider à vivre avec ce qu'il reste de lui.

Whiting décida de retraiter aussi courtoisement que possible, pour effectuer plus tard une nouvelle tentative.

— Je suis désolé de vous avoir importunée, madame Darrow. Peut-être pourrons-nous en causer plus tard.

— J'en doute.

— Je serai à l'hôtel Bonaventure toute la semaine.

— Hé, Jeanne, que se passe-t-il ?

C'était Harriet Sears qui surgissait de l'intérieur.

— Voici monsieur Whiting, dit Jeanne. Il s'en allait, justement.

— Est-ce qu'il joue en double mixte ? demanda Harriet, le sourire aux lèvres, tout en détaillant Whiting de la tête aux pieds.

— Une autre fois, peut-être, dit Whiting. Au revoir.

Jeanne referma la porte, mais mit un moment à se retourner.

— Cesseras-tu, un de ces jours, de mettre à la porte tous les beaux garçons ? questionna Harriet. Qui était celui-ci ?

Jeanne secoua la tête, l'air encore incrédule.

— Le rein de Roger.

James Whiting prit Sunset Boulevard et roula vers l'ouest jusqu'à l'océan. Il stationna l'auto près de la plage d'État Will-Rogers et sortit du véhicule. La plage était large et propre. Il voyait déferler vers lui le fracas des vagues, dont les embruns glacés lui fouettaient le visage. Il déambula au bord de l'eau. Il observa les *surfers* qui, moulés dans leurs combinaisons de plongée, semblaient des phoques bondissant sur les vagues. Il lorgna les jeunes corps allongés au soleil. Il s'assit dans le sable chaud, jusqu'à ce que s'évanouissent le trouble et la déception qui avaient envahi son esprit.

Lorsque, deux heures plus tard, il regagna l'hôtel, il trouva sur sa commode un bouquet d'oiseaux de paradis, ces fleurs à longues tiges qui foisonnent en Californie. La carte qui accompagnait les fleurs disait :

Cher monsieur Whiting,

C'est la première fois que j'envoie des fleurs à un homme ; et j'ai rarement senti le besoin de m'excuser de mon comportement envers l'un d'eux. Nous nous parlerons. Veuillez me rejoindre, en face du Musée cantonal de Los Angeles, à quinze heures, cet après-midi.

Jeanne D.

Le musée se trouvait Wilshire Boulevard, à quinze minutes d'auto de l'hôtel. Trois bâtiments modernes en pierre artificielle et en verre, deux salles d'exposition et une salle de projection. Le parc qui les flanquait constituait le plus grand espace vert que Whiting eût vu à Los Angeles. Disposant encore de quelques minutes, il se promena dans le parc.

On y voyait d'épais bosquets de conifères, les inévitables palmiers, d'immenses pelouses, des sentiers serpentant entre les arbres. De petits étangs aussi, dont le plus vaste, près du boulevard Wilshire, étalait sur trente mètres son eau stagnante et fétide. Un treillis métallique l'entourait et, à chacune des deux extrémités, un mastodonte de plâtre, grandeur nature, trompettait à l'adresse de son vis-à-vis, comme dans la publicité du film *Un monde disparu.*

Puis, reniflant une odeur d'huile, il se rendit compte qu'il s'agissait, non pas d'un parc quelconque, mais des sables bitumineux de la Brea — le plus important site fossilifère d'Amérique du Nord. Les mastodontes reconstituaient une scène d'il y a plusieurs milliers d'années : des animaux, venus boire aux étangs, s'enlisèrent dans le bitume qui formait une nappe, près de la surface des eaux peu profondes. Des milliers de squelettes — mastodontes, mammifères préhistoriques de toutes espèces, oiseaux et au moins un être humain — s'étaient conservés dans la vase. La haute clôture, constata Whiting, était là pour éviter que chats, chiens et petits enfants ne deviennent les fossiles d'un siècle à venir.

Il monta sur une plate-forme qui dominait l'étang, et regarda en bas. Il remarqua des plaques d'huile flottant sur l'eau. Une odeur de goudron refroidi s'en dégageait et de grosses bulles, formées par l'expansion des gaz, venaient paresseusement crever à la surface.

— Quand on a vu l'enchevêtrement des autoroutes, cet endroit offre, sur Los Angeles, une perspective tout à fait différente.

Jeanne Darrow se tenait sur la plate-forme, à côté de Whiting. Elle portait des jeans, des bottes et un manteau sport en poil de chameau jeté sur un pull brun à col roulé. Ses cheveux étaient courts, coupés en dégradé. Avec une touche de bleu sur les paupières et de simples anneaux d'or aux oreilles, elle ressemblait à la femme, belle et mystérieuse, que Whiting avait espéré voir le matin même.

— Je suis arrivée ici en avance, dit-elle. alors, je me suis promenée dans le parc et je vous ai aperçu en train d'admirer la vase.

— C'est une très belle vase.

Elle rit nerveusement.

— Au moins, elle est à sa place. Pas comme la vase qui flotte dans l'air.

— Venez-vous ici souvent? demanda Whiting, renouant avec un type de dialogue qu'il avait abandonné depuis des années.

— Chaque fois que je veux me persuader que nos ennuis n'ont pas la gravité qu'on leur prête. (Elle se tut un moment.) Et lorsque je veux m'excuser auprès de quelqu'un.

— Les fleurs suffisaient, répondit Whiting. Et je comprends votre réaction. Cela à dû être pour vous un choc de me voir à votre porte.

— Oui, bien sûr. Et ça l'est encore.

— Votre première réaction a été l'incrédulité.

— Je vous crois, monsieur Whiting, dit-elle en lui tendant la main. Vous paraissez bon garçon et vous avez un visage honnête.

— Dois-je voir là un compliment ?

— Oui. Et vous devez vous sentir honoré d'avoir reçu un si bon rein.

Cette phrase, lancée par plaisanterie, prenait pourtant tout son sens.

— Je suis tout simplement heureux d'être en vie, dit Whiting. Et j'adorerais vous inviter à dîner ce soir.

— Pourquoi ?

Dans la vase, au-dessous de la plate-forme, une bulle de gaz gargouilla et vint crever à la surface. Boulevard Wilshire, la circulation du samedi après-midi émettait une sorte de grondement continu, comme le bruit d'un seul moteur.

Whiting haussa les épaules.

— Parce que vous êtes la seule personne que je connaisse dans cette ville de trois millions d'habitants, parce que vous me semblez très sympathique et que vous êtes la première femme à m'envoyer des fleurs.

— Trois bonnes raisons. Et la quatrième ?...

— La quatrième ?

— Vous voulez en savoir plus long sur mon mari, répondit-elle d'un ton coupant.

Whiting acquiesça de la tête.

— Pourquoi ?

Voilà une femme étrange et imprévisible, pensa Whiting. Tout à l'heure elle plaisantait avec lui, et la voici qui pose des questions auxquelles il n'a pas de réponses satisfaisantes.

Il ignorait que, la semaine précédente, elle avait regardé les bandes tournées pendant le dernier voyage de son mari. Avec Roger Darrow, elle avait traversé des paysages grandioses et visité les villes de l'Est. Elle l'avait regardé interviewer des gens intéressants, attirants et menaçants. Elle avait écouté ses commentaires, tour à tour pleins d'espoirs, cyniques, ou désespérés. Elle avait assisté à la lente détérioration de son mari, jusqu'au moment où, à la fin de la dernière bande, il avait complètement perdu contact avec la réalité. Et avec elle, Jeanne.

Whiting s'enfonça les mains dans les poches et se pencha pour regarder les eaux huileuses.

— C'est difficile à expliquer, dit-il. Peut-être un enfant adopté ressent-il la même chose lorsqu'il essaye de retrouver ses parents naturels.

— Je ne peux accepter votre invitation à dîner, monsieur Whiting, dit-elle en s'appuyant à la rampe. Mais je dois demain prendre le « brunch » chez l'associé de mon mari. Peut-être aimeriez-vous m'y accompagner ?

— J'adorerais ça.

— En pénétrant dans l'univers de mon mari, vous pourrez assouvir votre curiosité et décider si cela vaut la peine d'y consacrer plus d'attention.

En outre, elle savait que son apparition au bras d'un homme était de nature à faire taire momentanément les hypothèses qu'on échafaudait au sujet des bandes magnétoscopiques.

— Et maintenant, permettez-moi de vous faire visiter les marais.

16

Voilà donc pourquoi on l'appelait la Terre du Lotus, pensa Whiting, qui voyait se succéder les jours clairs et ensoleillés. Le bleu du Pacifique semblait chaque jour plus bleu. Au volant de la Mercedes décapotable, la femme portait un élégant chapeau jaune, et le soleil se reflétait sur le duvet de sa nuque. La brise jouait doucement avec les plis de sa jupe fleurie. Du lecteur de cassette venait la voix de Linda Ronstadt. L'automobile négociait les virages du Pacific Coast Highway. À gauche, l'océan, à droite, les montagnes de Santa Monica. James Whiting s'étirait, savourant la promenade.

— Aujourd'hui, annonça Jeanne, vous allez rencontrer quelques braves gens. Mais vous ferez face également à des sales types.

— Me fournirez-vous une carte de parcours ?

— Non. Je préfère découvrir vos réactions.

— J'ai l'impression de passer une sorte d'examen...

— C'en est un. (Jeanne sourit.) Au jugement que vous porterez sur les gens, je saurai que ce rein n'a pas été donné en vain.

Après avoir traversé Malibu Creek, Jeanne quitta par la gauche la route côtière et arriva devant une guérite. Elle indiqua son nom au garde et la barrière s'ouvrit.

— Bienvenue dans la colonie de Malibu, annonça Jeanne.

— Sûrement rien à voir avec les treize colonies qui ont fondé les États-Unis ! dit Whiting. Si jamais on se révolte ici, ce ne sera pas contre la taxe sur le thé.

Jeanne éclata de rire.

— Ce serait plutôt contre le prix élevé de la cocaïne.

Les maisons perchées au bord de l'eau dépassaient en dimensions tout ce que Whiting avait vu sur la côte. Elles étaient serrées les unes contres les autres comme les trois-ponts dans le port de Dorchester, et seul un terrain de tennis ou une rangée d'arbres venaient rompre ici et là l'alignement. Jeanne stationna derrière une Jaguar, elle-même rangée derrrière une Rolls-Royce, précédée à son tour d'une Mercedes et d'une Trans-Am.

La maison de Howard Rudermann était une construction moderne qui alliait le cèdre et le verre ; mais, vue de la route, elle avait l'allure d'une boîte dont la façade serait occupée par une porte de garage.

Dans le côté de la maison, des panneaux de verre coulissants s'ouvraient sur un vestibule. Il y avait une chambre à droite et une salle à manger au centre, mais tous les visiteurs obliquaient d'abord vers la salle de séjour, à gauche. Là, un mur de verre haut de deux étages donnait sur la plage, et un escalier en colimaçon conduisait à un balcon accroché à l'étage. Ce jour-là, la salle de séjour et le patio sur lequel elle s'ouvrait étaient remplis d'invités. À en juger par les bruits de rires et de conversations, on s'y amusait bien ; mais Whiting n'y voyait guère encore, ses yeux tentant de s'ajuster en même temps à l'éclat de la plage et à l'obscurité du vestibule. Au son de l'appareil stéréo, il reconnut les joyeux accords du guitariste George Benson.

— Jeanne Darrow fait son entrée avec un homme. Je prends mon carnet et j'y inscris le nom immédiatement.

Vicki Rogers, un verre de margarita à la main, surgit de l'ombre, toute de noir vêtue : pull à col roulé, blue jean et bottes.

— J'ai failli ne pas vous voir tant il fait sombre ici, dit Jeanne. Maintenant que je vous ai aperçue, je suppose qu'il me reste à vous ignorer.

Vicki regarda Whiting :

— Vous devriez peut-être sortir tous les deux, afin que nous puissions reprendre la scène.

— À moins que vous ne renouveliez votre garde-robe, insinua Whiting.

Il saisissait déjà les règles du jeu : aucune manifestation d'hostilité ouverte ; des sarcasmes et des mots d'esprit, si possible, pour marquer des points.

— J'étais d'une humeur sinistre, à mon réveil, reprit Vicki. Je pense que cela a quelque chose à voir avec mon horoscope. Puisque Jeanne ne daigne pas me présenter, dit-elle en tendant la main à Whiting, je vais le faire moi-même : Vicki Rogers.

— Celle de *Sur la Côte* ? fit Whiting, impressionné.

— Celle de « Qui-êtes-vous ? Méritez-vous-l'honneur-d'un-ragot-dans-mon-prochain-article ? » corrigea Jeanne.

Vicki toisa celle-ci :

— Mais, ma chère, s'il vous accompagne, c'est qu'il mérite qu'on parle de lui.

— Jeannie !

Howard Rudermann surgit de la salle de séjour et enlaça Jeanne Darrow. Il portait chemise indienne et pantalon de toile blanche.

— Je suis si heureux que tu aies pu venir.

Elle lui rendit son accolade. Elle semblait heureuse de le voir. Il regarda Whiting :

— Et qui est celui-ci ?

— James Whiting, interrompit Vicki. Ce nom n'éveille aucun écho.

— Et pas besoin de me demander s'il déplace les montagnes, dit Jeanne. C'est simplement un ami de Boston.

Rudermann happa la main de Whiting, le prit par l'épaule et l'entraîna dans la salle de séjour.

— Où allez-vous, s'enquit Jeanne.

— Tu sais comment ça marche chez moi, dit Rudermann. Les couples peuvent arriver et partir ensemble, mais durant la réception, tout le monde se mélange.

— Nous ne formons pas un couple, protesta Jeanne.

— Vous êtes arrivés ensemble, répondit Rudermann pardessus l'épaule. Vous formez donc un couple.

Jeanne les regarda descendre vers la salle de séjour.

— Il va présenter votre ami à quelques jeunes dames à la poitrine avantageuse, commenta Vicki. Puis il reviendra vous présenter à l'invité d'honneur.

— Qui est-ce ?

Les yeux de Jeanne suivaient Whiting à travers la pièce. Elle était curieuse de voir où s'arrêterait Rudermann.

— Rubin Merrill, membre du Congrès.

Jeanne tourna la rête. Un soir récent, elle avait vu l'art que Merrill mettait à esquiver les questions de son mari au cours d'un interview.

— J'ai entendu dire qu'il apparaît sur les mystérieuses bandes de Darrow que nous brûlons tous de voir.

— Vous entendez dire un tas de choses, répliqua Jeanne.

— Votre réponse est-elle un démenti ?

Le sourire de Vicki resta figé. Elle n'attendait aucune marque d'amitié de la part de Jeanne Darrow, car cette dernière n'avait aucunement besoin de Vicki Rogers.

— J'aimerais boire quelque chose, dit Jeanne, s'engageant dans la porte qui menait à la salle à manger.

— Une question seulement, insista Vicki. Le bruit court que vous avez enfin visionné les bandes, est-ce vrai ?

— Oui.

— Et Howard dit que vous n'êtes pas sûre de ce que vous allez en faire ?

— Vous voilà rendue à deux questions, observa Jeanne.

— Vicki, ma chère, toujours au travail ?

Harriet Sears s'était frayé un chemin à travers la foule qui encombrait la salle de séjour. Vêtue d'un cafetan blanc, son vêtement de plage préféré et parée de grandes boucles d'oreilles rouges, elle tenait à la main deux verres de margarita.

Jeanne prit l'un d'eux, remercia Harriet et gagna la salle de séjour, déclarant :

— Je dois voir un ami.

Vous ne cessez jamais de protéger cette fille, n'est-ce-pas, chère Harriet ? dit Vicki après le départ de Jeanne.

Rudermann présenta Whiting à une demi-douzaine de personnes — deux actrices dont il n'avait jamais entendu les noms mais dont les silhouettes allaient rester gravées dans sa mémoire, un écrivain, deux voisins, ainsi que Peter Cross, vedette de *Flint*.

Cross avait trente-trois ans. Riche et célèbre, il était assez sûr de son ego pour afficher dans les réceptions l'uniforme de ses loisirs : barbe de fin de journée, cheveux hirsutes, blue jean déchiré, avec un tee-shirt vert portant, imprimé sur la poitrine, le mot *Commemorativo.* C'était, expliquait-il, la marque de téquila que préférait John Wayne. Il tira un flacon de sa poche revolver, but une lampée, essuya le goulot et tendit la bouteille à Whiting.

— Non merci, Pete, intervint Rudermann. Monsieur Whiting est affamé ; la prochaine fois, essaye d'utiliser un verre.

Rudermann invita Whiting à franchir les portes coulissantes qui donnaient sur le patio. En route vers le buffet, il ne prit pas la peine d'excuser le comportement de Peter Cross.

— Le saumon fumé est merveilleux, dit-il. Et, à l'intérieur, vous trouverez des crêpes aux fruits avec de la crème fraîche et des oeufs pochés bénédictine.

— Ah ! un nouveau visage, s'écria le docteur Ben Volker en fonçant sur Whiting à grandes enjambées. Beau nez droit, pas de poches sous les yeux, mâchoire énergique. Trop jeune et trop beau garçon pour m'intéresser !

Rudermann, éclaté de rire, les présenta l'un à l'autre :

— Ben est l'un des meilleurs spécialistes de chirurgie plastique à Beverley Hills.

Une jeune actrice, Nancy Wright, se joignit au groupe. Elle portait un corsage moulant et une jupe paysanne. Pour la troisième fois depuis son arrivée, Whiting crut avoir trouvé le remède à son impuissance.

Whiting remarqua que Ben Volker, malgré ses cheveux gris et un ventre qui débordait légèrement de son maillot de bain, semblait, à tous autres égards, le parfait produit de sa propre industrie. Whiting n'aurait pas pu dire son âge, ni celui de Rudermann ou de la moitié des gens qui l'entouraient ici. Il semblait qu'à force de coiffure, de massages et de chirurgie esthétique, tout ce monde parvenait à arrêter le passage de la jeunesse à la vieillesse ; autour du cap de la cinquantaine, seules quelques rides, ou quelques cheveux gris artistement disposés sur les tempes, indiquaient s'il allait ajouter quinze ans ou les soustraire. C'est cela, la magie de Hollywood, jugea-t-il.

— Je suis déçu, Jeanne, dit Vaughn Lawrence, qui portait un blue jean en *denim* blanc, un pull blanc, une chaîne d'or au cou et des lunettes de soleil relevées sur la tête. Il avait la mine décontractée, détendue, presque somnolente.

Jeanne le toisa :

— À propos de quoi ?

— À propos de cela.

Du regard, Lawrence désignait Whiting à travers les portes du patio.

— De quoi parles-tu ?

— J'ai toujours pensé que, le jour où de nouveau tu t'intéresserais à un homme, ce serait vers moi que tu te tournerais.

— Tu pensais quoi ?

— Tu sais bien à quoi je fais allusion, Jeannie.

Elle se mit à rire.

— Je pense que les tranquillisants te détraquent le cerveau, mon cher Vaughn.

— Il ne s'agit pas de pilules. Il s'agit de baise, mon petit chat.

Jeanne jeta un coup d'oeil circulaire pour s'assurer que personne n'écoutait. Dans tout autre salon, Vaughn Lawrence aurait été la vedette. Ici, c'était un visage parmi la foule.

— Si tu étais intéressé, murmura Jeanne avec colère, pourquoi ne m'as-tu pas fait signe avant aujourd'hui ?

— Tu sais ce que c'est. Je ne voulais pas t'ennuyer... Et puis, avec Kelly, j'ai un fil à la patte. (Il haussa les épaules.) Tu sais ce que c'est.

Jeanne sentit le sang lui monter au visage.

— Vaughn, désormais ne quitte jamais la maison sans avoir à tes trousses un membre de l'Association des écrivains, pour te fournir des réparties toutes faites.

— Tu n'as pas toujours dit ça, grimaça-t-il.

Jeanne baissa le ton et serra les dents.

— Je ne sais pas ce qui te prend de ressortir cette affaire après un an, mais tu ferais mieux de laisser tomber. Si je t'ai utilisé pendant un ou deux mois, c'était par dépit contre Roger. Toi, tu m'as utilisée parce que tu utilises tout le monde. C'est aussi simple et aussi définitif que ça.

Jeanne ouvrit la porte et sortit sur le patio. Elle était furieuse. Elle n'avait jamais ressenti pour Vaughn qu'un dégoût qui s'accentuait à chacune de leurs rencontres. Elle l'avait pris par commodité et avait toujours regretté cette aventure.

Howard Rudermann aborda Jeanne avant qu'elle ne retrouvât Whiting.

— Laisse un peu ton ami à lui-même pour un instant, qu'il fasse connaissance avec la bande.

— À ce compte-là, je pourrais très bien perdre son amitié.

Rudermann l'entoura de son bras.

— Amène-toi dans la bibliothèque. Je voudrais te présenter l'invité d'honneur. Ton ami peut bien admirer les seins de Nancy Wright.

Jeanne regarda plus attentivement cette Nancy Wright.

— La dernière fois que je l'ai vue, elle n'avait pas une telle poitrine.

— Elle a consulté Ben Volker, répondit Rudermann.

Whiting eut vite épuisé la conversation avec Ben Volker. Il vida sa margarita et s'en fut au bar remplir son verre. Il sirotait le liquide que tamisait la couronne de sel déposée sur le bord du verre. Il se mit à arpenter le patio. Convaincu que le couple qui échangeait un joint dans le bain tourbillon n'apprécierait pas sa compagnie, il décida de s'asseoir à une table et d'observer les invités. De l'autre côté de la table, le nez enfoui dans un magazine, un jeune était assis, vêtu seulement d'un maillot de bain et portant autour du cou un collier de coquillages.

— Avez-vous lu cet article au sujet de Laura Keebler ? lança-t-il à Whiting dès que celui-ci eut pris place. La pépée la plus chanceuse au monde. Après l'annulation de *Quand on s'aime,* elle décroche tout de suite un autre show sur le réseau de télédistribution. Elle expose son idée à Vaughn Lawrence, celui-ci est séduit et tout se décide en un clin d'oeil. Certaines personnes doivent jouer des coudes, pour d'autres, tout tombe du ciel.

— Je pense que c'est ainsi dans tous les métiers.

— Ouais, mais c'est pas dans tous les métiers qu'on trouve un tel panier de crabes.

Le jeune homme parlait calmement, comme s'il ne faisait que constater une évidence.

Une jeune femme passa devant eux. Courte de taille, nantie de six ou sept kilos superflus, elle portait un pantalon Gucci en cuir qui, sans l'avantager sur ses arrières, proclamait au monde qu'elle pouvait s'offrir ce luxe.

— David, devine ce que je viens d'entendre.

— Quoi, Laura ?

— Peter Cross vient de signer un accord avec la Fox pour une mise en scène, dit Laura Keebler.

Une mise en scène ! s'écria David, manquant tomber de sa chaise. Il n'arriverait pas à diriger une scène de merde, même après avoir fait ingurgiter à l'acteur un litre de laxatif.

Charmante ville, pensa Whiting. À côté de ces gens-là, le monde de la publicité n'est fait que de gens charitables.

— Madame Darrow, enchanté de faire votre connaissance, dit Reuben Merrill. Ce fut pour moi un grand honneur de rencontrer votre mari en juin dernier.

Le membre du Congrès était vêtu d'une veste sport bleue, et d'un pantalon gris. C'était le seul invité affublé d'une cravate. Il affichait la cinquantaine, un long visage étroit et d'épais sourcils noirs qui tressautaient à chacune de ses paroles. Tout chez lui était soigneusement étudié et mis au point : ses gestes, ses expressions et même le timbre de sa voix.

— La rumeur veut que, près de sept mois plus tard, vous ayez enfin trouvé la force de regarder les bandes magnétoscopiques de votre mari, dit Merrill.

— C'est étonnant ce que les rumeurs circulent vite.

Jeanne glissa un regard vers Rudermann, dont les yeux étaient rivés au tapis.

Ils se trouvaient dans la bibliothèque, petite pièce sombre, tapissée de livres que Rudermann n'avait jamais lus. Jeanne se retourna vers Merrill :

— Qu'est-ce qui vous a poussé à quitter Washington pour venir ici ?

— Je dois me rendre à Yosemite, pour de courtes vacances. Mon ami Vaughn Lawrence m'a invité chez monsieur Rudermann.

— C'était pour moi un plaisir, piaula Rudermann.

Les sourcils de Merrill se froncèrent, puis se soulevèrent jusqu'à rejoindre le cuir chevelu. Quand ils se tournèrent vers Jeanne, celle-ci crut voir deux chenilles esquissant une danse nuptiale.

— Que comptez-vous faire des bandes, maintenant que vous en avez pris connaissance ?

— Il s'agit de simples prises de vue, monsieur le représentant, et qui souvent n'ont guère de liens entre elles. Et, d'ailleurs, certains passages concernent notre vie privée, à Roger et à moi, et présentent peu d'intérêt pour qui que ce soit d'autre.

Merrill prit la main de Jeanne dans les siennes et sourit chaleureusement.

— Votre mari était un homme influent et respecté. C'est pourquoi au mois de juin, j'ai consenti à lui parler. Et, pour la même raison, les membres de mon sous-comité apprécieraient avoir l'occasion d'entendre, même à titre posthume, ses opinions sur l'état des communications vidéo dans notre pays.

Jeanne désirait que son mari laisse le souvenir d'un homme influent. Elle avait été très prudente au sujet des bandes : pour se protéger elle-même, mais aussi pour protéger la réputation et le travail de Roger. Merrill, sincère ou non, avait touché la corde sensible.

Jeanne constata qu'elle préférait le Merrill en chair et en os à celui qu'elle avait vu sur bande, ce qui ne présageait rien de bon pour la carrière politique de cet homme.

— Monsieur le représentant, si jamais ces bandes débordent le cercle des amis intimes, vous serez parmi les premiers à les visionner.

Les sourcils se soulevèrent.

— J'ai votre parole.

Quelqu'un frappa à la porte et Rudermann ouvrit. Le brouhaha de la réception envahit la bibliothèque, comme si on venait de hausser le volume.

Vicki Rogers passa la tête dans l'entrebâillement de la porte :

— Excusez-moi, les amis. J'ai pensé que Jeanne serait intéressée à savoir que son ami est sur le point de subir *le traitement.*

— Voilà des années qu'ils n'avaient pas fait ce coup-là ! dit Rudermann dans un éclat de rire.

— Eh bien, monsieur Whiting est dans la cabine en train d'enfiler un maillot de bain. Les spectateurs sont nombreux. Kelly Hammerstein et David Ross ont offert de l'accompagner.

— Excusez-moi, monsieur le représentant, dit Jeanne en se ruant dehors.

— Lorsque ça marche, monsieur le représentant, c'est à se tenir les côtes.

Vous devriez regarder ça, proposa Vicki Rogers.

Jeanne s'arrêta au bar de la cuisine et se versa une autre margarita.

— Ton ami risque d'attraper un *rhume californien,* celui qui bleuit les testicules, dit Harriett. Ne vas-tu pas lui donner un coup de main ?

— C'est un grand garçon, répondit-elle en vidant la moitié de sa margarita.

— Que voulait Merrill ?

— Merrill veut les bandes, répondit Jeanne en secouant la tête. Il y a dix minutes, Vaughn Lawrence avait annoncé la couleur. Quant à ce type qui est là sur le patio, Dieu sait ce qu'il veut.

Elle engloutit le reste de son verre.

— Pendant sept mois, tout le monde me laisse tranquille. La minute même où je regarde les bandes, tous ces chacals se jettent sur moi.

— Tu vas pouvoir t'en tirer ?

— Si j'ai des ennuis, je te ferai signe, répondit-elle en se faisant verser un autre verre par le barman.

Vaughn Lawrence se glissa dans la bibliothèque. Rudermann était en train de dire à Reuben Merrill qu'à son avis les bandes feraient sur le réseau une excellente émission spéciale. Peut-être même le membre du Congrès serait-il intéressé à en faire la présentation. Merrill écoutait, les sourcils noués, un mince sourire aux lèvres.

Lorsque Rudermann s'arrêta pour reprendre souffle, Lawrence l'exhorta à sortir, lui suggérant de surveiller l'administration du « traitement », afin que le représentant pût glousser de plaisir.

— Quel bavard ! Il ferait un bon politicien, dit Merrill.

— C'est aussi un excellent producteur, répondit Lawrence. *Redgates* est une production de première qualité. Et le voici lancé dans une production de dix heures sur la Révolution ; l'émission, qui s'appellera *Un nouveau drapeau,* est destinée à notre canal du Patrimoine américain. Son travail nous rapporte gros, et un véhicule comme *Redgates* peut être truffé de messages subliminaux.

Merrill éclata de rire.

— Vous allez utiliser le canal du Patrimoine américain pour faire de la propagande ?

— Nous préférons nommer cela de la programmation orientée vers les grandes questions d'actualité.

Lawrence alluma une cigarette. Merrill se leva.

— Mots creux que tout ça.

— Peut-être, mais, entre les poursuites de voitures de *Flint,* Darrow a glissé au public bon nombre de conneries libérales.

— Et quels problèmes avez-vous explorés avec les *Redgates ?*

— Pas tellement. Nous *essayons* de faire quelque profit et d'acquérir de nouvelles stations. Mais les *Redgates* ne tiennent personne en esclavage. S'ils combattent l'Union, c'est parce qu'ils accordent beaucoup d'importance aux droits des États.

Les sourcils de Merrill se soulevèrent. Lawrence tira une longue bouffée de sa cigarette. Au fur et à mesure qu'approchait la date de la fusion, il fumait de plus en plus.

— Un membre du Congrès qui s'efforce de décentraliser le gouvernement fédéral ne pourrait trouver famille plus héroïque.

Les sourcils de Merrill trouvèrent au milieu du front une position confortable.

— Après tout, approuva-t-il, peut-être MacGregor n'a-t-il pas si mal choisi ses associés.

Lawrence s'assit derrière le bureau de Rudermann et alluma la lampe.

— Puisque vous voilà dans de telles dispositions, peut-être me ferez-vous confiance si je vous demande de ne pas brusquer les choses avec Jeanne Darrow.

Merrill bondit de colère. Il repoussa brutalement la lampe et rapprocha son visage de celui de Lawrence.

— Ce n'est pas parce que vous vous trouvez derrière ce bureau que vous pouvez agir en meneur de jeu. Sans moi, il n'y a *pas* de jeu !

Lawrence prit le stylo en or de Rudermann et se mit à gribouiller sur le buvard.

— J'attends depuis sept mois des nouvelles de ces bandes, poursuivait Merrill. Il se trouve que, sur l'une d'elles on me voit essayer de jouer au plus fin avec les questions de Darrow, puis me conduire comme un pantin lorsqu'il tente de me coincer devant la caméra. Prenez un journaliste un peu détraqué, en mal de copie, montrez-lui cette bande, et vous le verrez m'imputer la mort de Darrow.

Lawrence ne levait pas les yeux du buvard.

— Votre réaction est excessive, monsieur le représentant. Darrow est mort dans un accident de bateau.

— Ouais, dit Merrill, l'air de n'en pas croire un mot. C'est ce qu'on me dit.

Vaughn Lawrence se mit à dessiner, sur le buvard, des carrés aux angles aigus. Il se demandait comment Merrill avait pu se hisser à un tel niveau du pouvoir, à Washington. Grâce à sa prudence, jugea-t-il ; en jouant serré quand il le fallait et en se souvenant toujours des faveurs reçues. C'était cela qui avait attiré vers lui Andrew MacGregor.

— Ça fait sept mois que nous avons Jeanne Darrow à l'oeil, monsieur le représentant. Nous avons attendu qu'elle prenne sa décision, mais n'avons rien fait qui puisse éveiller ses soupçons.

Lawrence se leva, contourna le pupitre et mit un bras sur l'épaule de Merrill.

— Je vous garantis que nous verrons les bandes avant tous les journalistes cinglés.

Merrill croisa les bras et regarda Lawrence. Il n'était pas encore satisfait.

— Je suis sûr que mes collaborateurs se sentiront très soulagés. Vous voyez ça : la garantie d'un animateur de jeux télévisés !

Lawrence, retirant son bras, feignit un ton conciliant.

— Vous devez nous faire confiance, monsieur le représentant. Nous nous sommes mis en quatre, sur la côte Est comme à l'Ouest. Notre programmation répond pile aux besoins. Au Wyoming, nous avons évincé le sénateur Sylbert. En Iowa, nos stations sont en place. MacGregor est en train de marquer des points au New Hampshire. Et, le moment venu, nous lâcherons Billy Singer. Tout cela exige du temps — et la confiance de monsieur le membre du Congrès.

Au bout d'un instant, les sourcils se détendirent, puis ce fut le reste du visage. Le politicien tendit la main à Lawrence.

— Je suis désolé d'avoir fait cette remarque. Je pense que je dois accorder ma confiance à tous ceux que MacGregor juge dignes de la sienne.

Lawrence arbora son sourire le plus professionnel et serra la main qui lui était offerte.

— Et ne vous faites pas de souci au sujet des bandes.

James Whiting se tenait debout au milieu du patio.

Ben Volker tapait des mains et hurlait :

— Par ici, les amis. Il nous faut aujourd'hui plus de monde.

— Ouais, cria David Ross. Vous ne savez pas ce que vous perdez.

Kelly Hammerstein, magnifique dans son maillot de compétition rouge, entoura de son bras l'épaule nue de Whiting.

— Nous serons seuls à nous payer ce plaisir.

Whiting se sentait manipulé comme une marionnette, mais il jouait le jeu. Il avait déclaré à David Ross que l'eau était invitante, et David avait proposé de faire trempette ensemble. Whiting avait été poussé dans la cabine, où il avait choisi un maillot de bain blanc, qui ne contrastât pas trop avec ses jambes et son torse blêmes. Il était désormais la cible de tous les regards. Il était heureux d'avoir repris le travail dès que son médecin lui en eut donné permission. Ce qui lui restait de musculature paraissait ferme et délié, et le ventre, plat, malgré six mois de débauche alimentaire dans les meilleurs restaurants de l'Est.

— Quelle est la température de l'eau, déjà ? demanda-t-il.

— Tiède, répondit Ben Volker. Tout à fait tiède. La tempête, au large du Mexique, nous apporte non seulement ces belles vagues, mais aussi une eau tiède.

— Assez parlé, passons à l'action ! cria David en se ruant vers l'eau.

— Oui, allons-y !

Kelly Hammerstein saisit la main de Whiting et se lança à la suite de David. Jeanne Darrow, sortie sur le patio, vit Whiting se diriger vers la vague, encadré de Ross et de Hammerstein. Elle observa la scène un moment, puis remarqua Laura Koobler qui se tenait à côté d'elle, juchée sur une chaise pour mieux observer la scène.

— Qui a eu cette idée-là ? demande Jeanne.

— C'est David. La première fois que David est venu ici, Ben Volker l'a mis au défi. Depuis ce temps-là, David meurt d'envie de le faire à quelqu'un d'autre.

— Celui qui est assez stupide pour s'y laisser prendre ne mérite pas mieux, dit Vaughn Lawrence en sortant de la maison.

Reuben Merrill, resté à l'intérieur, causait avec une jeune femme au tee-shirt moulant.

— Je ne savais pas que Kelly s'adonnait à ce genre de farces, dit Harriett à Jeanne.

— Elle prend son plaisir où elle peut, répondit Jeanne.

Rudermann était debout à côté de Ben Volker, qui souriait béatement en attendant le plongeon.

— Tu ne pourrais jamais y résister, non ?

Volker se mit à rire.

— Il a sans doute deviné qu'il s'agit d'une plaisanterie. Il s'arrêtera avant de tremper l'orteil.

— Ouais, dit Laura, cet imbécile de David se jettera probablement à la mer.

Vicki Rogers était assise à la table du patio.

— Avez-vous vu la cicatrice sur son abdomen, Ben ?

— Je l'examinerai quand il reviendra, dit Volker.

— Maintenant, écoutez-bien, cria David à Whiting tout en courant. Vous devez plonger droit devant. Sinon, ces grosses vagues vont déferler sur vous et vous renverser.

Le conseil était judicieux. Des vagues de deux mètres et demi étaient fréquentes en hiver sur la côte californienne, mais Whiting n'en avait jamais vu dans l'Est. Dès qu'il les avait vues s'abattre sur la plage, il avait eu envie de les affronter. Peu lui importait la température de l'eau.

— Ne soyez pas trouillards ! hurla Kelly Hammerstein.

— Geronimo, brailla David Ross.

Ils se ruèrent dans l'eau. Kelly Hammerstein s'arrêta, l'eau à la cheville ; David, l'eau au genou. Whiting, lui, dans l'eau jusqu'à la cuisse, plongea dans la vague qui s'écrasait sur lui.

— Il est tombé dans le panneau ! hurla Rudermann.

Volker lui donnait un coup de coude dans les côtes :

— Regarde-le sauter et courir, le diable aux trousses.

— S'il n'a pas les pieds complètement gelés, dit Vaughn Lawrence.

— Elle a réussi à l'amener jusqu'au bord de l'eau.

Rudermann jeta un coup d'oeil à Frank Wheeler, l'imprésario, qui se prélassait dans le bain tourbillon avec une cliente éventuelle.

— Cette Kelly a joué le jeu en véritable actrice.

— Elle deviendra actrice avant que David ne devienne écrivain, répondit Wheeler.

— Elle joue la comédie à merveille depuis qu'elle sort avec Vaughn, dit Jeanne qui, d'un coup d'oeil par-dessus l'épaule, vit sourire Lawrence.

Whiting jaillit hors de l'eau.

— Allons, venez, cria-t-il à David et à Kelly.

Puis il se retourna et plongea avant que la vague suivante ne lui tombât dessus. L'eau était glacée et Whiting sentait une forte douleur à la base du nez, mais pour rien au monde il ne serait sorti de l'eau. Il se rappelait du reste, pour l'avoir expérimenté à Bar Harbor, qu'après le premier choc, la douleur s'atténuait et le froid devenait agréable.

Il plongea à travers les vagues, tournoya jusqu'à leur crête. Une vague déferlante le souleva si haut qu'il aperçut les gens qui, du patio, l'observaient. Il leur envoya la main en guise de salut, puis plongea à nouveau.

— Le gars doit être mort de froid et il fait encore le fanfaron.

— Ça prouve qu'il a déjà saisi l'esprit du monde du spectacle, lança Harriett.

Jeanne Darrow souriait. Elle aimait la tournure d'esprit de Whiting. Il avait saisi la plaisanterie au vol et l'avait tournée à son avantage. Il semblait complètement indifférent au froid ou au danger du puissant ressac d'hiver.

Whiting sentait la lame de fond, mais la présence du danger l'aiguillonnait et le froid le tonifiait. Une vague le souleva, le fit tourbillonner et le rejeta sur le sable durci. Se protégeant d'une main les testicules, et l'autre bras placé autour de la tête, il s'abandonna à la puissance de la vague. Celle-ci le traîna sur le fond comme un galet. Il n'était plus conscient de rien ; ce n'était que sensation, mouvement, éclairs argentés chaque fois qu'il refaisait surface. Pendant un instant, une pensée s'imposa à son esprit, aussi nette que ces éclairs : il avait surmonté sa maladie ; il n'avait jamais été malade.

Il resta à l'eau dix minutes, ballotté par les vagues, à plonger et à faire la planche. Il attrapa une vague avant qu'elle ne retombât, tendit bras et jambes pour redresser tout le corps et fit sur la plage une entrée triomphale. Kelly et David étaient encore là à l'attendre.

— Je suppose que c'est une sale plaisanterie, même lorsqu'elle marche, dit Whiting. Puis il traversa la plage au pas de course, jusqu'au patio.

Howard Rudermann et Ben Volker se mirent à applaudir.

— Hé, David, cria Laura Koobler. Tu ne savais pas que seuls les nourrissons se laissent prendre à ce mauvais tour ?

— Et Kelly Hammerstein a gâché son meilleur rôle, pour une plaisanterie qui tombe à plat, d'ajouter Rudermann.

Jeanne, souriante, lança à Whiting une serviette éponge. Whiting s'inclina devant elle et devant tous les autres. Il commençait à sentir la chaleur qui envahit le corps après un bain froid. Dans l'eau glacée, le sang s'était retiré des couches extérieures de l'épiderme et les vaisseaux s'étaient resserrés. À présent, le sang regagnait la surface. Tout le corps lui picotait.

— Que voulez-vous à boire, Whiting ? demande Jeanne.

— Une margarita, dit-il.

Sur le bar, le pichet était vide. Jeanne l'empoigna et entra pour le remplir.

— Faut vous avouer qu'on vous a fait marcher, dit Ben Volker.

— Je suppose qu'en plein hiver, vous réservez ça aux gens de l'Est !

Whiting rejeta la serviette autour du cou.

— Et encore, pas trop souvent, avoua Rudermann.

— Et ce qui était le plus impressionnant, renchérit Volker, en haussant la voix, c'était que vous n'hésitiez pas à affronter cette vague, quelques mois seulement après une importante opération chirurgicale.

— Dites-nous, Ben, de quelle sorte d'opération il s'agissait, demanda Nancy Wright.

Whiting se ramena la serviette sur l'abdomen, pour couvrir la moitié supérieure de la cicatrice, qui émergeait du maillot de bain :

— Appendicectomie, annonça-t-il.

Il ne voulait pas devenir ce jour-là le centre de tous les bavardages.

— Il ne s'agit pas d'une ablation de l'appendice, corrigea Volker. D'après la courbe que dessine la cicatrice, je penserais plutôt à une greffe du rein ou à quelque chose du genre.

— Une greffe du rein ! s'exclama Vicki Rogers. Comme c'est original. (Elle retira ses lunettes et regarda l'assistance.) Quelqu'un de vous se rappelle-t-il le jour où Roger voulait nous convaincre de signer des cartes pour le don d'organes ?

— Ouais, dit Kelly en s'essuyant avec sa serviette, il semblait y tenir.

— Eh bien, il en avait déjà signé une lui-même. Et — elle prit, pour créer son petit effet, une de ces inspirations profondes dont elle avait le secret — à sa mort, on a prélevé ses organes.

Howard Rudermann lança à Whiting un sourire narquois :

— Vous n'avez pas reçu les reins de Roger, au moins ?

Whiting secouait nerveusement la tête.

— Jamais de la vie !

— Il peut en avoir un des deux, ricana Volker.

— Le nom du donneur n'est jamais révélé au receveur, dit Harriett. Vous savez bien, Ben.

— Mais quelle histoire ça ferait ! dit Vicki Rogers en éclatant de rire. Le rein de Roger Darrow, greffé sur la dernière conquête de Jeanne Darrow.

— Quelqu'un, enchaîna Vaughn Lawrence, devrait avertir cette pauvre fille : on peut greffer les reins de Roger, mais impossible de transplanter sa queue.

Sur le patio, les rires fusèrent, brusquement interrompus par le bruit d'un pichet de margarita qui s'écrasait au sol. Jeanne Darrow apparaissait dans la porte.

— Espèce de fils de pute.

Lawrence la regarda, puis sourit à Whiting.

L'énergie animale bouillonnait encore en Whiting. N'écoutant que son réflexe, il assena son poing droit sur la mâchoire de Lawrence. Le coup glissa sur l'avant-bras lui percuta la bouche. Pas très fort — James Whiting n'avait jamais frappé personne depuis l'âge de dix ans — mais assez pour que Vaughn tombât à la renverse, trébuchât sur une chaise longue et basculât dans le bain tourbillon.

17

Depuis que j'ai vu pour la première fois ce type faire des clins d'oeil à la caméra, j'attendais que quelqu'un lui fiche son poing sur la gueule, déclara Harriet.

La Mercedes filait à toute allure en direction sud sur la route de la Côte, avec Jeanne Darrow au volant. Harriet occupait le siège du passager, assise sur les genoux de Whiting.

— J'ai cru que ce Wheeler allait rendre l'âme, avoua Whiting.

— Mettez-vous à sa place : recevoir sur la tête un animateur de jeux télévisés, alors que vous êtes en train de jouer à des jeux de mains dans un bain tourbillon, dit Harriet en riant.

— J'espère seulement que je n'ai pas gâché la réception, s'excusa Whiting.

— Beau travail. Nous sommes toutes deux fières de vous, dit Harriet en lui caressant la tête.

Ils déposèrent Harriet à son appartement de Santa Monica, puis retournèrent à Pacific Palisades. À leur arrivée, il était quatre heures trente et la nuit commençait à tomber.

Jeanne proposa une partie de tennis, déclarant avoir besoin d'exercice. Whiting se prétendit un peu rouillé.

— Échangeons des balles pendant une demi-heure, après quoi je vous emmènerai dîner dans l'un des restaurants favoris de Roger.

Whiting accepta sans se faire prier. Elle l'invitait à faire un autre pas dans son univers. Agissait-elle ainsi à cause du long voyage qu'il s'était imposé pour la voir ? Ou peut-être l'avait-il touchée par son geste chevaleresque ? Peut-être aussi lui plaisait-il ? Il ne pouvait dire, mais cette femme l'avait séduit par la beauté et la richesse de ce monde dans lequel elle vivait ; séduisante, aussi, l'image éphémère de l'homme qui en avait été le centre ; et séduisante cette femme elle-même. Comme tout homme sous le coup de la séduction, il cédait à la promesse d'un plaisir, à l'espoir d'une possession. Il n'avait que faire des signes qui annonçaient, autour de Jeanne, un monde hostile, hanté par la jalousie et la trahison ; une image de Roger Darrow dont la contemplation prolongée pourrait l'hypnotiser ; et, en Jeanne Darrow elle-même, une femme troublée et incertaine.

Ils jouèrent au tennis pendant une heure et demie. Whiting avait revêtu l'un des costumes de tennis de Roger Darrow. Il jouait avec une habileté étonnante et gagna le deuxième set. Mais Jeanne remporta le troisième grâce à un barrage de puissants services et de chandelles paralysantes. Ils terminèrent la partie à la lumière artificielle, sous une température qui baissa jusqu'à dix. Puis, ils rentrèrent prendre une douche.

Dans la salle de bains de la chambre d'invités, Jeanne disposa des serviettes de toilette propres, une nouvelle lame de rasoir, et un petit seau à glace contenant une bouteille de bière Olympia.

— Pomponnez-vous, dit-elle, et je ferai de même de mon côté.

Elle lui indiqua où trouver d'autres bières et lui donna rendez-vous en bas vingt minutes plus tard.

Dans sa chambre à coucher, Jeanne Darrow laissa tomber ses vêtements au sol. En route vers la salle de bains, elle s'aperçut dans le miroir que lui tendait la porte du placard. Elle se vit belle, élégante et, pour l'instant, plus vulnérable qu'elle ne l'avait jamais été dans sa vie. Mais elle sentait qu'elle pouvait faire confiance à l'étranger qui l'attendait dans le hall. Peut-être la dette qu'il avait contractée envers son mari le rendait-il plus vulnérable qu'elle-même.

Sa douche prise, Whiting se rasa ; puis il s'aspergea du « Old Spice » trouvé dans la pharmacie. Il enfila le pantalon de popeline et la chemise Lacoste qu'il portait à la réception, termina sa bière et mit son pull jaune à col marin. À la cuisine, il prit dans le réfrigérateur une autre Olympia, la but à petites gorgées et jeta un coup d'oeil à sa montre. Jeanne était encore là-haut. Il but à nouveau et examina la pièce.

Une cuisine « design », pensa-t-il. *Une expérience unique, au coeur même de votre foyer. Un reflet exclusif de votre personnalité. Les cuisines « Monsieur ».* Il avait lui-même rédigé des annonces publicitaires dans ce style. Il ne pouvait déceler aucun trait de la personnalité de Roger Darrow dans le réfrigérateur bleu ou dans la passoire en aluminium accrochée à la grille au-dessus de sa tête. Et pourtant, il sentait l'esprit de Roger planer encore dans la maison.

Il sirota sa bière en regardant sa montre. Jeanne en avait encore pour dix minutes à se préparer. Il regarda le corridor qui, dans l'obscurité, conduisait de la cuisine aux pièces alignées à l'arrière de la maison. Si elle avait désiré qu'il visite la maison, pensa-t-il, elle aurait laissé les lumières allumées. Il but une gorgée de bière. Il regarda sa montre. Puis il s'avança dans l'obscurité.

Ses yeux s'adaptèrent à celle-ci. Il passa devant la salle de bains à droite, puis devant la salle de jeux. Sur sa gauche, la porte de la salle de séjour, où la silhouette du petit piano à queue se détachait sur les fenêtres de la façade. Mais une force presque magnétique l'attirait vers la pièce qui terminait le couloir. La porte était fermée. Il la poussa.

Il ne croyait ni aux fantômes, ni à la télépathie, ni aux phénomènes parapsychiques. Même l'existence d'une vie après la mort le laissait sceptique. Mais certains lieux gardent l'empreinte d'une présence et d'un passé. Celui-ci, il le savait, avait été le refuge favori de Roger Darrow. Whiting se tenait sur le seuil, dans l'obscurité ; il essayait de sentir autour de lui la présence de Roger Darrow, de le voir se déplacer, ombre parmi les ombres des meubles.

Il alluma la lumière. Il vit un élégant pupitre d'acajou, un divan de cuir, un lambris sombre, des rayons de bibliothèque, un mur couvert de photographies, un poste de télévision et un magnétoscope, un foyer, et, au-dessus de celui-ci, une gravure que James Whiting connaissait très bien.

La scène se passe sur le Grand Blanc. La petite doris est soulevée par une lame. Elle est chargée de deux flétans géants, blancs et plats, qui remplissent sa partie arrière. Le poids est tel que les plats-bords touchent presque l'eau. Le pêcheur, vêtu d'un ciré et d'un suroît, souque ferme tout en observant l'horizon. La goélette, qu'il cherche à atteindre, a hissé la voile et le banc de brume menace de s'y engouffrer. L'angoisse se lit sur le visage du pêcheur, qui se sait perdu si le brouillard se déplace trop vite. Mais la carrure des épaules et le port de la tête disent sa détermination : il entend bien gagner le brouillard de vitesse et survivre.

Voici donc, au mur du bureau de Roger Darrow, cette excellente reproduction de *La Corne de brume,* de Winslow Homer. Or, à cinq mille kilomètres de là se trouvait, accrochée au mur du bureau de James Whiting, une autre reproduction de la même oeuvre. Whiting était enclin à voir là plus qu'une simple coïncidence.

Il regarda les photographies qui tapissaient le mur, derrière le pupitre : Roger Darrow serrant la main à Alfred Hitchcock ; Roger et Jeanne s'embrassant sous une tonnelle de roses, le jour de leurs noces ; une photo dédicacée, montrant Magic Johnson en train de lancer le ballon au panier ; une épreuve en noir et blanc, où un petit garçon ressemblant à Roger Darrow pose avec ses parents devant une maison de ferme ; Darrow et Howard Rudermann en smoking, tenant à la main leurs trophées Emmy ; une photo polaroïd montrant Darrow et Robert Kennedy sur une plage, avec l'inscription « À mon ami Roger, tous mes remerciements pour son travail au cours de la campagne de Californie. Bob Kennedy, 4 juin 1968 ».

— Cherchez-vous mon mari ?

Jeanne Darrow apparut dans la porte. Elle portait à nouveau un blue jean, un pull à col roulé et des bottes du meilleur effet.

Whiting désigna les photographies :

— Il a vécu une sacrée vie : riche, couvert de succès, personnalité importante du monde de la télévision américaine pendant plus de dix ans...

Les bras croisés, elle était appuyée au chambranle de la porte :

— Un jour, il a déclaré qu'aux États-Unis les deux principales fonctions de la télévision étaient d'anesthésier et de vendre. Comme en chirurgie : il endormait le patient, et la publicité procédait à l'opération.

Un petit lien de plus entre lui et moi, pensa Whiting.

— Il a réussi un travail énorme dans un domaine très difficile. Et en un temps très court.

— On dirait que vous l'enviez.

— Je crois que j'envierais à n'importe quel homme ce qu'il a, ce qu'il fait.

— Gardez-vous-en bien, dit-elle abruptement.

C'est alors que Jeanne Darrow reconnut l'odeur du « Old Spice ». Pendant un instant, une image se superposa à celle de l'homme qui se tenait là, à l'autre extrémité de la pièce. Elle proposa de préparer elle-même le dîner, prétextant que cela offrirait une meilleure détente. Elle se rendait compte qu'en fait elle désirait sentir le parfum de son mari flotter dans la maison.

Elle cuisina des oeufs à la mexicaine — *huevos rancheros* — et dressa le couvert sur le comptoir de la cuisine. Ils burent de la bière, mangèrent lentement et causèrent. James Whiting fit à Jeanne le récit de sa maladie. Jeanne lui raconta l'échec de sa carrière d'actrice. Il parla de son enfance heureuse et choyée entre ses parents, prospères agents immobiliers de Brookline, ce quartier chic de Boston. Elle décrivit son enfance dans la ville d'Anaheim, où, les soirs d'été, elle s'asseyait sur la pelouse, regardait les feux d'artifice de Disneyland et rêvait de devenir célèbre. Il reconnut avoir mené, adulte, une vie aussi facile, choyée et vide. Son plus grand succès professionnel avait été l'invention du slogan « Les services funéraires Sullivan : une solution de rechange ». Elle lui expliqua qu'en Californie du Sud, on devenait généralement soit un rêveur incorrigible, gobant tous les mythes ambiants, soit un réaliste en réaction contre l'artifice qui toujours menace d'envahir votre vie. Pour sa part, avouait-elle, elle avait en quelque sorte cultivé ces deux attitudes, et Roger avait toujours représenté pour elle le versant du rêve. James ne souffla mot de son impuissance. Elle ne dit rien des véritables motifs du voyage de son mari.

Mais elle parla des bandes magnétoscopiques.

Le repas apporta à l'un et à l'autre la détente. Jeanne ne prêtait plus attention au parfum de « Old Spice ». Whiting ne se sentait plus devant elle comme un mendiant à l'affût de la moindre attention. Chacun, s'étant ouvert de son passé, était devenu l'égal de l'autre. À un moment donné, au dessert, elle prit la décision que Whiting attendait impatiemment :

— Puis-je vous présenter mon mari ?

Une fois de plus, elle amena Whiting dans le bureau de Roger. Elle prit une cassette dans le coffre-fort mural, mit en marche le poste de télévision et introduisit la bande. Sans savoir si elle se conduisait en rêveuse ou en réaliste, elle laissait cet étranger pénétrer plus profondément dans son intimité.

Dès l'apparition de Roger Darrow, sur la colline qui dominait le pont du Golden Gate, James Whiting sentit le magnétisme de l'homme. Il aima Roger Darrow dès le premier sourire que fit celui-ci. Et, pour la première fois, il crut se rendre compte de la tragédie que représentait sa mort.

Darrow présentait sa bande et définissait ses objectifs. Puis la scène changeait.

Des collines de Berkeley, on aperçoit la péninsule de San Francisco. Elle ressemble à une maquette qui se détacherait sur un ciel rougeoyant.

Darrow entre dans le plan et regarde la caméra.

— J'ai commencé par San Francisco parce que c'est la porte de ce continent. Un périple à travers les États-Unis est du reste incomplet s'il ne s'ouvre ou ne se clôt sur le Pacifique. En outre, Andrew MacGregor possède plusieurs concessions de télédistribution dans la région de la Baie, et chacune de ses démarches pour en créer de nouvelles a reçu l'appui politique d'un ancien membre de l'Assemblée, du nom de Reuben Merrill. Devenu l'un des plus puissants membres du Congrès à Washington, Reuben Merrill reste l'ami intime d'Andrew MacGregor. Et celui-ci lui fournit, par ses émissions d'information et d'opinion, un solide appui dans un grand nombre de domaines.

Coupure.

Une rivière gonflée par les dernières crues printanières dévale un lit rocheux. Des pins de Ponderosa ombragent ses rives, et des collines de granite s'élèvent à l'arrière-plan.

— Voici la rivière Chilnualna, commente Darrow. En aval, cette eau ira alimenter les toilettes de San Francisco.

Plan panoramique d'une belle maison moderne, aux grandes vérandas et aux larges baies vitrées, nichée dans une pinède. Sa structure, teinte de brun foncé, se confond avec les ombres.

Coupure.

La caméra filme à présent la rivière, à partir de la véranda. Roger Darrow entre dans le plan. Il porte cette fois un short et une saharienne.

— Nous voici dans la retraite montagnarde de Reuben Merrill, représentant au Congrès. Nous sommes à Wawona, à environ trente milles de la vallée de Yosemite. M. Merrill, qui est aussi membre du sous-comité de la Maison-Blanche pour la télédistribution et les télécommunications, a bien voulu sacrifier quelques heures de ses vacances pour s'entretenir avec nous d'Andrew MacGregor, de l'industrie de la télédistribution, et de la fusion de MacGregor Communications avec Lawrence / Sunshine Productions.

Reuben Merrill entre dans le champ de la caméra. Il porte un short de tennis et un pull de jersey jaune. Il serre la main de Roger Darrow et tous deux prennent place dans des chaises-longues, tandis que la caméra filme par-dessus l'épaule de Darrow. Après un bref échange sur les Dodgers et les Giants, qui disputent une partie au cours de l'après-midi, Darrow amène la discussion sur le sujet annoncé.

— Vous vous montrez plutôt timide quand il s'agit, pour le gouvernement, de réglementer les diverses formes de télévision payante ou de télédistribution, n'est-ce pas, monsieur le représentant ?

Froncement de sourcils.

— Une nouvelle industrie est en pleine expansion dans le secteur privé, monsieur Darrow. Elle utilise des câbles privés et des satellites financés par des capitaux privés. Cela n'a rien à voir avec la télédiffusion classique, où la Commission fédérale des télécommunications réglemente tout au nom de la protection du consommateur. Dans le domaine privé, gardons-nous d'intervenir, tant qu'aucune loi ou aucun statut ne sont violés.

— C'est une position qui ressemble fort à celle d'Andrew MacGregor, souligne Darrow.

Merrill scrute Darrow pendant un moment et se lisse un des sourcils.

— Les grands esprits se rencontrent, monsieur Darrow. Je veux que chacun ait sa chance sans que le gouvernement lui tombe dessus. Je veux voir se bâtir des fortunes dans le domaine de la télédistribution. Je veux que des hommes entreprenants puissent distancer leurs concurrents, acheter de bonnes concessions, produire les émissions que le public désire, et faire fortune.

— On voit mal comment des individus puissent faire de l'argent, face à des concurrents géants : sociétés anonymes comme Times-Mirror ou Westinghouse, ou puissantes sociétés fermées comme MacGregor Communications.

Merrill éclate de rire.

— C'est précisément là que vous faites erreur. La télédistribution a tant à offrir et a besoin de tant d'initiatives que tout le monde a sa chance.

— Est-ce pour cette raison qu'une entreprise de la taille de MacGregor Communications a tenté de bouffer Lawrence / Sunshine Productions ?

Merrill regarde Darrow avec l'étonnement le plus complet.

— Les affaires sont les affaires, monsieur Darrow. Les gros poissons cherchent toujours à gober de savoureux petits poissons, mais ce qu'il y a de bien dans notre système, c'est que le petit poisson peut s'enrichir au cours de l'opération.

— Il semble aussi que cette fusion va accroître considérablement le pouvoir de Vaughn Lawrence.

Merrill hoche la tête, sans ajouter un mot. Darrow de poursuivre :

— Ne trouvez-vous pas plutôt insolite la fusion d'une des plus grandes entreprises de télédistribution du pays avec l'une des sociétés de production à la croissance la plus rapide ?

Merrill hausse les épaules :

— C'est parfaitement légal. Que voulez-vous que j'en dise ?

Darrow émet un rire, proche du hennissement.

— C'est la première fois que je rencontre un politicien à court de mots.

— Je suis en vacances.

Les sourcils se froncent et Merrill reste silencieux.

Pendant plusieurs secondes, aucun des deux hommes ne prend la parole. La tension monte, perceptible dans le sifflement de l'électricité statique sur la bande. Darrow s'agite sur son siège, mais Reuben Merrill ne fait pas un mouvement ni ne prononce une parole. Il connaît l'éloquence du silence.

Enfin, Darrow plonge :

— Un tel mariage accroît le pouvoir des deux sociétés, ne pensez-vous pas ?

— Naturellement. C'est la raison même du projet de fusion.

— Et à votre avis, que pensent-elles faire de leur pouvoir ?

Le rire de Merrill devient gêné.

— Enfoncer leurs concurrents.

Nouveau silence, tension plus lourde, perceptible à l'écran. Darrow semble un instant s'énerver, regarde ses notes, puis fixe à nouveau Merrill.

— Peut-être ont-elles d'autres ambitions ?

Merrill sourit, mais les épais sourcils restent froncés :

— J'aimerais bien savoir lesquelles.

— Eh bien... (Darrow prend une profonde respiration ; il paraît nerveux.) Andrew MacGregor a soutenu votre candidature depuis le début de votre carrière politique, et sa fidélité ne s'est pas démentie depuis lors. À présent, sur plusieurs des stations de télévision qu'il possède en Californie, il déclare — et je cite un de ses éditoriaux : « Il est temps de mettre au service d'un plus grand nombre d'Américains les qualités de chef de Merrill et sa pensée courageuse. »

Merrill acquiesce.

— J'ai des partisans dans toute la Californie et dans tout le pays. Andrew MacGregor en est un parmi d'autres. Et je peux vous assurer que mon seul objectif est de servir la population de ma propre circonscription.

— J'essaye seulement d'établir quelques liens, monsieur le représentant, entre les détenteurs du pouvoir financier et ceux du pouvoir politique. (Darrow marque un temps d'arrêt.) Et de définir l'aide que chaque groupe apporte à l'autre.

Merrill s'enfonce dans sa chaise et regarde Darrow. La colère gonfle la petite veine, au-dessus du sourcil gauche.

— Votre question ne mérite même pas d'être relevée.

Puis, avisant la personne assise hors du champ de la caméra :

— Jimmy, je pensais que ce type voulait discuter télédistribution et satellites.

— C'est bien ce dont nous sommes en train de parler, rétorque Darrow : toute la révolution des communications. Et, au coeur de celle-ci, le problème du pouvoir politique. Ceux qui vont maîtriser la télédistribution auront à leur disposition un instrument d'une puissance incroyable pour influencer l'opinion. Vaughn Lawrence en est persuadé. Et Andrew MacGregor tout autant. Et vous aussi, je parie. Et tant que vos politiques correspondront aux aspirations de MacGregor, celui-ci vous soutiendra et jettera tout son poids dans la balance.

— Merci, monsieur Darrow. Vous avez placé votre tirade et je suis d'accord : les gens soutiennent les hommes politiques qui, à leur avis, les représentent le mieux. De là l'appui que je reçois d'Andrew MacGregor et de Vaughn Lawrence. Maintenant, si vous permettez...

Il se lève. Darrow n'esquisse pas un mouvement.

— Monsieur le représentant, j'aurais encore quelques questions à vous poser au sujet de la télévision en duplex.

— Voilà douze ans que je siège au Congrès, Monsieur, et personne, sur quelque question que ce soit, n'a jamais mis en doute ma moralité. Je n'entends pas vous donner l'occasion de commencer.

Il regarde son assistant:

— Jimmy, arrête cet appareil et montre la sortie à cet individu.

Disparition de l'image.

Coupure.

La caméra semble flotter à la cime des arbres de la vallée Yosemite. Plan panoramique couvrant les chutes Yosemite et jusqu'aux chutes du Nevada, la face rocheuse d'El Capitan. La lumière du soleil crée des ombres qui dansent au rythme des mouvements de la caméra. Le vert et le bleu, avec le reflet argenté des rochers et des chutes, colorent le paysage. Mais l'écran de télévision rend mal la majesté de ces rochers, hauts de presque un kilomètre, ou la beauté du paysage que Darrow a choisi.

Puis, on remet la caméra au foyer, en position fixe. Au premier plan, un énorme rocher; au-delà, on discerne le pourtour de la vallée. Roger Darrow entre dans le plan. Il s'assied sur le rocher et, désignant la masse de granite de l'autre côté de la vallée:

— Voici El Capitan. Il est encore bien plus beau vu depuis Ansel Adams, de l'autre extrémité de la vallée, mais j'aime la vue qu'on a, d'ici, sur Dewey Point; parce que bien peu de gens ont eu cette vue de face, l'oeil presque au niveau du sommet.

Darrow se met à rire.

— Je pense que j'ai dû affoler quelque peu monsieur le représentant. Il semble que je lui aie posé les bonnes questions.

Darrow se gratte la nuque.

— Sa connivence avec Andrew MacGregor ne devrait pas lui nuire. MacGregor est un précieux allié et Vaughn Lawrence de même.

Puis il fait une pause. Il a les yeux fixés au rocher. À son regard, on voit que son humeur change. Les genoux à la poitrine, il s'entoure les jambes de ses bras et demande, l'air pensif:

— Pourquoi est-on toujours attiré vers les endroits auxquels restent attachés de bons souvenirs ? Nous avons fait l'amour sur ce rocher, Jeannie, au cas où tu l'aurais oublié.

Whiting, nerveux, regarda Jeanne:

— Il s'adresse directement à vous.

Elle hocha la tête:

— Il le fait parfois. Ça fait partie du voyage.

— Désirez-vous vraiment que je regarde ? C'est plutôt personnel.

— C'est mon mari. N'êtes-vous pas venu ici pour le connaître, lui ?

Whiting se tourna à nouveau vers l'écran.

— *Nous nous connaissions depuis trois ou quatre mois seulement, lorsque nous avons trouvé ce rocher. Nous vivions encore cette période folle où nous ne pouvions nous rassasier l'un de l'autre. Dans toute aventure amoureuse, il y a un moment où cela se produit. On réalise qu'on peut réellement s'aimer, puis, un déclic et on est incapable de retirer sa main de celle de l'autre. Si cette folie durait, ce serait merveilleux, mais l'homme moderne n'aurait jamais construit le pont du Golden Gate, ni trouvé un vaccin contre la variole, ni produit les quatre dernières saisons de* Flint. *(Rire de Darrow.) Il aurait été trop occupé à faire l'amour à la femme moderne.*

Les ombres s'allongent sur le sol et la face d'El Capitan vire à une subtile teinte de rouge.

— *Il semble que les gens qui s'aiment puissent sauter à pieds joints dans la vie, Jeanne, parce qu'à deux ils peuvent affronter des choses qui autrement les détruiraient. Et Dieu sait que nous en avons eu notre lot.*

D'un mouvement des jambes, le voilà debout. La colère semble soudain s'emparer de lui.

— *Mais que diable suis-je venu faire ici, seul, sans toi ?*

Un nuage éteint les rayons du soleil. El Capitan s'assombrit et tourne au gris menaçant. Darrow attend que passe le nuage. Il camoufle sa colère derrière une façade rassérénée. Il regarde la caméra, comme s'il essayait de regarder sa femme dans les yeux.

— *La première fois que j'ai rencontré Miranda Blake, c'était par un dimanche après-midi. Harriet l'avait amenée pour une partie de tennis. Avant Miranda, je ne t'avais jamais trompée, Jeanne, qu'on dise ce qu'on voudra. (Il s'enfonce les mains dans les poches.) Et ce n'était pas non plus la faute de Miranda. Simple question de chimie. Elle était jeune et belle et me donnait une nouvelle chance de faire mes preuves, à moi que les tests de laboratoire venaient de déclarer stérile.*

Whiting eut un regard pour Jeanne et sentit les liens se resserrer entre elle et lui. Il souffrait d'impuissance et Roger Darrow avait été stérile. Jeanne et Whiting avaient vécu, chacun de son côté, des peurs et des frustrations que l'autre pouvait comprendre. Whiting se demanda s'il devait parler à Jeanne de son impuissance.

Le soleil se couche rapidement. Derrière Darrow, El Capitan tourne au rouge sombre. Darrow jette un coup d'oeil circulaire sur la vallée :

— Dieu que c'est beau ! Le premier homme qui a vu cet endroit a dû avoir le souffle coupé à la vue de cette merveille !

Puis son attention et son regard reviennent à la caméra.

— Lorsqu'un matin, à ton réveil, tu t'es rendu compte que tu ne valais rien comme actrice, je suis resté à tes côtés. Mais aujourd'hui, je ne peux pas compter sur ta présence. Quand je t'ai promis de rompre avec Miranda et de reprendre notre vie commune, tu ne m'as pas prodigué d'encouragements. Au lieu de cela, tu t'es mise de ton côté à la recherche d'amants. Mais pourquoi fallait-il que tu baises — il prononce ce nom comme un crachat — avec Vaughn Lawrence ?

Darrow observe un temps d'arrêt. Il semble effondré. Il baisse la voix.

— Je suppose que chacun doit commettre dans sa vie une erreur.

Il quitte l'écran.

Fin des images.

Whiting regarda Jeanne :

— Vaughn Lawrence ? murmura-t-il.

— La colère fait parfois choisir d'étranges compagnons de lit, répondit-elle en hochant la tête.

Pendant quelques instants, Jeanne Darrow et James Whiting continuèrent à regarder l'écran. Puis Jeanne, allumant la lampe du pupitre, regarda Whiting :

— Miranda Blake était une jeune actrice qui jouait des petits rôles dans des émissions comme *Flint*. Elle a eu avec mon mari une liaison qui a duré six mois. Après leur rupture, elle a fait ses valises et déménagé à New York. Vous n'avez pas besoin d'en savoir plus sur elle. (Jeanne parlait sans amertume.) Il vous faudra creuser beaucoup plus profondément pour nous connaître, Roger et moi.

James Whiting ne trouva aucun commentaire.

Elle ne s'était pas contentée de le laisser jeter un bref coup d'oeil sur son mari et sur le dernier voyage de celui-ci. Elle l'avait laissé pénétrer au coeur même de leur vie privée. Elle lui avait donné accès à une intimité à laquelle il ne s'attendait pas.

— Est-ce qu'il parle comme cela sur chaque bande ? demanda Whiting après un moment de silence.

— Il parle de tout ce qui lui passe par la tête, répondit Jeanne. De politique, de notre vie commune... Son but n'a jamais été de publier ces bandes. Elles représentent, en quelque sorte, son journal personnel, sa vision à lui de l'Amérique. Quant à certains passages utilisables par la suite, comme l'entrevue avec le représentant, il n'aurait, pensait-il, qu'à les extraire des passages plus confidentiels.

Whiting regarda de nouveau l'écran. Il se sentait submergé.

— À quoi pensez-vous ? demanda-t-elle.

Pendant un moment, il étudia Jeanne, dont il essayait de déchiffrer le visage. Quêtait-elle une approbation, ou voulait-elle, à ses réponses, juger s'il méritait de visionner le reste des bandes ? Il opta pour la sincérité.

— Il crève l'écran.

Elle acquiesça.

— Et c'est un excellent intervieweur.

Elle hocha de nouveau la tête.

— Quoique son monologue soit un peu décousu. (Il inspira profondément.) Son ego devait avoir la taille d'El Capitan.

Elle éclata de rire.

— Vrai, en tous points ! Il était magnétique, brillant et brouillon ; à certains moments on ne pouvait s'empêcher de le trouver vaniteux jusqu'à l'âme.

— Il m'a plu, dit Whiting doucement. J'aimerais en savoir plus long sur lui, sur son ego enflé et sur tout le reste.

Le sourire de Jeanne s'estompa. Elle s'appuya le menton sur les mains.

— Je crois en effet que vous aimeriez, monsieur Whiting. Et je pense que vous essaieriez de l'apprécier.

18

— Une célébrité de Hollywood meurt dans un accident de bateau. On greffe l'un de ses reins sur un agent publicitaire qui, pour tromper son ennui, court à Hollywood rencontrer la famille de la vedette.

Howard Rudermann s'enfonça dans son fauteuil et sirota son vin blanc.

— Pas un mot à Vicki Rogers, dit Whiting. Elle m'a appelé à mon hôtel ce matin et a essayé de me soutirer des renseignements. Je lui ai dit que l'identité du donneur ne regardait personne.

— Bouche cousue, promit Rudermann.

Il avait invité Whiting à déjeuner à la MGM, où il louait un studio pour le tournage de *Un nouveau drapeau,* sa mini-série consacrée à la Révolution américaine.

— J'essaye seulement de protéger la vie privée de Jeanne Darrow, ajouta Whiting.

— Vous pouvez me faire confiance.

Rudermann posa le coude sur la table et regarda Whiting dans les yeux, comme pour le jauger.

— À ce point précis de l'histoire, nous pourrions demander: quelle direction va prendre notre personnage ? Va-t-il rentrer chez lui et retourner au travail, satisfait d'avoir pu dire merci ?

Whiting déposa son couteau et sa fourchette et écouta. Il n'aimait pas ce résumé de sa vie. Mais il flairait chez Rudermann le bavard invétéré, qui, dans une conversation, avait horreur des silences.

— Ou, poursuivait Rudermann, pousse-t-il l'obsession jusqu'à se substituer au donneur, à relancer sa progression et ses croisades, et à le remplacer dans le lit conjugal ?

— Vous autres, gens de Hollywood, vous n'avez pas l'imagination très riche, mais vous l'avez certes active.

Whiting empoigna couteau et fourchette et se remit à découper sa limande.

— Au diable tout cela, dit Rudermann. Je ne reprocherais à personne de s'intéresser à Roger. C'était un sacré bonhomme... il me manque, à en crever.

Pendant un moment, Rudermann se mordit la lèvre inférieure et son regard se perdit dans son verre.

Whiting jeta un coup d'oeil sur la cantine de la MGM, laissant à Rudermann le temps de digérer ses émotions. Le vert pâle des murs sentait l'hôpital, et l'éclairage était d'une déplaisante crudité. Dans la section réservée aux directeurs, quelques tables étaient dressées, mais la plupart étaient nues. Le plafond était haut et légèrement voûté; on eût dit un plateau de cinéma montrant une ancienne cafétéria Hayes-Bickford. Seule la murale faisait exception.

Sur le mur du fond de la salle, Léo le Lion gardait la pose qu'on lui voyait à la fin de chaque film des années 30. Aujourd'hui, pensa Whiting, le pouvoir appartient sans doute aux réseaux de télévision et aux conglomérats établis à New York. Mais on était ici dans un des sanctuaires de Hollywood.

— Vous avez dû en voir un tas de choses ici, au long des années, dit-il.

Rudermann leva les yeux, comme un vieil homme qu'on arrache à quelque rêve de jeunesse.

— Moi ? Oh ! non ! Je n'ai pas commencé ma carrière à la Metro. Je suis resté chez Warner's de mil neuf cent trente-sept jusqu'aux années 60. Nous avions aussi nos vedettes, mais pouvez-vous imaginer l'air qu'avait ce lieu-ci, par une bonne journée de 1939 ? Ici, George Cukor qui étudiait un script. Là, Groucho Marx qui insultait les producteurs. Clark Gable occupé à lire le *Racing Form.* Max Steiner en train de siffler une nouvelle mélodie tout en mangeant sa soupe. Scott Fitzgerald qui tétait un coke, pour se donner le courage de retourner à jeun au pavillon des auteurs.

Il secoua la tête et sourit, comme au rappel de ses premières amours.

— Et les films!... *Le Magicien d'Oz, Le Passage du Nord-Ouest, Autant en emporte le vent...*

— Vous allez me dire, je suppose, qu'on n'en fait plus comme cela.

— C'est sacrément vrai.

Rudermann sembla jaillir de sa chaise, puis il se rassit en haussant les épaules.

— Mais que peut-on y faire? Le monde entier a changé. Pas seulement les films. Si on veut survivre, faut suivre le mouvement. C'est pour ça que je me suis dirigé vers la télédistribution.

La serveuse apporta deux cafés et l'addition. Rudermann signa et regarda sa montre.

— Ils doivent être en train de traverser la Delaware. Je vais vous montrer un peu de la magie de Hollywood.

Ils traversèrent d'un pas rapide un labyrinthe de ruelles et d'allées et passèrent devant les bureaux où les écrivains de la MGM travaillaient autrefois à la chaîne. Ils longèrent des murs sans fenêtre — c'étaient les studios de prise de son et les salles de projection — puis des décors abandonnés qui rappelaient à Whiting une foule de films, mais que le soleil éblouissant rendait méconnaissables.

Trois films étaient en cours de tournage chez MGM: l'un pour les studios eux-mêmes, les deux autres pour des producteurs indépendants qui louaient des plateaux. Acteurs, figurants et machinistes se hâtaient en tous sens dans le labyrinthe. Les metteurs en scène et les chefs de production se déplaçaient à bord de voitures de golf; le reste du personnel roulait à bicyclette. Aux portes des studios, des grappes de figurants étaient rassemblées au soleil. Des soldats en tunique rouge, sortis de *Un nouveau drapeau,* se pressaient autour de la cantine mobile. Des extra-terrestres à deux têtes, entre deux scènes d'un film MGM de science-fiction, jouaient aux cartes sur une caisse d'emballage. Au milieu de cela, Whiting s'efforçait de garder un air décontracté, se gardant bien, par exemple, de se retourner sur le passage de Robert Redford.

— Donc, dit Rudermann en déambulant avec Whiting, Jeanne Darrow semble s'intéresser beaucoup à vous.

— C'est pour ça que vous m'avez invité à déjeuner?

— Bien sûr que non. C'est pour moi une manière de vous remercier. Hier, vous avez été le clou du spectacle.

Ils firent encore quelques pas, puis Rudermann s'arrêta et agrippa Whiting par la manche.

— Je veux que vous soyez prudent avec cette petite, monsieur. Elle paraît forte, mais elle est plutôt fragile.

— Nous le sommes tous, de répliquer Whiting.

— Je ne veux voir personne l'exploiter, continua Rudermann. Après six mois, la voilà probablement prête à aimer. Si vous êtes l'élu, qu'il en soit ainsi puisque vous vous plaisez l'un l'autre. Mais que ce ne soit pas parce qu'elle voit en vous le dernier vestige de Roger Darrow ; ni parce que vous avez cassé la gueule à une célébrité de Hollywood qui l'avait insultée.

Whiting aurait voulu se mettre en colère, mais en était incapable.

— Je crois savoir pourquoi vous êtes resté si longtemps dans ce métier.

— Pourquoi ?

Whiting sourit :

— Parce que vous arrivez à dire, sur le ton de conseils paternels, des choses qui pourraient vous valoir un gnon sur le nez.

Rudermann donna une tape sur l'épaule de Whiting et se mit à rire.

— C'est parce que *j'ai l'âge* de votre père.

Ils contournèrent un autre bâtiment et s'arrêtèrent devant l'entrée.

— Voici ce qui nous a convaincus de louer des locaux de la MGM, dit Rudermann ; c'est en ville, le plus grand bassin aménagé dans un studio.

À l'intérieur, une flotille de bateaux et de chalands se déplaçait sur une pièce d'eau de la taille d'un terrain de football. À une extrémité du bassin se déployait un cyclorama qui, grâce à l'éclairage, simulait tantôt le ciel à l'aube et tantôt la nuit noire. À l'extrémité la moins profonde du bassin, des arbres bordaient une rive, couverte de neige artificielle. Sur l'un des côtés, deux énormes ventilateurs et un compresseur fabriquaient du brouillard. Quelques électriciens installaient des fils le long des passerelles qui surplombaient le bassin. Tout le reste du personnel était à déjeuner.

Le décor baignait dans un calme de caverne. Comme une église, après le départ des fidèles, pensa Whiting. Et Howard Rudermann était un pèlerin devant l'autel.

— J'ai attendu vingt ans pour voir ce décor, dit-il dans un souffle. Depuis tout ce temps, je détiens les droits du bouquin.

Il marcha jusqu'au bord du bassin.

— Demain, nous filmons la traversée du fleuve. Peter Cross joue John Trumbull. C'est à travers ses yeux qu'on voit toute la Révolution. Il est rameur à bord du bateau de Washington pour la traversée du Delaware. Il marche sur Ticonderoga. Il est présent à Saratoga et à Monmouth...

— Il est friand de courses de chevaux ? plaisanta Whiting.

— De batailles, imbécile !

Rudermann monta à bord d'un des chalands amarrés au bord du bassin et se mit à aller et venir sur le fond plat.

— Roger devait participer à tout ça. C'est lui qui a remanié le script des *Redgates*. Sans la qualité Darrow, je ne mettrais pas en scène *Un nouveau drapeau,* et nous ne présenterions pas la semaine prochaine à New York une grande première des *Redgates* à l'intention de tous les télédistributeurs.

Rudermann secouait la tête et continuait sa marche, la mine furieuse :

— À une époque comme la nôtre, les gens se tournent vers le passé : lointain et sécurisant, il nous enseigne que, même lorsque les choses vont mal, on arrive toujours à s'en tirer. Les gens ne sont pas intéressés à des documentaires montrant le gâchis qui règne dans ce pays. Ne perdons pas notre temps.

Whiting prit conscience que, tout l'après-midi, les propos de Rudermann avaient suivi une large courbe qui conduisait aux bandes magnétoscopiques de Darrow.

— Est-ce que vous voulez parler de *Mon Amérique* ?

Rudermann hocha la tête.

— Si j'avais pu le retenir, il serait toujours en vie et je ne me ferais pas tant de souci pour Jeannie.

— Et moi, je serais encore en dialyse, ajouta Whiting.

Rudermann s'arrêta, puis fonça sur Whiting.

— Vous devriez vous contenter de remercier le ciel qui vous a ôté ce souci. À présent, allez donc à El Cholo et mangez-y de bons plats mexicains. Visitez les studios Universal, prenez l'avion et fichez le camp chez vous.

Whiting fut surpris de cette hostilité soudaine :

— Vos conseils paternels tournent à la menace !

— Harriet m'a dit que Jeanne vous a montré l'une des bandes. Qu'est-ce que vous avez fait pour obtenir cela ?

Whiting haussa les épaules.

— J'ai l'impression d'être un brave type.

Rudermann pointait du doigt Whiting.

— Peut-être bien que oui, monsieur. Mais ça ne vous empêche pas d'être un vulgaire aventurier, capable d'arriver ici, de séduire la veuve et de voler au passage un peu du talent et des idées de Roger.

— Je suis venu ici parce que je voulais remercier Jeanne Darrow, dit poliment Whiting. Mais, aujourd'hui, j'ai envie d'empoigner ces chaînes d'or que vous portez autour du cou et de m'en servir pour vous étouffer.

Rudermann fit un pas en arrière et observa Whiting avec circonspection. Une fois assuré que Whiting ne mettrait pas sa menace à exécution, il sortit du bateau et se trouva de plain pied avec son interlocuteur.

— J'ai peut-être l'air prétentieux et vous avez peut-être le droit de vous mettre en colère, mais j'essaye seulement de protéger Jeannie et la mémoire de Roger. De vous protéger aussi, même à votre insu.

— Ainsi que vos droits sur *Mon Amérique* ?

Avant que Rudermann ne pût répondre, il y eut un brouhaha à la porte du studio ; c'était l'assistant metteur en scène qui fonçait sur la cabine du son.

— Howard ! cria-il. On te cherchait partout. Peter a piqué une crise. Il refuse de venir sur le plateau.

Rudermann hocha la tête et congédia d'un signe le jeune homme. Puis il se tourna à nouveau vers Whiting.

— Je dois y aller. Regardez un peu les lieux, le bassin et le petit bois, les lumières et la soufflerie. Et essayez d'imaginer ce que ça donnera à la télévision : Washington traversant le Delaware par une nuit glacée de décembre, il y a deux cents ans.

Il prit la main de Whiting et la serra.

— Et souvenez-vous : peu importe ce que vous avez vu sur les bandes ; dans ce métier, il y a souvent beaucoup de fumée sans feu.

Ce soir-là, Jeanne Darrow revint de son travail à six heures, après une journée épuisante : trois accidents d'automobile, deux crises cardiaques — dont une mortelle — et le sauvetage d'un chat perché dans un arbre. La Ferrari noire stationnée dans l'allée était bien la dernière chose qu'elle désirât voir. Vaughn Lawrence était appuyé à l'automobile.

— Salut, Jeannie.

Vêtu d'un pull à col roulé noir et d'une combinaison de cowboy, il tirait des bouffées de sa cigarette. Il ressemblait à un commando ou à un cambrioleur.

— La réponse est non, dit-elle en se hâtant vers la porte d'entrée.

— Tu n'as même pas entendu la question ! rétorqua-t-il en marchant à sa suite.

— Ou bien il s'agit de la question que tu m'a posée ou bien tu as enfin décidé de m'enquiquiner au sujet des bandes ?

Elle introduisit la clé dans la serrure et entra dans le vestibule.

— Puis-je entrer ?

Elle alluma les lumières extérieures.

— Que cherches-tu, Vaughn ?

— On dit que t'es en train de faire voir les bandes de Roger à des étrangers, comme ce gars qui m'a cassé la gueule hier.

Jeanne remarqua que la lèvre inférieure de Vaughn Lawrence était enflée. Elle sourit.

— Seulement la première bande.

— Je suis désolé de ce que j'ai dit hier.

Lawrence esquissa sa grimace habituelle mais, s'arrêtant à mi-chemin, porta la main à sa lèvre.

— Qui t'as mis au courant pour les bandes ? demanda-t-elle. Rudermann ?

Lawrence hocha la tête.

— Il était un peu bouleversé de n'avoir pas été le premier à le savoir.

— Il s'en remettra. À présent, si tu n'y vois pas d'inconvénient, je suis épuisée.

Lawrence s'appuya au chambranle, pour qu'elle ne pût fermer la porte :

— Ces bandes m'ont toujours intéressé, parce que Roger y raconte des choses sur mon compte.

— Il parle d'une foule de choses, Vaughn. Mais tu étais un sujet de choix, toi qu'il n'aimait pas, dit-elle doucement. Bien avant notre petite aventure, il voyait en toi un infect salaud. Tu as été l'une des principales raisons qui l'ont amené à entreprendre cette excursion. Le soir qui a précédé son départ, il m'a dit qu'Andrew MacGregor avait toujours fait preuve de jugement, de bon sens et de bon goût jusqu'à ce qu'il se mette en cheville avec toi. Il disait que quelque chose en toi attirait MacGregor, et il voulait savoir quoi.

De la main, Lawrence toucha le visage de Jeanne. Celle-ci se raidit mais ne se déroba pas.

— Il n'avait pas besoin de courir le pays pour ça, Jeannie. Tu aurais pu lui dire tout ce que j'ai.

D'un geste brusque, elle repoussa la main de Vaughn. Celui-ci ouvrit de grands yeux, l'espace d'un instant, puis les ferma à demi.

— Tu as fait ça la première fois que je t'ai touché le visage.

Il mit un pied dans la maison. Jeanne lui ferma la porte sur le pied.

— Me diras-tu ce que tu veux, Vaughn ?

— Le moins que tu me doives, c'est de me laisser voir ces bandes, dit-il d'un ton égal. Si sa femme lui était restée fidèle, Roger n'aurait eu aucune raison de courir après Vaughn Lawrence.

— Je ne te dois rien du tout. Quant à Roger, je lui ai été aussi fidèle qu'il l'a été envers moi.

Lawrence s'essayait encore à sourire.

— C'est un coup bas pour ce pauvre Roger. Dis-moi seulement ceci, maintenant que tu as vu les bandes : qu'est-ce qu'il y disait à mon sujet ?

— De moins en moins de choses. Une fois rendu dans le Maine, il ne s'est pas préoccupé de toi ou de MacGregor plus que de sa première culotte, malgré toutes les manigances dont il vous savait capables.

— C'est ce que tu penses au sujet des bandes ?

— Je me fous bien de toi aussi.

Lawrence la fixait d'un oeil vide.

— Est-ce que ça te satisfait ? demanda-t-elle abruptement.

— Je n'ai pas le choix. (Il fit mine de partir, puis se ravisa.) Une chose encore. Pourquoi, après sept mois, as-tu décidé de montrer d'abord les bandes à un parfait étranger ?

— Pour deux raisons : primo, j'avais besoin d'un oeil neuf et, secundo, Whiting a fait preuve de bon sens en te clouant le bec d'un coup de poing.

Après quelques secondes, Vaughn Lawrence lui tendit la main.

— J'ai admiré ton comportement au cours de ces derniers mois, Jeanne. Roger avait de la veine.

Jeanne glissa la main dans la sienne. Il la porta à ses lèvres et la baisa délicatement. Puis il tourna les talons et disparut dans la Ferrari noire.

L'homme aux yeux de vipère a beau être charmeur, pensa-t-elle, par sa visite, Vaughn l'avait troublée, tout comme il avait toujours troublé son mari. On ne pouvait faire confiance à cet homme. Pendant six mois, elle avait craint de trouver sa maison fouillée, le coffre-fort ouvert, les bandes envolées. Mais Vaughn Lawrence avait choisi la patience, puis une démarche comme celle d'aujourd'hui, l'attitude de l'ancien amant éperdu d'admiration. À présent qu'il était sorti de sa réserve, elle savait qu'il reviendrait.

Elle décida qu'elle avait besoin de conseils. Elle appela Harriet, et l'invita à prendre un verre.

— Je vais aussi inviter Whiting, ajouta-t-elle.

— Puis-je apporter quelque chose ? demanda Harriet.

— Tes lunettes. On va regarder les bandes.

Ce soir-là, James Whiting, Jeanne Darrow et Harriet Sears prirent place dans le bureau et voyagèrent avec Roger Darrow à travers les États-Unis.

De Yosemite, Darrow se dirigea vers Jackson Hole, dans le Wyoming, où il assista à un débat entre le sénateur Thomas Sylbert et un avocat conservateur. On discutait de la politique agricole du Wyoming ; le débat était transmis par une station de télédistribution de MacGregor et les téléspectateurs enregistraient leurs réponses sur système « Responsible ». En Iowa, Darrow retourna dans la ville où il avait grandi ; tout le comté, aujourd'hui, était relié au réseau de MacGregor Communications. Il rencontra l'un des hommes qui avaient contribué à son éducation et là, au coeur de cette région, il fut plusieurs fois en butte au désespoir. À Youngstown, dans l'Ohio, il participa à une émission diffusée par MacGregor, le *Good Time Gospel Hour,* animée par Billy Singer. La rencontre du fameux prédicateur lui rappela sa propre foi perdue.

Avant même l'arrivée à New York, le périple de Roger Darrow avait pris l'allure d'un voyage intérieur. Darrow bouda le congrès de l'Association nationale des câblodistributeurs, qui avait pourtant été le but de son voyage à New York. Il annula son rendez-vous avec le professeur Josh Wyler, de l'université Columbia ; celui-ci, spécialiste des médias d'information, analysait depuis des années la trajectoire de MacGregor. Darrow partit plutôt à la recherche de Miranda Blake, comme si elle était son seul espoir dans un monde enténébré.

Parvenu dans le Maine, il assurait avoir enfin débouché sur de nouvelles perspectives ; mais, de toute évidence, il était en train de se désintégrer.

Lorsque Roger Darrow eut répété « j'ai besoin de cet espoir. J'ai besoin d'un enfant. J'ai besoin... » et que la dernière bande fut arrivée à sa fin, Jeanne éteignit la télévision et regarda ses amis.

Harriet hochait tristement la tête. Des yeux, Whiting continuait à fixer l'écran.

— Voilà, vous avez vu les bandes.

Jeanne remplit à nouveau les verres de vin, restés sur la table basse. Elle inspira profondément.

— Le représentant Merrill veut les voir. Howard Rudermann boude parce que je l'ai tenu à l'écart. Vaughn Lawrence lui-même a rampé hors de son repaire dans l'espoir de les entrevoir. Que dois-je faire ?

— Remets ces bandes dans le coffre-fort et oublie-les, dit Harriet. Leur contenu, quel qu'il soit, ne peut pas te faire mal, pour l'instant.

— Difficile de contenir mes émotions, Harriet, surtout lorsque j'entends ce dernier monologue qu'il a tourné dans le Maine. (Jeanne se dirigea vers le foyer. Des bûches de bouleau étaient empilées avec soin sur la grille.) Il me rejetait.

— Non pas, corrigea Whiting, les yeux toujours rivés sur l'écran. Il était frustré, malheureux. Il cherchait une sorte de fil conducteur qui aurait relié tout ce qu'il avait appris sur Merrill, sur Lawrence, sur MacGregor... et sur lui-même, mais il ne le trouvait pas. C'est pourquoi il a retourné contre sa femme toutes ses frustrations.

Jeanne, portant la main à sa bouche, regarda la peinture accrochée au-dessus du foyer.

Harriet jeta un regard à Whiting.

— Tout cela a peu d'importance à présent. Il est mort et Jeanne doit continuer à vivre.

— Il aimait cette peinture, dit Jeanne d'un ton rêveur. Il aimait s'identifier à ce pêcheur, à ce solitaire qui affronte vents et marées.

— Je crains que vers la fin — les doigts de Harriet torturaient nerveusement son collier — la barque n'ait pris l'eau.

Whiting tourna brusquement la tête.

Jeanne pivota sur elle-même, furieuse.

— Je l'aimais, Harriet. Je l'aime encore. Et si ce crétin m'avait donné une chance de combattre, je ne l'aurais jamais perdu.

— Je n'en reviens pas, de ce que vous avez dit là !

Whiting ramenait Harriet chez elle. La visite s'était terminée brusquement, sur la colère de Jeanne et le refus de Harriet de s'excuser.

— J'ai été dure avec elle, mais il était temps que quelqu'un s'en charge, répondit Harriet. Et il est temps que vous appreniez à ne pas vous surprendre à ce point de ce que les gens disent et font, particulièrement dans cette ville.

— Les gens sont les mêmes partout, dit Whiting.

— Pas ici. Jeanne et Roger le savaient. Cela faisait partie de leur problème. Ici, les tentations que la vie vous offre sont toutes plus raffinées les unes que les autres.

Dans la pénombre de l'automobile, Harriet semblait sans âge, comme si elle était encore la pin-up d'autrefois.

— Les corps qui vous attirent sont les plus beaux du monde.

— Oui, pensait-il à son corps défendant. Même une star vieillissante pourrait encore me tenter.

— Tout le monde est bronzé, en toutes saisons. Tout le monde est dans une forme physique superbe. On porte les vêtements les plus fins, on conduit les meilleures automobiles...

Whiting caressa le tableau de bord de sa voiture louée, ce qui souleva le rire de Harriet.

— Partout on signe de gros contrats, poursuivait-elle, et le parfum de l'argent flotte dans l'air comme une sorte de gaz aphrodisiaque. Les gens sont dans une euphorie continuelle, et le sexe n'est qu'un moyen parmi d'autres de conclure un contrat, de réussir, de conserver la place conquise.

Elle tira de son sac une lime et se mit à se polir les ongles.

— Roger Darrow, poursuivit-elle, est au sommet de sa carrière lorsqu'il rencontre Miranda Blake. Sans enfant, il a quarante ans et sent la vie filer. Si seulement, se dit-il, je pouvais faire l'amour à cette jeune femme, peut-être lui ravirais-je un peu de sa jeunesse, peut-être m'apporterait-elle la paternité que ma femme n'a jamais su m'inspirer.

Harriet changea la lime de main, tout en poursuivant son monologue :

— De son côté, Jeanne Darrow se dit : J'ai dû faire face à l'échec de ma carrière et réorganiser ma vie. J'ai un mari riche et célèbre, mais il fait l'amour à une autre femme. Je dois lui rendre la monnaie de sa pièce, pour qu'il sache à quel point cela fait mal. Si je choisis un amant, celui-ci devra être riche, puissant, désirable, et insupportable aux yeux de mon mari : Va-aughn Law-rence.

Harriet lança le nom sur le ton d'une présentatrice de jeu télévisé.

— Arrive-t-il parfois que les gens fassent l'amour parce qu'ils s'aiment ? demanda Whiting.

Harriet interrompit son limage.

— Il y en a toujours. À Hollywood, pour une histoire de flirt ou de coucherie par représailles, on trouve des histoires d'amour passionné et qui durent des années. Roger et Jeanne sont devenus amoureux la semaine même de leur rencontre. Ils l'étaient encore lorsque Miranda Blake est arrivée dans le décor. Et il y a sept mois, ils s'aimaient toujours.

Whiting conduisait lentement. Il connaissait le chemin, mais il ne voulait pas arriver chez Harriet avant qu'elle n'ait fini de parler.

— Il aimait aussi Miranda Blake, ajouta-t-elle. Je le savais, rien qu'à voir.

— Rien qu'à voir ? Whiting se mit à rire.

— Mon petit, j'aurais pu le dire parce qu'à une certaine époque, il avait pour *moi* ce genre de regard.

Whiting faillit perdre la maîtrise de son véhicule.

Les yeux d'Harriet fixaient toujours la route.

— C'était le temps où ce néophyte de vingt ans essayait de caser un script de télévision. J'étais une actrice de quarante ans, je sortais de mon quatrième divorce et j'avais la déprime. Il m'a envoyé le script, je l'ai lu. Nous avons déjeuné ensemble. Et il m'a fait des avances. J'étais probablement la plus belle femme de quarante ans qu'il eût jamais vue. Nous avons fait l'amour l'après-midi même, et j'ai veillé à ce que son script atterrisse sur le bureau de Howard Rudermann.

Harriet remit la lime à ongles dans son sac.

— Roger Darrow a décroché son emploi, et ensemble nous avons vécu les trois mois d'amour physique les plus merveilleux de ma vie. Malheureusement, il est devenu amoureux.

— De quelqu'un de son âge ? demanda Whiting.

— De *moi,* cria-t-elle. Par bonheur, j'avais signé un contrat avec l'American Shakespeare Festival, dans le Connecticut. Je suis allée dans l'Est jouer Lady Macbeth et j'ai laissé Roger à la recherche de ses Ophélies. À mon retour, son ardeur était quelque peu retombée. Je ne désirais pas un cinquième mariage, surtout pas avec un jeune homme qui se serait certainement vite lassé de moi, à moins que ce fût l'inverse.

Harriet jouait avec son collier.

— Nous sommes devenus bons amis et nous avons laissé se déchaîner les mauvaises langues.

À travers les rues sombres et tranquilles de Santa Monica, elle lui indiqua le chemin de son appartement. Lorsque l'automobile s'arrêta, elle tendit la main vers la poignée de la porte, puis se retourna vers Whiting:

— Il les aimait toutes les deux, vous savez. Il aimait Jeanne pour sa beauté et son intelligence, pour sa stabilité de gyroscope. Elles sont bougrement rares, les femmes qui parviennent à se regarder dans le miroir, à réaliser qu'elles n'ont aucun talent et à décider de réorganiser leur vie. Jeanne l'a fait. Et Roger aimait Miranda parce qu'elle était belle, sauvage et complètement imprévisible. Au moment où elle allait atteindre la célébrité, elle décida qu'elle détestait Hollywood, fit ses bagages et regagna l'Est.

Harriet posa une main sur le bras de Whiting.

— En quittant Los Angeles, Roger cherchait simplement à savoir laquelle des deux il aimait le plus ; il avait une décision à prendre.

— Essayez-vous de me dire qu'il n'y a rien de plus sur ces bandes ? demanda Whiting. Et cette conspiration politique ?

— Peut-être.

Harriet haussa les épaules, comme si elle ne s'en souciait pas réellement.

— Tout ce qui intéressait Roger, c'était son petit univers à lui, et non pas les magnats de la fraude électronique, ni les représentants de la région de San Francisco au Congrès.

Elle ouvrit la porte d'un coup sec. Le plafonnier jeta sur son visage une ombre cruelle qui la fit soudain paraître très vieille.

— Il prétendait tracer un portrait de l'Amérique à l'aube de l'âge électronique. Il transformait ainsi son petit voyage égocentrique en une véritable épopée nationale, truffée de héros, et de crapules, et de gens ordinaires. (Elle serra le bras de Whiting.) Mais la véritable signification de son voyage, on la trouve dans ses monologues, particulièrement le dernier, celui du Maine.

— Je ne vous crois pas, dit Whiting.

Elle descendit de voiture et ferma la porte. Puis elle mit la tête à la fenêtre. Elle prolongeait sa scène finale.

— Ne soyez jamais surpris, dit-elle, de ce que les gens font pour satisfaire la démangeaison qu'ils ont entre les jambes. C'est que, généralement, ils essaient de satisfaire bien autre chose en même temps. Particulièrement dans cette ville. Roger était à la recherche d'une sorte d'amour absolu, qui l'aurait libéré de sa frustration et du merdier qui régnait autour de lui.

— Et de telles amours ne peuvent-elles pas durer plus que quelques semaines ? suggéra Whiting.

Elle secoua la tête.

— Il cherchait Miranda. Qu'il l'ait trouvée ou non n'a plus d'importance. Il aurait dû concentrer ses sentiments sur sa femme et faire face à ses problèmes comme un homme.

Elle allongea les bras à l'intérieur et prit la main de Whiting dans les siennes.

— Si vous cherchez une leçon à tirer des bandes de Darrow, la voici. Vivez votre propre vie et soyez gentil avec la femme de Roger Darrow, parce que j'ai l'impression que vous lui plaisez.

Harriet sourit et pressa la main de Whiting.

— Si vous avez besoin d'autres conseils, je serai au Plaza, à New York. Je répète une nouvelle pièce et, vendredi prochain, je dois présenter à la presse une projection des *Redgates.*

Comme elle entrait dans la maison, Whiting vit de la lumière à l'une des fenêtres de l'appartement. Harriet la vit aussi, mais ne sembla pas y attacher d'importance. Quelqu'un regardait à l'extérieur. Whiting ne put voir le visage, mais, à la carrure, à la coupe de cheveux et aux rayures de la chemise, il crut reconnaître Howard Rudermann.

Peut-être Harriet soigne-t-elle encore les démangeaisons de Rudermann, pensa Whiting. À moins que ce ne soit l'inverse.

Durant la nuit, les lumières de Los Angeles semblaient se répandre à l'infini, comme une colonie de plancton dans les mers du Sud. James Whiting avait repris l'autoroute de Santa Monica pour retourner à son hôtel. Il avait l'impression de refaire surface, après cette journée passée dans les remous.

Il méditait l'avertissement de Howard Rudermann : dans cette ville, il y a souvent plus de fumée que de feu. Mais c'est parfois le contraire. Derrière sa façade hollywoodienne, mélange de confiance en soi et de rudesse, Howard Rudermann avait peur. Une peur discrète, vague, larvée, peut-être non fondée, mais que Whiting avait perçue. Howard Rudermann produisait enfin des films à la hauteur du talent qu'il se reconnaissait, et Roger Darrow n'était plus là pour le chaperonner. Il avait atteint le faîte de sa carrière. Il craignait surtout de tomber. Ou d'être poussé.

Whiting voyait bien dans Harriet Sears la plus proche amie de Jeanne Darrow. Mais la petite conversation de tout à l'heure l'avait convaincu que celle-ci avait besoin de quelqu'un d'autre. Harriet n'avait pas toujours été de bon conseil. Puis Whiting se ravisait : de quel droit jugeait-il les amis de Jeanne Darrow ? Harriet connaissait Roger et Jeanne depuis plus longtemps que ces derniers ne se connaissaient entre eux. Whiting ne connaissait Jeanne Darrow que depuis trois jours et n'avait vu Roger que pendant quelques heures, sur sept bandes magnétoscopiques.

Mais celles-ci, il le sentait, l'avaient initié à Darrow et à ses aspirations. Après leur tournage, Roger Darrow avait procuré à James Whiting une chance de survie. Et voilà que, en parcourant l'univers de Darrow, Whiting avait trouvé une nouvelle vigueur dans les vagues californiennes ; dans les studios de la MGM il avait senti la fièvre de Hollywood ; à conduire à travers la nuit de Los Angeles, il ressentait la griserie de la vitesse. Et il avait fait la connaissance d'une femme vers qui tout l'attirait. Il se sentait envers Roger Darrow une dette qui dépassait la simple reconnaissance pour le don d'un rein.

Jeanne Darrow, allongée sur son lit, contemplait les ombres du plafond, tout en écoutant les craquements de la maison vide. La colère qu'elle avait ressentie contre Harriet était retombée et se tournait maintenant contre Roger. Il n'avait pas le droit de la quitter, pensait-elle, et de la laisser aux prises avec ces sept bandes qui semaient le trouble en elle. Devait-elle les montrer au monde entier, sans être sûre que leurs révélations eussent quelque intérêt ? Ou devait-elle les garder pour elle-même, dans son désir de taire au monde la déchéance de son mari et le rejet dont elle-même était victime ?

— Même mort, pensa-t-elle, il ne la laissera pas en paix.

Puis elle entendit le bruit d'une voiture dans l'allée. Une porte claqua, des pas traversèrent le trottoir. Elle frissonna de peur. La maison était complètement sombre, et personne ne venait faire visite après onze heures. Elle enfila sa robe de chambre, regarda à l'extérieur, et reconnut la voiture.

Les lumières s'allumèrent dans le vestibule, puis sur la véranda.

— D'une certaine manière, je pense que je vous attendais, dit-elle en ouvrant grande la porte.

James Whiting entra.

— Vous nous avez dit ce soir que votre mari ne vous a jamais laissé la chance de vous accrocher à lui.

— Oui, dit-elle.

Elle était troublée par le ton sérieux de Whiting et son maintien raide.

— Vous sentiriez-vous apaisée si vous découvriez au moins ce qui lui est arrivé entre Los Angeles et le Maine ?

— Je le crois.

— Croyez-vous vraiment qu'il livrait le fond de son coeur lorsque, à la fin de la bande, il vous a rejetée ?

— Je ne sais plus que croire à son sujet.

Elle crut comprendre la raison du retour de Whiting.

— Pensez-vous qu'il ait terminé son entreprise ?

Whiting, au long du trajet depuis le centre-ville, avait préparé chacun de ses mots.

Elle secoua la tête.

— Alors aidez-moi à relancer les questions qu'il a posées. Nous prendrons une caméra vidéo, nous filmerons les mêmes lieux, nous interrogerons les gens qu'il a rencontrés, pour découvrir ce qui lui est arrivé au cours de son dernier voyage.

— Pourquoi ?

L'idée lui plaisait. Jeanne réalisa qu'elle y avait déjà pensé elle-même. Whiting fit un pas vers elle et posa les mains sur ses épaules. Il avait la figure dans l'ombre, la lumière crue du vestibule étant au-dessus de sa tête.

— Parce qu'il avait quelque chose à nous dire. Quoi, il ne le savait pas avec certitude, mais cela était. Il accumulait de la dynamite autour de Lawrence, de Merrill et de MacGregor. Mais trop d'autres choses lui trottaient dans la tête et l'ont retenu de faire sauter la baraque.

— Quant à moi, ce sont ces « autres choses » qui m'intéressent, dit-elle.

— S'il avait survécu, il aurait résolu l'énigme. Nous devons le faire à sa place.

— Pourquoi ?

— Parce qu'il faut du courage pour partir comme ça, tout seul, sans savoir à quoi on aboutira... Je le lui dois.

Elle hocha la tête, comme en signe d'approbation. Un sourire illumina son visage.

— Les médecins avaient raison, dit-elle.

— À propos de quoi ?

— Ils m'ont dit que j'attendrais de vous des choses que je ne demanderais même pas à mes plus proches amis.

— À partir de maintenant et jusqu'au Maine, dit-il avec fermeté, c'est *moi* votre ami le plus proche.

Elle lui serra la main.

— Marché conclu.

Il lui prit la main dans les siennes. Il aurait voulu l'embrasser, mais décida d'attendre.

QUATRIÈME PARTIE

LA CHASSE AUX OMBRES

19

Vaughn Lawrence pianotait sur son pupitre, un oeil sur le téléviseur situé à l'autre bout de la pièce. Il regardait *Des gens et des prix,* tout son éteint. *Déjeuner avec Vaugh* présentait Lawrence comme un voisin bien informé, à la langue bien pendue — le parfait animateur. *Des gens et des prix* montrait au monde entier un Vaughn Lawrence inoffensif, animateur d'émissions-concours qui flirte avec les candidates et joue, avec une espièglerie teintée de sadisme, des tours dont tout le monde raffole, y compris les victimes. Il était bon de paraître inoffensif. Vaughn aimait cette image. Une fois consommée la fusion de Lawrence / Sunshine Productions avec MacGregor Communications, il abandonnerait les jeux télévisés.

Il avait réservé une demi-heure à consacrer à Len Haley, et ce dernier avait déjà dix minutes de retard. Lawrence devait rencontrer des programmateurs de son réseau du Patrimoine américain. Il allait déjeuner avec les directeurs d'une compagnie de disques qu'il désirait acquérir. Il n'avait donc pas de temps à perdre avec des détectives privés.

— Tu disposes de dix-sept minutes, dit-il lorsque Len Haley arriva enfin.

— Alors, écoute-moi bien, dit Len Haley, qui s'assit en ouvrant le dossier qu'il portait à la main. Voici le rapport de l'agence de détectives Sullivan, sur ce Whiting. Il commença la lecture : « Rédacteur dans une agence publicitaire de Boston. Aucun dossier criminel, trois condamnations pour excès de vitesse au cours des cinq dernières années. Bonne réputation. Pas de femme, ni d'enfant, ni de pension alimentaire. Une mère, veuve ; une soeur mariée à un agent d'assurance. Aucune dette. Carte de crédit entièrement à jour. Vit à Beacon Hill dans un appartement dont il est propriétaire : hypothèque de cent vingt mille dollars. Membre d'un club de racketball de Boston, fréquente une fille nommée Patricia Benjamin. Parfaite santé, jusqu'à ce qu'une glomérulonéphrite lui abîme les reins, il y a un an et demi. En dialyse jusqu'à une greffe rénale, qui a eu lieu deux jours après l'accident de Darrow. Convalescence de six mois, opération réussie. L'homme a retrouvé sa force et sa vigueur, mais a consulté un urologue pour une impuissance sexuelle persistante. »

— Tes gars sont de fins limiers.

— C'est à la portée de tout le monde, déclara modestement Haley. Il suffit de savoir où chercher.

— Et nous pouvons conclure que ce type est inoffensif, sauf en ce qui concerne son crochet du droit, plutôt sournois.

— Chez les Viets, nous avions l'habitude de dire que seuls les morts sont inoffensifs, répondit Haley. Mais ne te fais pas de souci pour la virginité de ta soeur ; avec lui, pas de danger.

Lawrence croisa les mains sur son bureau et regarda fixement Haley.

— Conclusions ?

Haley rit dans sa barbe. Lawrence évoquait pour lui un lieutenant fraîchement galonné, tentant d'affirmer son autorité. Vaughn Lawrence faisait généralement forte impression, mais pas sur un ancien combattant comme Len Haley.

— Ma conclusion est que tu dois appeler Reuben Merrill et lui dire de quitter Yosemite dans les prochaines heures.

— Pourquoi ? demanda Lawrence sans broncher.

Haley sourit. Ses dents de devant, artificielles, étaient régulières et droites. Le coup de poing d'un garde, dans une prison vietnamienne, avait fait sauter les dents d'origine.

— Puisque ce type ne peut s'envoyer ta soeur, il va essayer de te baiser. Un de mes hommes les a aperçus ce matin, madame Darrow et lui, en train de mettre à bord de la familiale Jeep Cherokee de madame, entre autres choses, une caméra vidéo et un magnétophone. Il les a suivis jusqu'à mi-chemin dans les montagnes Tehachapi.

— Ils se dirigent vers Yosemite ?

Haley allongea les pieds sur la table à café.

— À mon avis, le gars aux rognons greffés s'est mis dans la tête de suivre les traces de Darrow à travers tout le pays. Il prend probablement ce vieux Roger pour un gars très fort.

— Et ils ont l'intention de se pointer à New York vendredi prochain ?

— C'était une des étapes de Darrow, fit Haley, qui, après un instant, se leva. Je pense qu'il faut les arrêter avant qu'ils y parviennent.

Lawrence se tortillait sur sa chaise, mais ses mains restaient fermement croisées sur la table.

— Nous devons faire preuve de prudence, Len.

— C'est des conneries, lança Haley, appuyé au pupitre de Lawrence. C'est la prudence qui a permis à Roger Darrow de faire son chemin jusqu'à la porte d'Andrew MacGregor. Par prudence, tu as refusé de mettre la main sur ces bandes il y a six mois. C'est ma prudence qui m'a valu deux ans au fond d'une prison vietnamienne. La prudence, c'est un luxe agréable lorsqu'on peut se l'offrir. Mais c'est comme la virginité de ta soeur : une fois envolée, c'est fini. Tu as perdu ton pucelage le jour où le bateau d'Izzy Jackson a explosé.

Vaughn Lawrence pivota sur sa chaise, en regardant le port de Los Angeles. En ce moment même, son image souriante était retransmise dans tous les foyers de l'ouest du pays. Il se rappelait son père, pauvre soudeur, dans une quincaillerie durant la dépression. Lui-même, Vaughn, avait été bègue jusqu'à seize ans. Et voici qu'il dirigeait maintenant un empire de télécommunications dont la taille allait tripler. Il avait bloqué les tentatives d'absorption de MacGregor Communications. Il avait arrêté le travail de sape de Roger Darrow. Mais aurait-il le courage de barrer la route à la femme de Roger Darrow ? Car celle-ci lui plaisait.

— Vaughn, murmura Haley, y a pas tellement d'hommes qui savent où s'en va le pays. Toi, tu le sais, et tu vas atteindre le premier le but. Mais pas si tu laisses Whiting et Darrow gagner New York ou découvrir la vérité sur Andrew MacGregor.

— On va avertir Merrill de ne pas leur parler. Et l'un de tes hommes va les prendre en filature. S'ils vont fouiner chez Merrill, on saura ce qu'ils cherchent.

— On le sait déjà, Vaughn.

Le ton de Haley était sarcastique.

— Il faut en être sûrs. Entre Yosemite et New York, le chemin est long.

Par les matinées d'hiver, dans la Central Valley, la palette du paysage allait du brun au jaune, avec quelques touches de vert dans les champs où croissait la luzerne. La brume dissimulait les contreforts de la Sierra à l'est et, à l'ouest, la chaîne côtière. La vallée elle-même, large et plate, se déroulait vers le nord à perte de vue. Des rangées d'eucalyptus géants avaient été plantées pour faire obstacle aux vents, en bordure des champs et des pâturages. La brise faisait tourner les ailes des moulins à vent. Des clôtures lotissaient l'immensité. Et çà et là, des vergers venaient quadriller le paysage. La brume qui, chaque matin d'hiver, se transformait en épais brouillard ne se dissipait jamais complètement. Elle planait plutôt à l'horizon, aquarelle voilant les bruns et les jaunes de la terre, et estompant les limites entre celle-ci et le ciel.

— La symétrie est parfaite, dit Whiting.

— Je suppose, répondit Jeanne sans enthousiasme.

— Reuben Merrill se trouve au même endroit en juin. Et, à New York, Andrew MacGregor est de nouveau la vedette d'un grand *show* télévisé.

— Et entre les deux, cinq mille kilomètres d'hiver à parcourir.

Jeanne devenait sceptique au sujet de ce voyage. La traversée de la Central Valley lui faisait donner raison à Whiting sur un point : il fallait du courage pour entreprendre un tel voyage. Jeanne avait peur.

Rien de tel chez James Whiting. Roger Darrow, au moment d'entreprendre sa traversée de l'Amérique, n'avait pas dû éprouver une excitation plus grande. Mais James Whiting avait pris les moyens pour attirer l'attention du public sur leur voyage. Il en avait communiqué l'itinéraire à Vicki Rogers, avec promesse d'appeler celle-ci à chaque étape pour la tenir au courant.

Il savait l'antipathie de Jeanne pour Vicki Rogers, à qui, du reste, il ne vouait pas d'estime particulière. Mais les bandes magnétoscopiques avaient éveillé en lui des soupçons : la mort de Roger Darrow n'avait peut-être rien d'accidentel. Il savait Vicki Rogers assez intelligente pour reconnaître un bon filon ; ses potins télévisés sur le voyage de James et de Jeanne apporteraient à ceux-ci une protection supplémentaire, si les soupçons s'avéraient exacts.

Ils empruntèrent l'autoroute 41, à l'ouest de Fresno. Les pluies d'hiver avaient verdi les pâturages, qui, après quelques kilomètres, se mirent à onduler en grandes vagues sinueuses, comme si la terre préparait quelque métamorphose plus spectaculaire. Les ondulations se transformèrent lentement en collines. Puis, à la crête d'une vague plus haute que les autres, ce fut la découverte : la Sierra Nevada, épine dorsale de la Californie, élevait sa muraille de neige.

Vers la fin de l'après-midi, Len Haley reçut un appel téléphonique de Ken Steiner, son homme de main à Yosemite.

— Merrill s'est tiré une heure avant leur arrivée.

— Est-ce qu'ils sont allés à sa bicoque ? demanda Haley.

— Ils y sont allés tout droit, aussitôt franchi le portail.

— Où se trouvent-ils à présent ?

— Ils sont descendus à l'hôtel Ahwahnee, puis ils sont allés skier. Est-ce que je dois continuer à les filer ?

— Non, dit Haley. On sait qu'ils se dirigent vers le Wyoming. Je vais les confier à Bert McCall, avant qu'ils mettent tout sens dessus dessous.

Et voici maintenant la suite de notre feuilleton. Il y a quelques jours, nous vous avons présenté James Whiting, le nouveau champion de boxe toutes catégories des cercles mondains de Malibu. Nous nous posions à son sujet deux questions : a-t-il reçu l'un des reins du regretté Roger Darrow, et sera-t-il parmi les premiers à regarder le documentaire magnétoscopique auquel Roger travaillait quand il a trouvé la mort ?

Eh bien — profonde inspiration, pause solennelle —, à ces deux questions, nous pouvons répondre par l'affirmative. De sources bien informées, nous savons qu'en ce moment même, monsieur Whiting et Jeanne Darrow, veuve de Roger, ont quitté Yosemite et font route vers l'Est. Ils entendent refaire l'itinéraire de monsieur Darrow et mettre à jour les bandes, qui seront peut-être diffusées sur les ondes à la fin du printemps prochain. Aucune date n'a été fixée, mais j'ai lieu de croire que les réseaux vont pousser les hauts cris. Surtout si nos deux voyageurs réussissent l'exploit que Roger Darrow n'a pu réaliser: l'enregistrement d'une entrevue avec MacGregor.

La suite à demain. C'était la chronique Sur la Côte, *avec Vicki Rogers.*

Vaughn Lawrence arborait son célèbre sourire, sur tous les écrans de télévision de l'Ouest. Le petit reportage de Vicki Rogers terminait toujours l'émission *Déjeuner avec Vaughn.* Lawrence agitait la main devant la caméra:

— *Au revoir, et à demain! Que vous déjeuniez de gaufres ou de tortillas, vous prenez votre Déjeuner avec Vaughn.* »

— Vaughn, mon chéri, qu'est-ce qui me vaut le plaisir de ta visite?

Vicki Rogers ne fit aucun geste pour couvrir sa nudité. Une demi-heure après l'émission, elle était assise dans le sauna privé contigu à son bureau. Elle avait les seins très menus, la peau très blanche et des cheveux noirs comme jais.

Vaughn Lawrence avait revêtu un short de tennis et un pull en jersey. Sa journée de travail était loin d'être terminée, mais, à Hollywood, on admettait parfaitement que le patron se présentât en tenue de sport à une réunion.

— Je veux savoir ce que tu concoctes, Vicki, dit-il.

— Tout d'abord, moi j'aimerais savoir comment tu as fait pour entrer ici.

— Ta secrétaire prend sa pause-café à dix heures vingt. (Il tira une clef de sa poche.) Je connais encore le chemin.

— Désormais, je penserai à changer les serrures lorsque je changerai d'amant. Tu transpires à grosses gouttes, Vaughn.

Lawrence retira son pull et envoya valser son short, puis s'assit sur le banc de séquoia. Il essuya d'un revers la transpiration qui perlait à son front et la lança sur les cailloux qui chauffaient dans un coin du sauna. Les galets émirent un sifflement.

Vicki croisa la jambe. Même dans le sauna, cette femme restait de glace.

— Quelque chose semble te travailler, mon cher.

— J'aimerais que tu me consultes avant de diffuser d'autres potins sur Whiting.

— Je ne divulgue à personne le contenu de mes émissions, sauf à mon avocat.

— Qui t'a donné les renseignements que tu as diffusés ce matin ?

Vicki décroisa la jambe. Lawrence baissa le regard. Puis elle croisa l'autre jambe.

— Apparemment, tu n'as pas écouté mon compte rendu. J'ai cité des sources anonymes.

Vicki Rogers estimait être une journaliste sérieuse. Elle se tenait aussi pour une négociatrice coriace.

Lawrence sourit et essuya une goutte de transpiration qui perlait à la base de son nez.

— Tu es une femme respectable, Vicki, et je me demande comment j'ai pu te laisser tomber.

— Tu plaisantes, mon cher, c'est moi qui ai rompu.

Il fit semblant de n'avoir pas entendu la réplique et détailla Vicki de haut en bas.

— Je crois bien que c'était à cause de ces tétons trop petits.

Elle jeta un coup d'oeil au bas-ventre de Lawrence :

— Qu'est-ce qui était trop petit ?

Lawrence sentit son coeur battre la chamade, comme toujours après quelques minutes dans un sauna.

— Je vais conclure un marché avec toi, Vicki. En souvenir, disons, de ce que nous avons été autrefois l'un pour l'autre.

Vicki sourit :

— Comme c'est original ! Tu oublies cependant qu'à Hollywood, une personne sur deux a eu une liaison avec l'autre. Si, par respect du passé, chacun était gentil avec les autres, il ne se passerait pas grand-chose d'excitant dans cette ville.

Lawrence esquissa un sourire, bien qu'il se sentît d'humeur à boucler Vicki dans le sauna.

Vicki se leva et se drapa dans une serviette éponge.

— Quels sont les termes de ce marché, Vaughn ?

— Communique-nous le contenu de tes reportages sur Jeanne Darrow et son rognon avant de passer en ondes, et tu auras deux minutes supplémentaires du *Déjeuner avec Vaughn.*

— Accorde-moi une demi-heure chaque soir et les crédits nécessaires pour donner à *Sur la Côte* l'étoffe qu'il mérite. Puis diffuse mon émission sur ta superstation ou sur ton réseau de télédistribution le plus important.

— Trop coûteux, Vicki. Impossible.

Vicki le regarda un moment, puis posa les mains sur les genoux de Vaughn. Leurs visages se touchaient presque.

— Qu'est-ce qu'il y a sur ces bandes, Vaughn ? Entre nous. Strictement confidentiel.

— Je n'en sais rien, mais, à son départ, Roger Darrow se fichait éperdument d'Andrew MacGregor. Il essayait de me foutre en l'air, avec tout mon travail des dix dernières années.

— Pourquoi ?

— Parce que j'ai baisé sa femme.

Lentement, un sourire apparut aux lèvres de Vicki Rogers. C'était une motivation qu'elle pouvait comprendre.

— Strictement confidentiel, souligna Lawrence.

— Je me mords la langue mais je garderai le secret. (À moins, pensait-elle, d'avoir à m'en servir.) À présent, mon cher, rafraîchis-moi la mémoire. À quoi as-tu donc tant travaillé ces dix dernières années, si ce n'est à allonger la liste de tes ennemis ?

— À ériger un empire de communications vidéo, répondit-il en riant. L'expression est de toi.

— Je vais d'abord prendre ma douche, fit-elle en ouvrant la porte du sauna.

Et elle se retourna, malgré l'appel de Lawrence. Celui-ci allongea une jambe sur le banc, révélant ainsi une partie de son anatomie. Il affectait une pose de puissance ; les négociations n'étaient pas terminées.

— Je viens de décider un changement dans les termes du marché. Si tu ne me dévoiles pas tes sources et ne me laisses pas filtrer ton texte, fini ton petit bavardage télévisé dans le cadre du *Déjeuner avec Vaughn.*

Il sourit et étira les jambes.

La menace était sérieuse. Sans le *Déjeuner,* Vicki le savait, ce serait la catastrophe pour ses cotes d'écoute à l'échelle nationale et pour son crédit auprès des agences de distribution.

— Tu devras faire mieux que ça, fit-elle en lorgnant vers l'aine de son interlocuteur.

Roger Darrow, après avoir quitté Yosemite en juin, avait descendu le versant est par les lacets du col Tioga. Puis il avait suivi la route 395 jusqu'à la « Inter-State 80 » à Reno, où il était arrivé cinq heures plus tard. Mais en hiver, le col Tioga est encombré de trois mètres de neige.

À huit heures, le mardi matin, Jeanne Darrow et James Whiting chargèrent la Jeep Cherokee et se dirigèrent vers l'ouest.

La veille, ayant raté Merrill, ils avaient loué des skis et gagné Dewey Point. À deux kilomètres de là se creusait la vallée où, pour un de ses soliloques, Roger Darrow avait planté sa caméra. El Capitan était couvert d'une cape de neige fraîche et, dans toute la vallée, le doux murmure des cascades remplissait l'air. Jeanne et Whiting avaient escaladé le rocher de Roger et, pendant presque une heure, contemplé en silence cette splendeur.

— Qu'est-ce que je fiche ici ? avait enfin dit Jeanne, les yeux fixés sur un point à mi-distance entre Dewey Point et El Capitan.

— Vous êtes venue voir un membre du Congrès qui, comme par hasard, venait d'être appelé ailleurs.

— Non, avait-elle répliqué, je me demandais ce que j'étais venue faire sur ce rocher.

— Une tentative pour renouer avec le passé.

Elle s'était tournée vers Whiting.

— Et vous, que faites-vous ici ?

— Je ne sais pas très bien. Je dois être à la recherche de quelque chose.

Une heure et demie après leur départ de Yosemite, ils atteignaient la route 49, qui serpente vers le nord à travers les contreforts de la Sierra. C'est là que, en 1849, on découvrit dans les cours d'eau les pépites d'or qui allaient transformer la Californie, ce trou perdu, en l'un des États les plus riches de l'Union.

À l'embranchement de la nationale 80, ils obliquèrent vers l'est. De nouveau, l'autoroute à huit voies montait à l'assaut des Sierras. Les bas-côtés étaient jalonnés d'affiches : danseuses aux cheveux ornés de fleurs, Frank Sinatra avec son micro, Don Rickles et sa grimace, deux joueurs heureux souriant devant une roulette. *Visitez Harrah's Tahoe sur le terrain de la MGM, et rendez-vous aux Sables.* Puis, à une altitude de 1 768 mètres, ils franchirent encore la limite des neiges permanentes, puis traversèrent une petite ville appelée Truckee, et Whiting aperçut un panneau annonçant le Donner Memorial State Park.

— Est-ce qu'il s'agit du col de Donner ? demanda-t-il.

Jeanne hocha la tête. En 1846, quatre-vingt-neuf voyageurs échouèrent dans leur tentative de franchir le col avec leur convoi de chariots avant l'arrivée de la neige. Emprisonnés par celle-ci pendant cinq mois, ils épuisèrent leurs provisions et commencèrent à mourir de faim. Certains, pour survivre, durent manger les morts.

Au milieu de ce col, James Whiting éprouvait quelque difficulté à s'en remettre au confort de la vie moderne. Les affiches, les stations-service, les motels, les chasse-neige qui dégageaient la route : tout cela avait beau se faire rassurant, Whiting se sentait proche de ces gens qui avaient hiverné ici, et plus proche encore des survivants. Tous, ils avaient tout risqué pour prendre un nouveau départ dans la vie.

Puis une étrange pensée envahit l'esprit de Whiting. Comme la moitié des voyageurs de 1846, Roger Darrow était mort alors même qu'il allait atteindre son but. Et, comme leurs survivants, Whiting s'était nourri d'un mort pour rester en vie.

20

Ce soir-là, ils firent chambre à part, dans un motel de Salt Lake City. Après le dîner, Jeanne alla se coucher. Whiting acheta six canettes de Coors, cette bière blonde et légère, plus rafraîchissante que savoureuse, surtout avec les 3,2 degrés qu'elle affiche dans l'Utah. Puis il brancha au téléviseur le magnétoscope de Roger Darrow. Il introduisit la bande intitulée *Wyoming,* qui correspondait à leur prochaine étape. Passé minuit, il regardait encore la bande en prenant des notes, à la façon d'un monteur qui veut condenser en trente minutes un film d'une durée de deux heures.

Herbe vert émeraude, ciel d'azur, rivière d'un bleu profond. La caméra est plantée sur une petite éminence, à cinq ou six kilomètres des Grands-Tétons. Cette chaîne de pics escarpés ressemble aux dents d'une scie qui couperait en deux la prairie. La caméra s'incline pour montrer une maison en rondins entourée de peupliers. Un peu à l'écart, une grange et un moulin à vent. Le bétail broute le pâturage qui entoure la maison.

Coupure.

La caméra est maintenant postée sur la véranda de la maison. Une jeune femme à cheval se dirige vers l'habitation, met pied à terre et attache l'animal au piquet. Elle porte un chapeau de cowboy taché de sueur, des jambières et des gants de cuir et une chemise de travail.

— *Voici Lynne Lee Baker, dit Darrow. Elle possède un ranch à Jackson, dans le Wyoming. Depuis plus de trente ans, sa famille est liée d'amitié avec Andrew MacGregor qui a été le premier à acheter ici des terres. Si je suis venu rencontrer Lynne Baker, c'est pour parler de MacGregor et du débat politique à l'organisation duquel elle a collaboré. C'est d'ici que, demain, le réseau de télédistribution de MacGregor diffusera ce débat.*

Coupure.

La scène se passe quelque temps après. Lynne Baker est assise dans un fauteuil à bascule, dans un coin de la véranda avant. Les rayons du soleil se glissent sous le toit de celle-ci et font étinceler les fenêtres. Ils teintent de rouge le visage hâlé de Lynne et les rondins brun sombre de la maison. La jeune femme est vêtue d'un blue jean propre et d'un chemisier blanc immaculé. La chevelure blonde est tirée en arrière et paraît encore humide; Lynne sort de la douche. La jambe droite est ramenée contre la poitrine, et le talon repose sur le bord du fauteuil. Le pied nu est long et gracieux.

Elle avale une gorgée de bière, repose la canette sur la table voisine et s'appuie le menton sur le genou. Elle respire la détente plutôt que la fatigue. Elle tourne la tête vers la caméra.

— Je suis contente que vous ayez trouvé ma trace.

— Moi aussi, répond doucement Darrow.

Elle sourit. Elle semble trouver sympathique l'homme qui se tient derrière la caméra.

— J'ai trouvé votre nom en examinant, à la préfecture du comté, la liste des voisins de MacGregor. C'est là que j'ai appris votre rôle de leader dans la lutte contre le développement de Jackson Hole.

Du regard la jeune femme balaie la prairie qui s'étend devant sa maison.

— J'essaie seulement de conserver ce qu'on a ici. De la bonne terre, de l'air pur, ce qui reste de la paix et de la tranquillité d'antan. Mon frère et moi, on est éleveurs de bétail, comme mes parents avant nous, comme nos ancêtres. On gagne pas lourd dans ce métier. Par contre, on peut tout de suite vendre cette terre à vingt-cinq mille dollars l'acre, si on accepte de la livrer aux promoteurs. Mais, comme la plupart des propriétaires de ranches, je veux conserver cette terre aussi longtemps que je le peux.

— Il y a ici un promoteur du nom de Jack Cutler. Il proclame que vous tentez de garder égoïstement Jackson Hole pour vous-même, avance Darrow.

L'air furieux, elle se redresse.

— Quatre millions de gens traversent cette vallée tous les ans, monsieur. C'est suffisant. Des gars comme Jack Cutler veulent voir se multiplier les immeubles résidentiels, les stations de ski, et tout ce qui s'ensuit. (Elle observe un temps d'arrêt.) À mon avis, c'est une sacrée bonne chose qu'Andrew MacGregor ait décidé d'acheter des terres par ici au fur et à mesure qu'elles sont à vendre. Tout ce qu'il veut, c'est que la place reste libre, comme il y a quarante ans. Naturellement, à sa mort, je ne sais pas ce qui arrivera de ses biens.

— Peut-être léguera-t-il tout ça à l'administration du Parc national, comme l'a fait Rockefeller, dit Darrow. Quand est-il venu pour la dernière fois ?

— Il y a quatre ou cinq ans, je pense, répond-elle en faisant osciller son fauteuil. MacGregor et mon père étaient très bons amis. Ils allaient ensemble à la chasse à la gélinotte, et on attendait toujours impatiemment le coup de téléphone qui nous annonçait son arrivée en octobre. (Elle sourit.) C'était un homme plein de vie. Il aimait rire, et c'était le meilleur tireur au vol que j'aie jamais vu. Meilleur que papa lui-même. (Elle contemple un moment les Grands-Tétons.) Maintenant, papa est mort et MacGregor est sur son déclin. On le voit plus jamais, sauf quand il passe à la télé pour un de ses éditoriaux.

— De quoi parle-t-il alors ?

— La libre entreprise, la télévision libre, l'importance de conserver l'équilibre de toute cette beauté — du geste elle désigne les montagnes — et la nécessité de faire jaillir le pétrole de la terre, dans le nord-ouest du Wyoming.

— Est-il favorable à l'exploitation du territoire ?

— On a cette impression-là quand on l'écoute et qu'on le voit acheter des réseaux de télédistribution dans tout l'État. Mais je le connais bien. Au fond, il a encore la même conviction que beaucoup d'entre nous : le nord-ouest du Wyoming est un des derniers endroits sur terre où les choses tournent rond, avec de l'air pur à respirer et de l'espace pour le gros gibier. Y faut protéger ça contre les promoteurs d'immeubles et les prospecteurs de pétrole.

— Comment pouvez-vous être aussi sûre de l'appui de MacGregor ?

— Quand je lui ai demandé de diffuser sur ses stations de télédistribution le grand débat de demain soir, il a dit : bien sûr.

Coupure.

— Chaque fois qu'il s'est agi de donner à quelqu'un un coup de pied au cul, Andy MacGregor a toujours été d'accord avec moi.

Jack Cutler croise les mains sur son ventre rebondi. Il porte une chemise croisée bleue en grosse toile. La boucle d'argent de sa ceinture représente une tête de bouvillon. Cutler pèse près de 115 kilos. Barbe poivre et sel où disparaît le visage. Nez teinté de rouge par le soleil et l'alcool. Malgré un rire aussi jovial que l'aspect du bonhomme, les yeux, petits et noirs, ont un regard dur. Cutler est assis derrière un grand pupitre dans une pièce décorée de têtes d'orignaux, de bois d'élans et de vieux fusils. Il se penche en avant.

— Je vas vous dire une chose. Le sénateur Tom Sylbert va recevoir un sacré coup de pied dans le derrière, demain soir.

— Vous voulez parler du débat ?

— En plein ça, mon vieux.

Et Cutler d'ajouter, gonflé d'une fierté que la plupart des hommes n'éprouvent généralement que pour leurs enfants :

— Qui c'est qu'a tout organisé ? C'est moi, pas Lynne Baker. Sylbert est du bon côté dans la plupart des combats, et les gens pensent qu'il pourrait entrer à la Maison-Blanche un de ces jours. Mais le mois dernier, il a voulu calmer les écologistes, et toutes les Lynne Baker qui pensent que le développement mène à la guerre nucléaire ; il a présenté un projet de loi pour interdire la prospection du pétrole et du gaz naturel sur toutes les terres du nord-ouest du Wyoming. Et pas seulement les terres publiques : les terres privées avec !

— Je suppose qu'il y a des gens ici qui trouvent ça difficile à avaler.

— C'est la connerie la plus stupide qu'on ait jamais entendue, répond Cutler en se faisant craquer les jointures. Surtout si on a investi de l'argent là-dedans. Cet homme-là est un sacré communiste.

— Et Lynne ? Que pensez-vous d'elle ?

Cutler sourit, comme s'il avait réellement de la sympathie pour elle.

— Une bonne fille, mais avec parfois des idées toutes croches dans la tête. Si son père — qu'il repose en paix — était encore vivant, il serait d'accord avec moi : y faut faire cuire ce Tom Sylbert dans son propre jus. J'ai appelé Andy MacGregor et je lui ai demandé s'il voulait organiser ce débat. Vous savez, MacGregor possède, dans le Wyoming, quatre ou cinq concessions de télédistribution...

— Qui ont toutes été achetées au cours de ces trois dernières années.

Cutler acquiesce, impressionné par les connaissances de Darrow.

— Et il a lancé cette émission sur les affaires publiques qui s'appelle Forum. Tous les abonnés de son réseau possèdent le petit gadget qui leur permet de répondre aux questions tout en regardant l'émission. Pas besoin d'attendre le baratin d'un gars. Question, réponse, bang. C'est pas plus compliqué que ça.

— Pas plus compliqué, répond Darrow en écho.

— Demain soir, continue Darrow avec emphase, on va voir le sénateur échanger des coups avec la brillante Eve Merriweather, du Western Mountain Legal Consortium. Et dans tout le Wyoming, les gens seront là, assis, prêts à presser le bouton et à dire leur opinion. Ça va être, dans tout l'État, un gigantesque débat électronique.

Jack Cutler sourit et se fait craquer de nouveau les jointures, dans un bruit de casse-noisettes.

Coupure.

Roger Darrow se tient devant la caméra. Il porte un jean, une chemise blanche western à boutons pression et galons rouges, et des bottes de cow-boy. On est au début de la soirée. Derrière lui, les gens affluent dans la salle de réunion des propriétaires de ranches.

— Voici, dit-il, la version moderne des vieux conflits de l'Ouest, qui opposaient autrefois cow-boys et Indiens, propriétaires de ranches et agriculteurs. Cette fois, les propriétaires de ranches et les écologistes affrontent les compagnies pétrolières et les promoteurs. Le revolver à six coups a fait place à la télévision en duplex, et Andrew MacGregor arbitre le duel.

Coupure.

À l'intérieur de la salle, environ deux cents personnes se pressent sur les sièges et dans les allées. Une toile de fond bleue a été tendue derrière trois fauteuils pivotants en cuir. À gauche de l'es-

trade, un drapeau américain; à droite, un drapeau du Wyoming. Chaque participant au débat dispose d'un podium. Sylbert — la quarantaine, traits accusés et vêtements austères évoquant un pilote d'émission d'actualité — étudie une carte géographique déployée sur l'un des côtés de l'estrade. Eve Merriweather, ravissante blonde portant jupe de tweed et veste en poil de chameau, consulte fébrilement une série de fiches.

La lumière rouge clignote. Les orateurs se tournent vers la caméra.

— Bonsoir, mesdames et messieurs. Le réseau de télédistribution MacGregor vous souhaite la bienvenue à Forum. Il s'agit d'une série consacrée aux problèmes qui, dans notre région et notre État, affectent toute la population desservie par notre réseau. Et, comme toujours, le système permet à chacun de vous de prendre part au débat. Ici Frank Barry, votre maître de cérémonie.

Le débit est précis, enjoué, quelque peu emphatique. On dirait un Vaughn Lawrence recyclé.

Coupure.

Le sénateur Thomas Sylbert est à son podium. Simple, décontracté, la voix douce, l'air parfaitement conscient de s'adresser non seulement aux personnes présentes dans la salle, mais aussi bien aux téléspectateurs.

— Ce serait immoral, dit-il, de laisser les foreurs et les promoteurs poursuivre la destruction du seul écosystème resté intact au sud du quarante-huitième parallèle. C'est de cela que nous parlons ici.

Coupure.

Eve Merriweather finit en résumant son exposé:

— C'est nous, les habitants de l'Ouest, qui savons le mieux comment utiliser les ressources de celui-ci, y compris le pétrole de la ceinture pétrolière. Bien sûr, la croissance et la prospection entraîneront le développement urbain. Mais il est immoral de ne pas utiliser les ressources naturelles que Dieu nous a données, et nous nous sous-estimons en nous jugeant incapables de les gérer avec sagesse.

Coupure.

Le sénateur Sylbert conclut:

— Je crois exprimer la pensée de tous les habitants du Wyoming en affirmant que Jackson Hole, la forêt nationale de Bridger-Téton, et le nord-ouest du Wyoming lui-même sont des trésors nationaux, beaucoup plus précieux qu'un éphémère approvisionnement d'huile. C'est pourquoi je vous exhorte à soutenir mon projet de loi, qui vise à protéger cette belle contrée.

Coupure.

— Et maintenant, écoutons le verdict des téléspectateurs.

Frank Barry jette un coup d'oeil à son moniteur, puis regarde à nouveau la caméra.

— Après avoir entendu les arguments des deux opposants, soutenez-vous la position d'Eve Merriweather et du Western Mountains Legal Consortium, ou celle du sénateur Thomas Sylbert ? Pressez le bouton A pour Merriweather, et le bouton B pour Sylbert.

On voit clignoter à l'écran le mot « Réponse ? ».

Coupure.

Les résultats apparaissent maintenant à l'écran : 49 368 foyers ont répondu : Merriweather — 30 330 ; Sylbert — 19 038.

Coupure.

— Don-on-on-que, fait Barry, les citoyens du Wyoming, à l'écoute sur notre réseau, ont décidé de soutenir la position d'Eve Merriweather plutôt que celle du sénateur Thomas Sylbert. Vos réactions, monsieur le sénateur ? ajoute-t-il en se tournant vers ce dernier.

— Mes félicitations à madame Merriweather. Mais j'ai effectué sur cette question deux sondages privés, et trois quotidiens du Wyoming ont fait de même. Chaque fois s'est dégagé un pourcentage de 60 p. 100 en ma faveur, contre 40 pour madame Merriweather. Les résultats de ce soir sont donc surprenants et, à mon avis, nous induisent en erreur :

— Vous paraissez mauvais perdant, monsieur le sénateur, déclare le meneur de jeu.

— En effet, dit froidement Eve Merriweather, les chiffres ne mentent pas.

— Je n'ai jamais dit qu'ils mentaient, reprend Sylbert en souriant. J'ai simplement exprimé ma surprise : il était clair, pour moi et pour les personnes présentes dans cet auditorium, que ma position l'emportait une fois de plus.

Du regard, Sylbert balaie l'auditoire, en quête d'applaudissements qu'il obtient. La plupart des propriétaires de ranches sont de son côté.

— Hé! hé! — Barry se met à rire nerveusement — Nous aurions peut-être dû faire voter la salle, ce soir.

— Bonne idée, dit Sylbert. Cela m'aiderait à réduire la marge de madame Merriweather. Mais, là encore, la machine à voter du réseau MacGregor pourrait bien nous réserver une autre surprise. On ne peut jamais prévoir.

— Ce sont les votants du Wyoming qui vous ont surpris, réplique Eve Merriweather, et non pas un ordinateur.

— Bien sûr, répond Sylbert sur un ton peu convaincu. Je n'ai pas été étonné, non plus, des traits d'éloquence de mon adversaire.

Coupure.

La scène se déroule au petit matin. À l'avant-plan, les ombres s'étirent sur le sol. Mais le ciel est d'un bleu très clair et le soleil frappe déjà les pics et les glaciers des Tétons, là-haut à l'arrière-plan.

Roger Darrow est assis à une table à pique-nique. Une tente se dresse à ses côtés. Sa Jeep Cherokee est stationnée tout près. Le terrain de camping de Colter Bay Village — tentes et tentes-roulottes, automobiles et camionnettes — s'étend derrière lui. Une abondante rosée recouvre la table, ainsi que le pare-brise de la Cherokee. Darrow entoure de ses mains une tasse de café dont la vapeur s'élève dans l'air froid. Il porte un blouson de baseball, du même bleu que l'uniforme des Dodgers; poignets en tricot, sur un pull à col roulé, d'un bleu plus foncé. C'est un retour à ses habitudes vestimentaires de Hollywood.

Il frissonne, il rentre les épaules:

— On est peut-être en juin, mais il fait sacrément froid ici ce matin.

Il prend la cafetière sur le poêle Coleman et remplit à nouveau sa tasse. Il essaye de boire une gorgée, mais le café est trop chaud. Il regarde la caméra.

— Jack Cutler est un hâbleur, dit-il, et, en bon président du réseau, il idolâtre le dollar. Mais on peut, je pense, lui faire confiance.

«Lynne Baker est une femme indépendante. Elle se bat pour ses convictions, elle fait ce qui lui chante et au diable la société. Elle sait préparer un bon repas pour l'étranger, et il m'a été donné de la connaître assez bien, ces jours derniers.

«Quant à MacGregor, reprend Darrow après un sourire, je ne sais pas trop ce qu'il prépare au Wyoming. Il achète les terres, soi-disant pour les protéger. Partout où il le peut, il crée des concessions de télédistribution, ou il en achète qui existent déjà. Et quand Jack Cutler déclare son intention de mettre un sénateur sur le gril, c'est MacGregor qui alimente le feu.

«Après le débat d'hier soir, poursuit Roger Darrow, le sénateur Sylbert a fait à la presse quelques déclarations acides sur les plébiscites improvisés et sur les dangers du vote électronique. J'ignore si quelqu'un a manipulé l'ordinateur de MacGregor pour que les télévotes soient au désavantage de Sylbert, mais, après avoir vu comment tout cela fonctionne, je reconnais que, entre des mains malhonnêtes, le vote en duplex peut devenir un outil dangereux. La question se pose, de l'honnêteté des organisateurs.

Le bruit d'une automobile interrompt Roger Darrow. Celui-ci regarde par-dessus son épaule, tandis que l'avant d'une voiture pénètre dans le champ de la caméra. Darrow se lève et recule. Il semble ne pas apprécier ce qu'il voit. Une porte d'automobile claque, puis apparaît dans le champ de la caméra un costaud, coiffé d'un chapeau de cow-boy et vêtu d'une veste de daim frangée.

— Je m'appelle Bert McCall. Je travaille pour Jack Cutler.

Les deux hommes se font face, de chaque côté de l'image. Tel un grizzly menaçant, McCall domine Darrow.

— Mon patron veut sa bande vidéo. Il a décidé qu'on pouvait pas vous faire confiance.

— C'est votre patron qui a parlé tout le temps, réplique Darrow. Je n'ai fait que poser quelques questions.

— Je fais mon boulot, m'sieu; amenez la bande, insiste McCall, la main ouverte.

Darrow scrute Bert McCall un instant. Puis, comme mû par une ferme résolution, il se redresse et lance:

— Jamais de la vie!

McCall fait un pas. Roger Darrow empoigne la cafetière posée sur le poêle Coleman et la tient en l'air, comme pour la lancer. McCall s'arrête.

— C'est-il que vous voulez me lancer ça? Fallait le faire tout de suite, m'sieu. Comme je sais maintenant que ça va venir, vous feriez mieux de la remettre en place. Sinon, c'est vous qu'allez vous faire mal.

Darrow ne détourne pas les yeux de McCall et fait claquer le couvercle de la cafetière:

— Ce liquide était bouillant lorsque vous êtes arrivé, monsieur. D'ailleurs, je ne peux pas vous donner la bande, parce que je l'ai déjà envoyée à Los Angeles.

— Ben alors, je vais juste jeter un coup d'oeil.

Darrow fait de nouveau virevolter le café.

— Risquez d'avoir le nez brûlé, monsieur. C'est pas la peine: les bandes sont pas ici.

McCall étudie la cafetière, puis le visage de Darrow, comme pour évaluer la fermeté de ses intentions.

— Vous allez vous attirer des ennuis, m'sieu, avertit-il en reculant d'un pas. Si vous montrez Jack Cutler à la télévision, il va vous poursuivre en justice, parce qu'il a pas signé d'accord.

— Je me charge de lui en obtenir un.

McCall menace Darrow du doigt.

— La prochaine fois que vous venez à Jackson, z'avez besoin de pas être sur mon chemin.

Darrow observe McCall, qui regagne son auto et démarre. Puis il pousse un soupir de soulagement et regarde la caméra.

— Je me demande ce que tout cela veut dire. Apparemment, il ignorait qu'il posait pour la postérité.

Darrow rit nerveusement tandis que la tension retombe. Il semble satisfait de son propre comportement au cours de cette rencontre.

— Peut-être qu'après tout Cutler est une bête venimeuse. Et cette remarque sur son désir de faire cuire Sylbert dans son jus, c'était peut-être plus qu'une fleur de style dans la bouche d'un cowboy.

Roger Darrow n'avait pas vécu assez longtemps pour voir les résultats du débat du Wyoming. Ceux-ci auraient confirmé ses soupçons au sujet du système de télévote. À Los Angeles, Whiting avait trouvé, dans le porte-journaux de Jeanne, le numéro de novembre du magazine *Newsweek,* consacré aux élections. Il avait découpé un article et l'avait rangé parmi les notes qu'il transportait avec lui. Ce soir, avant d'aller se coucher, il le relisait :

> « Dans le Wyoming, le sénateur Thomas Sylbert a perdu son siège aux mains de Samuel Bragg, politicien relativement inconnu, parachuté pour lui barrer le chemin. En juin, Sylbert, selon les sondages, détenait une avance de trois contre un. Mais vint, à l'émission câblodistribuée *Forum,* le désastreux débat sur la politique pétrolière et gazière du Wyoming.
>
> Sylbert en sortit vaincu, d'après un sondage à l'antenne. Il perdit alors contenance, eut des remarques désobligeantes à l'endroit de son adversaire, Eve Merriweather, et de l'animateur Frank Barry. La semaine suivante, Sylbert vit le Comité écarter un des projets de loi qui lui tenaient le plus à coeur. Alors commença pour lui la lente mais régulière perte de faveur dans les sondages, particulièrement dans ceux de *Forum,* qui suivait de très près la lutte électorale.
>
> Les sondages de *Forum* indiquaient une érosion du soutien accordé à Sylbert, érosion qui n'apparaissait nulle part ailleurs. En définitive, croyait Sylbert, les sondages effectués par la télévision devenaient en quelque sorte des prévisions qui trouvaient leur réalisation en elles-mêmes : sa perte de prestige tenait à la baisse de son succès dans les sondages, et non l'inverse. Sylbert insista également, à mots couverts, sur la difficulté de contrôler un système comme le Télévote de MacGregor ; d'en vérifier l'exactitude et l'honnêteté ; ou de garantir que demeureront dans le domaine privé les masses de renseignements personnels qu'il fournit sur les préférences de chacun en matière d'émissions télévisées, ses habitudes de téléspectateur, ses attitudes politiques, l'état de ses finances ou de ses placements.
>
> John Meade, porte-parole de MacGregor Communications et neveu de l'invisible président du Conseil d'administration, déclara qu'il serait heureux d'ouvrir au sénateur Sylbert l'accès aux dossiers de la société ou aux ordinateurs utilisés pour les sondages. Cependant, ajoutait-il, le mieux serait, pour Sylbert,

de s'incliner devant la volonté des participants au sondage du Wyoming, et de commencer à préparer sa prochaine campagne électorale.

Sylbert avait passé pour un candidat possible à l'investiture, en vue de l'élection présidentielle qui aura lieu dans deux ans ; mais, pour le moment, il va retourner à Cody et prétend n'avoir d'autre projet que le soin de son bétail au cours de l'hiver.»

Apparemment, Thomas Sylbert avait, dès janvier, décidé que ses bestiaux pouvaient très bien passer seuls l'hiver. Lorsque Whiting, plus tôt dans la journée, avait appelé Sylbert pour solliciter une interview, on lui avait déclaré que le sénateur était en vacances aux Caraïbes. Whiting devrait donc se contenter d'interviewer Lynne Baker et Jack Cutler, avec l'espoir de découvrir pourquoi ce dernier avait envoyé Bert McCall aux trousses de Roger Darrow.

21

Jamais de files d'attente au pied des remonte-pente. Huit pistes immenses, recouvertes de la neige la plus fraîche de l'Ouest. Et pour vous, amateurs de terrains plats, les pistes de ski de fond, par centaines de kilomètres. Vous skiez le jour et, le soir venu, vous vous détendez dans un des « Cutler Condos » de Jackson, dans le Wyoming. Et, quant à être en ville, les copains, arrêtez-vous au Cutler Eating Emporium and Trading Post, pour y déguster un succulent steak et sentir la chaude hospitalité de l'Ouest :

Il était environ deux heures de l'après-midi lorsque Jeanne Darrow et James Whiting remontèrent la rue principale de Jackson. Le voyage de Salt Lake City à Jackson avait duré sept heures.

L'hiver, dans les hautes montagnes et les hauts plateaux de l'Ouest, n'avait rien de la douceur que Whiting avait sentie à Yosemite. Le thermomètre oscillait autour de —10°. La neige était épaisse, omniprésente. Tout le jour, le soleil restait au bas de l'horizon. Et la route qui menait à Jackson semblait, par endroits, un long ruban d'automobiles, pare-chocs contre pare-chocs. Mais les chasse-neige dégageaient la route et les skieurs parvenaient à destination.

Ils encombraient les rues, avec leurs voitures sport et leurs camionnettes à quatre roues motrices. Ils se bousculaient sur les trottoirs, vêtus de chapeaux de cow-boys et de lourdes bottes en plastique. Le porte-skis était un accessoire aussi répandu que l'essuie-glace. Quant aux vêtements de ski, Whiting eut l'impression qu'ils ne se faisaient qu'en des couleurs les plus voyantes — vert ou orangé phosphorescents, rouge, jaune. La ville ressemblait à un ranch d'opérette envahi par un banc de poissons tropicaux géants.

Whiting préférait le ski de fond. Il portait d'ordinaire un pull de laine sur des jeans ou des knickers. Ses skis de bois dataient de vingt ans. La griserie du ski alpin, lui avait-on dit, lui ferait perdre tout goût pour le ski de randonnée. Il avait rétorqué que celui-ci ne peut rien avoir de lassant, pour qui a écouté le bruit rythmé de ses skis sur une prairie enneigée.

Les deux voyageurs frappèrent à la porte de trois motels bondés de skieurs, avant de louer une chambre au Grafton Motor Inn.

— C'est la seule chambre que nous ayons, déclara la réceptionniste, dont le visage, aussi anguleux que les montagnes qui entourent Jackson, annonçait la soixantaine. Et d'après ce que j'ai entendu, c'est la seule chambre en ville.

— Nous la prenons, dit Whiting.

— Il y a deux lits et une douche. Pas besoin de faire les deux lits, je suppose ?

Whiting jeta un bref coup d'oeil vers Jeanne.

— Oui, s'il vous plaît, corrigea celle-ci. Et nous ne partagerons pas les serviettes de toilette, non plus.

La vieille dame regarda Whiting d'un air apitoyé :

— Vous ferez bien d'amener cette petite prendre l'air sur les pistes, m'sieur ; sinon, vous risquez tous les deux de gâcher vos vacances.

— Nous sommes ici pour affaires, expliqua Whiting.

La chambre se trouvait à l'étage, juste au sommet de l'escalier extérieur. La fenêtre de la salle de bains donnait sur le toit d'un autre motel. Quant aux fenêtres avant, elles s'ouvraient sur un stationnement et sur une station Shell très fréquentée.

Jeanne ouvrit les rideaux.

— Bienvenue dans l'Ouest, sauvage et sans frontières !

Whiting se laissa tomber sur le lit, qui faillit toucher le sol.

— ...avec des lits de dortoir dans le genre hamac, compléta Whiting, et une réceptionniste à l'esprit mal tourné.

— J'espère qu'elle est *la seule,* souhaita Jeanne, le regard tourné par-dessus l'épaule.

D'un bond, Whiting fut debout.

— Écoutez, ma petite dame, si vous n'avez pas confiance en moi, dites-le. Ça fait trois jours que nous voyageons ensemble et je n'ai pas levé le petit doigt sur vous. Et je n'en ai pas l'intention.

Whiting était loin de dire la vérité.

— C'est le marché que nous avons conclu, lança Jeanne : deux célibataires traversant ensemble l'Amérique ; toute autre forme de relation serait une complication superflue.

Elle ouvrit brusquement sa valise et se mit à fouiller dedans, l'air de ne pas trop bien savoir ce qu'elle y cherchait.

Whiting s'assit sur son lit et la regarda, jusqu'à ce qu'elle cessât de manipuler les piles de vêtements et qu'elle levât les yeux.

— Qu'est-ce qui ne va pas, Jeanne ? demanda-t-il.

— La perspective d'une rencontre avec cette Lynne Baker ne m'enchante pas, dit-elle. J'ai peur de laisser paraître ma jalousie.

— Votre jalousie ?

— Il était attiré par elle, poursuivit Jeanne avec colère. Ça se sentait au ton qu'il prenait pour lui parler. Aux regards qu'elle lançait à la caméra. C'est une femme toute d'une pièce, terre à terre, en grande forme physique. Même qu'avec ses cheveux blonds, elle *ressemble* à Miranda Blake.

Whiting n'avait pas été sans remarquer lui aussi cette attirance.

— Vous ne paraissez pas juste à leur égard.

— Je n'ai pas parcouru toute cette distance pour être juste. Je suis venue pour découvrir ce qui s'est passé ici.

— Même s'il a fait l'amour avec Lynne Baker, il a vécu ici beaucoup d'autres choses.

Jeanne se mit les mains sur les hanches.

— Je veux seulement la regarder dans les yeux. Si je peux le faire, je sais que je serai capable de regarder Miranda Blake lorsque nous la rencontrerons.

Peu après, la Cherokee descendait les routes enneigées qui conduisaient à la maison de Lynne Baker. Ici, au milieu de la vallée, pas de foules joyeuses. Ici, au coeur de l'hiver, les Grands-Tétons s'élevaient, majestueux : onze pics aigus jaillissaient d'une plaine enneigée. Blanc contre bleu. Paysage d'une froide pureté.

Ici, la besogne ne manquait pas — le bois à couper pour le feu, le foin à étendre, la glace à crever sur les points d'eau, l'administration à mettre à jour avant que les vaches ne mettent bas et que le printemps ne vienne — mais reviendrait-il jamais ? Les motoneiges, qui filaient avec leurs couleurs vives sur les bas-côtés des chemins, paraissaient frivoles, un peu dérisoires dans un tel paysage. Et les petits groupes de skieurs en randonnée avaient l'air de fétus de paille perdus dans l'immensité.

La camionnette de Lynne Baker était rangée devant le ranch, dont la cheminée déroulait son panache de fumée. Il était presque trois heures, en ce vendredi après-midi. Un vent glacé cinglait la prairie, en soulevant des rafales de neige poudreuse.

— La femme de Roger Darrow ? dit Lynne Baker, l'air surpris, presque choqué. — Elle tourna les yeux vers Whiting : Et qui est-ce, celui-là ?

— James Whiting, dit Jeanne. Nous sommes à reconstituer le dernier voyage de mon mari : nous rencontrons les gens qu'il a connus, nous photographions les endroits où il s'est arrêté.

Lynne Baker les regarda tour à tour, puis ouvrit la porte.

Elle était plus grande que Whiting ne l'avait imaginée, presque un mètre quatre-vingts. La chevelure, réunie en deux tresses, était moins blonde qu'il ne paraissait à l'écran. Le teint était rouge, brûlé par le vent. Elle portait bottes et blue jeans, avec un pull à grosses mailles sur un col roulé bleu.

Un peu plus tard, un feu de bois ronflait dans le poêle et réchauffait la salle de séjour tandis qu'une théière fumait sur la table basse. Lynne Baker était engoncée dans un vieux fauteuil de cuir. Whiting et Jeanne étaient assis sur un divan aux accoudoirs recouverts d'un épais cuir de sellier ; son lourd capitonnage, rayé à l'horizontale de rouge, d'orangé, de jaune, de brun et de blanc, ressemblait à une couverture de selle.

Les murs, lambrissés de pin, s'ornaient de photos de famille, ainsi que de plusieurs peintures à l'huile représentant des scènes de Jackson Hole. Une tête d'orignal et un vieux fusil de chasseur de buffles surmontaient le foyer. Sur une table, à côté de Lynne, un hibou empaillé. Décor masculin, où pourtant Lynne Baker semblait à l'aise.

— Ça me fera plaisir de vous raconter ce que je peux de votre mari, dit-elle à Jeanne. Mais je crains que vous ne puissiez pas rencontrer Jack Cutler...

Elle fit une pause, avant d'expliquer :

— Il est mort.

Jeanne et Whiting échangèrent un regard. Aucune surprise chez Whiting ; il s'attendait à ce genre de chose, entre Los Angeles et le Maine.

— Un soir de novembre dernier, son auto a quitté la route en rentrant du club.

Penchée en avant, Lynne versa un peu de thé dans une des tasses puis les remplit toutes. Ses visiteurs servis, elle revint s'asseoir, sa tasse à la main.

— Jack était un ivrogne et il a connu, me direz-vous, la fin qu'on pouvait prévoir.

— Vous n'en semblez pas convaincue, dit Whiting.

— Jack Cutler était tout ce qu'il y a de plus salaud et, sur bien des points, je n'étais pas d'accord avec lui. Mais ma famille le connaissait depuis bien longtemps, et ça m'a crevé le coeur quand il est mort.

Lynne but une gorgée de thé et regarda Jeanne :

— Et je vous l'avouerai, madame Darrow, ça m'a fait quelque chose aussi, la mort de votre mari.

Jeanne s'efforça de sourire en disant « merci ».

Whiting remarqua les rides que la tension creusait autour des yeux de Jeanne. Il se tourna vers Lynne :

— Si vous avez un peu connu Roger Darrow, vous comprendrez peut-être la raison de notre démarche. Et de l'intérêt que nous portons à Jack Cutler.

Tout en sirotant son thé, Lynne étudiait ses deux visiteurs, comme pour les jauger avant de décider de la confiance à leur accorder.

— Qu'avez-vous l'intention de faire, après votre voyage jusqu'au Maine ?

— Faire un montage avec les bandes d'origine de Darrow et les nôtres et voir si nous avons assez de matériel pour diffuser *Mon Amérique* sur l'un des réseaux, répondit Whiting.

— Êtes-vous producteur ou quelque chose du genre ? demanda-t-elle.

— Non, dit Jeanne avec fermeté. C'est un ami de la famille et il m'apporte son aide. Tant que nous ne verrons pas ce que nous avons en main, nous ne sommes pas sûrs d'en faire quoi que ce soit. Si c'est trop personnel et ne regarde personne, il se peut que j'enterre simplement tout ça.

Lynne regarda Whiting :

— Vous êtes en quête d'un reportage croustillant.

Puis, se tournant vers Jeanne :

— Quant à vous, vous êtes tout bonnement à la recherche de la vérité.

— Vous simplifiez les choses, mais c'est un peu cela, avoua Whiting.

Machinalement, Lynne se mit à lisser de la main les plumes du hibou empaillé.

— Bon, je crois savoir assez bien ce qui est arrivé à Jack Cutler, et ça cadre exactement avec tout ce que Roger Darrow était venu chercher ici. J'ai pas raconté ça à grand monde, parce que, si certains avocats s'en mêlaient, ça pourrait se répandre comme l'eau d'une passoire.

— Nous ne sommes pas avocats, protesta Whiting.

— Bon point pour vous.

Lynne se pencha en avant et regarda Jeanne.

— J'ai connu votre mari quelques jours seulement, mais je lui aurais fait assez confiance pour lui raconter ça. Et je pense que je vais vous faire confiance aussi.

Le visage de Jeanne resta impassible.

— Pouvons-nous enregistrer ceci ? demanda Whiting.

— Pas encore. Pour l'instant, ne faites qu'écouter, insista-t-elle en se remettant à caresser le hibou. C'était environ une semaine après l'élection. Mon frère, sa femme et moi, on prenait un verre au Jackson Saloon. Jack se trouvait là aussi, en compagnie de Bert McCall, et il m'a invitée à me joindre à eux. Il devait être saoul, parce que, d'habitude, il prenait jamais un verre avec moi, à moins qu'on soit seuls. Je me suis assise, et il a commencé à me taquiner un peu, au sujet de mon camp qui venait de perdre son porte-parole au Sénat. Puis il s'est rapproché, il m'a donné une bourrade dans les côtes et m'a dit ça : « Ce vieux Tom Sylbert savait pas dans quoi il s'embarquait quand il s'est montré ici au mois de juin. » Du coin de l'oeil, je pouvais voir mon Bert McCall s'agiter sur sa chaise, comme si quelqu'un lui avait glissé un lézard dans la chemise. J'ai dit à Jack : « Tu veux pas dire que, quand les gens du Wyoming se sont mis à voter en appuyant sur leurs boutons, le jeu était truqué d'avance ? » McCall s'agitait de plus en plus, comme pour se défaire de ce fichu lézard. Jack a fait une manière de sourire et s'est mis à rouler des yeux. Puis McCall est intervenu, rouge de colère, en déclarant que la défaite de Sylbert était celle d'un imbécile.

Lynne finissait son thé en faisant tournoyer les feuilles dans sa tasse.

— Une semaine plus tard, Jack était mort, conclut-elle.

Jeanne sentit le trouble de Lynne. Elle saisit la théière pour offrir du thé à Lynne.

— Merci.

Lynne tendit sa tasse, que Jeanne remplit. Après quelques gorgées, Lynne poursuivit son histoire.

— Lorsque l'accident est arrivé, j'ai repensé à cette soirée et au comportement de Bert McCall. Mais je me suis dit que j'avais peut-être moi-même placé ces mots dans la bouche de Jack.

— Voulez-vous dire que Bert McCall a tué son propre patron parce que celui-ci disait du mal de Tom Sylbert et de sa défaite ?

— J'y ai pensé, avoua Lynne. Mais il me viendrait pas à l'idée d'aller en parler au shérif.

Whiting se souvint de la scène finale sur la bande de Darrow. Il était prêt à donner raison à Lynne au sujet de Bert McCall.

— Pensez-vous que nous pourrions parler à ce type ? Lui poser quelques questions à son propre sujet ?

Lynne se mit à rire.

— C'est rien qu'un homme de main, monsieur. Il est venu de Los Angeles pour se mettre au service de Jack Cutler.

— Quel besoin Jack Cutler avait-il d'un homme de main ?

— Cutler Brothers, Inc. a investi de l'argent dans un tas de choses : le forage de pétrole, les condominiums, la restauration-minute, les motels. Chaque fois que MacGregor Communications achète une concession de télédistribution dans le Wyoming, les travaux d'installations électriques vont en sous-traitance à Cutler Construction. C'est une grosse affaire, et la plupart des grosses affaires engagent du personnel de sécurité, particulièrement quand la concurrence est serrée. C'est du moins ce que Jack m'a dit.

— Et Bert McCall ne parlerait pas à des étrangers ?

Lynne secoua la tête.

— Mais si vous voulez parler de ce débat, je peux vous mettre en contact avec un des participants.

— Sylbert est aux Caraïbes, dit Whiting.

Eve Merriweather est ici même, dans le Wyoming.

— La connaissez-vous ? demanda Jeanne.

Ça fait longtemps qu'on est de part et d'autre de la clôture : c'est comme si on était voisines, dit Lynne. Elle a une maison ici. Comme c'est vendredi après-midi, on la trouverait probablement au club de Ski et de Chasse de Cutler, si elle n'est pas en train de skier sur les pentes.

Lynne Baker était au volant de sa camionnette, en compagnie de James Whiting et de Jeanne Darrow. Bert McCall les suivait, comme il avait suivi Jeanne et James jusqu'au ranch Baker. Len Haley l'avait appelé la veille pour lui donner la description de la Cherokee et lui suggérer quelques moyens de refroidir la curiosité de ses occupants. McCall était donc averti de leur arrivée.

La camionnette traversa le village de Kelly, puis longea la partie septentrionale du National Elk Refuge.

Non loin de la route, Whiting aperçut la carcasse d'un vieil élan mâle, dont il ne restait guère que les bois et la cage thoracique, avec une tache de rouge sur la neige. Un couple de loups, à l'épaisse fourrure d'hiver et au museau ensanglanté, se disputait les restes. Lynne ralentit un moment. Les loups levèrent les yeux comme des enfants espiègles pris en faute, puis retournèrent à leur repas. L'un d'eux s'empara des restes d'une cuisse, tandis que l'autre plongeait le nez dans les entrailles.

— Ils doivent être diablement affamés pour s'aventurer si près de la route, dit Lynne. Mais mieux vaut les voir manger un élan vieillissant qu'un veau de race prélevé dans mon étable.

Whiting regarda la scène s'éloigner dans la vitre arrière. Les deux loups commençaient à se disputer le même quartier, tirant en tous sens la carcasse sur la neige tachée de sang. La tête de l'élan sautait de droite à gauche, comme si elle cherchait ce qu'étaient devenus le ventre et les flancs. Mais les loups n'y prêtaient pas attention. Vaincu, l'élan n'était plus pour eux que nourriture. Dans la nature, les êtres ne possèdent pas de personnalité propre et les métaphores, pensa Whiting, sont des créations de l'esprit humain.

Le club de Ski et de Chasse de Cutler, qui datait de moins d'un an, était construit sur plusieurs niveaux. Il semblait grimper à flanc de montagne, tel un escalier de séquoia et de verre. La salle du bar s'étalait sur cinq niveaux, pour mieux bénéficier de l'immense baie vitrée qui faisait face aux Grands-Tétons. Au palier supérieur, le bar, en acier poli, ultra-moderne. Aux autres paliers, des tables, des chaises et des divans, disposés autour de foyers non encastrées. La fumée s'évacuait par des tuyaux de métal poli, seuls obstacles que rencontrât le regard.

Après avoir signé à la réception, Lynne conduisit Jeanne et Whiting au bar. Il était quatre heures de l'après-midi et les amateurs d'après-ski n'avaient pas encore envahi la salle. Des cent cinquante sièges qu'offrait celle-ci, seulement le tiers semblait occupé. Un magnétophone jouait en sourdine et, dans cette atmosphère feutrée, on n'entendait guère que le tintement d'un glaçon dans un verre et l'éclat de rire d'une jeune femme.

Lynne se dirigea vers le bar et commanda trois bières Coors pression.

— Vous me surprenez, murmura Whiting à Jeanne. Je pensais que vous alliez lui faire une scène de jalousie.

— Je le pourrais encore, dit Jeanne. Mais le plus fort, c'est qu'elle me plaît.

Ils trouvèrent Eve Merriweather assise dans son box favori, au troisième palier.

— Votre mari est encore sur les pentes ? demanda Lynne en s'avançant vers elle.

Eve Merriweather leva les yeux et salua. Ses cheveux blonds étaient noués d'un ruban bleu. Ses traits, pensa Whiting, étaient typiques de la Nouvelle-Angleterre, particulièrement la mâchoire forte et saillante, que l'élocution faisait à peine bouger.

— Il faut toujours « une dernière descente avant le coucher du soleil ». Vous savez ce que c'est.

Lynne lui présenta Whiting et Jeanne Darrow. Eve les salua sans grand enthousiasme.

Lynne s'introduisit dans le même box.

— J'espère qu'on ne t'ennuie pas en s'installant avec toi, Eve. Ces m'sieur-dame sont de Hollywood et ils désiraient te rencontrer.

Bert McCall avait attendu quelques minutes avant de brandir sa carte de membre et de pénétrer dans le Mountain View Lounge. Il se trouvait à présent au bar, une chope de bière à la main, le talon de sa botte de cow-boy posé sur la barre d'acier. Ses yeux étaient rivés au compartiment d'Eve Merriweather, où la femme de Darrow et le Rognon étaient déjà en train de mettre le nez dans ce qui ne les regardait pas.

McCall se promena sur le palier supérieur, jusqu'à ce qu'il se trouvât directement au-dessus et pût ainsi entendre presque toute leur conversation.

— Nous avons été très impressionnés par la bande qui montrait le débat où vous étiez opposée au sénateur Sylbert, dit Whiting.

— Ç'a été le sommet de ma carrière, répondit Merriweather.

Et elle jeta un coup d'oeil à Lynne Baker, comme si elle se rendait compte de ce qui se passait.

— La plupart des analystes s'entendent à dire, poursuivit Whiting, que ce débat a marqué le commencement de la fin pour Tom Sylbert.

— C'est pas mon problème, trancha Eve en hochant la tête.

— Les résultats surprenants du sondage télévisé...

— Ils n'avaient rien de surprenant, commenta-t-elle d'un ton égal, pour ceux d'entre nous qui étions au courant du problème.

Pendant un instant, Whiting resta à court d'arguments. Il se tourna vers Jeanne.

— Les résultats, dit celle-ci, ont étonné un grand nombre de personnes dans le pays. L'une d'elles, et non la moindre, était le sénateur Sylbert lui-même.

— Les bons leaders connaissent la force de l'opposition, rétorqua Merriweather d'un ton péremptoire. Ce n'était pas le cas de Sylbert. En exposant ses faiblesses au grand jour, nous rendions service à l'État du Wyoming et à tout le pays.

Eve jeta un coup d'oeil à sa montre.

— Bon, Al aura décidé de rester skier de nuit. Je ne me sens pas d'humeur à l'attendre.

Elle tira de sa poche une carte d'affaires et la rendit à Whiting:

— Appelez-moi à ma résidence d'hiver; nous pourrons peut-être parler plus longuement.

Elle sourit sans conviction et se prépara à prendre congé. C'est alors que Lynne Baker ouvrit la bouche, sans lever les yeux de sa chope de bière; le rebord de son chapeau de cow-boy cachait en bonne partie son visage.

— Une chose encore.

— Qu'y a-t-il ? demanda Eve Merriweather, le regard posé sur le sommet du chapeau de Lynne.

— Ces gens savent ce que Jack Cutler a dit au sujet de Sylbert et du jeu qui était truqué d'avance.

— Sylbert était mauvais perdant, comme vous, répliqua Eve Merriweather en se redressant.

Prête à partir, elle était prisonnière du compartiment circulaire : Lynne Baker et Jeanne Darrow étaient assises d'un côté, Whiting de l'autre.

— Et qu'est-il arrivé à Jack ? demanda Lynne Baker en levant enfin les yeux.

Eve Merriweather ne cilla pas.

— Jack Cutler était un ivrogne.

Elle repoussa la table et entreprit d'enjamber Whiting.

— Est-ce que ces personnes vous gênent ? demanda une voix haut perchée, presque criarde, que Whiting se rappela avoir entendue sur les bandes.

Lynne Baker tourna la tête et se trouva au niveau des bottes de McCall. Il était debout, à hauteur de son épaule.

— Je ne savais pas que ce club abaissait ses standards, lança-t-elle.

McCall faisait mine de ne pas la voir.

— Je vous ai demandé si ces gens vous gênaient, madame Merriweather.

— Non, répondit Eve, visiblement troublée par la présence de McCall. J'étais sur mon départ.

— Ça m'a l'air qu'ils vous posaient des questions auxquelles vous vouliez pas répondre. C'est pas très poli.

McCall, les traits écrabouillés et la tête trop petite pour le reste du corps, observait Whiting.

— La politesse est pourtant pas ton fort, grommela Lynne Baker. Et ce qu'on dit, en quoi ça te regarde ?

— Mam' Merriweather est une amie à moi et elle m'a l'air en difficulté. Et vous, qui diable êtes-vous, monsieur? demanda McCall à Whiting.

— Vous n'avez pas à lui répondre un traître mot, dit Lynne.

Les quelques personnes assises autour s'étaient arrêtées de causer. Au magnétophone, les Bee Gees chantaient *Survivre.* Tout à fait de circonstance, pensa Whiting.

— Toi, Lynne, t'en mêle pas, dit McCall.

Il se tourna à nouveau vers Whiting :

— Je vous ai posé une question. Qui êtes-vous ?

Whiting faisait tournoyer la bière dans sa chope. Il était effrayé.

— Ne dites rien, murmura Jeanne.

McCall se tourna vers elle :
— Ta gueule !
Whiting regardait toujours sa bière. De petits morceaux de glace flottaient à la surface. Sans lever les yeux, il dit :
— Ça vaut pas la peine de risquer une engelure au nez.
En disant cela, sa gorge se serra et il faillit avaler sa langue.

— *Oh! je suis un homme à femmes, ça se voit à ma façon de marcher, pas le temps de parler...*

Bert McCall se pencha en avant, les mains sur les genoux, comme s'il parlait à un enfant :
— Quoi ?
Eve Merriweather tentait de se frayer un chemin entre les deux adversaires :
— Ça me déplaît de servir de prétexte à une dispute.
Whiting inspira profondément. Il s'agissait d'eau bouillante, plus que de bière froide. Il aurait dû s'en douter. Il aurait voulu ravaler sa dernière remarque. Il déposa sa chope de bière, dans laquelle il aurait souhaité se dissoudre lui-même.
— Tu m'as menacé ? dit McCall.
Whiting gardait le regard plongé dans sa chope de bière.
— On me la fait pas !
Une paire de battoirs empoigna Whiting et le tira du compartiment. Il fit deux mètres en vol plané et atterrit sur le dos.
Eve Merriweather, bondissant, appela à l'aide.
— Restez au sol, Whiting, conseilla Lynne Baker, déjà sur pied.
Jeanne Darrow s'était levée aussi, sa chope à la main. Elle se rappelait les menaces de Bert McCall à son mari.
Le barman appela le videur.
Whiting roula sur lui-même et s'agenouilla. Il n'était pas blessé.

Survivre, survivre...

Bert McCall fit un pas vers Whiting. Il n'avait pas le sourire sadique de certains hommes quand ils passent à l'attaque. Son expression était calme, retenue : celle d'un professionnel au travail.
— Viens un peu ici, marmonnait-il.
Whiting ne voulait pas fuir. Trop tard pour raisonner le gars.
— Viens par ici, dit McCall d'un ton méprisant.
Jeanne Darrow lança à toute volée la chope de bière, qui frappa Bert McCall à la mâchoire, juste assez fort pour le rendre fou de colère.
Il se tourna vers Jeanne et d'une gifle en pleine figure la plaqua violemment contre la paroi du compartiment.

Eve Merriweather cria de nouveau à l'aide.

Le barman, prudemment retranché derrière le bar, appela encore une fois le videur.

Whiting maudit en lui-même le jour où il avait admiré Darrow menaçant McCall d'une cafetière. Lentement il se leva, essayant de se rappeler les mouvements que sa soeur lui avait appris lorsqu'elle s'initiait au karaté.

Sayin' alive... saying' alive...

— Reculez, Whiting, avertit Lynne Baker.

Bert McCall lui appliqua un revers en plein visage. Elle tomba à la renverse.

Un jeune skieur — muscles rebondis, cheveux blonds et dents blanches — saisit McCall par le bras.

— Hé, l'ami...

Un mouvement de bras de McCall, et le skieur atterrit sur une table, à l'autre bout de la mezzanine.

Je ne vais nulle part. Que quelqu'un m'aide.
Que quelqu'un m'aide, ouais...

— Viens par ici, marmonna de nouveau McCall à l'intention de Whiting.

Le videur apparut à la porte de la salle. Il aperçut McCall et dit « merde ».

Whiting regarda Lynne Baker ; elle était à quatre pattes et un filet de sang s'échappait du coin de sa bouche. Il regarda Jeanne Darrow, effondrée dans le compartiment. Il regarda les jambes de McCall, se demandant laquelle il allait saisir.

Le videur demanda au barman d'appeler le shérif.

McCall marcha sur Whiting.

— Les jambes sont trop grosses.

Ah, ah, ah, ah, survivre...

— Mais la tête a la dimension d'un pamplemousse.

Whiting passa à l'offensive. Son poing accrocha à peine le menton de McCall, qui ne sourcilla pas. Whiting, à la douleur qui lui traversa le revers de la main, crut s'être disloqué une jointure.

Puis le poing de McCall s'écrasa sur le menton de Whiting, où il ouvrit une plaie béante.

Whiting, dont les jambes devenaient de coton, tomba, étourdi, sur son séant. Baissant les yeux, il vit son pull jaune se rougir de sang. Il tenta de se lever, mais la botte de McCall lui enfonçait la poitrine. Le bruit, écoeurant et assourdissant, résonnait dans toute la salle, où personne ne parlait, tandis que les Bee Gees continuaient à chanter.

Survi-i-i-ivre...

Lynne Baker fut de nouveau sur ses jambes.

Le videur se trouvait toujours sur le palier supérieur.

Whiting essayait de se lever, comme un animal blessé qui se sait perdu s'il reste au sol.

La botte de McCall s'avançait encore une fois vers lui, mais le jeune skieur fit un saut pour s'interposer. McCall lui asséna un coup de pied dans l'aine et le souleva du sol.

Whiting était debout, mais vacillait sur ses jambes. Il fit à reculons quelques pas chancelants, puis fonça sur McCall en zigzaguant.

Eve Merriweather leur criait de s'arrêter. Jeanne Darrow appelait à l'aide. Mais après l'échec du jeune skieur, personne ne voulait se frotter à McCall. Celui-ci ne semblait ni saoul ni en colère ; il maîtrisait parfaitement la situation.

Lynne Baker lui sauta alors sur le dos, cherchant à lui enfoncer ses doigts dans les yeux. Il tournoya sur lui-même, et Jeanne Darrow en profita pour bondir de derrière la table et lui asséner un coup de pied dans le tibia. D'une taloche, il l'écarta.

Le videur se décida à intervenir. McCall pivota sur lui-même, si bien que le corps de Lynne Baker frappa le videur et lui fit perdre l'équilibre. Puis McCall tournoya vers le foyer, tout en essayant de desserrer l'étreinte des mains autour de son visage.

Lynne sentit derrière elle la chaleur de l'âtre et décida de sauter. Elle s'accrocha le talon au rebord du foyer et, dans sa chute, se brûla la main.

Le videur revint à la charge et Bert McCall lui fracassa le nez d'un direct du droit. L'homme tomba à la renverse, gênant ainsi la vue de McCall. James Whiting en profita pour se faufiler et appliquer un de ses lourds souliers de marche dans l'aine de Bert McCall.

Celui-ci chancela. Whiting l'observa un instant puis frappa de nouveau, les yeux fermés. Dans un hurlement, Bert McCall tomba à genoux.

Au fond de lui-même, James Whiting entendait une voix qui lui conseillait de frapper encore et encore, jusqu'à ce que Bert McCall tombât évanoui. Mais Whiting n'avait rien de l'instinct meurtrier, et la chute de McCall lui fit croire que la partie était gagnée.

Mais voici que McCall levait la tête et le fixait droit dans les yeux. Parti, le masque froid et plein d'assurance. Il y avait quelque chose de fou dans ce regard. Whiting recula d'un pas et regarda autour de lui. Où diable était donc le shérif? Et pourquoi ne lui portait-on pas secours? Jamais de sa vie il ne s'était senti aussi seul. Mais, en un sens, il triomphait : il faisait ce que Roger Darrow n'avait pas hésité à faire.

McCall allongea les mains et les referma autour des chevilles de Whiting. Celui-ci sentit ses pieds le quitter et s'écrasa sur le dos. McCall bondit sur lui et asséna un coup de poing sur son menton meurtri. Le sang jaillit et Whiting se sentit glisser vers l'inconscience.

McCall levait encore une fois le poing, lorsqu'une bouteille de vin s'écrasa sur le côté de sa tête, lui ouvrant sous la tempe un trou sanglant. Il frissonna, regarda Jeanne Darrow qui tenait à la main le goulot de la bouteille, et tourna de l'oeil.

Ah, ah, ah, ah, survivre...

James Whiting, Jeanne Darrow, Bert McCall, Lynne Baker et le jeune skieur furent arrêtés et conduits à la prison de Jackson. On les accusa d'atteinte à l'ordre public, de conduite déréglée, de dommages à la propriété d'autrui, de voies de fait (accusation, contre-accusation) et chacun fut mis en liberté provisoire moyennant une caution de cinq cents dollars.

On fit un pansement à la tête de McCall, on emmaillotta la main brûlée de Lynne Baker et on fit des points de suture à la figure de Whiting.

Cette nuit-là, ils retournèrent au ranch de Lynne Baker. De l'avis de celle-ci, c'était le refuge le plus sûr ; on ne pouvait prévoir les réactions d'un Bert McCall après l'humiliation qu'il avait subie.

Whiting, à qui on avait administré une forte dose de codéine, sombra dans le sommeil à peine arrivé au ranch. Jeanne resta éveillée une grande partie de la nuit, à l'affût du moindre bruit d'automobile ou de motoneige annonciateur de quelque autre malheur ; elle se demandait ce qu'elle dirait à Lynne Baker, le matin venu. Quant à Lynne, elle parvint à dormir paisiblement, en dépit de sa main brûlée ; car son frère Tom était perché dans le grenier à foin, avec un thermos de café chaud et une Winchester à répétition.

Le lendemain matin, à six heures, Jeanne jeta trois bûches dans le poêle à bois de la cuisine et mit le café à chauffer. Elle regarda par la fenêtre. À l'est, le ciel se colorait de traînées rouges et roses.

— Ça va être une belle journée pour voyager...

Surprise, Jeanne se retourna. Lynne pénétrait dans la cuisine en traînant les pieds.

— Voyager ? Nous ne sommes pas censés partir, n'est-ce pas ?

— D'accord, vous n'êtes qu'en liberté provisoire. Mais si j'étais vous, je filerais à l'anglaise et je laisserais les tribunaux du Wyoming se débrouiller avec ça.

Lynne s'assit à la table. Elle portait une robe de chambre de laine sur une chemise de nuit de flanelle. Les nattes détachées pour la nuit, ses cheveux lui couvraient les épaules. Sa main gauche était enveloppée de pansements et sa voix était encore rauque de sommeil.

Jeanne lui présenta une tasse et la remplit, puis s'en versa une.

— C'est gentil, dit Lynne. J'aime avoir des invités ; mais je pense que vous avez appris ici tout ce que vous pouvez y apprendre. Tout ce que vous pouvez attraper maintenant, c'est des coups.

— Nous n'avons pas appris grand-chose sur quoi que ce soit, même pas enregistré Eve Merriweather sur bande.

— Après la scène d'hier, il ne faut probablement plus y penser, reprit Lynne en sirotant son café. Si les patrons de Bert McCall ont un certain pouvoir sur Eve, elle aura reçu l'ordre de vous faire attendre. D'ailleurs, ça doit être passablement difficile pour eux autres de garder le contrôle de Bert McCall quand il est par ici.

— *Eux autres,* c'est qui ?

— Vous le découvrirez tôt ou tard, que vous le vouliez ou non, répondit Lynne dans un haussement d'épaules.

Lynne ouvrit le réfrigérateur et en sortit une livre de bacon et une douzaine d'oeufs. Puis elle jeta un coup d'oeil vers la grange.

— Mon frère a une faim de loup quand il passe la nuit à faire le guet. Vaut mieux faire cuire toute la livre.

— C'est gentil de sa part de vous avoir laissée dormir cette nuit.

Lynne haussa les épaules :

— Et puis, il aime pas beaucoup McCall, lui non plus.

Le bacon commençait à grésiller dans la poêle. Lynne cassa les oeufs dans un bol.

— Bert McCall est un mercenaire, mais quand il a une basse vengeance à assouvir, ce salaud oublie même les ordres du patron. Et votre ami, poursuivit-elle en regardant Jeanne, quelle idée il a eue de menacer McCall avec une chope de bière ?

— Je pense qu'il est un peu cinglé, dit Jeanne qui croyait Lynne au courant du vrai motif. Il a probablement trop regardé de bandes vidéo.

— Bon, à moins qu'un de vous deux porte une arme en permanence, vous feriez mieux de décamper après le petit déjeuner.

Lynne prit le bacon et le découpa en tranches.

Jeanne saisit une autre poêle à frire, y mit du beurre et la posa sur la cuisinière à côté du bacon. Elle alluma le gaz et le beurre commença à fondre. Lynne versa les oeufs dans la poêle, puis prit une miche de pain dans le placard et entreprit de la trancher. Jeanne remua le poêlon, tandis que Lynne apportait sur un plateau un assortiment de marmelades anglaises.

Jeanne inspira profondément et posa la question :

— Avez-vous couché avec lui, Lynne ?

Lynne sortit du réfrigérateur le jus d'orange et en remplit quatre verres.

Pourquoi vous voulez savoir ça ?

— Avez-vous couché avec lui ?

Lynne tendit à Jeanne un verre de jus.

— Ça vous turlupine depuis que vous êtes entrée ici, pas vrai ?

Jeanne posa le verre sur la table. Elle voulait obtenir une réponse de Lynne.

— J'essaye de comprendre ce qui lui est arrivé au cours de son dernier voyage, afin de pouvoir accepter sa mort. Deux semaines après son départ d'ici, il me rejetait. Puis, un jour plus tard, il était mort.

Lynne glissa deux tranches de pain dans le grille-pain.

— Alors, vous vous imaginez que, si vous pouvez trouver une fille qui s'est jetée à sa tête, ça vous fera au moins quelqu'un à blâmer.

Jeanne résolut de garder son calme.

— C'est pas facile pour moi, Lynne.

— Je regrette de vous décevoir, mais j'ouvre pas mon lit à tous les hommes qui frappent à ma porte, même s'il s'agit d'un séduisant producteur de Hollywood, et beau parleur avec ça.

Lynne se dirigea vers la cuisinière et éteignit la flamme. Puis elle plaça les tranches de bacon sur un papier absorbant.

— Je suis désolée, dit Jeanne, presque soulagée.

— Pas la peine de vous excuser.

Le regard fixé sur Jeanne, Lynne se nattait distraitement les cheveux dont des mèches lui touchaient presque la poitrine.

— C'est vous qui avez eu le plus de chance. Même s'il est mort, vous avez passé cinq ou six ans avec un homme qui en valait la peine. De ma vie, j'ai peut-être connu ça pendant quatre ou cinq mois. Après ça, je fais toujours peur aux hommes. Je suis trop exigeante, qu'ils disent, trop amoureuse de mon ranch et de mes vaches pour m'attacher bien longtemps à un homme.

Elle achevait une de ses tresses. Un des côtés de son visage paraissait à présent dur, presque taillé à coups de serpe. L'autre côté était encore adouci par les cheveux blonds emmêlés.

— J'avoue que j'ai été tentée par votre mari et, le soir où il a mangé ici, il m'a envoyé des signaux pas mal clairs. Mais je me suis dit que le lendemain, il serait parti. Une passade avec un étranger, ça ne m'a jamais satisfaite. J'aime mieux ne rien avoir du tout.

— Pourquoi me racontez-vous cela ?

Jeanne saisit le poêlon et versa le gras du bacon dans une boîte à soupe qui traînait, vide, à l'arrière de la cuisinière.

— Parce que je suis encore ici, ma p'tite dame, et que je me débrouille encore, avec ou sans homme. Et puis, poursuivit-elle en nouant la deuxième tresse, je me suis dit que votre mari valait pas la peine qu'on se mette dans tous les états pour quelques jours de plaisir. D'ailleurs, il mérite pas tout le mal que vous vous donnez, sept mois après sa mort.

Jeanne laissa retomber le poêlon sur la cuisinière.

— Que voulez-vous dire ? demanda-t-elle en colère.

— Ça vous le rendra pas.

Lynne terminait ses tresses. Les deux nattes lui pendaient à présent sur les épaules et lui rendaient cet air rude et invulnérable qu'elle opposait au monde entier.

— Si j'étais vous, je cesserais de poursuivre un fantôme.

— Mais vous n'êtes pas moi.

Lynne regarda Jeanne pendant un long moment.

— C'est beau d'être amoureuse, dit-elle. Mais c'est beau de s'appartenir. Et, à choisir entre un fantôme et l'indépendance, je préférerais la deuxième.

— J'en suis incapable, dit Jeanne. Du moins pour le moment.

Comme deux fugitifs, Jeanne Darrow et James Whiting quittèrent le ranch une heure plus tard.

En juin, Roger Darrow avait suivi la route 287 de Jackson Hole à Yellowstone, où il avait photographié le Old Faithful. Puis il s'était dirigé vers l'est sur la route numéro 20, en suivant la ligne de partage des eaux et les montagnes Big Horn jusqu'à Buffalo, à l'entrée de la Prairie.

Au coeur de l'hiver, la route 287 nord et la 20 est, après Yellowstone, disparaissaient sous la neige. L'itinéraire le plus rapide pour rejoindre l'Iowa consistait à filer vers le sud, à traverser Casper, puis rejoindre la I-80, pour traverser ensuite le Nebraska. Mais Whiting voulait suivre du plus près possible l'itinéraire de Darrow, et cela signifiait qu'il devait passer la nuit à Buffalo, dans le Wyoming, et voyager six heures de plus pour arriver à destination.

Une heure s'était écoulée depuis le départ de ses visiteurs lorsque Lynne Baker entendit frapper à sa porte. Son frère était rentré chez lui. Elle se dirigea vers la porte, plaça son fusil à portée de la main et jeta un coup d'oeil à l'extérieur. Bert McCall attendait sur la véranda. Elle ouvrit la porte, sans dégager la chaîne de sécurité.

— Qu'est-ce que tu veux ?
— Je veux parler à tes amis, répondit-il très sèchement. Où sont-ils ?
— Pas question.
Il avait les yeux éjectés de sang. Son haleine puait l'alcool.
— Je t'attendais vers six heures ce matin, Bert. Tu dois être ivremort.
Il lui lança un regard mauvais. Sur sa tempe, le bandage portait une tache rouge.
— Ouvre !
— Tu t'es conduit comme un débutant, Bert, dit-elle d'un ton sarcastique. Je t'aurais cru plus subtil. Tu aurais pu les saouler et pousser leur voiture dans le ravin, quelque chose comme ça.
— Ouvre ! répéta-t-il.
— Sont partis. Sais pas quand ils reviendront.
D'un coup d'avant-bras sur la porte, Bert McCall arracha du cadre la chaîne de sécurité. La porte frappa Lynne Baker, qui tomba à la renverse. L'air glacé s'engouffrait dans la maison. McCall agrippa Lynne par le col roulé de son pull et la souleva presque du sol.
— Je t'ai demandé ça gentiment. Et pis, je te repose la question. Où sont-ils ?
L'étreinte de la main tendait l'étoffe autour de la gorge de Lynne.
— Sais pas !
— Tu mens.
Il la traîna à travers la pièce. Il saisit sur la table le hibou empaillé, qu'il présentait devant Lynne :
— Dis-le à ton ami.
— Sais pas, dit-elle dans un râle. Et si je le savais, c'est pas à ce maudit hibou que je le dirais.
Il referma le poing sur la tête de l'oiseau et l'écrasa. Les yeux de verre tombèrent au sol et rebondirent. La sciure et le papier sortirent par les orbites. Le bec se cassa net. Le crâne recouvert de plumes s'effrondra sous la pression.
— Beau travail, imbécile, grommela Lynne. Tu peux essayer ça sur l'élan qui est pendu au mur ?
— Si tu me dis pas où ils sont allés, c'est toi qui vas y passer.
— Non, tu feras pas ça !
Tommy Baker appuyait sur la nuque de Bert McCall le canon de sa Winchester.
— Et maintenant, lâche ma soeur.
McCall ne bougea pas.
— Fais-lui sauter la cervelle, dit Lynne.
On entendit le bruit métallique, aller-retour, de la carabine que Tommy armait.

— Bonne idée, p'tite soeur, répondit Tommy. Ça ferait plaisir à pas mal de gens. Mais si je fais ça ici, le peu de cervelle qu'il a va salir ta belle chevelure.

— T'as raison, Tommy. Mais je peux toujours m'accroupir si tu m'avertis au bon moment.

Les yeux de McCall tournèrent dans leur orbite, puis il relâcha Lynne.

— Tourne pas trop vite, avertit Tommy qui, reculant de quelques pas, abaissait son arme jusqu'à la taille de McCall.

— Un jour que t'auras pas ce machin-là...

— Compte pas là-dessus, répondit Tommy. Puis, regardant sa soeur : Veux-tu appeler le shérif pour qu'il vienne arrêter ce salaud ?

— Il serait mis en liberté provisoire deux heures après, dit Lynne en hochant la tête.

Sans demander son reste, Bert McCall sortit à grandes enjambées.

— Heureusement que j'avais oublié mon thermos, dit Tommy.

— Ouais.

Lynne se dirigea vers la porte d'entrée et regarda démarrer la voiture de McCall.

T'aurais dû appeler le shérif, dit Tommy. Au cas où McCall aurait une idée de la route que tes amis ont prise, ça leur aurait donné quelques heures d'avance.

— T'as p't'être raison, reconnut Lynne, qui prit le téléphone.

22

Et maintenant, voici un autre épisode dans le voyage qu'a entrepris le rein de Roger Darrow, annonça Vicki Rogers.

C'était un samedi, mais Vicki Rogers passait quand même sur les ondes. À Hollywood, disait-elle, il se passe des choses importantes sept jours par semaine. Le vendredi soir, elle enregistrait deux comptes rendus supplémentaires qui, durant le week-end, alimentaient à travers le pays les stations de nouvelles régionales. Parfois, advenant une grosse affaire, elle amenait avec elle une équipe pour l'enregistrement. Elle intitulait l'émission *Le week-end sur la Côte.* Le côté ambitieux de Vicki Rogers n'était un secret pour personne.

À Los Angeles, sur le patio de sa résidence de Laurel Canyon, Vaughn Lawrence observait l'écran de télévision et allumait une cigarette. Dans son bureau d'Alvorado, Len Haley faisait ses exercices de contraction musculaire, sans quitter des yeux son écran.

Sur deux fuseaux horaires, Vicki Rogers était apparue plus tôt. Le révérend Billy Singer l'avait écoutée à son centre des médias de Youngstown. Pour voir l'émission, le représentant Reuben Merrill avait renoncé à un match de tennis avec un personnage qui avait ses entrées dans les milieux politiques. Et dans son penthouse de Manhattan, John Meade, qui avait lui aussi regardé la télévision, en venait à se demander si, pour un seul moment de compassion, pour un seul fil trop lâche, l'oeuvre qu'il avait tissée avec Vaughn Lawrence n'allait pas se défaire.

— *Oui, disait Vicki. La veuve du producteur et James Whiting poursuivent leur périple à travers l'Amérique sur les traces de Roger Darrow, et enrichissent le documentaire dont celui-ci rêvait lorsqu'il a perdu la vie dans un mystérieux accident de bateau.*

Pas mystérieux du tout, pensait Len Haley. Un travail de professionnel, qui avait toutes les apparences d'un accident.

Donc, continuait Vicki Rogers de son ton le plus complice, ils n'ont pas eu la partie facile. À Yosemite, ils ont tenté de rencontrer Reuben Merrill, mais celui-ci était absent.

Merrill s'était étouffé avec son croissant en entendant prononcer son nom.

— *Ensuite, ils se sont dirigés vers Jackson Hole, dans le Wyoming, pour en savoir plus long sur les dessous du fameux débat Sylbert-Merriweather.*

Cette fois, ça se désintègre, s'était dit John Meade.

— *D'après mes sources, ils n'ont pas tiré beaucoup de renseignements au sujet du débat, mais monsieur Whiting et madame Darrow ont été impliqués dans une vraie bagarre style bon vieux western, avec pour décor un assez chic saloon après-ski. Il semble qu'un des habitués de l'endroit ait mal réagi à leur trop ardente curiosité. Seraient-ils en train de chatouiller des nerfs sensibles, chez certains durs à cuire du Vieil Ouest ?*

Non, pensa Len Haley, ils sont simplement tombés sur un os et celui-là, pas même Len Haley n'en a le contrôle.

— Restez à l'écoute, poursuivait Vicki. Leur prochaine étape est une petite ville du nom de Hunter, dans l'Iowa, où une concession de télédistribution de MacGregor a récemment inauguré sa diffusion.

«Après quoi, ils espèrent obtenir une entrevue avec le plus fameux de tous les prédicateurs: Billy Singer.

Elle leur sera accordée, avait décidé Billy Singer.

Ensuite, ils fileront vers New York, et nous les suivrons pas à pas.

James Whiting était raide et endolori, et le coup de pied de McCall avait laissé une meurtrissure qui lui vrillait les côtes. Mieux vaut là qu'à l'abdomen, pensa-t-il. Il craignait d'abuser de son corps, en exigeant trop d'un système fragile; mais il devait continuer. Pour Roger Darrow, et pour lui-même.

Malgré la douleur, il se sentait satisfait, fier de lui-même. Il avait affronté le danger comme Darrow; et, avec un peu d'aide, il avait gagné la bataille.

Au col de Togwotee, ils traversèrent la ligne de partage des eaux du continent. À l'ouest de celle-ci, chaque ruisseau, chaque rivière, et chaque fleuve se déverse dans le Pacifique, ou s'évapore dans un bassin d'eau alcaline. À l'est, l'eau se déverse dans l'Atlantique ou dans le golfe. Du point de vue géologique, ils avaient quitté l'Ouest.

Le col de Togwotee coupait à travers les Rocheuses à deux mille sept cents mètres au-dessus de la limite des arbres. Durant la traversée, Whiting avait présentes à l'esprit les réflexions que le col Sylvan avait inspirées à Darrow; celui-ci, sept mois plus tôt, avait franchi là les montagnes.

— L'étroite route ondule vers le sommet, la transmission commence à fatiguer; le moteur peut se mettre à cracher, faute d'oxygène. Et c'est à peine si l'on remarque le changement de végétation de chaque côté de la route: les grands arbres se font rabougris, les arbustes deviennent clairsemés. Et, à part la mousse qui s'accroche obstinément aux rochers, il ne reste plus aucune verdure. Vous êtes maintenant au-dessus de la limite des arbres. Vous êtes au sommet du monde. Et c'est un endroit désert. Le vent souffle si violemment à travers les cols qu'aucun humus ne peut s'y fixer. Le soleil brille haut, mais sans chaleur. Un ciel d'un bleu profond, que ne ternissent ni le «smog», ni la brume, ni la poussière qu'on voit dans les

vallées agricoles. Plus aucune couleur, que le blanc et le gris: le blanc de la neige éternelle et le gris des rochers qui nous entourent. De grands amas de rochers désolés, des blocs géants, des murs abrupts, des amoncellements de débris que l'érosion a fait glisser au bord de la route.

« Quand, le col traversé, vous vous sentez sur la pente descendante, vous éprouvez un véritable soulagement. Vous avez vu le plus affreux, le plus hostile coin du continent, et la descente vous fait d'autant plus apprécier la verdeur des vallées et des prairies.

En hiver, pensa Whiting, la désolation était encore plus totale parce que la neige recouvrait tout.

À midi, ils traversaient la réserve indienne de Wind River, étalée dans la plaine, au centre de l'État. Whiting s'était endormi. Jeanne se demandait si Lynne Baker avait déjà reçu la visite de Bert McCall ou du shérif.

Bert McCall était à deux heures de distance derrière eux, sur la 287. Le shérif du comté de Téton avait lancé contre lui un avis de recherche, sous la double accusation d'entrée par effraction et de voies de fait.

Le shérif n'avait posé aucune question sur James Whiting et Jeanne Darrow, dont Lynne Baker n'avait d'ailleurs pas soufflé mot. Aux yeux du shérif, ils se trouvaient quelque part dans le comté de Téton, dans l'attente de l'audition de leur cause.

Lorsqu'il était midi dans les montagnes, l'horloge marquait deux heures de l'après-midi à Washington, D.C.

Reuben Merrill, de retour à son bureau après l'heure du lunch passée avec le masseur attitré du Congrès, téléphonait à Vaughn Lawrence, à Hollywood.

— Je pensais que tu avais conclu une entente avec Vicki Rogers, disait Merrill, furieux.

— Elle agit de son propre chef, monsieur le représentant. Elle refuse de me révéler ses sources et m'a retiré ses faveurs.

— Je ne veux pas devenir une cible assidue des commérages, Lawrence. Si elle commence à mentionner mon nom chaque fois qu'elle parle de Darrow, particulièrement dans le Wyoming, quelqu'un pourrait être tenté de faire le lien entre nous et la défaite de Tom Sylbert. Alors, c'est là que la merde va remonter à la surface.

Lawrence se mit à rire.

— Comme tout bon représentant le sait, la merde flotte bien ; elle te servira de bouée.

— Ne te paie pas ma gueule, Lawrence. On n'est pas à une de tes stupides émissions-concours.

Vaughn Lawrence alluma sa dixième cigarette de la journée.

— Je vais serrer un peu la vis à Vicki Rogers, et on pourra peut-être la convaincre d'enterrer cette affaire.

— C'est ce que je voulais entendre, Vaughn, dit Merrill. Et la femme de Darrow ?

Il y eut un long silence à l'autre bout de la ligne. Lawrence ne savait que faire au sujet de Jeanne Darrow. Il n'avait été capable ni de la ralentir, ni de lui faire peur, et ne se décidait pas à la neutraliser pour de bon.

— Ne vous en faites pas pour elle, monsieur le représentant. Si on peut faire taire Vicki Rogers, madame Darrow, elle, va tout simplement s'évaporer.

— J'ai votre parole, répondit Merrill. Et la prochaine fois que je parlerai à MacGregor, je lui glisserai un bon mot pour vous.

Faites donc ça, pensa Lawrence.

James Whiting était au volant. Il venait de négocier le dernier virage en épingle à cheveu, et la Cherokee dévalait maintenant la pente douce, à l'est des montagnes Big Horn. Un concerto pour piano de Mozart jouait sur le lecteur de cassette et la ville de Buffalo n'était plus qu'à une demi-heure de distance.

Jeanne regardait en bas vers les plaines blanches, qui se déroulaient devant eux jusqu'aux Appalaches, et elle pensait au conseil de Lynne Baker. Mais elle ne pouvait abandonner la partie, parce que le Roger Darrow qu'elle avait vu sur la dernière bande n'était pas l'homme qu'elle avait connu pendant sept ans. Il fut un temps où elle avait été le centre de l'existence de son mari. Même après le visionnement des bandes, elle ne l'avait pas cru capable de disparaître à jamais de son univers. Elle avait fait face à l'échec dans sa propre carrière : elle l'avait accepté et avait continué sa route. Mais elle ne pouvait accepter l'échec de son union à un homme qu'elle n'avait jamais cessé d'aimer. Sept mois après la mort de Roger, elle allait se prouver à elle-même qu'elle aurait pu le ravir à Miranda.

À cinq heures, Whiting alluma la radio pour écouter le bulletin météorologique. Une tempête de neige avait commencé à souffler sur l'autre face des Big Horns. On prévoyait une précipitation de plus de trente centimètres en haute altitude, et de 15 à 20 centimètres à Buffalo.

— Est-ce que la neige va nous arrêter ? demanda Jeanne.

Élevée dans le comté d'Orange, elle n'avait jamais voyagé au milieu d'une tempête de neige. Whiting lui sourit. Un pansement recouvrait les quatre points de suture de son menton.

— Si Bert McCall n'a pas réussi à nous arrêter, je ne vois pas comment une petite tempête pourrait y parvenir.

Elle décela dans sa voix un soupçon de juvénile excitation. Elle reconnut là un trait masculin : elle avait perçu ce ton dans la voix de Roger, chaque fois que celui-ci décidait d'entreprendre quelque chose d'insensé ou de dangereux, comme de faire du surfing au cours d'une tempête sur la côte.

— Vous n'auriez jamais dû menacer ce gars avec la chope de bière, hier, dit-elle.

— Je l'ai menacé et vous lui avez lancé la bière. J'ai trouvé qu'on formait une bonne équipe. Naturellement, ajouta-t-il dans un haussement d'épaules, je pense que nous n'avons découvert que la pointe de l'iceberg.

— Moi, j'ai trouvé ce que je cherchais.

Sans faire attention à elle, Whiting monologuait :

— Lynne Baker avait quelques bonnes théories. Eve Merriweather semblait pas mal hostile, ce qui nous fournissait une piste. Et Bert McCall nous a donné beaucoup d'indices par son seul comportement.

— Pouvez-vous établir un lien entre McCall ou Merriweather et MacGregor ou Lawrence ? demanda-t-elle avec impatience.

— Eh bien, non, mais ça ne veut pas dire qu'il n'y en ait pas.

Lorsqu'ils atteignirent la plaine, Whiting assura :

— Nous aurons plus de chance avec ce Lyle Guise en Iowa. Sa relation avec MacGregor est claire comme l'air du Wyoming.

— On doit le traiter avec respect, dit Jeanne d'un ton ferme. C'est lui qui a élevé mon mari.

— Cette garce ne bougera pas d'un pouce, dit Vaughn Lawrence.

— L'as-tu menacée de lui retirer son show ? demanda Haley.

— Elle m'a assuré qu'elle serait contente si je le faisais, dit Lawrence en acquiesçant de la tête. Elle prétend que CBS lui promet déjà des consolations.

— Elle ment. Prends-la au mot, et coupe son émission dès lundi. Et si elle grimpe dans les rideaux, dis-lui d'appeler ton avocat.

Vaughn Lawrence et Len Haley buvaient du vin, assis sur la plate-forme de séquoia derrière la maison de Lawrence.

Il était sept heures du soir et la température avait baissé aux alentours de 16° . Lawrence se leva et trempa le bout de l'orteil dans le bain chaud. Il retira ensuite son peignoir de ratine, frissonna dans l'air frais et se glissa dans l'eau.

Haley demeura assis dans sa chaise-longue, près du bain.

— Tu es sûr que tu ne veux pas venir avec moi ?

— La dernière fois que je me suis baigné avec des camarades, c'était dans le Mékong. Je me suis fait pincer par les Viets, nu comme un ver. Le pire jour de ma vie. Je suis devenu un adepte de la douche.

Lawrence s'allongea, la tête renversée dans l'eau.

— Tu relaxes ? demanda Haley.

Lawrence eut un gémissement.

— Et qu'est-ce qu'on fait de Vicki ? continua Haley.

— Donnons-lui jusqu'à demain, répondit Lawrence en levant les yeux. Si elle fait un autre compte rendu de leur étape du centre du pays, on la fichera en l'air lundi.

— C'est bon, reconnut Haley. Parce que lundi, nos amis seront peut-être morts, je pense.

Lawrence se leva à demi du bain :

— Quoi ?

— J'y peux rien, protesta Haley. Bert McCall est parti ce matin à leurs trousses.

— J'ai jamais donné mon autorisation, dit Lawrence.

— Moi non plus, de répliquer Haley. McCall est un bon gars, mais incontrôlable.

Lawrence se glissa à nouveau dans l'eau.

— C'est un bon scénario, reprit Haley après quelques instants. Ils le tabassent dans un bar ; le gars en devient dingue, les poursuit et les flingue tous les deux. Vicki Rogers pourra crier tant qu'elle voudra, mais McCall a une excuse parfaite, surtout pour une tête brûlée comme lui.

Vaughn Lawrence aspirait la vapeur qui se dégageait de l'eau.

— Est-ce qu'on peut, dans son cas, remonter jusqu'à l'agence de détectives Haley ?

Haley secoua la tête.

— Je l'ai recommandé lorsque Cutler est venu ici trouver des actionnaires pour Cutler Oil Drilling and Exploration ; mais rien n'a été mis par écrit. Si quelqu'un voulait faire un lien entre Bert et moi, il devrait remonter à l'époque où on faisait partie de la même unité, chez les Viets. Bert McCall était un fier combattant.

— Est-ce qu'il parlera s'il est arrêté ?

— Nom, grade et numéro matricule.

Haley sirotait sa bière en regardant la frondaison des palmiers et les plantes tropicales à larges feuilles, qui tapissaient la colline en contrebas de la maison. Dans la pénombre, cela lui remémorait un lieu de cauchemar, quelque part au Viet-nam. Il sentit un filet de sueur lui couler juste à la naissance des cheveux. Il s'essuya.

— Comment se fait-il que ce gars ait si peu de plomb dans la cervelle ?

Lawrence posait la question comme ça, sans que la chose le préoccupât. Pour meubler le silence. Haley jeta un regard sur la baignoire.

— Il a toujours été comme ça. Tu peux jamais comprendre ce qui le fait réagir.

— Ça m'a donné un sacré coup quand il s'est occupé de Jack Cutler sans consulter personne ici.

— Quand Bert sent une menace, il réagit instinctivement, dit Haley. Il pensait que Jack Cutler parlait trop, et il avait raison.

Lawrence s'étira les bras et il se mit à examiner ses mains qui flottaient sur l'eau.

— Pourquoi penses-tu qu'il a descendu Jack Cutler après avoir travaillé pour lui pendant un an ?

— Par loyauté, répondit Haley d'un ton tranchant.

— Une vraie loyauté envers Cutler ! rigola Lawrence.

— Il m'était fidèle, reprit Haley. Loyal envers ce qu'on était l'un pour l'autre. Envers ce que tu fais. Mais surtout envers moi. (Il s'arrêta un moment.) Il fut un temps où c'était, entre nous, la seule chose qui comptait. Pour des gars comme moi, comme McCall et comme Cal Bannister. (Il rit doucement.) C'est pour ça que t'as eu de la veine de me rencontrer, Vaughn. Peu de gens savent ce que c'est, la loyauté. Mais je te montrerai, en cours de route.

Lawrence regarda Haley. Il se savait lié à Haley pour aussi longtemps que celui-ci le voudrait bien. Il était content de reconnaître en Haley l'un des rares hommes qu'il ait jamais respectés.

— Je déteste l'idée qu'il puisse arriver malheur à Jeanne Darrow, dit Lawrence doucement. C'est une belle femme.

— On peut rien y faire.

Haley prit sur la plate-forme la bouteille de Vouvray et remplit le verre de Vaughn Lawrence.

— Je m'y rendrais bien, mais Buffalo n'est pas facile d'accès, et la tempête de neige bloque la moitié des aéroports, dans tout l'État.

Lawrence sirotait le vin. L'alcool et le bain chaud produisaient leur effet.

Sa bouche devenait pâteuse.

— Rien de tout ça n'aurait dû se produire, disait-il.

— On peut pas tout contrôler.

Haley sortit de la poche de son veston sport un tube de comprimés blancs. Il en plaça un à côté du verre de Lawrence.

— Soucie-toi des choses importantes : de Reuben Merrill et de John Meade, par exemple.

Lawrence contempla un instant la capsule, puis regarda Haley.

— Tu m'accompagnes ? Je déteste être *stone* tout seul.

— Qui devient *stone* sans moi ?

Kelly Hammerstein apparut sur la plate-forme, enveloppée dans un peignoir de ratine.

Haley lui donna un Quaalude ; Lawrence lui versa un verre de vin. Elle avala l'un et l'autre, laissa tomber son peignoir sur la plate-forme et s'avança jusqu'aux bords du bain chaud. Lawrence observait le balancement de sa poitrine ; Haley examinait les formes de son derrière. Elle trempa un orteil dans l'eau et y laissa glisser tout son corps. Comme la chaleur l'enveloppait, elle émit un long grognement de la gorge. Elle prit une profonde respiration et, lentement, laissa échapper un : « J'aime la Californie ! »

Bert McCall se trouvait maintenant mille huit cents mètres au-dessus du niveau de la mer. L'éclat de ses propres phares l'éblouissait, tant la neige était dense. La radio transmettait aux voyageurs, de cinq minutes en cinq minutes, les conseils du service météorologique : neige épaisse dans le nord-est du Wyoming ; de quarante à cinquante centimètres en montagne, et de vingt à quarante centimètres en plaine, se terminant dans la matinée. Il était huit heures. Il venait de lutter pendant deux heures pour traverser les Big Horns, et il lui restait encore trois heures à faire. Par beau temps, deux auraient amplement suffi à toute la traversée. Son Oldsmobile Cutlass, malgré sa traction avant et ses chaînes aux roues arrière, dérapait à chaque virage et peinait dans la neige qui maintenant dépassait les couvre-moyeux. Impossible, il le savait, de gagner Buffalo ce soir-là.

Une demi-heure plus tard, il entrait dans le stationnement du vieux motel des Big Horns. Dans la tempête, il faillit passer tout droit, tant l'endroit était désert. Il laissa sa voiture près de la route et s'approcha de la rangée de cabines. La neige tourbillonnait. Une moustiquaire de la porte, décrochée, battait au vent. La main en visière, Bert examina les toits des cabines, jusqu'à ce qu'il en vît une dont la cheminée de brique annonçait un foyer intérieur. Il enfonça la porte, promena sa lampe de poche autour de la pièce : un lit avec trois couvertures de laine soigneusement pliées dessus, une commode en érable, un foyer. Un moment plus tard, le bois d'érable flambait dans l'âtre pendant que le blizzard hurlait autour de la petite cabine et que Bert McCall nettoyait son Magnum .357.

Ça n'a pas de fin, pensait-il. Toujours une autre bataille à livrer, une autre dette à payer au passé. Ça ne finit jamais, même quand on s'en va en montagne et qu'on laisse Los Angeles derrière soi. Toujours une tempête qui couve quelque part. Et tu sais jamais quand le passé reviendra à la surface. Alors, alors, rien d'autre à faire que de payer. Passe encore quand un homme comme Len Haley règle la facture. Il était là-bas. Il sait. Il doit autant que toi au passé.

Buffalo était si petit qu'en une demi-heure Bert pouvait vérifier dans tous les motels de la ville. À défaut d'y trouver Jim et Jeanne, il les coincerait quelque part sur la I-90. Ils crèveraient, comme les deux lieutenants de l'ARVN * qui avaient essayé de lui en imposer un soir, dans un bordel de Saigon.

Bert McCall était sergent. Il avait choisi une femme aux traits délicats d'Eurasienne, réputée pour ses trucs capables de vous vider un homme pour une semaine. Il l'amenait vers une chambre, lorsque la tenancière les arrêta en expliquant que deux lieutenants vietnamiens avaient réclamé la jeune femme. L'Américain pouvait choisir pour la nuit n'importe qui d'autre dans la maison. McCall avait déclaré avoir la femme de son choix et avait claqué la porte au nez de la patronne.

Il était en train de prendre la prostituée par derrière lorsque, la porte s'ouvrant toute grande, les deux lieutenants firent irruption dans la chambre. McCall se tourna, et l'un des deux lui appliqua un coup de pied dans l'aine. D'un coup de poing américain, l'autre lui ouvrit la figure, puis il le fit tournoyer et lui asséna un autre coup dans les reins. Tous deux le rouèrent de coups de bottes et de coups de poing, jusqu'à faire de lui une loque sanglante, inconsciente, et le jeter nu dans la rue. Une semaine plus tard, Bert McCall les attendait à leur sortie du bordel. Comme ceux-ci passaient devant l'entrée où il se dissimulait, il sortit de l'ombre, pointa son .45, creva les testicules d'un des hommes et visa l'autre à la tête. L'un mourut sur le coup, l'autre se vida de son sang.

Depuis lors, personne d'autre que Whiting n'avait osé frapper Bert. La douleur que celui-ci avait ressentie dans la bagarre du club Cutler avait réveillé toute la haine et toute la rage qui sommeillaient en lui. James Whiting ne lui échapperait pas.

Jeanne Darrow et James Whiting descendirent au premier motel qu'ils trouvèrent à Buffalo, petite ville en bordure des prairies et étape favorite des familles sur la route des parcs nationaux du Wyoming.

Le bureau d'accueil avait l'aspect d'un ancien restaurant casse-croûte. Un pupitre de réceptionniste, un petit comptoir et quatre tables près de la fenêtre. Une des tables était consacrée à une reconstitution historique. Deux mannequins grandeur nature y étaient assis ; peau cuivrée, pommettes saillantes et sourire grimaçant, rehaussé de rouge à lèvres. L'un d'eux portait une veste de cuir, ainsi qu'un chapeau haut-de-forme comme on en voit dans les réserves amérindiennes, avec bandeau orné de perles. L'autre était éblouissant, avec son haut chapeau de guerrier et sa tunique en

* Armée du Sud-viet-nam. (Note du traducteur.)

peau de daim. Ils s'entouraient mutuellement de leurs bras et leurs têtes rapprochées semblaient prêtes à chanter *Sweet Adeline.* Chacun tenait un verre vide, et sur la table, devant eux, trônait une bouteille de whisky.

Quelqu'un leur avait accroché au cou des pancartes qui se répondaient : « Ça être bonne eau-de-vie. J'ai dit ! » et « Grand Chef avoir raison ».

Whiting les examinait attentivement. À la table d'à côté étaient assis deux jeunes hommes qui se partageaient le contenu d'une bouteille enveloppée d'un sac en papier. Ils ricanaient.

— Est-ce que ces gars-là viennent souvent ici ? demanda Whiting en désignant les Indiens.

— On peut pas s'en débarrasser.

Nouveaux ricanements.

Whiting décida de ne rien ajouter.

L'homme au pupitre sembla légèrement surpris lorsque Whiting lui demanda deux chambres ; puis il haussa les épaules et lui tendit le registre. Une fois installé, Whiting revint dans le hall et, comme chaque soir, appela Vicki Rogers. Il se demandait ce que dirait Jeanne en apprenant qu'une des personnes qu'elle exécrait le plus leur avait servi d'ange gardien sur la route.

23

Bert McCall s'éveilla lorsque le vent s'arrêta de hurler. Il jeta un coup d'oeil à sa montre : cinq heures quarante-cinq du matin.

James Whiting ouvrit les yeux vers six heures en entendant le bruit d'un chasse-neige qui déblayait la rue. Il regarda par la fenêtre. La neige avait cessé et de petits lambeaux bleus avaient fait leur apparition dans le ciel. Jeanne et lui déjeunèrent d'un café et de beignets au comptoir du motel en compagnie des faux Indiens. À sept heures moins vingt, ils avaient repris la route.

À l'est de Buffalo s'étendait la grande prairie du Wyoming. En longues ondulations régulières, la terre se déroulait doucement vers les montagnes du Dakota. Les nuages, poussés vers le sud, précédaient un front froid en provenance du Canada. Le soleil, qui venait de se lever, lançait ses rayons presque parallèles à la terre. Et, à perte de vue, dans toutes les directions, une couche de neige fraîche couvrait tout. On aurait dit, pensa Whiting, que la nature avait soudain frigorifié toute l'Amérique.

— Il s'appelle Whiting, et elle, Jeanne Darrow. Ils conduisent une Jeep Cherokee verte, immatriculée en Californie. Est-ce que vous les avez vus ? demanda Bert McCall.

Derrière le comptoir, l'homme au visage solennel croisa les bras :

— À qui ai-je l'honneur ?

McCall remarqua les statues d'Indiens assises à la table.

— Je m'appelle Dunbar. Je suis agent de la police fédérale. Whiting et Darrow sont membres d'un groupe pro-Indiens. Ils ont essayé de fomenter des troubles avec les Navajos en Arizona, puis ils sont venus ici à Wind River et ont mis les Cheyennes sur le sentier de la guerre. Je suis à leurs trousses depuis ce temps-là. On a l'impression qu'ils se dirigent vers Wounded Knee.

L'homme derrière le comptoir se caressait le menton :

— Le type avait pas l'air d'apprécier du tout mes deux Indiens !

— Quand est-ce qu'ils sont partis ?

— Dites donc, vous avez une carte d'identité ?

McCall sortit sa carte de détective privé de Los Angeles, puis il répéta sa question.

— Vers six heures et demie.

— Est-ce qu'ils ont parlé de la direction qu'ils prendraient ?

— Non, mais ils ont demandé si la I-90 était dégagée.

Cinq minutes plus tard, Bert McCall avait repris la route.

Vers neuf heures moins le quart, la Jeep Cherokee traversa la rivière Belle-Fourche gelée. Bientôt, on quitterait la prairie, pour escalader les Montagnes Noires du Dakota du Sud, qui fut autrefois terre sacrée pour les Indiens des Plaines.

Ils croisèrent une affiche qui rappela à Whiting l'une des bandes magnétoscopiques de Roger Darrow.

« Wall Drug — 150 kilomètres. N'oubliez pas de vous y arrêter », nous dit l'affiche.

Wall Drug est une étape bien connue de tous les voyageurs qui empruntent la I-90, au Dakota du Sud ou au Wyoming, dit Darrow. Les affiches s'étalent sur cent soixante kilomètres, de part et d'autre de Wall, au Dakota du Sud. Quand on arrive enfin, on désire s'arrêter, par curiosité, question de voir qui diable peut se livrer à de tels excès publicitaires pour la promotion d'un « drugstore ». Eh bien, ce drugstore, aux dimensions d'un terrain de football, est toujours noir de monde. Les agents publicitaires sont sûrement de Hollywood.

La caméra passe de l'affiche au paysage qui s'étend au-delà. C'est un tapis vert, à perte de vue. Çà et là, une maison ou une butte, flottant sur la prairie. La brise danse sur l'immensité, soulevant dans l'herbe une vague qui retombe aussitôt.

— Les Indiens des Plaines appelaient cette région la terre des Gras-Pâturages, raconte Roger Darrow, qui entre dans le champ. Lorsque le vent souffle et que l'herbe ondule, la face rugueuse et argentée de la feuille étincelle et brille, comme si on l'avait enduite de graisse d'ours.

« Autrefois, continue Darrow, les buffles paissaient ici par millions, et les chasseurs ne revenaient jamais bredouilles. Il n'y avait ni ville, ni ferme, ni drugstores, ni autoroutes à six voies pour relier les quatre points cardinaux. Ce pays était fait d'une seule étoffe sans couture, des Montagnes Noires jusqu'à Yellowstone, du Canada jusqu'à la rivière Platte. Sioux, Cheyennes, Arapahos, Corbeaux et Pieds-Noirs chassaient ici et vivaient comme leurs ancêtres l'avaient fait depuis l'aube des temps, en étroite association avec la nature. Les Indiens sont partis vers les réserves et les grandes villes. Mais cette terre reste en témoignage. Et lorsque le vent souffle à travers les Gras-Pâturages, il chante une élégie à la mémoire de ces peuplades.

Bert McCall avait rattrapé presque une heure de retard qu'il avait sur ses proies. À défaut de les rejoindre sous peu, il commencerait à s'arrêter dans les restaurants et les casse-croûte le long de la route, dans l'espoir de les surprendre devant un plat de frites.

Au-delà de la prairie, les Montagnes Noires s'élèvent à mille mètres, puis on atteint en quelques heures le rebord septentrional des Badlands. Sur le tapis de neige, les pins des Montagnes Noires semblent encore plus sombres. Saupoudrée de neige, la beauté austère et désertique des Badlands, de leurs buttes et de leurs falaises, de leurs crêtes érodées, revêtait une touche d'ironie.

À onze heures du matin, James Whiting et Jeanne Darrow avaient atteint la ceinture agricole du Dakota du Sud et étaient entrés dans le fuseau horaire du centre du pays. En janvier, cette terre n'avait à offrir que son tapis blanc. Mais dans quelques mois, le blé rouge du printemps commencerait à s'élever vers le soleil.

— C'est vraiment étonnant que, sur cette terre d'abondance, on ne trouve aucun palace, s'exclamait Whiting, à la recherche d'un endroit où prendre un repas.

— Pas même une ville, ajouta Jeanne. Arrêtons-nous à la prochaine station-service et dévalisons le distributeur de bonbons.

Après un panneau annonçant nourriture, gîte et carburant, ils quittèrent la I-90. Un bureau de poste, un magasin général, un motel, une station-service, trois cabanes délabrées, aucun arbre : moins une ville qu'un avant-poste perdu dans la bourrasque. L'unique rue, sorte d'impasse peu fréquentée, était parallèle à la I-90. À l'extrémité de ce tronçon de rue, juste avant l'accès à l'autoroute, un bâtiment sans étage, en blocs de béton, était tapi sous une enseigne au néon annonçant *REPAS*. Dans le stationnement encombré de neige, une voiture.

Jeanne se rangea à côté de celle-ci.

— Êtes-vous sûr de vouloir entrer ?

— J'ai déjà entendu dire du bien de cet endroit, ironisait Whiting. C'était dans *The New Yorker*. On lisait : Si d'aventure vous passez à *Nulle-part,* dans le Dakota du Sud, arrêtez-vous au restaurant *REPAS* et commandez la spécialité de la maison.

L'édicule avait une cheminée métallique, un toit en tôle, une seule fenêtre à double battant qui faisait face au stationnement. Le toit, se disait Whiting, va sûrement s'effondrer au passage des lourds camions de la I-90. À l'intérieur, l'endroit semblait d'une propreté irréprochable, comme si aucun client n'y venait jamais. Aucune odeur de graisse ou de café, mais un vague relent de désinfectant médical. Un linoléum jaune, veiné de pourpre et de vert, avec plusieurs points d'usure qui laissaient apparaître la dalle de béton. Quatre tabourets chromés, sagement alignés devant le comptoir. À côté de celui-ci, une boîte en verre, contenant des bonbons à un *cent,* des pistolets à eau et autres babioles. Derrière le comptoir, un poêle, un four à micro-ondes, un téléviseur couleur et un jeune homme au sourire épanoui.

— Bonjour, euh... je veux dire, bon après-midi. Belle journée, aujourd'hui. Un peu froide, mais tout de même ag-gréable, bégaya-t-il. Qu'est-ce que je peux faire pour vous, Monsieur-dame ?

On eût cru un discours préparé depuis le matin.

— Nous voulons déjeuner, dit Whiting, tout en s'installant au comptoir avec Jeanne.

Le jeune homme portait une chemise de laine, et un tablier de boucher d'un blanc immaculé. Sa maigreur, ses mains déliées, son visage allongé, tout laissait penser qu'à sa naissance, l'exiguïté du passage l'avait comprimé comme le dentifrice à la sortie du tube. Il portait des verres épais et une prothèse auditive.

Il était planté devant Jeanne et la regardait sans tenter de dissimuler l'admiration que sa beauté lui inspirait.

Elle essaya de faire comme si de rien n'était, d'abord en regardant les nouvelles régionales à la télévision, puis en déchiffrant le menu rédigé à la main.

Hamburger .... 1,00 $
Hamburger au fromage .... 1,25 $
Hot-Dog .... 0,75 $
Sandwich au fromage .... 0,50 $
Soupe Campbell .... 0,75 $
(Brassez la Campbell. La soupe est bonne pour la santé.)

Enfin, Jeanne sourit au jeune homme.

Celui-ci répondit par un sourire et tendit la main.

— Je m'appelle Eddie. Et vous ?

Elle prit la main et se nomma.

Il lui serra vigoureusement la main. Puis, offrant la sienne à Whiting :

— Je m'appelle Eddie. Et vous ?

— Jim.

— C'est un beau nom.

Eddie tourna les talons et disparut vers les toilettes des hommes. On entendit couler l'eau; il était en train de se laver les mains.

Jeanne et Whiting commandèrent chacun une soupe, comptant sur la nourriture en boîte pour limiter les dégâts. Ils commandèrent également des boissons gazeuses.

— Je vous aurais bien offert une bière, dit Eddie, mais mon père n'a pu obtenir son permis de vente d'alcool.

— Comment vont les affaires ? demanda Whiting.

Eddie épongeait nerveusement la surface du comptoir, pourtant parfaitement propre.

— Les gens n'aiment pas l'allure que la place présente, vue de la route; mais une fois qu'ils ont vu comme c'est bien tenu et qu'ils ont goûté aux hamburgers d'Eddie, ils reviennent toujours. Êtes-vous sûrs que vous ne voulez pas un de mes hamburgers ?

— Prenez-en un, Whiting, dit Jeanne.

Whiting haussa les épaules et déclara qu'il adorerait ça.

Eddie se mit au travail : un quart de livre de boeuf, bacon, tranches de tomate, fromage, laitue. Le hamburger à moitié confectionné, Jeanne en commanda un pour elle-même.

Tout en travaillant, Eddie alimentait constamment la conversation. Quand il n'avait pas les mains occupées, il essuyait les gouttelettes de graisse qui giclaient sur la cuisinière.

— C'est mon père qui a construit ce restaurant. Y dit qu'un homme a besoin d'un endroit où il peut travailler, se sentir maître. Y aurait pu me prendre à la ferme, mais, y me voit mal à côté des grosses machines agricoles et des trucs du genre.

Whiting se demanda si la boiterie d'Eddie n'était pas due, justement, à une rencontre malheureuse avec une moissonneuse-batteuse.

— Et y dit que je suis trop — trop na-naïf pour travailler pour d'autres gens. Je pense qu'y veut dire que je suis stupide.

— Non, corrigea Jeanne avec douceur. Ça veut dire que vous êtes trop amical. Trop gentil.

— On peut jamais être trop gentil, pas vrai ?

Elle secoua la tête.

Il déposa les hamburgers sur le comptoir. Ils étaient aussi appétissants que tous ceux qu'ils avaient vus à New York ou à Los Angeles. Eddie observa ses clients jusqu'à ce que tous deux aient pris une bouchée et l'aient complimenté. Puis il poursuivit :

— Papa a construit ce restaurant et c'est moi qui l'ai décoré.

Il désignait les images épinglées derrière le bar et sur les murs. Des affiches des Minnesota Twins et des Vikings; des photographies de Fran Tarkenton, Wayne Gretzky, Telly Savalas, Robert Blake, Hugh O'Brian, Peter Cross ; et un vieux poster du film *Rio Bravo*.

— J'ai écrit aux athlètes, puis à Kojak, à Baretta, à Wyatt Earp et à Flint. Et on m'a envoyé un poster de mon film favori : *Rio Bravo* passe à la télévision presque chaque mois. J'aime Walter Brennan là-dedans, parce qu'il boite et que tout le monde le croit idiot. Mais c'est un as du fusil et, à la fin, il zigouille un tas de sales types.

Jeanne lui adressa à nouveau des compliments sur ses hamburgers.

— Je boite et tout le monde me prend pour un imbécile...

— Je ne suis pas de cet avis, protesta Jeanne.

— Mais — ici sa voix devint dure et ses sourcils tentèrent un froncement — si jamais des sales types s'amènent, je les attends.

Il plongea la main derrière le comptoir et exhiba un fusil au canon scié.

Jeanne eut un haut-le-corps.

— Je suis désolé, dit-il nerveusement. Je montre pas ça à n'importe qui.

— On le dira pas aux sales types, assura Whiting.

Eddie perçut la nuance de condescendance dans la voix de Whiting.

— Vous moquez pas de moi, m'sieur. Je viens de vous faire un bon hamburger.

Il se détourna, l'air offensé, et haussa le volume du téléviseur.

Quelques minutes après, il avait repris son attitude amicale et suggérait à ses hôtes de regarder le compte rendu de Vicki Rogers, après le bulletin de nouvelles.

— Elle raconte toutes sortes de choses au sujet de mes amis et de mes spectacles favoris. Aimez-vous Vicki Rogers ?

Jeanne se contenta de sourire.

Whiting mâchait avec application, tout en regardant Jeanne du coin de l'oeil.

Vicki débita les nouvelles et les potins de Hollywood. Eddie exprimait sa joie lorsqu'elle annonçait la poursuite, pour la prochaine saison, d'un de ses spectacles favoris. À chaque plaisanterie de Vicki, il riait d'un rire dément. Il n'eut cependant aucune réaction lorsque des photographies de James Whiting et de Jeanne Darrow apparurent sur l'écran, derrière Vicki. Whiting resta également impassible.

Jeanne, cependant, s'arrêta de mâcher et même, pour un instant, de respirer.

— *Et maintenant, poursuivons notre feuilleton, annonçait Vicki. Aujourd'hui, selon mes sources, Jeanne Darrow et James Whiting se trouvent quelque part au Dakota du Sud...*

— Le Dakota du Sud ! Elle a dit : le Dakota du Sud ! cria Eddie.

— *... et ils atteindront probablement l'Iowa ce soir.*

Eddie se tourna vers ses clients :

— Vous avez entendu ? Elle a parlé du Da...

Eddie s'arrêta net. Il regarda les photographies à l'écran, puis les visages de Jeanne et Whiting.

— Vous êtes... C'est vous...?

Whiting, un doigt sur les lèvres, désignait l'écran.

— Oui, monsieur, dit Eddie, plus respectueux que jamais.

— *Leur voyage s'est déroulé sans histoires depuis la bagarre au Wyoming, poursuivait Vicki. Mes informateurs m'indiquent que, à leur arrivée à New York mercredi soir prochain, ils auront dans leurs bagages des prises de vue spectaculaires, à intégrer à* Mon Amérique. *De l'un des réseaux, on apprend que, advenant la diffusion de ces bandes, la narration sera confiée à Peter Cross. Et — permettez-moi cette audace — j'ai cru percevoir récemment en ville la réaction de certains personnages importants, qui seraient très heureux si* Mon Amérique *ne voyait jamais le jour. Une histoire du plus haut intérêt. Soyez fidèles à notre émission. À demain...*

Lentement, Jeanne et Eddie tournèrent tous deux la tête vers Whiting.

— Est-ce que vous connaissez vraiment Peter Cross ? demanda Eddie.

— Elle, oui.

Whiting désignait Jeanne.

— Vraiment ?

— C'est un homme charmant, confirma Jeanne en souriant. À présent, si vous n'y voyez pas d'inconvénient, nous aimerions parler seul à seule pendant quelques instants.

— Oui. Oui, M'ame.

Eddie saisit des écouteurs sous le comptoir, les plaça sur ses oreilles et les brancha au téléviseur.

— C'est l'heure de *Gun Smoke*, expliquait-il. Et après ça, on retransmet l'éliminatoire de la NFL *.

Eddie tripota le sélecteur UHF et choisit un vieux film qui passait pour la centième fois.

Jeanne se tourna vers Whiting :

— Quel est son informateur ? Comme si je n'avais pas deviné...

— Je devais le faire, Jeanne.

— Et que signifie toute cette salade au sujet de Peter Cross et des réseaux ?

— C'est une invention de Vicki.

— Pourquoi fallait-il que vous agissiez ainsi ?

Eddie nettoyait la poignée du réfrigérateur. D'une oreille, il écoutait Matt Dillon. De l'autre, il suivait la conversation de ses deux illustres clients.

— Pour flatter son ambition ? continua Jeanne, répondant à sa propre question.

— Pour vous protéger de gars comme Bert McCall, corrigea Whiting.

— Comment peut-elle y parvenir ?

— En nous mettant quelque peu en vedette, elle enlève à certaines personnes le goût de nous tirer dessus.

— Vous auriez dû m'en parler, dit-elle après un moment de réflexion. Ça n'est pas une mauvaise idée.

Whiting leva les bras au ciel. Jeanne appela Eddie.

— Le café est-il aussi bon que les hamburgers ?

— Oui, M'ame.

Elle lui tendit le thermos qu'elle avait apporté et, tout fier, il le remplit. Ce faisant, il leur posait toutes sortes de questions sur le monde de la télévision.

— Est-ce que la nourriture est bonne au restaurant d'Archie Bunker ? James Garner est-il marié à la dame du message publicitaire de Polaroid ? Est-ce que Tom Brokaw aime Dan Rather ? Flint s'est-il déjà fait éconduire par une fille à qui il demandait un rendez-vous ? Est-ce vrai que Vicki Rogers peut lire dans les pensées ? Big Bird, c'est un garçon ou une fille ? Billie Singer dort-il vraiment dans un vieux lit de camp de l'armée ? Lit-il la Bible chaque soir ? Vaughn Lawrence doit-il payer de sa poche tous les ca-

* National Football League. (Note du traducteur.)

deaux qu'il distribue aux gagnants de l'émission *Des Gens et des prix?* Dans quel État les Schtroumphs sont-ils nés? Est-ce que viendra le temps où il y aura des caméras dans chaque maison, et où tout le monde pourra devenir vedette de télévision?

— Vous êtes vraiment un fanatique de la télé, n'est-ce pas, Eddie? dit Whiting.

Eddie eut un rire amer.

— Rien d'autre à faire ici, à part les hamburgers à préparer et mon poêle à nettoyer. Je suis jamais allé nulle part. J'ai jamais rien fait. J'ai ja-jamais eu une p'tite amie. Mon père, il travaille tout le temps à la ferme; pis ma mère, elle, m'a jamais aimé parce que j'suis pas beau, et elle a honte de moi parce que j'suis pas ben intelligent.

«La télévision, c'est ma meilleure amie, expliqua-t-il en frottant de nouveau le comptoir. Je donnerais n'importe quoi pour qu'ils reprennent Pinky Lee.

— Aimeriez-vous raconter tout ça devant une caméra? demanda Whiting.

— Et peut-être apparaître un jour dans l'émission dont Vicki Rogers parlait?

Eddie enleva ses lunettes, retira sa prothèse auditive et détacha son tablier.

— Devrais-je aussi porter une chemise bleue?

C'est ainsi qu'Eddie Van der Hoof fit un bout d'essai. Whiting installa la caméra magnétoscopique dans le restaurant. Eddie s'assit à la table près de la fenêtre, dans le soleil d'après-midi qui baignait la scène. Il parla télévision. Il ne dit rien de profond sur lui-même. Il évoquait simplement ses meilleurs souvenirs, et comment la télévision avait toujours été pour lui une compagne. Il parla pendant vingt minutes, tout à fait calme, tout à fait à l'aise devant la caméra.

En avait-il déjà fait l'expérience? À leur question, il répondit qu'il vivait avec la télé depuis sa naissance. Comment aurait-il pu se sentir nerveux face à une caméra?

Une fois le matériel remis à bord de la Cherokee, Whiting et Jeanne retournèrent dans le restaurant pour prendre congé d'Eddie. Celui-ci avait enfilé son anorak et son bonnet de laine.

— Où allez-vous? lui demanda Whiting.

— Je pars avec vous, répondit Eddie. Vous m'avez dit que j'étais devenu une vedette de télévision.

Ils lui expliquèrent qu'ils ne pouvaient faire de lui une étoile avant que l'émission ne soit diffusée. Ils n'étaient même pas sûrs qu'elle passerait en ondes.

— Mais je suis prêt. Je veux aller à New York avec vous et être célèbre.

— Vous n'aimeriez pas ça, Eddie, dit doucement Whiting.

— Je veux aller à New York. Je suis jamais allé là-bas. Je suis jamais allé nulle part, insistait Eddie en frappant du pied le sol. Je veux aller à New York.

— Vous disiez que votre poste de télévision vous amène partout, répondit Jeanne avec douceur.

— Eh bien, ouais, mais — mais je veux aller avec vous. Je veux devenir quelqu'un.

— Vous êtes quelqu'un, ici même, Eddie. Vous faites le meilleur hamburger de tout l'État, plaidait Jeanne.

Eddie lança à Whiting un regard plein de douleur et de confusion.

— Ici, tout le monde peut se sentir quelqu'un, ajouta Whiting. Vous sortez sur le pas de votre porte et vous voyez à des kilomètres de distance. Et, à part les poteaux de téléphone, vous pouvez vous sentir plus grand que tout le reste, presque un géant. À New York, vous ne seriez qu'une fourmi solitaire parmi d'autres.

— Ouais, mais — ouais, mais je veux aller avec vous.

Whiting regarda Jeanne, puis mit la main sur l'épaule d'Eddie :

— Okay, Eddie. Vous pouvez venir.

Jeanne lui écrasa le pied de toutes ses forces, mais il poursuivit :

— On vous aime bien et on veut votre bonheur.

Eddie sourit.

— Mais rappelez-vous. Ça veut dire quitter votre mère et votre père. Et vos hamburgers. Et votre beau petit restaurant tout propre. Et New York est la ville la plus sale de l'Amérique.

Un soupçon d'inquiétude traversa le visage d'Eddie.

— Autre chose, ajouta Whiting. Pas de télévision.

Eddie prit un air renfrogné, comme si on l'avait giflé.

— Pourquoi pas ?

— On n'a pas de place pour emmener la vôtre.

Eddie regarda à l'intérieur de la Cherokee, pour vérifier qu'elle était remplie.

— Vous serez privé de télévision pendant quatre jours, poursuivait Whiting. Pas de *Gun Smoke,* pas de nouvelles, pas de *Big Bird.* Et arrivé à New York, pas assez d'argent pour en acheter une. Parce qu'à New York tout est trop cher. Alors, Eddie, vaut mieux y repenser.

Eddie réfléchit : il haussait les épaules, fronçait les sourcils et se livrait à d'autres mimiques où, espérait-il, ses interlocuteurs verraient l'expression d'une pensée. Puis il retira son bonnet de laine et le jeta sur la table.

— C'est pas la peine, dit-il. Je sais à quoi New York ressemble. J'ai vu la *Ville nue.* Et je regarde toujours le *Restaurant d'Archie Bunker.*

Il retira son manteau et le pendit dans un coin. Il retourna derrière le comptoir, alluma la télévision, prit une éponge et se mit à nettoyer le dessus du comptoir.

Après un moment, il leva les yeux et dit au revoir. Mais ils étaient déjà partis.

Sur plusieurs kilomètres, Jeanne et Whiting roulèrent en silence. La route était déserte, à l'exception de deux semi-remorques qui, un ou deux kilomètres devant eux, jouaient à saute-mouton avec la camionnette d'un fermier. La terre était vaste, plate, blanche. Le ciel, clair. Et là-bas, à Nulle-part, dans le Dakota du Sud, la télévision était allumée, au *REPAS*.

Les deux voyageurs se demandaient ce qu'Eddie était en train de regarder.

Eddie avait les yeux rivés sur *La NFL aujourd'hui,* mais son esprit vagabondait dans des territoires imaginaires. La vaisselle de ses derniers clients était déjà lavée et rangée. Les récipients, nettoyés. Et il portait un tablier tout propre.

Il entendit une voiture monter l'allée. Il ajusta le tablier. Pour un dimanche, les affaires marchaient bien.

Un inconnu, de forte taille, ouvrit la porte. Il s'arrêta un instant sur le seuil pour examiner le restaurant, puis il approcha du comptoir et s'assit. Il était massif, pensa Eddie. Et son anorak bleu lui faisait une tête trop petite pour son énorme corps. Il avait les cheveux coupés en brosse, le nez cassé et, sur la tempe gauche, un bandage.

— Salut. Je m'appelle Eddie. (Il tendit la main.) Et vous ?

L'homme lui serra le main.

— Bert.

La bouche d'Eddie s'ouvrit toute grande. Bert McCall se raidit, flairant un danger. Eddie retira la main. Il se souvenait du nom entendu dans la conversation qu'il avait surprise.

— Est-ce que c'est — Bert Mc-McCall ?

— Ouais, fit Bert McCall en se levant lentement.

— Est-ce que vous êtes un — un sale type ?

— Hein ?

— Un sale type ? répéta Eddie.

McCall eut un sourire crispé.

— Je suis un brave type.

— Alors, pourquoi pourchassez-vous mes amis de Hollywood ? demanda Eddie avec colère.

— Ils sont passés par ici ?

— Ils sont passés par ici, et vous leur voulez du mal. Vicki Rogers l'a dit dans son émission. Vous êtes un sale type.

Bert McCall recula vers la porte. Il vit les mains d'Eddie plonger derrière le comptoir. Bert saisit le Magnum pendu à sa ceinture, mais avant de retirer le cran d'arrêt, il savait que c'était trop tard. Tout en essayant de viser, il mesurait en esprit l'ironie du sort. Le delta du Mékong, les bordels de Saigon, les camps de prisonniers de Hanoi. Le côté le plus sordide de la Californie du Sud. Le chantage et l'assassinat dans le Wyoming. Il avait survécu à tout cela, pour mourir ainsi, bêtement.

Le fusil à canon scié explosa à un mètre de lui, faisant voler le duvet de l'anorak. Si McCall tira un coup de son Magnum, ce ne fut que par réflexe, et sa balle s'enfonça dans le comptoir. Bert mourut en trente secondes.

Lorsque la police de l'État arriva sur les lieux, Eddie Van der Hoof essuyait avec soin le sang qui coulait encore du cadavre. Il déclara que l'homme avait essayé de le voler. Le lieutenant de police lui dit qu'il faudrait vérifier sa version des événements, mais Eddie se savait à l'abri de tout, les policiers portant un uniforme. Les policiers en uniforme n'avaient jamais d'imagination. Pour être perspicace, un flic devait porter un imperméable défraîchi, ou bien avoir une sucette à la main et lancer un « Qui c'est ton petit ami, bébé * ? »

24

Il était près de sept heures. Jeanne Darrow et James Whiting venaient d'avaler des hamburgers à Sioux Falls, dans le Dakota du Sud. De cette ville, ils n'avaient guère vu que le casse-croûte, les rails de chemin de fer et une rangée de vieux entrepôts le long de la rivière. Ils espéraient passer la nuit à Missouri Valley, à trois heures de route. De là à Hunter, dans le sud-ouest de l'État, il faudrait encore sept heures.

James Whiting était au volant. Le véhicule roulait sur la route 29 sud, en direction de la bretelle d'Omaha. Jeanne inséra une cassette dans le lecteur, s'enveloppa les jambes dans une couverture de

* Allusion à *Colombo*. (note du traducteur.)

laine et glissa un petit coussin entre sa tête et la fenêtre. Un son cristallin envahit la cabine : celui d'un violon solo qui grimpait les octaves avec grâce et délicatesse.

Whiting écouta, puis regarda Jeanne

— Je peux dire le titre avant la huitième mesure.

— Essayez toujours.

— Il s'agit de *l'Ascension de l'alouette*, de Vaughn Williams.

— Bravo.

Elle applaudit avec délicatesse.

— La sérénité même, commenta-t-il.

Elle lui sourit et, dans la pénombre, il crut voir sur son visage une expression nouvelle, faite de chaleur ou de générosité.

— Je suis heureux que nous ayons les mêmes goûts musicaux, dit-il. Nous ne pourrions pas nous supporter si l'un de nous aimait Bach pendant que l'autre réclamerait *Whip It.*

— Avez-vous entendu la *Fugue en tralala mineur ?* demanda Jeanne en riant. Whiting, un homme capable d'identifier *l'Ascension de l'alouette* n'a atteint que le premier but, comme au baseball.

— Et ça ne m'a pris que deux mille cinq cents kilomètres !

Elle se pelotonna sous la couverture, à la recherche d'une position confortable. Elle renversa la tête ; en quelques minutes, la musique, jointe au mouvement du véhicule, la rendit somnolente.

— N'essayez pas de brûler le deuxième et le troisième buts, murmura-t-elle.

Il se rendit compte qu'il ne voulait pas la laisser s'endormir.

— Je me demande ce qu'Eddie Van der Hoof est en train de regarder maintenant ?

— Probablement *Soixante minutes*, dit-elle, les yeux clos et la voix ensommeillée.

Soudain, elle se dressa sur son séant, complètement éveillée, et regarda Whiting :

— J'ai aimé la manière dont vous vous êtes comporté avec lui aujourd'hui. Vous avez fait preuve d'une grande délicatesse.

Whiting continuait à fixer la route.

— Je me demande combien de gens sont, comme lui, rivés à leur télévision, prêts à croire tout ce qu'ils voient ?

— Un bon nombre, je suppose, mais Eddie est sûrement un phénomène assez exceptionnel.

Les phares des véhicules qui venaient en sens inverse illuminèrent l'intérieur de la cabine. Jeanne ferma les yeux et rejeta la tête en arrière. Après quelques kilomètres, elle dit :

— Je préfère votre gentillesse avec des gens comme Eddie, à votre agressivité envers les Bert McCall.

Whiting était du même avis.

— Mais devant un Bert McCall, on ne peut reculer. Même votre mari n'a pu l'éviter.

— Et Roger est mort, dit-elle doucement.

Peu après, sa respiration se fit lente et régulière.

L'esprit de James Whiting trottait déjà en Iowa. La ville de Hunter, en Iowa, avait marqué un point tournant dans la vie personnelle de Darrow. Et, chose dont Whiting commençait à se rendre compte, l'Iowa constituait la pièce maîtresse dans le grand dessein d'Andrew MacGregor.

La caméra filme un champ de maïs. Le terrain, loin d'être plat, brille d'un tel éclat que, sur leurs tiges, les feuilles de maïs luisent comme du verre. Les tiges n'ont pas atteint leur pleine taille et les épis sont encore en formation : la saison est encore jeune. Mais le maïs est omniprésent, de l'avant-plan jusqu'à l'horizon.

Roger Darrow se poste devant la caméra. Il est en tenue de fermier : blue-jean, casquette jaune de GMC, chemise de travail vert foncé.

— Voici le pays où je suis né, annonce-t-il. La ceinture céréalière, le coeur de l'Amérique, notre terre nourricière.

Il tient à la main une motte de terre.

— Nous cultivons ici la meilleure terre de la planète. Dieu nous a dispensé ses bienfaits.

Il écrase la motte et la laisse s'écouler entre ses doigts.

— Parce que c'est ici que j'ai grandi — sur des fermes que possédaient mes grands-parents, mes tantes, mes oncles, mes amis — j'ai toujours eu l'intention de m'arrêter à Hunter. Mais Andrew MacGregor m'en a fourni un motif supplémentaire.

Coupure.

Long plan fixe sur la terre agricole de Hunter, du haut d'un silo : un immense canevas de champs de maïs et de soja ; chaque champ a son trait distinctif. La caméra se déplace pour montrer, à l'horizon, une école secondaire moderne, la flèche blanche d'une église, une grand-rue et une grappe de vieux bâtiments en brique. Le regard embrasse la moitié du comté.

— MacGregor Communications a étendu ses tentacules sur ce comté à la population éparpillée dans de petites villes, où la distance entre les maisons rend onéreux et peu rentables les réseaux de télédistribution. Cependant, MacGregor ne cesse d'acheter, à travers l'Iowa, des concessions de télédistribution — ou de soumettre des offres en vue de tels achats. J'aimerais savoir pourquoi.

Coupure.

— Malheureusement, je pense que l'homme qui vit sur cette ferme possède la réponse.

Roger Darrow se tient devant une maison blanche à deux étages en forme de L, solidement construite il y a soixante-dix ou quatre-vingts ans, et entourée d'une élégante véranda. Une femme est assise dans une chaise berçante, sur la véranda. Derrière la maison, un silo, une grange et d'autres dépendances.

— J'ai passé sur cette ferme mes plus heureuses années, dit-il. Après la mort accidentelle de mes parents, j'ai été ballotté d'un foyer à l'autre, sans trouver nulle part chaleur et hospitalité. Puis, Lyle et Betty Guise m'ont accueilli. J'ai vécu ici deux ans pendant mes études secondaires, et j'y ai passé ensuite trois étés. Ces gens m'ont apporté la forme d'amour dont j'avais été privé pendant des années.

« Lyle Guise est l'un des hommes les plus fins que j'aie jamais rencontrés, et l'un des fermiers les plus respectés et les plus influents du comté de Hunter. MacGregor donc, quand il décida de concurrencer pour les droits de télédistribution la Hunter Broadcasting — petite société appartenant à des capitaux locaux —, envoya à Lyle et à quelques-uns de ses voisins un de ces papiers (Darrow tient devant la caméra une lettre). Un document qui constitue une tentative, répugnante mais parfaitement légale, de corruption.

Darrow lit l'introduction, puis regarde la caméra.

— Les gens de MacGregor soutiennent qu'ils veulent obtenir la concession de télédistribution pour le comté de Hunter parce qu'ils peuvent offrir à celui-ci le meilleur service. Mais, étrangers à la région, ils ont besoin de solides appuis.

Il reprend la lecture :

— C'est ici, Monsieur, que vous pouvez apporter votre aide. Votre présence aux assemblées de comté où sera débattue l'attribution des permis, le poids de votre influence dans les instances politiques de Hunter, et les recommandations que vous exprimerez en notre faveur auprès des inspecteurs du comté : voilà, pour le succès de notre projet, autant d'éléments indispensables.

Darrow fixe à nouveau la caméra.

— Nous voici rendus au passage qu'on pourrait qualifier de typiquement américain. Je lis. « En échange de votre aide, nous vous offrons l'avantage de devenir actionnaire privilégié de MacGregor Communications à Hunter. Un investissement de deux cents dollars donnera accès à un intérêt de vingt pour cent, strictement réservé à nos actionnaires régionaux. Après cinq ans, vous aurez la possibilité de revendre votre part à la Société, à un juste prix et pour argent comptant.»

— En langage clair, MacGregor invitait une poignée de gens de l'endroit à mettre en oeuvre leur influence, puis à payer deux cents dollars un investissement qui en valait cent fois plus.

Darrow fait un pas vers la caméra.

— Eh bien, MacGregor a décroché la concession, et les gens de Hunter Broadcasting m'ont raconté que — Darrow garde les yeux au sol, l'air embarrassé de ce qu'il a à dire — que mon vieil ami Lyle était parmi les gens de l'endroit qui se sont jetés à l'eau pour MacGregor.

Coupure.

La caméra s'est transportée sur la véranda. La chaise grince en cadence, au rythme du balancement de Betty Guise. Celle-ci porte un tablier à bavolet sur une vieille robe imprimée. Ses cheveux, où domine le gris, sont fraîchement permanentés. Ses lunettes à monture bleue sont ornées de petits brillants à leurs extrémités. Betty tricote sans relâche.

— Sois béni pour nous avoir rendu visite, Roger, dit-elle.

— Je ne passerais jamais par l'Iowa sans venir vous voir tous les deux, répond Darrow affectueusement.

— Lyle va être fou de joie, de savoir que tu as pensé à t'arrêter ici et à nous rendre visite.

— J'espère que pendant mon séjour, je... je ne vais pas le rendre fou de colère.

— Comment pourrais-tu, mon chéri ? demande-t-elle en interrompant le va-et-vient de sa chaise.

— J'ai quelques questions à lui poser... sur la façon dont MacGregor Communications a réussi à acheter le comté de Hunter.

Les aiguilles à tricoter s'immobilisent et Betty fixe des yeux Darrow.

— Lyle n'a rien fait de mal, Roger. Je suis surprise que tu aies pu penser ça.

— Je ne fais que poser des questions, dit mollement Darrow, comme s'il n'y tenait pas vraiment.

— Bon, ne parle pas de ça ce soir. J'ai préparé un bon dîner. Si tu attaques Lyle sur un point sensible, tout va être gâché. J'aimerais que ce soit une soirée agréable.

La voix est suppliante. Darrow sourit, presque heureux de remettre à plus tard la confrontation.

Coupure.

Fondu au noir. La ferme s'estompe. Le soleil apparaît sur un champ de maïs. Des coqs chantent. Lyle Guise sort de sa maison par la porte arrière. C'est un homme sec et nerveux, portant salopette, chemise de travail et casquette John Deere. Grâce à un montage astucieux, nous l'accompagnons tout au long de sa journée. Lyle Guise discute travail avec son fils et deux ouvriers agricoles. Il inspecte ses champs de soja. Il conduit une pelleteuse jusqu'à son immense porcherie, où il déverse une cargaison de maïs. C'est grouillant de porcs. Ils sont si nombreux que leurs dos ressemblent à des vagues sur un lac. Lyle s'arrête pour prendre un verre au soleil éblouissant. Il répare un de ses tracteurs. Il traverse un de ses champs à bord d'une vieille camionnette. Du haut d'un coteau, il contemple ses terres.

Coupure.

Lyle Guise et Roger Darrow sont assis face à face, autour d'une table à pique-nique installée derrière la maison. Un treillis de roses grimpantes forme l'arrière-plan. Deux canettes de bière Coors sont posées devant eux sur la table.

Lyle se tourne vers la caméra. Il a le visage ridé et tanné, les yeux bleus et vifs, les cheveux blancs taillés en brosse. L'allure et le port d'un militaire de carrière.

— Est-ce que ce truc est en marche ? demande-t-il en désignant la caméra.

Tout ce que j'ai à faire, c'est d'appuyer sur le bouton, dit Darrow. Ça marchera automatiquement jusqu'à la fin de la bande.

Lyle observe la caméra avec curiosité, comme s'il n'en avait jamais vu auparavant.

— C'est japonais ?

— Je ne sais pas, répond Darrow dans un éclat de rire. C'est marqué Zenith sur l'étiquette.

— Bon.

Lyle hoche la tête. Les deux hommes échangent un regard et sourient. Comme deux vieux amis heureux de se retrouver ensemble.

— Alors, commence Lyle, de quoi veux-tu parler ?

— De la ferme, de toi et de Betty, de la manière dont vont les choses.

— Eh bien, tu sais ce que c'est qu'une exploitation agricole, dit Lyle. C'est dur, t'es cassé en deux une bonne partie de l'année et tu finis par y réinvestir tout ton argent. Mais, si t'as été élevé sur une terre, t'as ça dans le sang.

Nouveau coup d'oeil vers la caméra ; elle ne semble pas le mettre très à l'aise.

— On a nos années de vaches grasses et nos années de vaches maigres, mais on se débrouille. On récolte ce qu'on a semé.

Darrow se raidit un moment, commence à parler, puis avance la main vers sa bière. Il a vu l'occasion de poser sa question, mais il ne l'a pas saisie.

— Pour sûr, continue Lyle, t'as jamais été fort en agriculture, que je me rappelle. Tu t'es tiré dès que t'en as eu l'occasion.

Darrow courbe la tête, feignant l'embarras au rappel de sa fuite.

— Je suis désolé, Lyle. Tu as fait beaucoup pour moi. J'ai une sacrée dette envers toi.

Lyle éclate de rire et se penche en arrière.

— T'as bougrement raison, mon p'tit. J'aimerais que tu viennes tous les ans, au moment des récoltes. Amène ta femme quand ça sera raccommodé entre elle et toi. Vous pourrez travailler tous les deux, et on oubliera qu'en cinq ans on n'a jamais eu de tes nouvelles, sauf à Noël.

Darrow tend la main et joue le fils prodigue :

— Marché conclu.

Ils se serrent la main et rient de concert. La nervosité de Darrow est plus apparente à l'écran que celle de Lyle. Après une autre gorgée de bière, Lyle dit :

— T'sais, Roger, ç'a pas été si facile, ces dernières années. Y a eu de bonnes récoltes, mais y a eu aussi l'inflation, les taux d'intérêt élevés, et pis la récession, la crise... si tu veux savoir la vérité.

Darrow boit une gorgée de bière, inspire profondément et regarde Lyle dans les yeux.

— Je me suis laissé dire que tu as pris certaines mesures pour tenir tes créanciers en haleine.

Lyle se raidit sur sa chaise.

— Quoi ?

— Est-ce vrai que tu as... — Darrow cherche un mot neutre — tissé des liens avec les gens de MacGregor Communications ?

— Et tu crois ça ?

— Je ne sais pas, Lyle. C'est pour ça que je te pose la question.

Darrow plonge la main dans sa poche et en tire la lettre. Sa main tremble et, avec elle, le document qu'elle tient.

— Les gens de Hunter Broadcasting ont dit que tu reconnaîtrais ceci...

Lyle Guise lit la lettre, la jette sur la table et regarde Roger Darrow, qui croise les mains devant lui et baisse les yeux, comme s'il ne pouvait pas soutenir le regard de Lyle.

Lyle vide sa bière, écrase la canette et la lance sur la table. Il la regarde osciller sur sa base tordue et, quand elle s'arrête, il lance :

— Tu as dormi ici la nuit dernière. Tu as mangé à ma table. Tu m'as parlé de ta femme, de ta vie là-bas à Hollywood. Et tu m'as pas dit un mot de ça, ni de la vraie raison qui t'amène par ici.

— Calme-toi, Lyle, dit Darrow. Je voulais t'en parler hier soir, mais Betty m'a demandé d'attendre.

— Même alors, t'aurais pu me mettre au courant avant de faire démarrer ta caméra. (Il regarde la lentille.) Avec tes façons, on dirait que t'essaies de me mettre tout à l'envers. Qu'est-ce qui a bien pu t'arriver là-bas, à Hollywood ?

— Les choses ne sont pas simples pour moi, Lyle, dit Darrow. J'essaie seulement de savoir ce que recherche MacGregor. Il est en train de grignoter tout l'État, comme pour se tailler un monopole. L'Iowa est un État important sur le plan politique. Et pour en

attraper un morceau, MacGregor utilise toutes sortes de manoeuvres à peine légales.

— Eh bien, doux Jésus, c'est vraiment le comble! proteste Lyle dans un rire amer. Mon propre fils adoptif m'accuse de me laisser corrompre.

— Ce n'est pas tout à fait le mot juste.

— T'as sacrément raison. C'étaient les affaires et j'y peux rien.

Darrow fixe Lyle un instant, comme s'il hésitait à poursuivre.

— Seulement, j'ai été surpris d'apprendre que tu as frayé avec un étranger. Je pensais que tu ferais corps avec les gens de la région.

— Va au diable, dit Lyle doucement. Tu me donnes même pas une chance de m'expliquer et tu me dis, en plein devant la télé, que je me suis laissé acheter.

— Je te la donne à présent, ta chance, Lyle. C'est pour ça que je suis ici.

— Eh bien, fiston, j'en veux pas. (Il regarde la caméra.) J'me fous bien du monde qui me regarde par ce petit trou-là. Qu'ils pensent ce qu'ils veulent. Y en a pas un qui sait ce que ça demande, de faire marcher une ferme. Y en a pas un pour s'arrêter à penser au gars qui met les semences en terre ou à celui qui tend les filets de pêche. Sans moi pis les gars comme moi, ce fichu pays irait à la dérive, et tous les postes de télévision, les ordinateurs et les machins électroniques vaudraient pas une merde.

Lyle Guise se lève et quitte le champ de la caméra. Darrow l'appelle. La figure de Lyle réapparaît devant l'objectif.

— Tu fais ce que tu dois faire pour tirer ton épingle du jeu, Roger. Et t'espères que tes proches te soutiendront.

Il se penche en avant et rapproche son visage de celui de Darrow.

— À présent, j'ai plus rien à dire. Passe la nuit dans la chambre d'amis et mets-toi en route dès demain matin.

Lyle s'éloigne. Darrow l'appelle à plusieurs reprises, mais Lyle ne se retourne pas. Darrow porte la main à son front. Il se mord la lèvre supérieure. Il contemple un instant la table vide. Puis il étend la main et arrête la caméra.

25

Le crépuscule, en hiver, donnait aux champs un aspect de désolation et de solitude. Les rares fermes semblaient se blottir autour de leurs granges, tant les arbres nus offraient peu de protection contre le vent. Les routes étaient étroites, mais bien dégagées. Dans la lumière déclinante, la neige virait au gris, avant de disparaître dans l'obscurité de l'horizon.

Les poteaux des services publics — porteurs des fils téléphoniques, électriques et, à présent, câblodistributeurs — défilaient à un rythme régulier et monotone, comme le battement d'un métronome. Des avions traversaient le ciel pour assurer la liaison entre les côtes est et ouest. Les villes devenaient de plus en plus complexes et encombrées. Les ordinateurs donnaient à la vie de nouveaux rythmes ; les généticiens, de nouvelles formes. Mais Lyle Guise avait raison, pensait Whiting : sans ces fermiers de l'Iowa, assis devant leurs poêles et sirotant leur bière en attendant que la terre se réchauffe, tout s'arrêterait.

Jeanne Darrow n'avait jamais rencontré Lyle Guise, mais son mari lui en avait souvent parlé avec admiration et respect. Lyle Guise, disait Roger, lui avait enseigné qu'on est responsable de son propre avenir et lui avait donné confiance en lui-même. Jeanne attendait désormais de Guise que, nouveau Tirésias, il lui apprît les détails du malheureux séjour de son mari à Hunter et lui donnât, à elle, la force de continuer son périple.

De cette rencontre, James Whiting attendait tout autre chose.

— On pouvait voir, sur les bandes, que Roger a essayé à plusieurs reprises de faire dire la vérité à Guise, mais il n'a pas eu le cran d'aller jusqu'au bout.

— Je vous l'ai déjà dit, répliqua Jeanne d'un ton sec, Roger considérait Lyle comme son père, et il a été catastrophé quand Lyle l'a évincé.

— Je n'aurai pas une telle retenue, reprit Whiting d'une voix dure et agressive. Je lui poserai les questions délicates que Roger a évitées.

— Je préférerais vous voir adopter une attitude amicale, celle que vous avez eue avec Eddie.

Whiting ne répondit pas.

Arrivé à un poteau qui indiquait le 325 South Fork Road, Whiting s'engagea dans une longue allée enneigée, à l'extrémité de laquelle se trouvait la ferme de Guise.

— Arrêtez ! cria Jeanne.

Whiting appuya de toutes ses forces sur le frein et la regarda. Elle souriait, et ses yeux se remplissaient de larmes.

— Qu'est-ce qui ne va pas ?

— Ça correspond tout à fait à la description qu'il faisait quand il évoquait son enfance, dit-elle en regardant à travers le pare-brise. Je voudrais simplement regarder ça pendant une minute.

La vieille maison, perchée au bord du crépuscule, semblait retenir la lumière. Le ciel, noir et gris au-dessus du grand bâtiment, se teintait de rose à l'extrémité ouest de l'horizon. Le vent frôlait les champs vides, y soulevant des nuages de neige poudreuse ; mais la maison répandait sa lumière chaude et dorée, pour accueillir les voyageurs transis.

— On dirait que je connais déjà cet endroit, dit-elle. C'est comme si j'arrivais chez moi pour la première fois.

— J'espère que nous recevrons un meilleur accueil que Roger.

Les Guise les reçurent comme s'il s'était agi d'une nièce et d'un neveu qui ne seraient pas venus depuis des années. Betty Guise ajouta au pot-au-feu quatre pommes de terre et une demi-douzaine de carottes. Elle augmenta dans la sauce la part de farine et d'eau, sortit une bouteille de Mateus rosé reçue en cadeau et dressa pour quatre, dans la salle à manger, un couvert de sa plus fine porcelaine. Lyle mit encore du charbon dans le poêle de la salle de séjour, servit du whisky à ses invités pour les réchauffer et disposa dans un plateau, comme amuse-gueule, du fromage à tartiner et des craquelins. Puis il fit le tour de la maison et tira les rideaux pour emprisonner la chaleur.

Au cours du dîner, Whiting et Jeanne racontèrent leur voyage. Lyle et Betty parlèrent des premières années de Roger Darrow dans l'Iowa. Après le pot-au-feu, on but un café fort, on dégusta une tarte aux pommes avec du fromage cheddar. Betty desservit la table. Lyle remplit de nouveau les verres de whisky et se carra dans son fauteuil.

— Roger a toujours été un sauvageon, dit Lyle. Et il est devenu encore plus farouche après la mort de ses parents.

— Mais ça l'empêchait pas d'être bon garçon, ajouta Betty. Et il t'adorait.

Lyle hochait la tête en sirotant son whisky ; un bon moment, il sembla perdu dans ses pensées.

— Je regrette seulement de l'avoir envoyé au diable, la dernière fois qu'on s'est vus.

Whiting entrevit l'occasion d'amener la discussion sur les bandes.

— Est-ce que votre dispute n'a pas été déclenchée par une question sur la concession de télédistribution dans Hunter ?

Sous la table, Jeanne donnait des coups de pied à Whiting.

— Jim...

Lyle regarda Jeanne.

— C'est vrai, ma chérie. Je sais que t'as regardé cette bande vidéo et ça doit être pour ça que t'es ici.

— Bien, ça fait rien, dit Betty nerveusement. À présent, pourquoi on n'irait pas tous s'asseoir dans la salle de séjour ?

Lorsqu'ils se levèrent de table, Lyle lança un clin d'oeil à Whiting.

— Elle a peur que vous me fassiez grimper dans les rideaux, alors elle change de sujet. Mais je vous connais pas aussi bien que je connaissais Roger. Ça fait que vous pouvez me demander ce que vous voulez, et je serai poli comme un pasteur.

Il parlait avec l'accent pointu du centre des États-Unis, où la prononciation des consonnes est aussi tranchée que l'horizon qui ferme l'immensité de l'Iowa.

Dans la salle de séjour, Jeanne se pelotonna sur l'immense divan. Betty s'assit dans un fauteuil à bascule entre le poêle à charbon et le téléviseur. Whiting abandonna à Lyle le moderne fauteuil inclinable, recouvert de vinyle, et s'enfonça dans le fauteuil rembourré qui en était voisin. Les rideaux tirés, le poêle à charbon qui ronronnait, tout répandait une chaleur que Jeanne n'avait pas ressentie depuis son départ de Californie. Elle se sentait en sécurité, entourée d'affection, comme Roger avait dû l'être plusieurs années auparavant. Elle aimait ces gens. Elle ne voulait pas que Whiting les indisposât par ses questions. Mais elle savait qu'il devait les leur poser, et qu'elle-même en avait à leur poser.

À l'extérieur, le vent hurlait. La grande maison craquait de toutes parts. Un volet battait contre le mur.

— Le froid s'en vient, dit Betty.

— Il *s'en vient* ? Il ne faisait donc pas froid aujourd'hui ? demanda Jeanne.

— L'air était vif, comme on dit par ici.

Lyle plaça trois verres propres sur la table basse, les emplit à demi de whisky, en prit un et lança à Whiting un regard aigu.

— J'ai pas à m'excuser d'avoir été dans le camp de MacGregor. Tout ce que je regrette, c'est de m'être foutu en colère contre Roger. C'était une triste manière de se quitter — et pis, tout ça a été filmé.

— Pour autant que je me rappelle le contenu de la bande vidéo — Whiting commençait à adopter l'attitude de Darrow et recherchait les termes les moins blessants pour formuler sa question — vous avez perdu le contrôle vous-même lorsqu'il a parlé de corruption.

Betty sursauta. Jeanne resserra son étreinte sur l'accoudoir du sofa. Lyle ne quittait pas des yeux Whiting.

— « Corruption ». V'là une expression plutôt répugnante.

— N'est-ce pas exactement ce qui s'est produit ici ? suggéra Whiting.

— Jamais de la vie, jeune homme !

Lyle but à nouveau une gorgée de whisky et fixa les braises derrière la grille du poêle.

— C'est p't-être pas la meilleure chose que j'ai faite de ma vie, mais c'était légal.

— Et intelligent, ajouta Betty. On n'a rien à se reprocher. On a trimé toute notre vie et, si ça marche, ces actions vont nous donner enfin une certaine sécurité.

— C'était ben correct, dit Lyle. Si ça avait pas été correct, j'aurais pas mis mon honneur là-dedans.

— Votre honneur ? interrogea Whiting.

Lyle fronça les sourcils.

— Pourquoi diable pensez-vous que je suis aussi chatouilleux là-dessus ? Je savais que MacGregor gagnerait facilement la concession. Avant même que je reçoive cette lettre, deux des inspecteurs m'ont dit qu'ils étaient de son côté. Par conséquent, j'ai signé l'entente avec MacGregor, après qu'un avocat de Des Moines m'eut assuré que tout était dans l'ordre.

— Avez-vous exercé des pressions en faveur de MacGregor ?

— Un peu, mais j'ai jamais rien fait de croche.

Puis, Lyle se leva d'un bond, comme un boxeur au signal de la cloche.

— J'ai fait ce qui me paraissait le mieux pour moi, pis pour ma famille. J'ai fait de mal à personne. J'ai enfreint aucune loi. Les compagnies de télédistribution font ce genre de trucs dans tout le pays. Et j'ai prospéré comme un bandit, avec une grosse compagnie qui avait une bonne galette pour démarrer.

Whiting sentait monter en Lyle la colère que celui-ci avait promis de refréner. Il faisait tournoyer son whisky dans son verre, tout en essayant de réfléchir à l'une de ses questions embarrassantes.

— Qu'auriez-vous fait si vous aviez pensé que MacGregor Communications tentait d'établir un monopole sur les systèmes de télédistribution de l'Iowa, dans le but d'influencer les élections présidentielles grâce aux sondages en duplex ?

Lyle fronça les sourcils.

— Roger disait quelque chose du genre, il y a sept mois, mais y avait pas une sacrée preuve. En avez-vous ?

— Eh bien, depuis lors, le sénateur Tom Sylbert a été battu au Wyoming. La course pour l'investiture du parti est bien ouverte. Et l'homme qui remportera la victoire en Iowa aura gagné la première manche.

— Ça me suffit pas, jeune homme.

Lyle se rassit, resta songeur pendant quelques instants. Puis, pointant le doigt vers Whiting :

— Mais je vous promets une chose : si vous arrivez à me prouver ça, ou si je vois MacGregor lécher les bottes d'un politicien, ici en Iowa...

— Reuben Merrill, interrompit Whiting.

— ... je vous promets que je reprends mes deux cents balles et que je fous tout en l'air contre MacGregor Communications.

Après un court silence, Whiting regarda Lyle en levant son verre :

— Je vous prends au mot.

— Ma parole, jeune homme ! Et je l'ai toujours respectée, dit Lyle en trinquant avec Whiting.

Betty regarda Jeanne.

— Mon Lyle est bon et généreux avec ses enfants, et pis avec des pauvres gars comme Roger. C'est pour ça que ça lui a fait si mal quand Roger l'a traité de vendu au lieu de lui donner le bénéfice du doute.

— Il n'avait pas l'intention de vous blesser ni l'un ni l'autre, répondit Jeanne. Il a toujours dit qu'il vous considérait comme ses parents.

— Chaque fois qu'il nous écrivait pour nous raconter ses succès, dit Betty, on était fiers comme si on avait été ses parents. Et on a été fous de joie quand il nous a dit qu'il avait pris femme. Votre photo de mariage est encore accrochée au mur de ma chambre.

Jeanne sourit.

— Je suis heureuse que vous ne l'ayez pas décrochée après sa dernière visite, parce que je suppose qu'il a parlé de moi pendant son séjour.

Lyle termina son verre de whisky. Betty se concentra un instant sur son tricot.

— Qu'a-t-il dit ? insista Jeanne.

Lyle la regarda droit dans les yeux.

— Il a dit que vous arriviez plus à parler de vos problèmes entre vous deux ; alors, il était parti pour réfléchir de son côté. Il disait que vous aviez pas pu avoir d'enfants ensemble, et que c'était surtout de ça qu'il avait besoin. (Lyle remplit encore son verre.) Il a dit aussi que vous étiez pas tout à fait responsable de ça.

— Trop aimable, grommela-t-elle.

— Parce que vous aviez tous les deux fait des erreurs sur votre chemin et que les médecins savaient pas vraiment lequel de vous deux pouvait pas avoir d'enfants.

Jeanne bondit de son sofa.

— A-t-il vraiment dit ça ?

— Est-ce vrai ? demanda Lyle.

— Nous n'avons pas pu avoir d'enfants parce qu'il était stérile. Il le savait depuis six mois.

— Le pauvre garçon ! dit Betty en portant la main à sa bouche.

Lyle passa les doigts dans sa courte chevelure et but une autre rasade.

Jeanne se laissa retomber sur le sofa.

— Je n'arrive pas à croire qu'il vous ait dit ça.

Puis, après un moment, elle se ravisa :

— Peut-être, après tout, que j'y arriverai.

Lyle regarda Jeanne.

— Il était pas très heureux, Jeanne. Il était pas satisfait de son travail, ni de lui-même, ni de ce qu'il croyait voir dans le pays. Et il devait être très déçu de penser que son vieil ami Lyle avait été acheté par MacGregor. (Lyle vida son verre d'un trait.) Et il vous mettait sur le dos tous les malheurs.

— Ma chérie, lança Betty qui se remettait à son tricot, on sait jamais ce qui se passe entre deux personnes quand elles deviennent amoureuses ou que leur amour tourne au vinaigre. Ce qui est important, c'est pas ce qu'elles racontent à quelqu'un d'autre ; c'est ce qu'elles se disent face à face.

Jeanne ramena ses genoux contre sa poitrine.

— Jamais plus je n'en aurai l'occasion, Betty. C'est pourquoi je suis venue jusqu'ici.

Et pour la première fois, elle se mit à penser qu'elle avait fait assez de chemin. Au sujet de la relation entre elle et son mari, ce dernier avait menti à ses parents adoptifs. Voulait-elle vraiment savoir ce que, une semaine plus tard à New York, il avait déclaré à Miranda Blake ? Jeanne entendait résonner dans sa mémoire le conseil de Lynne Baker.

Whiting quitta son fauteuil et s'assit à côté de Jeanne sur le sofa. Il plaça sa main sur le coussin qui les séparait, afin qu'elle pût la toucher si elle le désirait. Elle n'en fit rien.

— On vous a dit ce qu'on pouvait, dit Lyle. Roger et moi, on s'est vraiment parlé seulement un soir, pis devant la caméra de télévision. Alors, on n'a pas eu le temps de se réconcilier.

— Nous non plus, enchaîna Jeanne.

Lyle remplit encore son verre de whisky, puis celui de Whiting. Il avala une longue gorgée, les yeux fermés. Whiting se demandait si c'était le whisky ou les souvenirs qui lui brûlaient l'intérieur. Betty se tourna vers Jeanne.

— Ne vous mettez pas dans tous vos états au sujet de Roger. Attendez de rencontrer Billy Singer. Il vous dira de quoi ils ont parlé après l'émission de télévision. Roger, d'après moi, espérait que Billy puisse l'aider à retrouver son aplomb dans certaines choses.

Lyle rota bruyamment.

— Il m'a dit que, s'il voulait rencontrer Billy Singer, c'était pour voir en chair et en os le pire crétin de la terre.

Betty sursauta de colère.

— Lyle, je veux pas qu'on parle comme ça dans ma maison, surtout au sujet d'un homme de Dieu. Tous les soirs, tu restes assis à boire, et pis tu te mets à blasphémer... Grâce à Dieu, le révérend Billy me donne la force de supporter ces épreuves.

— Seigneur, délivre-nous des saintes femmes et des punaises d'église.

Lyle leva les yeux au ciel, puis but encore une gorgée en offrant la bouteille à Whiting, qui refusa.

Betty jeta un coup d'oeil à sa montre.

— Alors, les enfants, vous vous en allez vers l'est pour rencontrer le Révérend. Je pense qu'il serait bon de faire sa connaissance. Lundi, huit heures et quart : bonne occasion. On a raté le sermon, mais l'émission dure une heure. Ça va vous donner une bonne idée du genre d'homme.

Betty mit le poste de télévision en marche.

Lyle fit cul sec et saisit de nouveau la bouteille de whisky.

— Je pense que j'ai besoin d'un autre verre.

Billy Singer apparut sur l'écran de télévision. Il était assis derrière un pupitre, comme n'importe quel animateur de « talk-show ». Il portait un costume coûteux, avec cravate de soie. Pas un cheveu, pas une expression qui ne fussent étudiés. Pendant huit minutes, ils écoutèrent Singer discuter, l'air insouciant, avec Jed Lee, son assistant. Après un message des « Sentinelles de Singer », le Révérend réapparut à l'écran.

— *Voici maintenant, dit-il en souriant à la caméra, le moment réservé à notre entretien du soir. Aujourd'hui, à Washington, un membre du Congrès — fervent chrétien que vous avez souvent vu à notre émission et qui a nom Reuben Merrill — a présenté un projet de loi pour contrôler la diffusion sur les canaux de télédistribution, de programmes non censurés, portant les cotes « X » ou « R ».*

Whiting observait Lyle, qui, les yeux rivés à l'écran, avait porté à ses lèvres son verre de whisky.

— *Je ne vous demanderai pas si vous soutenez ce projet de loi, dit Singer, je vous demande simplement si vous êtes d'accord avec le principe qui le sous-tend. Appuyez sur le bouton* A *si vous pensez que Reuben Merrill est sur la bonne voie. Appuyez sur le bouton* B *si vous n'êtes pas d'accord.*

Les mots *Indiquez votre réponse* clignotèrent sur l'écran.

Betty Guise saisit la petite boîte branchée à la télévision.

— Ce que je regarde à la télé, c'est pas leur sacrée affaire, lança Lyle ; ça regarde surtout pas ce Reuben Merrill. Réponds *B*.

— On est de bons chrétiens, Lyle, malgré nos péchés. Et si Billy Singer fait confiance à Reuben Merrill, moi aussi.

Elle empoigna la boîte et pressa le bouton *A*.

Whiting saisissait ce qui était en train de se passer. Andrew MacGregor et ses hommes, grâce aux caméras de télévision, aux câbles tendus à travers la nuit de l'Iowa, pénétraient chez des gens comme les Guise. Cela ouvrait des perspectives terrifiantes.

Lyle fixa des yeux sa femme, assez longtemps pour bien lui faire sentir son mécontentement. Puis il se tourna vers Whiting :

— Souvenez-vous, jeune homme, que vous avez ma parole. Si ce MacGregor m'a trompé et cherche à faire élire Reuben Merrill, je serai le premier à le dénoncer.

Whiting sourit. Devant un homme comme Lyle Guise, ses craintes s'apaisaient. Roger Darrow était venu en Iowa pour rencontrer le fermier dont il gardait le souvenir depuis sa jeunesse. Lui, Whiting, s'attendait à moins, ou à quelqu'un de plus sinistre. Au lieu de cela, il avait trouvé un homme qui essayait d'être fidèle à ses valeurs sans toujours y parvenir, un homme qui travaillait ferme, aimait sa femme et buvait trop de whisky. Lyle Guise était un pragmatique, rude et un peu retors. Mais c'était bien ainsi. Parce que — Whiting en était convaincu — quand la machine de MacGregor commencerait enfin à grincer, des hommes tels que Lyle feraient toujours leur devoir.

26

Jeanne Darrow et James Whiting passèrent la nuit à la ferme de Lyle Guise.

Whiting dormit profondément et se réveilla en grande forme. Il voyait se dessiner le sens de tout ce qu'avait observé Roger Darrow et se sentait en mesure de terminer l'oeuvre de celui-ci. Au petit déjeuner, il mangea trois oeufs, quatre saucisses et une pile de crêpes au babeurre, spécialité de Betty Guise.

Jeanne avait passé la nuit blanche, à écouter le vent, à s'interroger sur ce qu'elle apprendrait à la prochaine étape, à se demander quelle amélioration tout cela pourrait bien apporter à sa vie. Elle déjeuna d'une tasse de café et parla peu.

Lorsqu'ils quittèrent la ferme, le ciel était de plomb. Lyle leur annonça de la neige pour l'après-midi et leur recommanda la prudence. Betty leur fit promettre de revenir au cours de l'été, lorsque le maïs serait mûr.

À onze heures, ils atteignirent le Mississippi. Le soleil d'hiver brillait sur le fleuve dont la couche de glace, épaisse de plusieurs centimètres, déployait à travers la neige sa traînée d'argent. Ils traversèrent près de Quad Cities par le pont de la I-80, dont la longue structure, plate et fonctionnelle, cadrait mal avec la majesté du fleuve. Ce fut seulement au milieu de ce pont, long d'un kilomètre et demi, que Whiting eut du fleuve une perspective qui l'impressionna. Au nord, le cours d'eau descendait en serpentant, de la frontière canadienne jusqu'aux lacs du Minnesota, et se frayait un large chemin à travers collines et champs. Vers le sud, il dessinait une immense courbe paresseuse, pour contourner un des contreforts de l'Illinois, puis poursuivait vers le golfe son cours imperturbable. En aval, le Missouri, l'Illinois et l'Ohio se mêlaient à ses eaux. Le Mississippi alimentait en eau les grandes cités, les plantations, les champs du delta. Pour la moitié du continent, il charriait les marchandises, l'eau et les déchets.

— Il faut nous arrêter, dit Whiting.

— Au milieu du pont ?

— Bien sûr que non. De l'autre côté. Au tournant où votre mari s'est arrêté.

Non loin de la base du pont, sur le côté sud-est, se trouvaient un petit stationnement, quatre tables de pique-nique disparaissant sous la neige, et un bouquet d'érables battu par le vent d'hiver. Au-delà des arbres, la surface gelée du fleuve. Whiting descendit de la jeep et se rendit jusqu'au bord du terrain de pique-nique. Le vent cinglait de l'ouest, enhardi par sa traversée des glaces du Mississippi. Il frappait de plein fouet la rive est, où le mercure baissait jusqu'à moins vingt degrés celcius. Et un banc de nuages, lourd de neige, arrivait de l'Iowa.

Les tables à pique-nique sont vides, sauf celle où s'est assis Roger Darrow. Les rayons du soleil se frayent un chemin à travers l'épaisse frondaison des érables. Le vent taquine doucement les branches. Sur le fleuve règne une activité intense. Un vieux bateau dont la roue à aubes était logée à l'arrière; des canots automobiles; des péniches qui, chargées de minerai et de grain, agitaient au passage l'eau terreuse.

— Nous voici arrivés dans l'Est, dit Darrow d'une voix quelque peu fébrile. Deux choses nous l'indiquent. D'abord, nous venons de traverser le Mississippi. Deuxièmement, à la minute même où, le pont franchi, je suis entré en l'Illinois, la route s'est transformée en planche à laver.

Vêtu d'un pull vert, Darrow paraît fatigué. Il commence à se ressentir du voyage.

— Je voulais rester plus longtemps en Iowa, mais cette terre n'a plus rien à m'offrir désormais. Les racines que j'ai pu y avoir sont depuis longtemps arrachées. En dépit de sa fertilité, cette contrée m'est devenue étrangère. Et diablement déprimante quand on voit un honnête homme comme Lyle Guise se compromettre pour une poignée de dollars.

Darrow se regarde les mains, qu'il a croisées sur la table. Il les presse l'une contre l'autre et les muscles de ses bras se tendent.

— Le plus difficile, c'est parfois de faire preuve de compréhension envers les gens qui en ont le plus besoin. Lyle Guise n'a pas eu la force de repousser l'argent de MacGregor et sa prise de possession sur la moitié du réseau de télédistribution en Iowa. Et moi, je n'ai pas eu la force de lui dire: « D'accord, Lyle, j'aurais probablement empoché l'argent, moi aussi. »

Il secoue la tête.

— On veut croire ses parents incorruptibles, particulièrement lorsqu'on les a choisis, comme c'est mon cas avec Lyle. Le plus blasé des adultes ne veut pas en démordre. Tout comme on aime à croire qu'au coeur même du pays, les vieilles valeurs signifient encore quelque chose.

Il presse à nouveau ses mains l'une contre l'autre. Ses biceps font saillie.

— Mais, nom de Dieu, dit-il entre ses dents, pourquoi s'est-il cru obligé de faire ça ?

De nouveau, il regarde au loin le fleuve. Le vieux bateau à roue s'éloigne ; il laisse derrière lui une cascade d'eau, et remplit l'air de sa fumée et du hurlement de sa sirène. Darrow le regarde disparaître au-delà de la courbe, puis revient vers la caméra.

*— Après ce spectacle, on s'attend presque à voir Huck et Jim sur leur radeau * derrière le bateau.*

Il s'arrête, pour réfléchir à cette comparaison.

— On pourrait dire, je pense, que l'autoroute inter-États m'a tenu lieu de Mississippi. Je ne suis qu'à la moitié de ma descente et, comme dirait Huck, je me sens las du monde « civilisé ». Malheureusement, il me reste encore à voir les grandes villes. Et pourtant, Manhattan ne m'a jamais paru trop « civilisé ».

Il se lève pour partir, puis fixe à nouveau la lentille.

— Huck avait de la chance. Il avait quelqu'un à qui parler. Moi, je n'ai que cette caméra. Si tu étais ici, Jeanne, tu pourrais être mon Jim. Ou peut-être suis-je moi-même Jim, parti à la recherche des États libres où un homme puisse vivre selon ses principes, oublié du reste du monde.

---

* Allusion à un roman de Mark Twain. (Note du traducteur.)

Ils déjeunèrent très tôt à l'Auberge Rosalie, petit restaurant qui dominait le fleuve, à environ un kilomètre au nord du pont. L'auberge était propre et spacieuse, avec son grand comptoir, ses compartiments alignés devant la fenêtre, sa salle à manger où chaque table avait son napperon de papier souhaitant la « bienvenue chez Rosalie » et reproduisant la carte de l'Illinois. Il flottait là une atmosphère des années 50. C'était le genre d'établissement qu'on n'aurait pas construit après l'avènement de la restauration minute. À l'heure du midi, c'était bondé de couples à la retraite et de jeunes mères qui y emmenaient déjeuner leur marmaille.

Jeanne commanda un sandwich grillé au fromage et un café ; Whiting, un hamburger au fromage, des frites et un lait battu. Il était affamé. Jeanne grignota son sandwich, but une gorgée de café et repoussa son assiette.

— J'ai décidé que la rencontre avec Billy Singer ne présentait aucun intérêt, annonça-t-elle.

Whiting leva les yeux.

— Et Roger, ajouta-t-elle, haïssait cordialement Manhattan. Il disait que c'était pour lui l'image même de l'enfer.

Whiting s'arrêta de mâcher.

— Vous voulez dire que vous entendez gagner directement le Maine ?

— Non, répondit-elle. Roger en avait assez vu quand il a atteint le Mississippi. Et j'en suis là, moi aussi.

Whiting laissa tomber son hamburger.

— Il est temps de retourner, dit Jeanne. Et ne dites pas un mot !

— Je ne comprends pas.

— Lynne Baker avait raison. Il n'en vaut pas la peine.

Whiting se contenta de la regarder.

La serveuse remplit à nouveau la tasse de Jeanne, mais celle-ci ne quittait pas Whiting des yeux.

— J'ai décidé que je voulais retourner chez moi. Je ne fais que pourchasser un fantôme, que jamais je ne pourrai rattraper.

— Vous ne savez vraiment pas ce qu'on est venu faire ici ? demanda-t-il avec colère.

Le ton de sa voix fit se retourner les têtes, autour d'eux.

— Vous ignorez ce qui s'est passé *en moi.*

Jeanne éleva le ton, puis le baissa d'une octave lorsqu'elle vit les regards se tourner vers elle.

— J'ai pris conscience, la nuit dernière, que ce voyage devait être pour moi un moyen de gagner mon indépendance, de devenir moi-même, comme disait Lynne Baker. Et tout ce que j'ai réussi à faire, c'est de me comporter en esclave de Roger — comme vous, d'ailleurs.

Whiting s'appuya sur le dossier de sa chaise, comme quelqu'un qui a reçu une gifle. Il jeta un coup d'oeil autour de lui et remarqua, à l'extrémité du comptoir, un Noir qui portait un blouson d'aviateur en cuir. L'homme les écoutait, un vague sourire aux lèvres. Whiting le fixa un instant, et l'homme détourna le regard.

Whiting se retourna vers Jeanne.

— Nous serons à Youngstown ce soir et à New York jeudi après-midi. Nous n'avons pas parcouru trois mille kilomètres pour nous arrêter par simple fantaisie.

— C'est sur un caprice que nous sommes partis, dit-elle. Et si je m'arrête, c'est après mûre réflexion. J'ai passé la nuit blanche.

— Vous auriez eu besoin d'une bonne nuit de sommeil, lança Whiting.

— Je suis désolée, Jim.

Whiting secoua la tête.

— Ai-je devant les yeux l'actrice ou l'infirmière ? La rêveuse ou la réaliste ? Et laquelle ai-je eue comme compagne de voyage, au cours des derniers mille kilomètres ?

— Une femme qui essayait de se prouver que son mari l'aimait encore à la fin de sa vie, alors qu'en vérité il n'en était rien. Lyle avait raison. Et vous aussi. Roger voyait le monde se désagréger autour de lui. À chaque étape, il était plus déprimé. Et il a tourné toute sa colère et sa frustration contre moi parce qu'au milieu de ce chaos il ne pouvait laisser un enfant.

Whiting lui mit la main sur l'avant-bras.

— S'il n'a vu dans tout ça que confusion, c'est qu'il n'a pas vécu assez pour comprendre comment le vieillard de la côte du Maine tirait toutes les ficelles.

Jeanne secoua la tête.

— Nous parlons de deux choses différentes, Jim.

— Vous cherchez seulement un motif de fuir.

— Non, dit-elle avec fermeté. Roger fuyait. Moi, je rentre chez moi. Dans la grande maison, la nuit dernière, je me suis sentie au chaud et en sécurité. Je veux retourner là où je me suis toujours sentie ainsi. Je veux retourner chez moi.

— Jeanne, cette maison dans la prairie de l'Iowa n'est pas plus sûre qu'une autre... Nous voici presque arrivés à New York.

Des mains, elle se bouchait les oreilles, le regard perdu dans son assiette. Voilà qu'après chaque bouchée, la moitié des clients du restaurant regardaient vers la table de Jeanne et Jim.

— Billy Singer nous attend...

Jeanne gardait les mains sur ses oreilles et secouait la tête.

Whiting abandonna la partie.

— Vous croyez savoir ce que vous faites, mais vous n'êtes pas plus raisonnable qu'une enfant de trois ans.

Puis il grommela quelque chose qu'il regretta sur-le-champ.

— Pas étonnant qu'il vous ait quittée.

Rapide comme l'éclair, Jeanne saisit son verre d'eau et le lui lança. Il se baissa et le verre se brisa sur la cloison. À présent, toute la salle les observait et le Noir souriait.

— Eh bien ! eh bien ! cria la serveuse, dont l'uniforme arborait en broderie le nom de *Rosalie.* Qu'est-ce qui se passe ici ?

— Une petite dispute privée qui est en train de devenir publique, expliqua Whiting. Nous sommes désolés.

— Voyons, c'est un restaurant familial ici. Nous n'aimons pas les ennuis.

— Je suis vraiment désolée, dit Jeanne, tremblante. Nous vous rembourserons le prix du verre.

Un instant plus tard, Rosalie lui tapotait l'épaule.

— Ça ne fait rien, mon petit. Prenez votre temps, finissez votre repas et réconciliez-vous avant de partir.

Whiting sentait ses joues s'enflammer. Sa rougeur provenait en partie de son embarras, en partie des médicaments qu'il avait absorbés. Rosalie repartie, il s'excusa auprès de Jeanne et se glissa hors du compartiment. Dans la salle de toilette des hommes, il tourna le robinet et s'aspergea le visage d'eau froide. Puis il se sécha avec une serviette de papier. Devant le miroir, il se lissa la chevelure. Il prit quelques minutes pour préparer des excuses, poussa la porte battante, réintégra la salle à manger et s'arrêta net. Jeanne était partie. Il s'approcha du compartiment. Son anorak était plié sur le siège et l'on avait soigneusement déposé sur l'addition six billets avec quelques pièces. Whiting regarda, par la fenêtre, l'endroit où la Cherokee était stationnée. Plus rien. Il se dirigea vers la porte, en gesticulant pour enfiler les manches de son anorak.

— Pa'tie !

Whiting s'arrêta à l'extrémité du comptoir.

— Est pa'tie. Et c'te belle machine à quat'e 'oues mot'ices est pa'tie avec elle.

Le Noir avait les yeux dans sa tasse de café. Il pesait bien cent dix ou cent vingt kilos. Il était attablé devant un morceau de tarte aux pommes recouvert de crème glacée.

— Est pa'tie, répétait-il en levant les yeux vers Whiting. Avec cet abruti qu'est entré juste après vous.

— Qui, ça ?

— Est entré dans le restaurant tout de suite après vous. S'est assis à l'aut' bout du comptoir. Dès que vot' dame a décampé, le bonhomme a payé le repas qu'y avait pris et il est pa'ti derrière elle. Quand elle a démarré, il l'a suivie dans une Buick rouge.

— Avez-vous noté sa plaque d'immatriculation ?

C'était tout ce que Whiting trouvait à dire.

— De quoi j'ai l'air ? D'un superman avec des yeux aux rayons X ou quoi ?

Whiting tourna les talons et sortit dans l'air froid. Il boutonna son anorak et regarda la route vide. Il se sentait abandonné, sans défense. Il espérait que Jeanne fût simplement allée faire un tour pour retrouver son calme. Il marcha jusqu'au bout du stationnement. De là, il pouvait voir le pont. Dans la circulation pas très intense, il put repérer le toit vert de la Cherokee qui se déplaçait derrière le parapet. Et, à une centaine de mètres derrière elle, le toit rouge d'une voiture qui pouvait être une Buick.

— Ouais, dit une voix derrière lui. On dirait qu'elle est pa'tie vers l'ouest, et pis aussi le crétin qui l'a suivie.

Whiting se retourna vers le Noir.

— Qu'est-ce que je fous ? Elle m'a laissé sans voiture, avec cinq dollars dans mes poches et une carte de crédit expirée il y a une semaine.

— D'abord, tu voulais un Superman. À présent, tu demandes Jésus en personne. Mais c'est des Blancs. J'peux pas t'aider, vieux.

L'homme mesurait près d'un mètre quatre-vingt-seize. Il était tout en muscles, excepté le bourrelet de graisse autour de sa taille.

Whiting tourna la tête et regarda le pont.

— Dis donc, vieux, c'te femme, c'est-y ton numéro un ?

Whiting haussa les épaules sans quitter des yeux le pont.

— T'sais ce que j'veux dire. Ta bourgeoise, la fille qui te garde la tête sur les épaules ?

Whiting éclata de rire.

— Pour le moment, elle me met plutôt la tête à l'envers. Quant à être ma bourgeoise, je l'ai seulement touchée.

L'homme siffla entre ses dents.

— Elle baise pas, elle te vire la tête à l'envers. Pis, malgré ça tu restes planté ici comme un chien en rut à la porte de la niche d'une chienne. Mon vieux, tu t'es fait avoir par les femmes. Tu ferais mieux de courir après elle, parce que l'autre crétin va la rattraper et se l'envoyer pendant tout le voyage, jusqu'à San Luis Obispo.

— Comment faire ?

— *Maintenant,* je peux t'aider.

L'homme avait une grosse tête de félin, un nez large et plat, une barbiche soigneusement taillée ; son sourire laissait deviner qu'il avait roulé sa bosse et vécu mille aventures.

Il désigna du doigt la semi-remorque stationnée à l'extrémité du terrain. La remorque ne portait aucune marque. Mais la cabine était une Mac rouge, avec cheminées et garde-boue chromés, et le bouledogue de Mac, éclatant de chrome sur le capot.

Sur le flanc de la cabine, une enseigne soigneusement peinte proclamait en lettres d'or: « Henry Baxter, transporteur indépendant, Newark, New Jersey ».

— J'ai un chargement à livrer à Des Moines, et un autre à prendre à Iowa City. Chaque fois que je traverse le Mississippi, la population noire de l'Iowa grimpe de deux pour cent. Alors, on peut se permettre un détour.

L'intérieur de la cabine était luxueux. Henry se vantait de l'avoir conçu lui-même. Il y avait là deux sièges en cuir, un tableau de bord garni de cuir capitonné, digne d'un Boeing 747, et un magnétophone stéréo à cassettes dernier cri. Une cloison avec porte verrouillée séparait l'avant de la cabine d'un petit compartiment contenant un lit trois-quarts, une cantine, un petit réfrigérateur et un petit téléviseur Sony. Les murs du compartiment étaient recouverts d'une épaisse moquette brune. Accrochée au mur, la photo d'une femme plus âgée, la mère d'Henry.

— Ça te plaît ? demanda Henry tout en sortant le véhicule du stationnement.

— Tout le confort d'une maison, approuva Whiting.

— Ouais, sauf pour la trémie, mais j'aime ça comme c'est. Ça me laisse libre comme l'air, et pis y'a pas un coin que j'ai pas vu dans l'pays.

Il passa en deuxième vitesse. Whiting sentit l'hésitation du moteur, puis la reprise qui fit vibrer la cabine.

— Sur la route, t'es ton propre patron. Y a ben qué'ques entêtés ou qué'ques crétins sur les quais de chargement pour te faire chier. Pis, si ça devient trop enquiquinant, t'as qu'à leur demander le gros prix et tu fous le camp sur la côte.

Le camion approchait de la bretelle donnant accès à la I-80. Un panneau annonçait « Davenport, Iowa City, Hunter, Des Moines ». Le camion grimpa la bretelle en première vitesse puis, une fois sur le pont, se mêla en douceur à la circulation. La neige avait commencé à tomber, car la tempête filait vers l'est. Whiting écarquillait les yeux pour surveiller la route, à travers les flocons qui tournoyaient dans la rafale, au-dessus du fleuve. Quelque part, en avant d'eux, la femme de Roger Darrow faisait route vers l'ouest et quelqu'un la suivait.

Le pont franchi, Henry Baxter passa en douceur en troisième vitesse. Il prit une cassette sous le siège et la glissa dans le magnétophone. Des accords familiers emplirent la cabine. Whiting se mit à sourire.

Henry jeta un coup d'oeil à Whiting et glousa de rire.

— Je parie que t'attendais James Brown ou un autre gueulard du genre ?

— Je ne savais pas du tout à quoi m'attendre, avoua Whiting en riant.

— Bon, ça viendra plus tard, si t'es encore ici. Mais après le lunch, j'aime bien avec un peu de Vaï-valdi. Ça te rince l'intérieur.

Whiting reconnaissait à présent la musique tirée des *Quatre saisons.* Mais il ne corrigea pas Henry Baxter pour sa prononciation du nom du compositeur.

— Ça s'appelle « L'Inverno ».

Henry prononçait le titre avec un parfait accent italien — et un petit sourire pour indiquer à Whiting qu'il savait.

— Comme on s'en va vers la neige, j'ai pensé que « L'hiver » ferait bien l'affaire.

Pendant un moment, ils écoutèrent la musique ; Whiting regardait attentivement en avant. Il était midi. Et pourtant plusieurs véhicules qui venaient vers l'est, en direction opposée, allumaient leurs phares et Henry Baxter avait mis ses essuie-glace en marche.

— Maintenant, dis-moi un peu, commença Henry d'un ton soudain autoritaire, qui c'est le crétin qu'est aux trousses de ta petite amie.

— Je l'ignore.

— Tu te fiches pas ma gueule au moins ? dit Baxter, sur un ton plus proche de la menace que de la question.

— Je ne sais vraiment pas qui il est, répéta Whiting. Son mari a été tué il y a huit mois au cours d'un voyage à travers le pays. Nous, on essaie de retracer son itinéraire. D'après ce que je peux savoir, le type à la voiture rouge peut aussi avoir poursuivi son mari quand celui-ci a traversé le Mississippi.

— T'as vraiment dit que le mari a été *tué* ?

Whiting hocha la tête.

Henry siffla entre ses dents.

— Es-tu un trafiquant de drogue ou quelque chose comme ça, vieux ? Tu transportes de la coco et tu ne veux pas le crier sur tous les toits ?

— C'est la veuve du producteur de télévision qui a fait *Flint.* Je suis son caméraman à elle.

— Tu veux parler du *Flint* de Peter Cross ? demanda Henry, intrigué.

Whiting acquiesça.

— Tu vas me filmer si je rattrape ta compagne ? Me faire passer à la télé ?

— On filmera toute l'histoire de Henry Baxter et de son camion.

— Bon.

Henry fit un signe de tête, puis reprit son ton autoritaire.

— Est-ce qu'elle sait conduire dans la neige ?

— Elle vient de Los Angeles.

— T'sais, la route va devenir drôlement glissante dans pas longtemps. Au moins, elle a un véhicule à quatre roues motrices.

Il tendit la main et poussa l'interrupteur de sa radio C.B.

— Est-ce que sa radio est en marche quand elle conduit ?

Whiting secoua la tête.

— Bon, de toute façon, on va voir si on peut lui parler. Allô, allô, le Bébé de Big Mama appelle Madame Cherokee Flint, lança-t-il dans le micro.

— Qui ?

— Big Mama. C'est mon indicatif.

— Et l'autre nom ?

— Madame Cherokee Flint ? C'est une invention à moi.

— Elle pourra jamais comprendre.

— Pourquoi pas ? coupa Henry, l'air offensé. Elle conduit une Cherokee, et son ancien type a été le producteur de *Flint*.

— Bon... disons qu'elle n'a aucune imagination.

Henry appuya de nouveau sur le bouton du micro :

— Allô, allô, le Bébé de Big Mama appelle... (Du regard, il interrogeait Whiting.)

— Jeanne Darrow.

Henry essaya plusieurs fréquences, sans obtenir de réponse. Il raccrocha le micro, mais laissa le récepteur en marche.

— C'te femme doit être dingue ou qué'que chose comme ça, pour se lancer dans une tempête de neige sans être habituée ?

Whiting secoua la tête. Pour l'instant, il ne savait plus qui était dingue.

— Hé, le Bébé de Big Mama !

Une voix de femme grésillait dans le récepteur C.B.

Henry empoigna le micro et baissa le ton du magnétophone à cassettes.

— Il paraît que vous cherchez une femme ? À vous.

On aurait dit que Henry se pavanait devant le micro.

— À qui c'est que j'ai le plaisir de parler ? À vous.

— Laverne et Shirley. À vous.

Whiting jeta un coup d'oeil à Henry :

— Laverne et Shirley ?

— Ouais, dit Henry. C'est deux camionneuses. Voyagent toujours ensemble. Une porte des blousons de cuir et une coiffure à la John Travolta. L'autre aime les T-shirts roses avec ses initiales imprimées sur les nichons. Mais c'est des chouettes pépées, vraiment chouettes.

Il disait cela d'un ton sincère. Puis il appuya sur le bouton de l'émetteur.

— Bon après-midi, mesdames. Fait longtemps qu'on n'a pas jasé. J'peux-t'y vous demander ce que vous fichez dehors par c'te putain de journée ? On sait ben — chacun essaie de gagner sa croûte. J'espère que z'allez bien. À vous.

— Tout va pour le mieux, Big Mama, dit une autre voix, plus douce. Où c'est que vous êtes? À vous.

— Direction est sur la I-80, sommes depuis dix minutes en Iowa. La neige commence à tomber plus fort ; p't-être ben que dans quinze minutes on va devoir accrocher des grelots à nos camions, comme à des traîneaux. À vous.

— On a à peu près quinze minutes d'avance sur tous les autres, reprend la voix. Et ça devient un peu difficile ici. Ça serait pas si mal s'il y avait pas tous ces petits chaperons rouges qui s'en vont chez leur grand-maman. À vous.

— Parlant de rouge, j'ai un copain ici qui en pince pour une dame au volant d'une Cherokee verte. Et la p'tite dame, elle se fait draguer par un type qu'est au volant d'une Buick rouge. Z'avez vu une des deux autos ? À vous.

— Hum, hum, fait la voix la plus grave. Bizarre, ton histoire, Big Mama. Mais, question de fait, v'là huit kilomètres qu'on joue à saute-mouton avec cette peau-de-vache en Buick rouge. Et la Cherokee, elle nous a doublées y a à peu près dix minutes. Faisait quasiment du cent dix à l'heure...

— Du cent dix !

Whiting sentit un de ses organes internes lui monter à la gorge. Il espérait qu'il ne s'agissait pas du rein, et le ravala aussitôt.

La voix continuait à crachoter dans le récepteur :

— Depuis ce moment-là, on s'attend à la voir pirouetter dans le décor. À vous.

— Très bien, mesdames, dit Henry. Prenez pas de risques inutiles, mais si vous rattrapez c'te poulette, pourriez pas lui faire signe de mettre en marche sa radio C.B. ?

— C'est ben parce que c'est toi, Big Mama. À un autre mec, on répondrait de se démerder tout seul, répondit la voix la plus grave. Mais on se souvient de la fameuse étape de Boston. On va faire de not'mieux. Terminé.

— Bien joué !

Henry raccrocha le micro et se tourna vers Whiting, dont le visage était d'une pâleur livide.

— T'en fais pas, vieux, vont la rattraper. Me doivent une fière chandelle.

— Pourquoi ?

Eh ben, un soir, dans un restaurant routier de Boston, un camionneur essayait de faire des avances à Shirley. Laverne s'est mise en rogne et a commencé à cogner. Si je m'en étais pas mêlé, c'te restaurant servirait encore à déjeuner de la purée de camionneuse.

Whiting eut un rire nerveux.

— T'en fais pas, mon vieux, personne peut maintenir du cent-dix par un temps pareil.

Des flocons lourds et humides s'écrasaient contre le pare-brise et s'amoncelaient au bord de la route. La densité de la circulation avait empêché l'accumulation de la neige sur les voies qu'utilisaient les véhicules, mais leurs surfaces étaient humides et glissantes, et la visibilité diminuait sans cesse. Henry haussa le volume du magnétophone pour mieux entendre Vivaldi, alluma ses phares et fonça dans les rafales de neige en grimaçant.

À quinze minutes de là, en avant d'eux, l'autoroute se réduisait à deux voies, la vitesse moyenne tombait à soixante-cinq kilomètres/heure, et la neige commençait à adhérer au sol.

— Allô, allô. Fréquences 1-4. Laverne et Shirley appellent le Bébé de Big Mama. À vous.

Henry garda les deux mains sur le volant et demanda à Whiting de prendre le micro.

— Appuie sur le bouton et donne-leur ton indicatif. Dis donc, au fait, c'est quoi ton nom?

Whiting se nomma, puis appuya sur le bouton:

—Ici, le Bébé de Big Mama. À vous.

Henry éclata de rire, en hochant la tête en signe d'approbation.

— On est sur le point de rattraper ta petite amie, dit la voix douce. Opération très risquée. Elle roule dans la voie de droite à soixante-quinze kilomètres à l'heure ; est ben trop près du camion qui la précède. À vous.

— Avez-vous vu la voiture rouge ? demanda Whiting.

Pas de réponse. Henry lui rappela qu'il devait dire « À vous ».

— À vous.

— Ouais, y est quelque part en arrière, mais le type est pas assez dingue pour conduire aussi vite que c'te pépée. À vous.

Whiting ne savait pas quoi ajouter. Il regarda Henry, qui empoigna le microphone :

— On attend d'vos nouvelles, mesdames. Terminé.

Il raccrocha le micro. Laverne et Shirley, dont les noms réels étaient Valérie et Rebecca, conduisaient un gros camion Kenworth jaune et transportaient vers Des Moines un chargement de rouleaux de câbles. Au moment où le camion doublait la Cherokee verte, Shirley ouvrit la fenêtre et se baissa vers Jeanne :

— Hé ! hurla-t-elle pour couvrir le bruit du moteur.

Jeanne ne leva pas les yeux. Elle avait les mains comme gelées sur le volant, et les yeux rivés sur les feux arrière du camion qui la précédait.

Laverne jeta trois grands coups de klaxon. La voiture de Jeanne fit un bref crochet, mais garda la route. La transpiration perlait à sa lèvre supérieure. Voulant ralentir, elle mit le pied sur le frein, mais eut peur de s'arrêter trop rapidement. Whiting lui avait dit qu'un arrêt brusque pouvait provoquer un dérapage. Et ce sacré camion, dont l'avertisseur lui inspirait une frayeur mortelle.

Lorsqu'elle se sentit de nouveau maîtresse de son véhicule, elle lança vers le camion un regard plein de colère. Puis elle regarda plus attentivement.

Une jeune femme au pull rose orné d'un monogramme, à la chevelure blonde gonflante, à la bouche peinte de rouge vif, se penchait à la fenêtre ; dans les rafales de neige, elle adressait à Jeanne des signaux frénétiques.

Parce qu'il s'agissait d'une femme et probablement en raison de son aspect bizarre, Jeanne, prudemment, quitta d'une main le volant et abaissa la vitre. L'air froid et la neige humide lui cinglèrent le visage.

— Qu'y a-t-il ? hurla-t-elle.

Mais les mots se perdirent dans la tempête.

La blonde rentra la tête dans la cabine, puis réapparut en tenant à la main un micro de radio C.B. Pointant du doigt le micro, elle faisait signe à Jeanne de mettre son récepteur en marche. Jeanne allongea le bras pour actionner l'interrupteur.

— Fréquence 1-4. Laverne et Shirley appellent Big Mama. À vous.

Henry répondit.

— Ma coiffure est complètement gâchée, dit Shirley, mais on a réussi à rejoindre la p'tite dame. Appelez-la. À vous.

— Nos remerciements, mesdames, dit Henry. On vous doit une permanente et une grosse bise juteuse. À vous.

— Pouah ! fit Shirley. Terminé.

— Allô, allô, lança Whiting. J'appelle Madame Jeanne Darrow. Madame Jeanne Darrow, à vous.

Aucune réponse.

— J'croyais que c'était ta petite amie, dit Henry. Appelle-la pas m'ame ! Appelle-la mon bébé, ma cocotte, ou une connerie du genre. Et dis-lui ton bordel de nom, qu'elle te prenne pas pour un cochon de camionneur en rut.

Whiting appuya à nouveau sur le bouton :

— Allô, allô. Whiting appelle Jeannie. Whiting appelle Jeannie. Répondez, s'il vous plaît. À vous.

Henry secoua la tête :

— Répondez, s'il vous plaît ! On n'a pas entendu ça sur la route depuis Marconi.

La voix grésilla dans le récepteur de la Jeep Cherokee, et fit encore sursauter Jeanne :

— Whiting appelle Jeannie. Si vous m'entendez, prenez votre micro, appuyez sur le bouton et dites-le moi. À vous.

Elle allait saisir le micro, mais retira la main. Non. Elle n'allait pas lui parler. Elle n'allait pas se laisser convaincre encore une fois de faire demi-tour. Tout se mêlait dans sa tête. Elle regrettait de l'avoir abandonné en pleine tempête dans un restaurant de l'Illinois. Mais les explications n'y changeraient rien.

Jeanne vit s'allumer les feux d'arrêt du camion qui roulait devant elle et qui se mit à déraper. Elle savait bien qu'à soixante-cinq kilomètres à l'heure, elle ne pouvait s'arrêter, malgré ses quatre roues motrices. Elle empoigna le levier de vitesses et posa le pied sur la pédale du débrayage. Elle se souvenait des instructions de Whiting : dans la neige, ne jamais freiner brusquement ; mieux vaut rétrograder.

Elle vit s'éteindre les feux d'arrêt du camion et se redresser sa trajectoire. Elle rétrograda en deuxième vitesse et franchit sans encombre la plaque de glace. Pour la première fois en neuf ans, elle eut le goût d'une cigarette. Elle s'agrippa au volant, sans quitter des yeux les feux arrière du véhicule qui la précédait. Sur la route, à cent mètres en arrière, les phares du Kenworth de Laverne et Shirley disparaissaient dans la neige.

La vitesse moyenne n'était plus que de cinquante kilomètres. Les conditions traîtresses se compliquaient encore des pentes et des courbes qu'imposait à la route le paysage de l'Iowa.

— Allô, allô, Jeannie, ici Jim. Voudriez-vous répondre s'il vous plaît ? À vous.

Elle conduisait tout en essayant de se concentrer. Luttant pour sa propre survie, elle ne pouvait se laisser distraire. Et elle avait peur. Elle se redisait en elle-même que Lynne Baker avait raison. Roger ne méritait pas tout cela. Pas plus que l'homme qui l'appelait à présent à la radio. Elle tendit la main pour éteindre le récepteur.

— Si vous ne voulez pas me répondre, écoutez-moi tout au moins, disait Whiting dans le haut-parleur. Quelqu'un vous suit.

Elle jeta un coup d'oeil dans le rétroviseur. Mais elle ne put rien voir au-delà des rafales de neige ou des phares du véhicule qui la suivait.

— Nous ignorons son identité. Mais il est entré à notre suite dans le restaurant où nous avons déjeuné. Soyez prudente, Jeannie.

La voix se brisa, puis ajouta :

— Il faut répondre, Jeannie. S'il vous plaît. À vous.

Les parasites se mirent à crépiter dans le haut-parleur du camion de Henry Baxter.

— Pourquoi ne répond-elle pas ? dit Whiting.

— C'est pas à moi que tu dois poser la question. C'est ta bonne femme. Moi, je suis conducteur de camion, pas psychologue.

Whiting regardait l'émetteur, comme si cela pouvait l'aider à imaginer la personne à l'autre bout.

— Allons, Jeannie, murmurait-il. Parlez-moi.

— Allô... Whiting...

La voix était faible, hésitante.

Whiting empoigna le micro et pressa le bouton :

— Jeannie ? Allô ?

— Eh, vieux, dit Henry. Elle a pas dit « À vous ». Elle peut pas t'entendre tant qu'elle a pas ôté son doigt du bouton. T'attends qu'elle dise « À vous » puis tu te lances.

Après quelques moments d'une communication perturbée par les parasites et par le chevauchement des interlocuteurs, la voix de Jeanne crépita de nouveau :

— Whiting ? Si vous m'entendez, faites-le moi savoir.

Whiting appuya sur le bouton.

— Jeannie, nous sommes à environ quinze kilomètres derrière vous. Ces appareils radio fonctionnent dans les deux sens. Lorsque vous désirez que je vous réponde, dites « À vous ». Compris ? À vous.

— ... une Buick rouge derrière moi. À vous.

La voix terminait une phrase dont Whiting avait raté le début.

Henry Baxter pouffait de rire.

— Pas étonnant que ça gaze pas entre vous. Zéro pour la communication.

Whiting appuya sur le bouton :

— Pouvez-vous répéter ? À vous.

— Je sais parfaitement utiliser cette sacrée radio, assurait Jeanne. Mais pourquoi dites-vous *nous ?* Et comment savez-vous qu'il y a une Buick rouge derrière moi ? À vous.

— *Nous,* c'est mon ami Henry Baxter et moi. Et je sais que cette sacrée Buick rouge vous suit, parce que je l'ai vue.

— Bien dit, mon gars, fit Henry, qui aimait le ton de Whiting. Montre-lui qui porte la culotte.

— Il faut que je vous parle, Jeannie, poursuivait Whiting. Vous devez vous arrêter. Si le type à la Buick rouge ne vous arrête pas, c'est le mauvais temps qui va le faire. À vous.

— Espèce de salaud ! hurla-t-elle en évitant un dérapage. Je suis morte de peur et vous venez encore en remettre. Je rentre chez moi. Terminé.

Elle raccrocha le micro et tendit la main vers l'interrupteur.

— Jeannie, suppliait la voix de Whiting.

Encore une fois, elle le laissait parler.

— Décrochez encore votre récepteur quelques minutes, que nous puissions nous parler. À vous.

Elle reprit le micro :

— Et permettre au gars à la Buick rouge de me rattraper ? On ne sait même pas son sacré nom. À vous.

— C'est justement le problème, répondit Whiting.

Jeanne avait les jointures blanches de froid sur le volant. Elle devait se concentrer sur la conduite de son véhicule. Mais Whiting avait raison. Ils devaient se parler. Elle ne pouvait pas l'abandonner au milieu de l'Iowa. Elle rentrait chez elle, quoi qu'il pensât de ce geste impulsif. Mais elle pouvait, à tout le moins, lui rendre ses bagages.

Elle pressa le bouton.

— Je suis... je suis... — il lui répugnait de l'admettre — merde, j'ignore comment faire pour m'arrêter sur cette glace. À vous.

— Jeannie, la traction à quatre roues est la plus sûre...

Parasites. Jeanne tendit la main et tenta de régler le récepteur.

— ... À vous.

Whiting fixait le haut-parleur, dans l'attente d'une réponse. Parasites. Il regarda Henry.

— Peut-être qu'elle t'a pas entendu. Des fois, par mauvais temps, la réception fout le camp. Ça va revenir. Parle-lui encore et, cette fois, dis-lui qu'elle a comme instructeur un des meilleurs camionneurs des États-Unis. Ça va la rassurer.

Jeanne saisit le micro et appuya sur le bouton.

— Whiting, Whiting, je vous ai perdu. M'entendez-vous ?

Parasites.

Elle appela de nouveau, tout en essayant de voir quelque chose dans les rafales de neige.

Whiting l'entendait à peine. Du haut de la cabine, il regardait les véhicules qui, en avant du camion, avançaient péniblement dans la tempête. Il appuya sur le bouton et répondit.

Très faiblement, elle percevait sa voix. Elle devait lui parler sans tarder. Elle avait fait une folie en prenant la fuite.

La Cherokee avait atteint la crête d'un coteau et s'apprêtait à la descente. D'une main, Jeanne tenait le volant et, de l'autre, elle s'efforçait d'ajuster le récepteur.

Alors s'allumèrent les feux arrière du camion, qui se mit à glisser.

Jeanne empoigna le levier de vitesses et rétrograda en première. Elle crut avoir gardé la maîtrise de son véhicule. Puis, le camion commença à zigzaguer et Jeanne aperçut, juste devant lui, l'éclat d'un phare. Que se passait-il ?

D'instinct, elle enfonça la pédale du frein. Devant elle, d'autres phares. Le camion avait fait un tête-à-queue, et Jeanne fonçait droit sur lui.

La quatre-portes qui précédait le camion frappa le parapet et balaya la largeur de la route, où le camion la heurta à son tour. Jeanne appuyait désespérément sur le frein tout en essayant de se rappeler si sa ceinture de sécurité était bouclée.

Elle vit s'immobiliser l'arrière du camion et la quatre-portes qui était devant celui-ci parut bondir. Jeanne braqua le volant, dans l'espoir de contourner le camion. Elle entendit un bruit sinistre : sa voiture heurtait le camion sur le côté. La quatre-portes bondit de nouveau. Jeanne regarda sur sa gauche et aperçut les phares de la voiture qui la suivait ; ils fonçaient droit sur sa portière. Elle ferma les yeux et sentit le métal s'écraser.

Henry Baxter aperçut d'abord les clignotants. Il étendit le bras et syntonisa la fréquence de la police.

— Nous allons avoir besoin de toutes vos unités disponibles, disait le policier accouru sur les lieux de l'accident. Avec les pompiers et les ambulances. Il y a des blessés, et peut-être un mort. À vous.

— Ah, combien de véhicules, avez-vous dit ? À vous.

— Huit.

À la réception du dernier message de Jeanne, Henry avait fait en sorte de se glisser sur les traces louvoyantes d'un chasse-neige. Chacun de ces engins repoussait la neige dans l'allée voisine jusqu'à ce que le dernier en débarrassât la route. Des épandeuses automatiques placées à l'arrière de chaque camion lançaient sur la route une grêle de sable. Malgré le déblaiement des chemins, la circulation venait une fois de plus de ralentir. À présent, Henry en connaissait la raison.

— On dirait un fameux carambolage.

Whiting aperçut les feux rouges et bleus clignoter dans la tempête. Ni Henry ni lui ne remarquèrent la Buick rouge, déjà couverte de neige, sur le côté de la route.

— Ouais, poursuivait le policier à la radio. Huit véhicules. Sept avec des plaques de l'Iowa, et une Jeep Cherokee immatriculée en Californie...

— Oh ! Seigneur, dit Whiting.

Henry mit une main sur le genou de Whiting.

— Calme-toi, vieux. Te mets pas dans tous tes états avant de savoir pourquoi.

Au long des vingt-cinq derniers kilomètres, Whiting s'était senti impuissant, complètement déphasé, furieux contre Jeanne, furieux aussi de l'avoir lui-même entraînée dans cette aventure. Whiting sentait le sang lui battre les tempes.

Henry Baxter, entré dans l'allée de service, se faufila près du lieu de l'accident, jusqu'à ce qu'un garde mobile lui fit signe de reculer.

— Nous avons besoin de cette allée pour les véhicules de sécurité, hurla-t-il. Ramenez votre camion sur la route.

Henry déclara que Whiting était le mari d'une des victimes. Whiting sauta alors de sa cabine et se mit à courir.

— Souviens-toi, vieux, garde ton sang-froid ! cria Henry.

Huit automobiles embouties les unes dans les autres. Des pare-brise fracassés. Des avant-trains pliés en accordéon. Du verre brisé craquant sous les talons. L'éclat d'un phare émergeant de la neige. Et Whiting qui courait.

L'odeur de l'essence. L'odeur de l'antigel chaud. Des cris humains. Un ambulancier hurlant ses instructions. Deux femmes enveloppées dans des couvertures, debout près du parapet. Un policier prenant en note le récit d'un des chauffeurs. Trois pompiers et un ambulancier ouvrant de force une petite voiture. Et Whiting qui courait.

Une ambulance démarra dans un hurlement de sirène, et ses clignotants disparurent dans les nappes de neige.

Une civière vint barrer la route de Whiting, qui faillit trébucher par-dessus. Une couverture dissimulait une forme humaine.

— Attention ! cria l'ambulancier.

Whiting regarda le corps.

— Whiting ! par ici !

Jeanne était agenouillée près d'une autre civière. Elle tenait à la main un flacon de lactate de Ringer, injecté par voie intraveineuse à un blessé. Elle tremblait.

— Vous n'avez rien ? demanda Whiting d'une voix brisée.

Elle lui fit signe que non. Puis elle secoua de nouveau la tête, à plusieurs reprises.

Un ambulancier s'empara du flacon de solution intraveineuse. Jeanne se leva et s'éloigna de la civière.

Elle leva les yeux vers Whiting, puis cligna pour débarrasser ses cils des flocons de neige. Whiting et Jeanne étaient fouettés par le vent. Jeanne frissonnait, nu-tête et n'ayant sur elle qu'un léger gilet molletonné. Whiting l'entoura de ses bras. Elle ouvrit l'anorak de Whiting et, de ses bras glissés à l'intérieur, lui enlaça la taille. De sa chaleur, Whiting réchauffait Jeanne.

27

Vers minuit, vingt centimètres de neige fraîche recouvraient le chaume, dans les champs de maïs de l'Iowa, et un nouveau front froid balayait le Middle-West. Au-dessus de Des Moines, l'obscurité du ciel était parsemée d'étoiles glacées. La I-80, dégagée de sa neige et saupoudrée de calcium, était ouverte à la circulation, du Nebraska jusqu'au Mississippi et même au-delà.

Henry Baxter avait livré à un grossiste, en banlieue de Des Moines, sa cargaison de vêtements, qui tous portaient l'étiquette syndicale ILGWU *. Il filait vers l'est, pour cueillir un réfrigérateur dans une petite conserverie d'Iowa City, et livrer à Youngstown, dans une usine de transformation de la viande, un chargement de carcasses de porcs congelées. Pour le moment, il n'avait à son bord que deux voyageurs épuisés, avec leurs bagages — et leur matériel d'enregistrement magnétoscopique, que l'accident avait épargné.

— On va arriver à Iowa City dans une couple d'heures, dit Henry. On piquera un somme sur le quai jusqu'à six heures, on prendra le chargement et hop, en route. On devrait être à Youngstown à temps pour prendre le thé avec Billy.

La Jeep Cherokee avait été complètement démolie dans l'accident, mais la taille du véhicule avait permis à Jeanne de s'en tirer avec quelques égratignures et une raideur au cou. La Cherokee avait été remorquée jusqu'à une station-service, où un agent d'assurances prononcerait son oraison funèbre. Jeanne avait été transportée dans un hôpital, soignée et libérée.

Henry Baxter était resté avec eux parce que, avait-il expliqué, il aimait la compagnie, qu'ils se dirigeaient tous vers la même ville, et que lui-même avait toujours désiré rencontrer Billy Singer. Il leur avait proposé de les amener à Manhattan pour le vendredi et leur avait, en échange, arraché la promesse de le présenter à l'évangéliste. « Rendons grâces à Dieu », s'était exclamé Henry dans un sourire, devant l'accord de Whiting.

— À présent, vous avez besoin d'intimité, dit Henry. Glissez-vous à l'arrière de la cabine, servez-vous au bar, réchauffez-vous l'un l'autre et faites comme chez vous.

Jeanne se regardait le bout des souliers.

— Pour l'instant, dit-elle, je dormirais, si j'étais chez moi.

— Bon, vous dormez, et vous laissez Whitey... il eut un petit rire en prononçant ce sobriquet qu'il avait imaginé quelques heures plus tôt dans un moment d'inspiration, pour désigner Whiting... vous laissez Whitey faire ce qui lui paraît naturel à *lui*. Il m'a pas l'air d'avoir tellement envie de dormir.

Malgré l'obscurité de la cabine, Jeanne crut voir Whiting rougir jusqu'aux oreilles. Elle éclata de rire, heureuse de ce que la présence de Henry facilitât les choses entre Whiting et elle. Il avait le sens de l'à-propos et savait quand être sérieux, lubrique ou calme. Et elle lui était reconnaissante de s'être trouvé ce matin-là dans le même restaurant qu'eux. Sans lui, la distance qui la séparait de Whiting aurait dépassé de beaucoup le simple kilométrage d'une journée.

---

* International Ladies Garment Workers, ou Union internationale des ouvriers et ouvrières du vêtement pour dames. (Note du traducteur).)

— Allez, dit Henry en désignant le petit compartiment. Tirez les rideaux et z'en faites pas pour moi. J'ai du café pour me tenir réveillé, et mon radio C.B. pour me rappeler à mes oignons.

— Vous savez que c'est illégal ? dit Jeanne.

Henry regarda Whiting.

— Un rabat-joie, c'te fille, pas vrai ? Tout d'abord, elle a sommeil. Et pis v'là qu'elle me dit — il se tourna vers elle — qu'est-ce qu'est illégal, au fait ?

— Les écouteurs, répondit-elle.

— Ouais, et c'est illégal, itou, de s'allonger comme vous deux dans mon petit lit quand on est pas mariés.

Il se plaça les écouteurs sur les oreilles.

— Et pis, de conclure Henry, je vous dénoncerai pas si vous me dénoncez pas.

Whiting et Jeanne lui souhaitèrent bonne nuit et se glissèrent dans le compartiment. Ils restèrent longtemps couchés l'un à côté de l'autre sur le lit étroit, bercés par le ronronnement du moteur. Ils avaient posé sur le sol leurs souliers et leurs pulls et, épuisés, s'étaient enveloppés d'une couverture.

— Je suis désolée, murmura Jeanne après plusieurs kilomètres de silence. Désolée d'avoir pris la fuite aujourd'hui.

Whiting lui caressait les cheveux.

— C'est déjà oublié.

— Il faut continuer notre voyage, jusqu'au Maine, dit-elle.

— Je m'arrêterai quand tu le voudras, répondit Whiting.

Elle le regarda dans les yeux.

— Ça n'était pas seulement Roger que je fuyais.

Il glissa ses bras autour d'elle. Il sentait contre sa poitrine la douceur de ses seins.

— Je suis heureux de ta fuite, dit-il. Elle m'a obligé à te poursuivre.

— Ce n'est pas pour ça que je me suis enfuie. Mais à un certain moment, j'ai pris conscience que j'avais besoin de quelqu'un qui s'intéresse à moi, pas d'un mort qui peut-être longtemps avant son départ, ne se souciait déjà plus de moi.

Par intermittence, les phares des véhicules venant en direction opposée jetaient un éclair dans le petit compartiment. L'espace d'un instant, Jeanne et Jim pouvaient voir le visage, l'un de l'autre. Puis tout replongeait dans l'obscurité.

Elle lui caressa la joue.

— J'ai pensé à toi, juste avant que cette voiture me frappe.

Il l'embrassa longuement, le temps de franchir deux kilomètres ou plus.

Whiting laissa glisser ses mains jusqu'aux poches de son jean à elle. Des éclairs de lumière traversaient encore le compartiment et sillonnaient le plafond. Cette nuit-là, l'amour ne fut que ce baiser. Whiting n'était pas encore certain de *pouvoir* aller plus loin. Et aucun d'eux ne voulait, par trop de hâte, mettre en danger le fragile édifice qu'ils étaient en train de construire, laissant au temps et à l'intimité le soin de l'affermir. Ils s'allongèrent donc simplement dans les bras l'un de l'autre et, bercés par le rythme du moteur, s'endormirent.

Ils se réveillèrent brièvement, en sentant le camion ralentir, puis reculer. Whiting regarda à l'extérieur et vit qu'ils se trouvaient sur une aire de chargement. Quelques ampoules répandaient sur la plate-forme une lumière lugubre. Deux autres semi-remorques étaient stationnées au même endroit, mais tout restait inactif. Whiting jeta un coup d'oeil à sa montre : trois heures trente.

Le grondement du moteur s'arrêta. Whiting entendit Henry se glisser sur le siège du passager, s'allonger confortablement et s'endormir.

Whiting se retourna vers Jeanne et referma ses bras autour de sa taille.

— Où sommes-nous ? murmura-t-elle d'une voix ensommeillée.

— À l'abattoir.

Elle hocha la tête, en signe d'approbation, puis sombra de nouveau dans le sommeil.

— Je t'aime, murmura-t-il, sans savoir si elle l'entendait.

L'endroit commença à s'animer à cinq heures trente. Whiting entendit Henry s'éveiller, descendre du camion et crier une obscénité à un individu qui se trouvait sur le quai. Les moteurs avaient été coupés pendant deux heures et Whiting pouvait voir dans le compartiment la vapeur de son haleine. Frissonnant, il quitta le lit.

Puis il regarda par la fenêtre. La première équipe de jour arrivait, longue file de dépeceurs taciturnes et somnolents, où quelques bavards faisaient la conversation aux autres.

Le maïs de l'Iowa servait à engraisser les porcs et les boeufs de l'Iowa. Les dépeceurs de l'Iowa dépeçaient la viande qui allait nourrir l'Amérique. Comme leurs homologues du monde entier, ils étaient exposés aux accidents inhérents à leur travail : le doigt qu'on perd, coupé par le couteau qu'on doit manier trop vite sur une chaîne d'assemblage au rythme trop rapide ; la main broyée dans un hachoir à viande ou dans quelque autre machine ; et une propension à l'alcool, auquel on demande la chaleur perdue au long de la journée de travail dans une chambre froide.

À quelques mètres de là, un camion reculait vers l'aire de chargement. À travers la ridelle, Whiting put apercevoir ici des sabots et du foin, et là, à mi-hauteur, de gros yeux bovins qui le regardaient. Ainsi isolés du reste du corps, ces yeux paraissaient intelligents, éveillés, conscients de ce qui s'en venait. Whiting sentit l'odeur de bétail, d'excréments et de peur, qui lui donna presque envie de vomir.

À six heures du matin, Henry, Jeanne et James avaient repris la I-80, avec un chargement de têtes et de pieds de porcs à destination de Youngstown, dans l'Ohio. Lorsqu'ils traversèrent le Mississipi, le soleil émergeait d'un banc de nuages pourpres, dernier vestige de la tempête de la veille.

À la sortie du pont, Henry jeta un coup d'oeil dans le rétroviseur et se mit à rire.

— Je ne sais pas qui est ce type, mais il veille sur nous comme une vraie nourrice.

Whiting regarda dans l'autre rétroviseur. La Buick rouge les suivait à nouveau. À moins de cinq cents mètres.

— Je croyais que nous l'avions semée.

— C'est p't'être ben un des anges de Billy Singer qu'est là pour veiller sur nous.

— Ces gens poursuivent un but contraire aux intérêts de MacGregor Communications, dit Len Haley. C'est pourquoi, mon révérend, je vous conseille vivement de ne pas les recevoir.

Billy Singer était assis derrière son bureau, les mains croisées sur le buvard. Le dessus, de marbre, offrait une surface nue, libre de tout papier et de tout stylo. À sa gauche, un simple téléphone. À sa droite, une photographie encadrée de sa famille, et un crucifix en étain. Derrière lui, une vaste baie vitrée dominait la vallée où les fonderies de Youngstown produisaient de l'acier et de la gueuse. À côté de la fenêtre, une bible grande ouverte sur un lutrin.

— Monsieur, dit-il, je ne renvoie pas les pèlerins qui frappent à ma porte.

— Il vaudrait mieux que vous évitiez ceux-ci, mon révérend. Un de mes hommes les a pris en filature dans le Mississippi et les a suivis jusqu'au centre de l'Illinois. Ils seront ici ce soir.

Haley parlait d'un ton respectueux ; il n'avait pourtant aucune considération pour les hommes d'Église, qu'il s'agît de prédicateurs de la télévision ou d'archevêques de l'Église épiscopalienne.

Singer se pencha au-dessus de son pupitre :

— J'ai regardé cette Vicki Rogers à la télévision, reconnut-il. Elle laisse entendre que ces individus sont en train de dévoiler une sorte de complot, dont nous faisons tous partie.

— Elle se laisse entraîner.

— Vous avez bougrement raison, en effet. Nous utilisons simplement les outils que Dieu nous a donnés pour répandre Sa Parole, et ça je suis prêt à l'affirmer à n'importe qui, y compris à la veuve de Roger Darrow et à son Rein.

— Donc, je ne peux pas vous convaincre de leur refuser votre porte ?

Singer secoua la tête.

— Mais, mon révérend, ils peuvent détruire tout ce qu'Andrew MacGregor, Vaughn Lawrence et vous-même avez construit pendant ces deux dernières années.

— Andrew MacGregor est un disciple de mon Église, dit Singer, imperturbable. Grâce à lui, mon ministère a grandi. Mais je n'ai rien à faire avec Vaughn Lawrence.

— Eh bien, à compter de vendredi prochain, que vous le vouliez ou non, vous travaillerez pour lui, dit Haley avec un petit sourire.

Singer ne sourcilla pas.

— Selon le contrat classé dans les dossiers de MacGregor à New York, vous avez accepté que la société MacGregor Communications, ses filiales et ses cessionnaires gardent, pendant une période de cinq ans, droit de veto sur toutes les décisions que prendra le réseau de télédistribution de l'Église de la Sainteté évangélique au sujet de sa programmation. En échange de cela, vous avez le studio que MacGregor a fait construire et vous a cédé, le réseau d'ordinateurs est à votre disposition pour l'organisation de votre Église et, grâce au système de télédistribution en duplex, vous communiquez avec vos fidèles.

Billy Singer se leva et fit quelques pas jusqu'à son lutrin.

— Dites-moi une chose, monsieur Haley. Que se passe-t-il entre votre patron et Andrew MacGregor ? Comment un animateur d'émissions-concours peut-il combattre avec acharnement une tentative de mainmise et, un an et demi plus tard, occuper un poste important dans la direction de la compagnie qui essayait de le bouffer ? Par quel miracle cela peut-il se produire ?

— Premièrement, répondit Haley, Vaughn Lawrence est mon client, et non pas mon patron. Dans bien des domaines, lui et MacGregor ont la même perspective. Ils sont persuadés que des hommes qui possèdent la même tournure d'esprit doivent unir leurs forces pour tirer avantage des systèmes qu'ils ont créés.

— Mais Vaughn Lawrence et Billy Singer sont loin d'avoir la même perspective sur les choses de l'esprit, n'est-ce pas ? Je suis un homme de Dieu, et lui un homme de Mammon !

— Billy Singer et Vaughn Lawrence, corrigea Haley dans un sourire, sont d'accord sur le potentiel de Reuben Merrill comme candidat aux plus hautes fonctions politiques.

Billy Singer se rassit avec lenteur, comme si cette répartie présentait un intérêt particulier.

— Mon révérend, continua Haley, vous êtes tous deux des hommes influents. Vous savez atteindre les gens par l'écran cathodique. Comme mon client, vous reconnaissez qu'avec l'appui de MacGregor, vous pouvez commencer à changer la manière de penser de tout le pays.

Singer scruta Haley, comme s'il s'était agi d'un jeune candidat au sacerdoce de l'Église évangéliste.

— Nous le pouvons, en vérité, monsieur Haley, Nous pouvons transformer ce pays sur le plan spirituel. Nous pouvons en faire le peuple que voulait le Seigneur. Mais cela ne m'explique toujours pas pourquoi je ne devrais pas rencontrer la femme de Roger Darrow.

— Cette femme et son ami essayent d'ébranler la structure que MacGregor a érigée, ce paradis électronique dont la chapelle vous a été réservée.

Haley sourit, charmé de sa propre éloquence.

Singer jouait avec l'anneau de rubis qui ornait son petit doigt.

— Belle phrase, monsieur Haley, mais jusqu'à ce que je l'entende de la bouche de MacGregor lui-même, ce ne sont pour moi que des paroles creuses.

Billy Singer se leva de nouveau et leva les bras comme s'il eût été en chaire.

— Je verrai qui je veux. Je leur dirai toute vérité que je possède. Et je ne présenterai d'excuses à personne. À votre place, je n'essaierais pas de m'interposer. Je vous ai placé sous surveillance dès le moment où vous m'avez demandé rendez-vous. Trois hommes vous auront à l'oeil jusqu'à ce que vous quittiez l'Ohio, ce que je vous conseille de faire au plus vite.

Len Haley se leva. Il détestait être mis à la porte d'un bureau, mais Billy Singer était un des hommes les plus influents de tout le circuit biblique, source première de la puissance de MacGregor.

— Nous poursuivons les mêmes buts, mon révérend.

Len Haley quitta le bureau de Singer et retourna à son motel. Trois hommes le suivaient. Il savait inutile toute tentative d'arrêter en Ohio, Jeanne Darrow et James Whiting.

Vers onze heures, le camion de Henry Baxter traversa Joliet, en Illinois. La Buick rouge les suivait encore, à quelques centaines de mètres de distance. Le soleil brillait sur la neige éblouissante. Les véhicules roulaient librement sur une Interstate déneigée.

Henry regarda dans le rétroviseur.

— Je parie que ce type a l'intention de nous suivre jusqu'au pied de l'autel de Billy Singer.

— Je brûle d'envie de savoir qui il est, dit Whiting.

— De toute façon, j'aimerais qu'il arrête de me coller aux fesses, reprit Henry en s'agitant sur son siège. Il commence à m'énerver.

— Croyez-vous qu'il puisse dire à quelqu'un l'endroit où nous nous trouvons ? demanda Jeanne.

— Je préfère ne pas y penser, dit Whiting.

— Pas d'antenne, donc pas de C.B., remarqua Henry. Mais je l'ai vu s'arrêter dans des haltes où on trouve des cabines téléphoniques. Peut-être que Miss Rabat-Joie a raison. Si tout ce que vous avez dit au sujet de Bert McCall est vrai, ce crétin en Buick rouge est p't'être en train de vous mijoter qué'que mauvaise surprise. Un accident de camion, ou qué'que chose du genre.

— Merci bien. En ce qui concerne les accidents, j'ai eu mon compte cette semaine, protesta Jeanne.

— Ouais, ben, j'aime pas mettre mon camion en danger. Et c'est ça que je fais, à force de vous traîner tous les deux à travers le pays.

Whiting jeta vers Henry un regard anxieux.

— Ben sûr, poursuivait celui-ci, je pourrais vous flanquer tous les deux dehors et mon camion risquerait plus rien ; mais j'aurai jamais plus l'occasion de rencontrer Son Éminence Billy Singer.

Whiting sourit :

— Tu as sacrément raison.

— Une autre solution, c'est de passer à l'action. Et, comme dit Shakespeare, « un Fortinbras vivant vaut toujours mieux qu'un Hamlet mort ».

Surprise, Jeanne tourna la tête.

— Quoi ?

— Je suis un homme très cultivé, mon canard, fit Henry en la menaçant du doigt. La sagesse appartient aux hommes simples.

Henry mit en marche sa radio C.B. et saisit le micro.

— Allô, allô. Le Bébé de Big Mama cherche quelqu'un pour lui tenir le crachoir. Allô ?

Il répéta à plusieurs reprises son invitation, et attendit.

— Le Bébé de Big Mama ?

Une voix masculine à l'accent du Sud grattouilla dans le haut-parleur.

— Ici le P'tit-Blanc. Qu'est-ce qu'on fait pour chasser les mouches qui tournent autour d'une pastèque ?* À vous.

— On mange la pastèque, bébé. On la mange.

Après une pause, et un clin d'oeil à Whiting et à Jeanne, Henry reprit :

* Fruit que mangent souvent les Noirs. Désigne, par dérision, les Noirs eux-mêmes. (Note du traducteur).

— Dis donc, depuis quand on laisse cette racaille de petits Blancs conduire des camions à travers l'Illinois ? À vous.

Henry éclata de rire. Il connaissait P'tit-Blanc. Ils avaient déjà tenu ce genre de conversation.

— Je ne fais qu'exercer mes droits de citoyen. Au fait, quelle sorte de service tu cherches aujourd'hui Big Mama ? À vous.

— En fait, j'ai besoin d'un vrai coup de main. Et t'es p't-être mon homme. À vous.

— Je transporte un chargement pour Manhattan, mais j'vas faire mon possible. On peut pas refuser de l'aide à un type de bonne réputation comme toi.

Henry demanda au P'tit-Blanc sa position. Celui-ci était à environ un kilomètre et demi derrière lui :

— O.K.. On va s'amuser un peu.

Henry résuma en quelques mots la situation, en invoquant la « solidarité de la route ».

— L'ordure ! conclut P'tit-Blanc, qui avait tout compris. Dans à peu près deux minutes, je serai derrière cette Buick.

Henry raccrocha le micro et regarda ses passagers.

— S'il avait entendu parler de flics en balade dans le coin, il aurait suggéré de remettre ça à plus tard. La police aime pas qu'on joue aux cow-boys sur l'Interstate.

— Devrez-vous prendre des risques ? demanda Jeanne.

Henry la regarda du coin de l'oeil et répondit en grognant :

— On a rien sans risque.

Whiting boucla sa ceinture de sécurité. Henry, gloussant de contentement, empoigna le levier de vitesses et commença à rétrograder.

Whiting regardait l'indicateur de vitesse tomber de 105 à 80 kilomètres. Il vit, dans le rétroviseur, deux voitures s'apprêter à doubler le camion, puis la Buick rouge grossir au fur et à mesure qu'Henry ralentissait. Whiting détestait emprunter la même route que les gros camions, qui ne cessent de vous talonner ou de vous foncer dessus. Mais il était bien aise, cette fois, d'être assis dans la cabine de Henry.

Henry jeta un coup d'oeil dans son rétroviseur.

— V'là notre homme !

Whiting aperçut une grosse semi-remorque noire qui fonçait sur la Buick. Au compteur de Henry, la vitesse n'était plus que de soixante-cinq kilomètres.

La Buick, clignotant gauche allumé, s'apprêtait à les dépasser. Henry changea de vitesse, s'agrippa au volant et accéléra pour passer à la voie de gauche. La Buick se rabattit dans la voie centrale et accéléra rapidement, dans une nouvelle tentative pour doubler le camion.

— Il est sur votre droite, cria Whiting.

— C'est ben ce que je vois ! dit Henry en riant. Et je veux être pendu s'il y a pas un gros camion Mac noir qui lui colle aux fesses.

La Buick roulait à quatre-vingt-dix. Henry changea de vitesse et accéléra de nouveau.

La Buick monta à cent et fut bientôt à la hauteur de la cabine de Henry. Celui-ci, pour maintenir sa position, passa en quatrième. Whiting jeta un coup d'oeil à l'indicateur de vitesse : cent cinq kilomètres à l'heure. La cabine vibrait, et le camion du P'tit-Blanc rugissait à côté d'eux.

— Hé, Big Mama ! dit dans le haut-parleur la voix de P'tit-Blanc. Est-ce qu'on se paye un sandwich aujourd'hui ? À vous.

— Non. Contente-toi de lui coller aux fesses comme un suppositoire. On te dira quand actionner la chasse.

Il alluma son clignotant et gagna la voie de droite.

P'tit-Blanc rétrograda. La Buick essayait d'accélérer, mais Henry restait à sa hauteur. L'indicateur marquait à présent près de cent quinze. Autour d'eux, les autres véhicules s'écartaient en hâte, et Whiting était persuadé que la police de l'Illinois se joindrait bientôt à la poursuite.

La Buick ne pouvait plus doubler le camion, trop gros et trop puissant.

— Ces autos-là ont des couilles, mais pas assez pour doubler ce vieux Henry, hurla-t-il.

La Buick zigzagua vers la voie d'extrême-droite, avec P'tit-Blanc sur les talons et Henry à son côté. Le dégel de midi avait rendu la chaussée humide. La voie de service n'était qu'une énorme congère. C'est là que Henry voulait expédier la Buick.

Il clignota et, une nouvelle fois, s'engagea sur la voie de droite. Le conducteur de la voiture essaya encore de le dépasser. Henry accéléra. De troisième à quatrième. Cent. Cent cinq. Appels des phares. Klaxon.

Devant lui, une fourgonnette se rabattit en hâte dans la voie de gauche. La cabine tremblait. P'tit-Blanc se trouvait à présent à une longueur de camion derrière eux. La sueur ruisselait le long du visage de Henry.

À cent cinq à l'heure, Henry tourna violemment le volant et l'énorme camion s'inclina dangereusement. Pour la Buick aucune autre issue que la voie de service : impossible d'accélérer, impossible de ralentir. Mais il soutenait le rythme.

— Courageux, ce salaud ! Mais ce qu'il est bête !

Henry lança une autre semonce par son avertisseur. Il n'en fallait pas plus pour surprendre le chauffeur de la Buick, qui fit une embardée vers la voie de service, donna dans le tas de neige et dérapa.

P'tit Blanc l'évita de justesse. Henry accéléra.

Après un tête-à-queue sur la voie de service, la Buick s'enfonça dans la neige jusqu'au pare-brise.

— Iaou ! Wow.

Dans le haut-parleur, P'tit-Blanc lançait son hurlement de victoire.

— On avait affaire à un sale crétin, commenta Henry dans son micro, mais c'est pas à un vieux singe comme moi qu'il va apprendre à faire des grimaces. Pour sûr il travaille pour des bien plus crétins que lui. Lui ont fait confiance, mais j'les attends au tournant.

— On l'a eu, Big Mama.

— Je te dois une fière chandelle, mon P'tit-Blanc. Terminé.

Henry regarda Jeanne :

— Qu'est-ce que vous pensez de ça ?

— Je pense que c'est la chose la plus stupide que j'aie vue — depuis hier.

— Ben, dit Henry, faut pas que personne m'empêche de rencontrer en chair et en os le plus grand commis-voyageur de Jésus en Amérique. Depuis 1960 que ma maman regarde Billy Singer, je veux toujours ben raconter ça à Billy.

Il se tut, puis lança dans un rire cynique.

— Alléluia, ma soeur !

28

Vidéo tiré de l'émission *L'heure de la Bonne nouvelle,* de Billy Singer, en date du 4 juin :

L'émission débute avec la chorale que Billy Singer a mise sur pied — et justement les «Billy Singers». Il s'agit de huit jeunes, frais émoulus de collèges bon-genre, où le code vestimentaire est aussi important que la moyenne des notes. Ils émettent une sorte d'harmonie sirupeuse, apprise durant de longues années d'études à l'écoute d'un orchestre de pacotille.

« Il nous tient la main et marche à nos côtés / Il nous aide à traverser la rivière. »

La caméra se promène d'un visage à l'autre, tous empreints d'une joie béate.

« Tout ce qu'il vous demande, c'est d'aimer. Tout ce qu'il nous demande, c'est d'aimer-er-er-er-er. »

La caméra balaie la salle, tandis que les applaudissements fusent.

— Et maintenant, annonce le présentateur, voici l'homme qui a fait de cela une réalité dans l'Église de la Sainteté évangélique, notre ami à tous, le révérend Billy Singer!

Tonnerre d'applaudissements. L'orchestre entonne une version rythmée de « Ô merveille de la grâce! »

Billy Singer lève les mains, et le silence se fait dans la salle. Derrière son lutrin, il présente une silhouette imposante. Costume d'un gris classique, bien coupé, que rehausse une cravate marron judicieusement choisie. Cheveux gris, bien coupés, soigneusement gonflés et mis en place. Aucune ride sur son visage, aucun pli sur son costume. Son unique bijou est un anneau serti d'un petit rubis rose, avec lequel il joue dans ses moments de nervosité — peu fréquents, du reste. Il ressemble à un oncle parti depuis longtemps vers des terres lointaines et qui revient couvert de richesses et de succès. Son apparente familiarité avec les spectateurs n'abolit pas la distance qui sied à son ministère: voici celui qui a trouvé la vérité et l'apporte à ses nièces et neveux.

Des yeux il fixe la caméra postée devant lui. Son magnétisme traverse les lentilles pour irradier dans les diodes, cathodes et transistors de chaque téléviseur syntonisé sur son émission.

— Mes amis, commence-t-il, j'ai pour ce soir une lecture, et pour notre temps un message.

Il lit des passages de la Bible, qu'ensuite, d'un ton feutré, en gestes mesurés, il commente pour les relier à la vie de chaque auditeur. Le message, dans le sermon d'ouverture ou le monologue, est toujours identique, et conforme à la tradition: fuyez Satan et tournez vos yeux vers la lumière. Priez pour que Jésus vous guide, et vous serez exaucés. Convertissez-vous à Jésus et celui-ci vous prendra sous sa protection.

Les corollaires du message touchent à la politique, aux problèmes du Premier Amendement, à l'avortement, à l'exploitation des richesses naturelles, à la déségrégation, au bien-être social, et la nécessité pour chacun de soutenir les différentes causes que défend l'Église de Billy Singer, ces corollaires sont insérés sans bavures dans le reste de l'émission.

Après le sermon inaugural, voici un message ou, en termes moins spirituels, une réclame publicitaire. Le présentateur et associé de Billy, Jed Lee, offre aux spectateurs la Bible de Singer, version vernaculaire américaine, reliure simili-cuir, votre nom gravé en lettres d'or sur la couverture, signature autographe de Billy Singer — le tout pour soixante-quinze dollars.

À la reprise, Billy Singer est assis derrière un pupitre, et Jed Lee dans un fauteuil à ses côtés. Ils bavardent un moment, échangeant les dernières nouvelles des missions de Singer. Leur conversation est ponctuée d'invocations, genre « Rendons grâces à Dieu » ou « Loué soit le Seigneur ». Jed Lee raconte une plaisanterie charmante, au sujet du catholique, du juif et du membre de l'Église de la Sainteté évangélique, qui déambulent dans la rue. Billy en tire une petite parabole sur l'art de s'instruire les uns les autres. Puis il égrène la liste des invités du jour. Arrivé à la fin de celle-ci :

— Et notre invité surprise, dit-il, est assis parmi nous ce soir, venu de son lointain Hollywood pour nous interviewer ici à Youngstown ; c'est un homme dont vous connaissez, tous, les émissions de télévision...

— Et, d'ajouter Jed, un homme originaire du coeur de notre pays : Hunter, dans l'Iowa.

— Que Dieu en soit remercié, dit Billy. Cet invité se trouve ce soir dans la salle, sans connaître notre intention de l'appeler sur ce plateau...

Les caméras se mettent à balayer l'auditoire.

— Nous adressons un grand salut évangélique à l'homme qui a créé Jess Flint, ce détective qui fait nos délices à la télévision...

— ... du moins généralement, glousse Ted.

— Monsieur Roger Darrow !

La caméra déniche Darrow. Il est assis au troisième rang et porte un veston sport sur une chemise à col ouvert. Il rit et secoue la tête. Non, il ne veut pas venir devant la caméra.

— Allons ! Il est si rare qu'une célébrité de Hollywood vienne nous rendre visite, implore Billy.

Darrow se laisse fléchir, grimpe sur l'estrade et serre la main de Billy et de Jed. Il prend place dans le fauteuil des invités. Jed, suivant un protocole connu, émigre vers le sofa.

Singer et Darrow échangent des plaisanteries. Le premier semble détendu, un tantinet goguenard devant la gêne et l'ennui dont Darrow fait preuve devant la caméra.

— Ainsi, dit Billy, qu'est-ce qui vous amène à Youngstown et à l'Église de la Sainteté évangélique ?

— Eh bien, mon révérend — Darrow pianote sur l'accoudoir du fauteuil — j'ai entendu parler de votre émission et du magnifique studio qu'Andrew MacGregor vous a construit ici...

— MacGregor et tous les braves gens qui nous écoutent, commente Singer. Bien des gens ont contribué à la construction de ce studio, sur cette colline. À présent, donc, parlons un peu de Jess Flint et de Hollywood. Pour tous les braves gens du centre du pays, vous êtes un voyageur venu de loin. Cependant, vos pensées, vos idées pénètrent chez eux chaque soir, et j'ai toujours vu là un des plus grands paradoxes de notre société.

Darrow change de position, sans cesser pour autant de sourire :

— Mais Andrew MacGregor et la technologie moderne de la télédistribution vous donnent une part du pouvoir que peu de gens possèdent, même à Hollywood.

— Vous voulez parler de l'intercommunication en duplex ? demande Billy en souriant. Peut-être pouvons-nous vous en faire une démonstration ce soir, et donner ainsi à nos spectateurs l'occasion de nous dire ce qu'ils pensent de Jess Flint.

Darrow s'appuie au dossier de son fauteuil.

— J'aimerais voir comment vous utilisez ce système ici dans l'Est. Là-bas, dans l'Ouest, j'ai vu le sénateur Tom Sylbert boire un gros bouillon à cause de ce truc.

— Eh bien, vous savez — Singer sourit — ce système est une nouveauté pour nous, mais nos spectateurs ont toujours eu les Sentinelles de Singer pour les aider à faire leur devoir et pour assainir les ondes.

Darrow éclate de rire, sans trouver amusante la répartie.

— Je sais.

— Et généralement, ils accordent à Flint une cote très élevée, dit Billy. Votre émission a toujours cherché à mettre l'accent sur la dignité humaine et sur la décence. Vous évitez, en général, d'exploiter le sexe ou la violence.

Darrow sourit, mais son visage semble tendu, comme s'il appréhendait la suite.

— Mais parfois, poursuit Billy, Flint cherchait la dignité humaine dans de bien étranges lieux.

— J'aimerais penser que l'on peut trouver la dignité humaine partout où il y a des êtres humains, répond Darrow, imperturbable.

— Dans l'une de vos émissions, dit Singer sans relever la remarque de Darrow, Flint prenait fait et cause pour un personnage qui, le jour, enseignait dans une école de banlieue et jouait, le soir, dans des boîtes de San Francisco, véritables endroits de perdition que fréquentent les homosexuels.

Darrow se redresse dans son fauteuil.

— La conscience de Flint s'est toujours sentie gênée devant quiconque est victime d'une autorité arbitraire ou de quelque soi-disant moraliste.

Billy Singer tapote le bras de Darrow. Même mis au défi, il ne se départit pas de son ton amical.

— Je présume que vous visez les Sentinelles de Singer.

— Pourquoi pas ? Vos gens ont tiré à boulets rouges sur de bonnes émissions de télévision, y compris « Flint ». Vous avez même tenté d'empêcher la diffusion de cet épisode sur les homosexuels.

— Les Sentinelles ont pris position, monsieur Darrow. C'est leur droit.

— Ainsi soit-il, ajoute Jed.

— Personne, insiste Darrow, personne n'a le droit de refuser aux autres le genre d'émissions qu'ils désirent regarder.

Le calme de Singer reste olympien.

— Nous vivons dans un pays libre, monsieur Darrow. La libre expression des opinions est la cheville ouvrière de notre société.

— De là le Premier Amendement, souligne Darrow.

— C'est aussi pour cela que les gens écrivent des lettres pleines de colère aux dirigeants des réseaux et boycottent les commanditaires, dit Billy en gloussant de rire pour détendre l'atmosphère.

Nous n'avons peut-être pas le niveau de pénétration d'un producteur qui peut atteindre des millions de personnes, mais nous jouissons de tous ses droits.

— Ou presque, lance Darrow.

Jed se mêle à la conversation.

— Nous devrions peut-être permettre à nos auditeurs de donner leur avis dans cette discussion, mon révérend.

— Vous avez raison, Jed. Un sondage Singer. Avez-vous des objections ? demande-t-il en se tournant vers Darrow.

— Qui posera les questions ?

— Nous en poserons une à tour de rôle.

Darrow approuve de la tête.

Billy Singer fixe directement la caméra, d'un regard qui s'adresse à chacun des téléspectateurs.

— Reconnaissez-vous à un groupe religieux le droit et la responsabilité de protester, devant une émission de télévision qui bafoue ses croyances ou ses règles de moralité ?

Singer se tourne vers Darrow :

— Parlez à mes fidèles. Ils vous prêteront une oreille attentive.

Darrow regarde la caméra :

— Croyez-vous qu'un groupe religieux puisse refuser à une personne le droit d'exprimer ses opinions, même si celles-ci sont contraires aux croyances de ce groupe ?

— Excellente question, dit Billy.

L'émission s'interrompt, le temps d'un message publicitaire. À la reprise, les résultats sont déjà compilés.

— Ainsi, donc, dit Billy avec emphase, mes auditeurs manifestent leur soutien aux Sentinelles de Singer et, en même temps, ils font preuve de « fair-play » et d'ouverture d'esprit.

Les résultats clignotent sur l'écran.

Question 1 — Oui : 91%   Non : 9%

Question 2 — Oui : 17%   Non : 83%

— Plus de quatre-vingt-dix pour cent des téléspectateurs croient que nous avons le droit de protester contre ce qui heurte nos croyances, explique Billy, mais plus de quatre-vingt pour cent sont

également persuadés que nous n'avons pas le droit de retirer à une personne sa liberté d'expression.

Singer regarde Darrow.

— C'est ce type de consensus qui me prouve la force réelle sur laquelle reposent notre cause et notre foi...

— Sacré nom de Dieu, mon révérend! lance Darrow en frappant de la main le bureau. (Surpris, Jed fait un bond sur le sofa.) Que diable s'est-il passé dans ce pays, pour que la religion soit devenue affaire de consensus ? La religion concerne la conscience de l'homme et sa relation personnelle avec Dieu.

— Il en a toujours été ainsi, monsieur Darrow, assure Singer, imperturbable.

L'orchestre commence à jouer en sourdine, pour offrir à Billy une petite échappatoire. Mais Darrow feint de ne pas l'entendre.

— Ça n'a rien à voir avec la manière dont une centaine de milliers de personnes répondent à deux questions simplistes, qui sont seulement les deux côtés opposés de la même fichue médaille.

L'orchestre joue un peu plus fort... Billy jette un coup d'oeil vers les coulisses, à l'intention du producteur.

— Hum... Billy, dit Jed nerveusement. Je pense que c'est le moment de diffuser un message.

— Non, ce n'est pas le moment, dit Billy sèchement. Laissez cet homme s'exprimer.

— Ces stupides sondages ne peuvent rien vous apprendre. Ils ne sont qu'un outil dans les mains de ceux qui les manipulent. Qui se soucie du contenu du consensus ?

Derrière son calme apparent, Billy continue de tambouriner sur son bureau avec son crayon.

— Vois-tu, Roger, c'est très important, cette question de consensus. Et d'abord, ce pays s'est construit sur un consensus...

— Gardez pour vous vos leçons de civisme, Billy.

— Pas très courtois, commente Jed.

— Ferme-la, Jed, dit Singer sans changer de ton.

Silence complet et réprobateur, dans le reste du studio ; même dans la cabine de contrôle, où l'on sait qu'on peut très bien couper la scène.

— Je suis venu ici à Youngstown dans l'espoir de rencontrer le Billy Singer que j'admirais lorsque j'étais petit garçon, dit Darrow. Je l'écoutais à la radio : il prêchait l'amour et l'honnêteté. Il parlait de la vérité contenue dans la Bible, il disait l'importance de la conscience humaine.

Darrow est maintenant debout et regarde de haut Billy Singer ; ce dernier reste immobile sur son siège, tandis que Jed Lee joue nerveusement avec les boutons de son veston sport.

— Et je me souviens d'une certaine époque — c'était en 1960 — où un groupe de pasteurs protestants déclarait que, en vertu

d'un consensus intervenu entre eux, un catholique ne devrait jamais devenir président du pays. Billy Singer les avait tous envoyés au diable, alléguant qu'on doit laisser à chacun sa chance — que ses origines soient conformes ou non aux nôtres. Voilà le Billy Singer que j'espérais rencontrer ici ce soir, celui que j'admirais. Pour celui-là, la foi et la conscience primaient sur tout, et rien d'autre n'importait.

— Et pour vous, monsieur Darrow ? demande Singer. Puisque vous en savez si long sur la foi, quelle sorte de foi mettez-vous en oeuvre dans votre vie ?

Darrow fixe Singer pendant un moment, à la recherche d'une réponse. Incapable d'en trouver aucune, il quitte le plateau, laissant les spectateurs stupéfaits et Jed Lee bouche bée.

Singer plonge le regard dans la caméra :

— Mesdames et messieurs, vous venez de voir un homme en colère. C'était aussi un honnête homme, et les honnêtes hommes sont difficiles à trouver. Particulièrement dans son métier.

— Louons le Seigneur, marmonne Jed Lee.

L'orchestre recommence à jouer.

— Nous serons de retour après cette pause, annonce Billy Singer.

29

Non, dit Billy Singer, je n'ai pas reparlé à votre mari, à l'exception d'une brève conversation dans les coulisses du plateau, après l'émission. Il s'imaginait, je pense, m'avoir tellement offensé par sa sortie que je ne voulais plus entendre parler de lui.

— Étiez-vous opposés à ce point ? demanda Whiting.

— Mon Dieu, non ! Ç'a été une bonne émission et je n'ai rien à me reprocher parce que je l'ai laissé dire ce qu'il pensait, comme je l'aurais fait avec n'importe qui.

Une pluie d'hiver battait lugubrement les fenêtres des bureaux de Billy Singer. De lourds nuages gris, ajoutés à la fumée que crachaient les fonderies et les usines, voilaient la vue sur Youngstown. Dans le bureau particulier de Billy, un feu de bois crépitait derrière les chenêts ; entre deux divans de cuir, une table offrait une cafetière et un plateau de gâteaux.

Billy Singer, vêtu d'un cardigan et assis sur le rebord d'un des divans, se frottait les mains devant le feu. Jeanne Darrow et James Whiting, assis en face de lui, sirotaient leur café. Ils avaient placé la caméra derrière le divan, prête à tourner.

Jusque-là, Whiting et Jeanne avaient pu enregistrer sur bande magnétoscopique Eddie Van der Hoof, ainsi que quelques scènes d'hiver prises en des endroits que Darrow avait visités en été ; il y avait également une bande où Henry Baxter décrivait son camion. Mais Lynne Baker avait refusé de raconter la mort de Jack Cutler ; quant à Lyle Guise, il n'avait pas voulu confier un seul mot à la caméra. Malgré la courte expérience de Whiting en photographie, l'exposition et la mise au foyer de ses prises de vue s'étaient avérées correctes.

Whiting mit en marche caméra et projecteur. Billy Singer ne semblait pas importuné par la lumière crue et aveuglante qui baignait la pièce. Il était assis un bras jeté sur le dossier du divan, les jambes croisées.

— Est-ce que ça va ? demanda-t-il.

Whiting répondit par l'affirmative. Il régla le mécanisme à l'automatique et revint s'asseoir sur le divan.

— Maintenant, avant que nous ne commencions, proposa Singer, j'aimerais dire encore quelques mots au sujet de monsieur Darrow.

— Vous avez longuement parlé à ses funérailles, répondit Jeanne sans la moindre chaleur.

— Mais j'essayais seulement de trouver les qualités de l'homme. J'essaye toujours de trouver des bonnes choses à dire. Cela a toujours été ma philosophie depuis les premières années de ma vie.

— En ce qui concerne *Flint,* lui avez-vous encore trouvé des qualités après l'épisode des instituteurs homosexuels ?

Billy sourit.

— Madame Darrow, la dernière fois que j'ai vu votre mari, ce n'était pas un homme très stable. Il avait répondu des centaines de fois à des questions comme la mienne sans sortir de ses gonds. C'est pourquoi je pensais pouvoir aborder sur les ondes ce genre de problèmes. Rien ne vaut une bonne discussion rationnelle pour aider les gens à comprendre.

— Insinuez-vous que mon mari avait perdu la raison ? lança Jeanne, les dents serrées.

— Non. Mais je ne sais pas au juste ce qui l'amenait ici ; il n'a jamais su me le dire clairement.

— Il venait vous questionner au sujet de votre relation avec Andrew MacGregor, suggéra Whiting.

— Et je lui ai dit la pure vérité : Andrew MacGregor croit en la parole que je prêche. Il est convaincu que toute la nation doit l'entendre ; c'est pourquoi il m'a bâti ce studio et m'a aidé à organiser mon réseau religieux.

— Il y a plein d'évangélistes qui ont réussi à survivre sans l'aide d'un MacGregor. Pourquoi aviez-vous besoin de lui ?

— Monsieur Whiting, l'immeuble où vous vous trouvez actuellement suscite l'envie de mes confrères. Nous avons quatre studios de prise de son, une chapelle, un bâtiment administratif de huit étages. Et notre propre ordinateur, où nous stockons toutes les informations que nous recevons sur quiconque adhère à notre Église.

Whiting était bouche bée.

Jeanne regarda Whiting, puis Billy Singer.

— Est-ce que cela ne constitue pas une invasion de leur vie privée ?

— Ma chère, la vie privée d'une personne, ses pensées les plus profondes et la manière dont elle les traduit en actions sont les éléments qui concernent au plus haut point un ministre du culte. Personne ne se plaint lorsqu'un catholique se rend au confessionnal pour révéler à un prêtre ses pensées et ses sentiments les plus intimes.

— Ouais, dit Whiting, mais le prêtre ne consigne pas tout cela sur une fiche informatique.

Billy se mit à rire.

— Nous non plus. Mais nous enregistrons les noms, les adresses, le montant des contributions et, si les fidèles nous exposent par écrit un problème, nous avons également un petit code pour cela.

Jeanne Darrow secoua la tête.

— Je ne peux croire que vous nous racontiez tout cela devant une caméra. Comment vos spectateurs vont-ils réagir ?

Billy se leva et se mit à marcher de long en large.

— Avec confiance, comme ils le font toujours. Parce qu'ils savent que je ne ferais jamais rien qui pût blesser mes adeptes.

— Et MacGregor et son organisation ? s'enquit Jeanne. N'ont-ils pas accès à ces renseignements ?

Billy s'immobilisa.

— Lorsqu'un de mes disciples offre de me construire un studio de télévision, je le laisse faire et je loue le Seigneur. Et lorsque la même personne offre à l'ensemble de mes adeptes l'instrument électronique grâce auquel ils peuvent exprimer leurs opinions sur les principaux sujets d'actualité, je ne la repousse pas sous prétexte qu'un libéral de Hollywood voit là une menace à la vie privée des gens.

S'enfonçant de nouveau dans le sofa, Billy conclut :

— Naturellement, MacGregor et ses gens ont accès à ces données.

Et la voix de Whiting s'éleva alors devant la caméra.

— Est-ce à dire que les résultats des sondages effectués grâce au duplex s'enregistrent sur votre ordinateur ? Et que toutes les réponses s'inscrivent sur vos petites fiches ?

Billy Singer ne répondait pas. Il croisait les bras et fixait Whiting, un sourcil levé en signe de vertueuse indignation.

— Ainsi, poursuivit Whiting, vous possédez non seulement un profil moral, mais aussi un profil politique de tous vos téléspectateurs ?

— Je ne pense pas que vous compreniez vraiment les exigences de l'église électronique et de notre rôle au sein du monde moderne, dit Billy d'un ton doucereux. Cela dit, je serai heureux d'en discuter avec vous et de vous faire visiter les installations, mais je veux d'abord être assuré que vous n'allez pas me trahir.

— Nous essayons seulement d'établir quelques liens, mon révérend, dit Whiting.

— Entre quoi ?

— Entre les hommes qui possèdent le pouvoir financier, ceux qui détiennent le pouvoir politique, et ceux qui disposent d'un pouvoir sur les coeurs.

Le visage de Billy devint rouge.

— Mon pouvoir est d'essence religieuse. Il ne s'agit pas seulement d'un pouvoir d'ordre émotif.

— Nous essayons de comprendre comment les détenteurs de l'un servent les intérêts de l'autre, ajouta Whiting.

— Seigneur !

Billy Singer sauta sur ses pieds.

— Nous essayons simplement de compléter le travail de mon mari, dit Jeanne.

— Eh bien, l'oeuvre de votre mari était l'oeuvre du diable !

Billy Singer, accroupi, approcha son visage de celui de Jeanne.

— Savez-vous ce que votre mari m'a dit dans les coulisses du plateau, après sa triste performance ? Qu'il avait oublié une chose pendant l'émission : il avait oublié de me traiter de décadent.

Billy cracha le mot au visage de Jeanne, puis à la caméra.

— Décadent ! Si c'est ce travail-là que vous êtes venus parachever, appelez-moi *décadent,* ajoutez-y *dégénéré,* et déguerpissez !

Il se tourna vers la caméra, la rage peinte sur le visage :

— Et laissez vos spectateurs décider qui est décadent et qui est dégénéré.

— Mon mari est venu ici, répondit Jeanne avec calme, parce qu'il voulait savoir comment vous vous intégrez dans les plans de MacGregor.

Billy Singer se redressa et regarda Jeanne de haut.

— La question, jeune femme, est plutôt la suivante : comment Andrew MacGregor s'intègre-t-il dans *mes* plans ? Et comment ensemble, accomplissons-nous le plan de Dieu ?

Billy tourna les talons et se dirigea vers son pupitre tout en retirant son cardigan. Il saisit le téléphone et hurla : « Que Jed et Johnny soient dans la salle de la régie dans deux minutes. » Il plaqua le combiné sur l'appareil et se tourna vers Whiting :

— Je suppose qu'il s'agit d'une caméra portative ?

Puis, Singer enfila son manteau sport et se dirigea vers la porte. Whiting s'attacha la vidéscope à la ceinture et prit la caméra en bandoulière.

Singer traversa l'antichambre de son bureau, Whiting et Jeanne sur ses talons.

— Je ne suis l'outil de personne. Mon seul maître est le Seigneur.

— Alors, crions alléluia, mon frère !

Henry Baxter bondit du sofa où il attendait leur venue.

— Qui est-ce ? grommela Singer.

— C'est notre... chauffeur, dit Whiting. Il a toujours désiré vous rencontrer.

Le visage de Singer s'illumina à la perspective d'un témoignage adulateur. Il serra la main de Henry.

— Charmé de vous rencontrer, mon fils. Vous pouvez nous accompagner, si vous le désirez.

— Merci patron.

Henry emboîta le pas à Whiting et murmura :

— *Mon fils!* Je pense que c'est mieux que *mon garçon.*

Ils traversèrent le secrétariat et se rendirent jusqu'à l'ascenseur. Tandis que celui-ci dévalait trois étages, Singer restait silencieux, occupé à reprendre contenance.

Lorsque les portes s'ouvrirent, il se tourna vers Whiting.

— Mettez la caméra en marche.

Whiting appuya sur le bouton. Le petit flash à piles, logé au sommet de la caméra, jeta une lumière crue sur le vestibule lambrissé de marbre.

— Je suis un homme de Dieu, annonça Billy en se frayant un chemin à travers la foule qui attendait l'ascenseur.

— Ainsi soit-il, cria l'un de ses employés.

— Rendons gloire à Dieu ! lança un autre.

— Un homme seul, qui fait de son mieux pour répandre la Parole, telle qu'il la comprend.

Il négocia deux virages, puis enfila un long corridor étroit.

— Partout, des États-Unis et du Canada, mes fidèles font appel à moi. Pour des milliers et des milliers de gens, je suis la seule voie qui conduit à Jésus-Christ.

Avec la petite troupe sur ses talons, il contourna un autre angle et déboucha sur le plateau de prise de son. Des câbles traînaient au sol. Le plafond était couvert de spots et de micros. Trois caméras sur trépieds à roulettes étaient placées devant le décor. Sur le plateau : à gauche l'estrade de l'orchestre, à droite le divan et le pupitre de Billy. Les sièges des spectateurs étaient alignés derrière les caméras. Dominant la salle, l'horloge géante, et la régie dans sa cage vitrée où étaient assis, l'air désemparé, Jed Lee et un autre homme.

— Mon église est dispersée aux quatre vents, mais le Seigneur, par le biais d'Andrew MacGregor, m'a permis d'entrer chaque jour en contact avec chacune de mes ouailles — plus sûrement qu'un prédicant de village qui une fois la semaine, en quelque église perdue dans les montagnes de la Virginie de l'Ouest, menace ses paroissiens du feu de l'enfer.

Billy traversa le plateau et se rendit jusqu'à sa chaire, où Whiting le suivit avec la caméra. Billy redressa sa cravate, fixa la lentille, puis leva les yeux vers la régie. Il dressa la main, tel Moïse commandant aux eaux de se séparer, et dit : « Lumières. »

Toutes les ombres s'évanouirent. Billy Singer devint un autre personnage.

— Et voici — d'un large geste du bras, il désignait tout le studio — voici les instruments que le Seigneur nous a donnés pour prêcher sa Parole et répandre sa Vérité. Le ministère électronique, le miracle moderne qui rassemble les fidèles, du Maine à la Californie.

Whiting était incapable de décoller son oeil du viseur. Jeanne Darrow était clouée sur place. Billy Singer avait un pouvoir magique, quel que soit le contenu de son discours.

— Nous avons répondu à l'appel de Jésus. Nous sommes allés par monts et par vaux. Nous avons pénétré dans les foyers et les hôpitaux. Nous avons utilisé ce merveilleux instrument pour répandre la bonne nouvelle.

Jeanne et Henry Baxter s'étaient rapprochés de la caméra, sans entrer dans son champ.

— J'en ai la conviction profonde — et je l'ai déclaré à plusieurs reprises : si Jésus-Christ avait disposé de cet instrument (Billy désignait du doigt la caméra), onze apôtres auraient suffi à la tâche.

Il se tut et sourit à la cantonade.

— Mais ce vieux Judas aurait perdu son job.

Billy Singer tourna le regard vers Henry Baxter.

— Ouais, continua Henry, si y avait pas eu Judas, y aurait pas eu personne pour trahir le Christ. Alors, il aurait pas été crucifié, pis il se serait pas réveillé trois jours plus tard avec la gueule de bois.

Henry sourit au prédicateur. Mais Billy n'était pas désarçonné ; Billy, le missionnaire de Chatauqua *, l'homme qui, d'un mot d'es-

* Allusion à un groupe de professeurs chargé de tournées religieuses en province. Leur premier meeting eut lieu dans la petite ville de Chatauqua dans l'État de New York. (Note du traducteur.)

prit et d'une prière, rabattait le caquet aux chahuteurs et les remettait dans le droit chemin.

— Je vois un blasphémateur parmi nous aujourd'hui. Un homme qui s'obstine à ne pas croire, alors que la vérité brille sur lui de tout son éclat.

Billy souleva du lutrin la bible et la tendit à Henry Baxter.

— Ne soyez pas aveuglé par la lumière, mon fils. Elle peut brûler, mais elle purifie. Recevez le Christ, et votre douleur disparaîtra. Si ce n'est pas aujourd'hui, ce sera demain. Et si ce n'est pas demain, un jour viendra où la mort vous regardera en face, et vous crierez : « Ô Dieu, viens à mon aide ! » Ce jour-là, vous vous souviendrez de ce que je vous ai dit aujourd'hui. Vous accepterez Jésus-Christ et vous serez sauvé.

— Ainsi soit-il, cria Jed Lee dans le micro du réalisateur, et sa voix retentit dans le studio vide.

— De la mêêêrde ! lança Henry Baxter.

Celui-ci grimpa sur le plateau et pénétra dans le halo de lumière qui entourait Billy Singer. Son sanctuaire violé, Billy se retourna pour faire face à l'intrus, qui le dépassait de dix centimètres.

— J'ai déjà regardé la mort en face, vieux. C'était la nuit, et j'étais de garde. Quang Tri, 1968. Et tu sais à quoi ça ressemble, la mort ? À un Viêtcong. Et tu sais ce que j'lui fais, à la mort ? J'le descends le salaud, avant qu'il me descende.

— Je tends la main à tout homme qui a combattu pour notre patrie, déclara Billy avec une soudaine solennité.

— J'te serrerai la main quand j'me serai vidé le coeur, répondit Henry. J'y serais pas allé, au Viêt-nam, si y avait pas eu des imbéciles comme toi pour nous dire que c'était bon de combattre ces païens de communistes. Mais pour vous autres, c'était seulement un moyen de plus pour faire encore du fric.

Billy se tourna vers la régie, leva la main et ordonna : « Lumières. »

Les spots s'éteignirent. Seule la lumière de la caméra de Whiting éclairait la scène. Singer se retourna vers Henry :

— Je ne sais pas de quoi vous parlez.

L'oeil de Whiting était collé à la lentille. Jeanne ne pouvait faire aucun mouvement.

— À chacune de tes émissions, dit Henry, tu promettais une prière spéciale à ceux qui t'écriraient pour te dire que leur fils avait été expédié au front. Ma maman, elle te zieutait chaque fois que tu passais sur le réseau. Le jour où j'ai quitté le pays, elle a commencé à t'envoyer dix balles par semaine pour que tu pries pour moi. Ton sacré ordinateur lui envoyait des p'tits billets zentils, pour lui dire combien tu priais fort et combien t'étais heureux de sa contribution. Ça fait qu'a continué à t'envoyer de l'argent, même après mon retour. J'y ai dit : « M'man, pourquoi que tu fais ça ? » Et elle m'a répond : « Parce que t'es revenu vivant du 'Nam. Grâce au révérend Billy...

Billy Singer en avait les bras pendants. Le charme était rompu. Henry Baxter avait atteint quelque chose de profond chez le prédicant.

— Une Noire de Harlem avec six gamins, un travail infect, un mari mort d'une crise cardiaque à quarante-deux ans. Vous envoie d'l'argent quand elle a pas les moyens. Tout ça parce qu'à pense que z'avez sauvé son gars.

— C'est Jésus qui vous a sauvé, dit Billy Singer doucement. C'est ce que je dirais à votre mère aujourd'hui.

— Aujourd'hui, elle vit un p'tit peu mieux, pour la bonne raison que je lui envoie régulièrement un chèque.

Et Henry de poursuivre en enfonçant un doigt dans la poitrine de Billy :

— Et j'lui permets pas de vous en envoyer un seul rond. J'lui dis : « Donne ça à un prédicant noir, ici à New York, à quelqu'un qui fait qué'que chose pour la communauté... construire un centre pour les jeunes, ou qué'que chose du genre. Gaspille pas ça pour qué'que blanc transistorisé, qui veut tout juste ton argent et qui se fout de tout dès qu'il peut faire le beau à la télé.

Machinalement, Billy se passait la main dans les cheveux, sans rien répondre.

— C'est tout ce que j'avais à dire.

— Je suis... je suis vraiment désolé si jamais j'ai été pour votre mère une cause de souffrance, dit Billy. Cela n'est peut-être pas grand-chose, mais je vais prier pour elle.

— Prie d'abord pour toi-même, vieux.

Henry quitta le plateau. Billy regardait les autres.

— J'ai toujours essayé d'être digne. Je me suis toujours efforcé d'être humble.

— Tu parles ! lança Henry en s'arrêtant. T'es tellement plein de toi que t'as même pas écouté, je parie, ce que ces monsieur-dame essayaient de dire ce matin.

Singer jeta un regard à Whiting et à sa caméra.

— Tout ce que j'ai entendu, c'est une longue polémique, assortie de quelques nouveaux potins puisés à l'émission de Vicki Rogers.

Whiting abaissa la caméra, dont il éteignit la lumière.

— Accepteriez-vous que nous vous filmions en vous posant quelques questions ?

— Que pourriez-vous bien me dire ?

— Un tas de choses, dit Henry Baxter. Ou ben, alors, vous savez tout et vous faites partie du complot.

— Je sais vers quoi marche mon Église et ce que je dois faire pour l'y conduire.

— Ça veut-il dire marcher main dans la main avec Satan? demanda Henry.

Singer descendit du podium.

— Satan n'a pas de place dans mon Église, dit-il calmement, presque sur la défensive. Mon Église est l'oeuvre de Dieu.

— ...manipulée par des hommes impurs, compléta Jeanne.

Singer posa sur elle son regard, dénué de sa flamme habituelle.

— C'est la vérité, mon révérend, ajouta Henry. T'as dit: la vérité peut brûler, mais elle purifie.

Un pâle sourire traversa le visage de Billy Singer. On lui renvoyait ses paroles. Il vint s'asseoir sur le bord de son pupitre, à l'autre extrémité du plateau.

— Racontez-moi votre histoire.

— Dites à votre assistant, dans la cabine, de couper les micros, demanda Whiting.

Singer donna l'ordre, puis regarda Henry et lui tendit la main.

Henry la prit.

— Toi, 'coute ben l'histoire de mes copains.

30

La voix semble distante, contrainte, d'une intensité presque sépulcrale.

*— Je ne suis pas, à proprement parler, un homme religieux. J'ai grandi dans la religion protestante; en Iowa, je suis devenu lecteur assidu de la Bible; j'étais sensible au drame que raconte la bible du roi Jacques *, sinon à son authenticité. J'ai vécu le calme et la sérénité, l'authentique expérience d'une communauté catholique célébrant des funérailles. J'ai connu l'envoûtement des fêtes de la Seder, au sein d'une famille juive. J'ai été saisi par la sobriété et la simplicité des unitariens — de leurs doctrines et de leurs temples. La caméra est campée sur une colline, d'où l'on aperçoit Youngstown à travers un bouquet d'arbres. La ville paraît grise et*

* Allusion à une édition de la Bible, couramment utilisée dans les milieux protestants. (Note du traducteur.)

ocre, même sous la lumière de l'été. Les cheminées fumantes dominent cette perspective, et le ciel est souillé de leurs effluves.

En voix off, comme indifférent à sa propre présence à l'écran, Roger Darrow poursuit son monologue :

— Si j'ai quelque religion, il s'agit, je suppose, d'une sorte de panthéisme californien. Je vois Dieu dans l'ordre de la nature ; dans les montagnes de Los Angeles qui, imperturbables, émergent du « smog » ; dans la vague qui sans cesse s'écrase sur la plage de Zama ; dans les fleurs qui toute l'année s'épanouissent aux Descaso ; dans la rondeur parfaite des fesses d'une adolescente ; et dans la plénitude sublime du ventre d'une jeune femme au huitième mois de sa grossesse. Mais ici, la technologie a remplacé la religion, dont elle a aboli la magie et le mystère.

La caméra pivote à une vitesse folle, selon un angle de 180°. La voici braquée sur l'immense complexe de l'Église de la Sainteté évangélique. Extérieur blanc, de pierre prémoulée et de verre. Tour de huit étages, entourée de plusieurs studios de télévision. Au-dessus de l'entrée, un crucifix géant, que Darrow film en zoom. « Par la technologie, amener à Dieu son peuple. » Il montre en gros plan l'antenne parabolique, à l'arrière du complexe.

— Mais nous avons fait de la technologie un dieu.

Coupure.

La caméra montre en plongée une rue de Youngstown.

— Nous avons renié le passé, notre patrimoine national, nos trésors architecturaux...

Il dirige ensuite la caméra vers un immeuble commercial de six étages, probablement construit au tournant du siècle. Une grue balance sur le flanc du bâtiment un boulet de démolisseur, qui fait voler briques et poussière et ébranle la structure.

— ... et entassé nos boutiques dans d'horribles boîtes à savon.

Coupure.

Un centre commercial déploie dans le paysage ses murs de verre et de préfabriqué. Tout autour, les toits des véhicules, tels un immense kaléidoscope, renvoient les rayons du soleil.

Coupure.

La caméra nous transporte dans le calme d'une campagne. Des arbres, un vaste champ, la flèche d'un clocher au loin, des statues et des sentiers. Des canons pointent leurs bouches vers le ciel. Gettysburg.

— J'ai parfois l'impression que notre avenir appartient déjà au passé, poursuit Darrow, de son étrange voix brisée. Le réseau de télédistribution, le réseau téléphonique, au lieu de nous fournir un système nerveux, sont devenus les tendons qui maintiennent ensemble les morceaux d'un cadavre. Jadis, en des lieux comme celui-ci, nous nous battions pour des idées... Voici la « Little Round Top »

où les Yankees ont repoussé l'attaque de Pickett... Aujourd'hui, on se bat pour conquérir le monopole des stations de télédistribution et manipuler ainsi la population. On se dispute les dernières gouttes de pétrole; on s'arrache les dernières vues « imprenables », avant que les tours de forage et la fumée ne viennent les voiler. Des hommes de la terre, des géants de la terre, s'abaissent jusqu'à la corruption et à la malhonnêteté. Des hommes de Dieu ne savent plus s'élever au-dessus de la technologie et de leur propre fatuité.

Et notre avenir, s'il se trouve dans Manhattan...

Coupure.

Plan prolongé sur la ville de New York, par une journée chaude, brumeuse. Les gratte-ciel émergent du « smog ».

— ... n'aura rien de brillant.

Coupure.

— Nous sommes dans l'endroit le plus riche de toute l'Amérique...

La caméra se promène le long de Central Park East, avec ses appartements en coopérative ou en copropriété, son architecture de la Belle Époque.

Coupure.

— ... et le plus défavorisé.

La caméra se déplace dans Harlem, longe des immeubles barricadés et des carcasses calcinées, des terrains de jeu disparaissent sous les débris de verre qui brillent en longues traînées de quartz concassé.

Coupure.

— Ici, les gens sont d'une indifférence totale...

Cinquième Avenue, des dames de la haute contournent le corps d'un homme bien vêtu, évanoui sur le trottoir...

— Indifférence à tout, mais souci de se protéger contre tout désordre qui puisse menacer le train-train quotidien.

Près du kiosque à musique de Central Park, un policier à cheval poursuit un adolescent noir qui s'enfuit, affolé.

Coupure.

— Voici le siège même de notre culture...

Le Metropolitan Museum of Art.

Coupure.

— ... et le symbole de notre décadence.

De la base des ponts, sourd une image, savamment composée de trois plans: devant nous, une eau vaseuse et verdâtre, dans le lit d'une rivière aux rives jonchées de carcasses d'autos; à mi-distance, un tramway aérien dont les wagons promènent sur une voie ferrée leur bruit de ferraille et leurs graffitis; enfin, le ciel de Manhattan, à peine visible à travers la pollution d'une fin d'après-midi.

Coupure.

Voici Roger Darrow, au Washington Square, près de l'Arc.

— Rien de tout ceci ne m'intéresse plus. Je ne participerai pas au congrès des télédistributeurs. Je n'irai pas voir le fameux professeur Wyler, de Columbia, ni écouter sa critique de MacGregor. Tout ce qui m'intéresse maintenant à New York se trouve à Greenwich Village.

Il approche son visage de la lentille.

— Mais vous ne le verrez pas ici.

31

Vicki Rogers était assise à l'arrière d'une calèche de Central Park, un micro dans une main, un bloc-notes dans l'autre. Le parc, recouvert d'un manteau de neige immaculée, était dominé par la masse anguleuse et sombre des gratte-ciel du centre-ville, que le soleil levant éclairait à contre-jour.

Vicki portait un manteau de renard blanc, un chapeau assorti et des gants de cuir blanc. Seul son rouge à lèvres jetait sur cet ensemble une note de couleur.

Sa montre indiquait 6 h 54 du matin. Son émission devait passer en direct dans un programme de nouvelles pour les lève-tôt de la côte Est, puis en différé dans l'Ouest. Le caméraman était juché à côté du cocher. Le camion de reportage était stationné une trentaine de mètres plus bas, à l'endroit où la calèche devait s'arrêter. Un câble reliait le caméraman à l'émetteur du camion.

Monté sur son cheval, un officiel de la police de New York accompagnait la calèche.

— Vous maintiendrez les badauds à l'écart ? lui demanda Vicki.

— À c't'heure de la matinée, y aura surtout des gens qui font du jogging, dit l'officier. D'ailleurs, vous pourriez retirer tous vos vêtements et danser avec votre teckel sur le parvis de St-Patrick, quatre-vingt-dix pour cent des New-Yorkais vous passeraient à côté sans même un regard. Quant au dix pour cent restants, z'entreraient bien dans la danse, mais c'est avec le chien que la plupart d'entre eux voudraient danser.

Vicki éclata de rire. Elle se sentait dans une forme superbe. Elle avait assez de matériel pour alimenter copieusement cinq bonnes minutes d'émission. Dans la négociation, elle avait atteint tous ses objectifs. Elle était séduisante. Et, de toute sa carrière, ç'allait être sa meilleure émission hors studio.

Dans tous les hôtels de New York, les clients avaient demandé qu'on les réveillât à 6 h 45 pour pouvoir regarder *Sur la Côte.*

Dans sa suite, au Plaza, Harriet Sears, revêtue de sa vieille robe de chambre de flanelle et assise en tailleur, sirotait son café.

Au Saint-Regis, Howard Rudermann, éveillé après cinq heures de sommeil, maudissait le décalage horaire. Il commanda par téléphone un café à servir à sa chambre puis, s'étant soulagé la vessie, alluma la télé et regagna son lit.

À Essex House, Vaughn Lawrence et Kelly Hammerstein partageaient une suite réservée aux hôtes de marque. Elle dormait encore. Lui, assis, fumait sa première cigarette de la journée, tout en espérant que l'émission de Vicki Rogers ne réservât pas de mauvaises surprises.

À un autre étage de l'Essex, Len Haley faisait ses cinquante tractions d'un bras, puis cinquante de l'autre. Ken Steiner, un de ses associés dans l'agence de détectives Haley, était encore assoupi.

Au Roosevelt, Billy Singer, comme chaque matin avant de s'habiller, lisait des versets de la Bible, dans un exemplaire fourni par les Gideons*. Il n'avait jamais rencontré Vicki Rogers, mais il la remerciait intérieurement d'avoir protégé les visiteurs qu'il avait accueillis la veille. Ceux-ci avaient posé des questions auxquelles il ne pouvait répondre. Ils l'avaient amené à se demander si Andrew MacGregor et Vaughn Lawrence ne se servaient pas de lui — et, à travers lui, de Jésus-Christ — pour poursuivre des buts peu avouables.

Dans sa demeure bourgeoise, située Upper Riverside Drive, le professeur Josh Wyler, de l'Université Columbia, mangeait ses céréales tout en regardant l'émission de Vicki Rogers. Il avait reçu un appel téléphonique de James Whiting et avait consenti à se laisser interviewer ce jour-là. Whiting lui avait suggéré de regarder *Sur la Côte.*

John Meade, quand il ne se trouvait pas à Palm Beach ou à Easter's Haven, vivait sur Park Avenue, dans l'appartement qui couronnait le quartier général des MacGregor Industries, société mère de MacGregor Communications. Comme d'habitude, Meade s'était levé vers six heures. Après avoir parcouru au pas de jogging le circuit de six kilomètres et demi de Central Park, il était revenu chez lui à temps pour l'émission. Assis à la table de la cuisine, à côté de la baie vitrée qui fermait son appartement au sud, il regardait

* Membres de la Gideon Society, qui distribue des exemplaires de la Bible dans les hôtels, à l'usage des touristes et des voyageurs. (Note du traducteur.)

Manhattan en dégustant sa mixture matinale de germes de blé, de miel, de yaourt et de raisins secs.

James Whiting et Jeanne Darrow partageaient une suite à l'hôtel Algonquin, sans partager le même lit. Après s'être réconfortés l'un l'autre dans le compartiment arrière du camion de Baxter, ils avaient fait chambre à part la nuit suivante, en Ohio. Puis ils étaient arrivés tard à New York la veille au soir, et Henry les avait déposés à l'hôtel, Jeanne avait pris sa douche la première et s'était mise au lit. Whiting, à sa sortie de la salle de bains, l'avait trouvée profondément endormie.

Henry Baxter était retourné à l'appartement de sa mère, à Morningside Heights. Il avait apporté une photographie encadrée du prédicateur de la télévision. On pouvait y lire : « À Sarah Baxter, à une femme qui vit dans le Seigneur. En témoignage de ma plus haute estime. Billy Singer. »

— *Dans quelques instants, disait, de New York, l'animateur de l'émission, nous pourrons voir* Sur la Côte, *avec Vicki Rogers.*

— Qu'est-ce que tu lui as raconté cette fois-ci ? demanda Jeanne.

— Simplement ce qui est arrivé depuis la dernière fois. Elle trouve ça formidable.

— Je n'arrive pas à lui faire confiance, dit Jeanne.

— Elle a mis sa carrière en jeu pour nous, répondit Whiting. Lawrence l'a menacée de lui retirer son émission si elle continuait de parler de nous, mais elle a refusé de s'arrêter. Sans elle, le gars à la Buick rouge nous aurait suivis de beaucoup plus près — et bien avant ça.

Whiting but une gorgée de café.

— La prochaine fois que je vois cette femme, je lui donne une grosse bise.

— *Un grand bonjour à tous. Je vous parle depuis Central Park, magnifique sous son manteau de neige.*

— Voilà notre femme...

Whiting haussa le volume du son.

— *Il paraît qu'aujourd'hui, nous allons avoir droit au redoux de janvier et que la température va grimper jusqu'à dix, annonça Vicki en feignant de frissonner. Pour une fille de Californie comme moi, ce n'est certes pas un temps à s'allonger sur la plage ; mais les New Yorkais vont être ravis, au moins jusqu'à la tempête de neige qu'on nous prédit pour la fin de la journée.*

En fond sonore, on entendait claquer les sabots des chevaux qui tiraient la calèche à travers le parc. Vicki débita d'abord son rapport quotidien sur les faits divers de l'industrie cinématographique; elle entremêlait questions d'affaires et purs commérages, si bien que les uns et les autres ne semblaient former qu'un même récit. Monsieur Truc avait été photographié au bras de mademoiselle Chose à la sortie de Chasen's. Francis Coppola avait acquis les droits d'un nouveau best-seller. La jeune Cheryl Deems, gagnante d'un Oscar, était de retour au boulot; pincée naguère par la brigade antistupéfiants pour usage de drogues, elle avait suivi une cure de désintoxication. Un nouvel épisode de la saga de *Star Wars* était en cours de tournage en Angleterre.

— *Et maintenant, dit Vicki, vous vous demandez probablement la raison de ma visite à la «Big Apple»*. Eh bien, Lawrence / Sunshine Productions et MacGregor Communications ont collaboré à la production d'un film à grand déploiement — le plus coûteux qu'on ait jamais produit directement pour la câblodistribution. Et, croyez-moi, c'est une grosse affaire! Peter Cross et Harriet Sears, qui en sont les vedettes, sont ici, ainsi que les producteurs Horward Rudermann et Vaughn Lawrence. Tous vont assister aujourd'hui à une projection spéciale destinée aux actionnaires et à une brochette de journalistes triés sur le volet, dont votre servante.*

*Après cette projection — si l'on en croit les rumeurs — le grand homme lui-même, Andrew MacGregor, apparaîtra sur bande magnétoscopique pour annoncer l'approbation finale, par le SEC**, de la fusion entre Lawrence / Sunshine et MacGregor Communications.*

D'après des informations proches de la table de négociation, l'entente semble satisfaire toutes les parties, et particulièrement Vaughn Lawrence, qui, il y a dix-huit mois à peine, avait combattu une tentative de prise de contrôle par MacGregor. Le réseau de câblodistribution MacGregor / Lawrence semble promis à un bel avenir.

---

* Littéralement: «la grosse pomme». Appellation familière pour désigner la ville de New York. Pour les milieux artistiques surtout, New York était devenu, durant la dépression des années trente, le refuge, la planche de salut où trouver du travail, la plus grande ville des États-Unis — et la troisième au monde. (Note du traducteur.)

** SEC: Securities and Exchange Commission — agence fédérale chargée de surveiller les émissions d'actions et d'obligations, pour protéger le public contre d'éventuelles escroqueries.

Tout cela, continuait Vicki après une profonde inspiration, nous amène à James Whiting et à Jeanne Darrow, qui croyaient avoir découvert les dessous de cette histoire.

Vaughn Lawrence alluma une autre cigarette. Len Haley interrompit ses exercices. Billy Singer leva les yeux de sa bible.

— *Apparemment, dit Vicki en souriant, leur voyage à travers l'Amérique a pris fin. Après s'être baladés de Los Angeles à l'Ohio et, croyons-nous, jusqu'à New York, ils ont décidé d'abandonner leur recherche sur Andrew MacGregor.*

Whiting baissa sa tasse de café.
Jeanne le regarda. Elle ne paraissait pas surprise.
— Et la grosse bise ?

— *Ils en sont venus à la conclusion que Roger Darrow, en entreprenant de mettre à nu les agissements de MacGregor Communications, s'était lancé dans une chasse aux ombres. Et, après mûre analyse, je suis moi-même de cet avis.*

— Quelle garce ! lança Whiting, en éteignant le poste de télévision. Elle nous laisse sans défense devant la gueule du loup.
— Nous existons encore, dit Jeanne, qu'elle l'admette ou non.
— Elle me manipule depuis son premier appel à Los Angeles.
Il se rendit dans la salle de bains et se regarda dans le miroir. Idiot ! se dit-il à lui-même. Puis il retourna dans la salle de séjour.
— Pourquoi a-t-elle fait ça
— Ce sont les affaires, dit Jeanne. Vicki voulait probablement obtenir quelque chose de Vaughn et elle t'a utilisé pour arriver à ses fins. Elle peut maintenant te laisser tomber.
— Quelle garce ! répéta Whiting. J'aurais dû m'en douter.
— Calme-toi, dit Jeanne. À Hollywood, c'est très facile de se tromper sur les gens. Au moins, tu n'as jamais eu d'aventure avec Vaughn Lawrence.
Elle sourit, puis l'instant d'après, éclata de rire, s'étant rendu compte qu'elle avait jusque-là été incapable de plaisanter à ce sujet.
Whiting s'assit au bord du lit, les mains croisées devant lui.
— Si tu crois que nous sommes en danger, Jim, tout ce que nous avons à faire est d'aller à la police.
— Pour parler de quoi ? De vagues soupçons ? De bandes vidéo qui ne prouvent rien ? Pour avouer que mis en liberté provisoire dans le Wyoming, nous avons fui la justice ?
— Le Wyoming c'est loin d'ici.

— Peut-être devrions-nous filer tout droit au Maine. Éviter de nous montrer à la grande projection de ce soir, annuler l'interview avec le professeur Wyler, et laisser à Billy Singer le soin de faire sauter le couvercle de la marmite à New York.

— Non, dit Jeanne sur un ton ferme. Je suis venue à New York pour une raison bien précise. J'ai quelqu'un à voir ici.

À peine Vicki eut-elle pris congé de ses téléspectateurs, Billy Singer flanqua sa bible sur la table.

— Maudite soit cette femme!

— Qu'est-ce qui va pas, mon révérend? dit Jed Lee.

— Elle a trahi ces jeunes gens.

Billy Singer saisit un bloc de papier et griffonna une courte note.

— Il faut que je mentionne ça, lorsque je poserai mes autres questions aujourd'hui.

— À la projection?

— J'ai l'intention de poser ces questions devant la presse, dit Singer, si on ne peut pas y répondre de manière satisfaisante en privé.

Le maître d'hôtel posa le téléphone sur la table où John Meade prenait son petit déjeuner.

— C'est le révérend Singer, monsieur.

Sur l'écran, le speaker du téléjournal national parlait de la situation économique, et John Meade sentit se desserrer le noeud qu'il avait à l'estomac. Vicki Rogers avait obtenu ce qu'elle désirait et se retirait de ce dossier. C'allait être désormais plus facile de barrer la route à James et à Jeanne Darrow.

Meade le savait: une opinion qui passe par la bouche d'une personnalité de la télé, genre Vicki Rogers, devient automatiquement crédible; répétée assez souvent, elle devient vérité. Grâce à l'aide soutenue de Vicki, l'éclipse de James Whiting et de Jeanne Darrow passerait presque inaperçue.

John Meade avait résolu, contrairement à la fois précédente, de ne pas gêner l'action de Vaughn Lawrence et de ses hommes. Il saisit le récepteur et salua Billy Singer.

Len Haley, vêtu d'un pantalon gris et d'une chemise de popeline blanche, ne portait pas de revolver. Il frappa à la porte de Vaughn Lawrence.

Celui-ci ouvrit. Il venait d'allumer une autre cigarette, dont la fumée bleue lui faisait une couronne au-dessus de la tête. Encore en robe de chambre, il affichait, à cette heure matinale, une barbe drue et presque entièrement grise. Des cernes bleuâtres alourdissaient sa paupière inférieure, comme s'il avait reçu un coup de poing.

Haley entra et ferma la porte.

— Où est Kelly ?

— Dans la douche.

— Vicki a préparé notre jeu. Je pense qu'on devrait pas perdre plus de temps avec ce Whiting.

Haley enfonçait les poings dans ses poches et jouait des biceps. Dans la salle de bains, l'eau s'arrêta de couler.

— Remets la douche en marche, hurla Lawrence.

— Mais j'ai fini, répondit Kelly.

Lawrence marcha vers la porte. Sa robe de chambre s'ouvrit toute grande, révélant des pectoraux affaissés.

— Remets la douche en marche, je te dis !

— J'aurai l'air d'une prune !

— Ce sera délicieux.

L'eau se remit à couler. Lawrence, en nouant la ceinture de sa robe de chambre, se retourna vers Haley.

— Il y a trop de questions en suspens, insistait Haley. Trop de choses que Whiting sait peut-être ou entre lesquelles il peut établir des liens. Et s'il quitte New York, il va sûrement se diriger vers le Maine.

Lawrence écoutait les bras croisés sur la poitrine.

— Je préférerais tuer Whiting, plutôt que de risquer de devoir mettre fin aux souffrances du vieux.

— J'aimerais mieux ne tuer personne d'autre, répliqua Lawrence.

Celui-ci se tourna vers la fenêtre et regarda en bas. Le soleil venait de se lever et projetait de longues ombres sur la rue.

— Trop tard pour te créer des scrupules, Vaughn.

Il ne s'agissait pas de scrupule. Vaughn Lawrence voyait encore dans Jeanne Darrow l'une des femmes les plus attirantes qu'il ait jamais connues.

— Te reste encore à apprendre ce qu'on a appris au 'Nam, dit Haley. Jouer pour gagner.

Lawrence se grattait la barbe.

— Gagner, ça ne veut pas nécessairement dire tuer l'autre type... ou l'autre femme.

— Dans le cas qui nous occupe, c'est toi qui perds s'ils restent en vie. Tu perds la chance de diriger une des plus puissantes organisations de télédistribution au pays. Plus puissante que n'importe lequel des réseaux, parce que t'as un câble dans chaque maison.

Haley baissa la voix d'une octave.

— Tu perds ça, et moi je perds la seule chance que j'avais de t'influencer.

Lawrence se tourna vers Haley.

— Je ne laisserai pas ça se produire, affirma Haley.

Lawrence regarda de nouveau, par la fenêtre, la foule qui, en auto, en autobus, en taxi ou à pied, parcourait les rues de New York. Pris individuellement, ces gens n'avaient aucune importance. Mais pour qui parvient à les mobiliser autour d'un produit, d'une opinion ou d'un politicien, ils étaient le pouvoir et la richesse.

— Je suis pas là-dedans, pour mon plaisir, ni pour le tien, Vaughn.

Debout tout à côté de Vaughn Lawrence, Haley parlait avec une grande douceur.

— Je connais le pouvoir de la télévision. Je le connais mieux que toi. Je sais ce que c'est de moisir quatre ans dans une prison vietnamienne ; de vivre comme un animal, de se nourrir chaque jour de riz et de poisson ; de jamais savoir en t'endormant le soir, si tu vas te réveiller le lendemain matin ; de perdre quinze kilos ; de voir que ta femme en ton absence se console avec un minable pisseur de copies ; de perdre tout sauf la colère. Pis tu réfléchis à ça tous les soirs et pis tu te dis : pourquoi c'est qu'on gagne pas c'te guerre ? Pourquoi c'est qu'on entre pas en force pour foutre en l'air toutes ces saletés ? On est capable de le faire. Les gaz, on les a. Mais rien se passe. Pis chaque semaine, t'as une saleté de lieutenant qui s'amène pour te dire que chez toi tout le monde t'a oublié, que les Américains t'ont tourné le dos, qu'ils font des manifs dans les rues pour arrêter c'te guerre qui t'a pris tout ce que tu pouvais donner. Et tu lui craches à la figure parce que t'en crois rien. Alors, tu te fais battre jusqu'au sang, pis jeter au trou avec les rats.

La voix de Haley n'était plus qu'un souffle rauque, de colère.

— Et quand te v'là enfin chez toi, tu découvres que le con avait raison. Pas un seul appui : la télévision s'est tournée contre toi, et chaque soir c'est des mauvaises nouvelles. La télévision nous a coûté c'te guerre, parce qu'elle nous a vidés de notre volonté de combattre. Elle montrait à chaque mère américaine ce que son petit garçon avait subi ce jour-là dans la jungle, ou ce qui l'attendait lorsqu'il serait appelé sous les drapeaux. C'est à cause de la télévision que des gars comme moi et McCall, comme Ken Steiner et Cal Bannister, on été abandonnés à la pourriture.

Haley mit les mains sur les épaules de Lawrence et le fit pivoter doucement.

— La télévision, c'est le pouvoir Vaughn, et je vais avoir ma part du gâteau. C'est pour ça que je me colle à toi. Et je laisserai personne bousiller tes plans.

Quelques instants après, la douche s'arrêta de couler.

— Je pense que je vais me noyer, criait Kelly dans la salle de bains.

Lawrence jeta un coup d'oeil à la porte.

— D'accord, sors. Puis se retournant vers Haley: Même si Vicki a fini de faire de la publicité à Whiting, les gens savent encore qu'il a le nez dans cette histoire.

Haley hocha la tête.

— Alors, qui serait assez fou pour le tuer? Certainement pas quelqu'un qui voudrait attirer l'attention!

— Qu'arrivera-t-il de Jeanne? marmonna Lawrence.

— New York est une ville rude. Tout peut arriver ici.

Lawrence regarda par la fenêtre. Trop rude, pensa-t-il, pour faire place à la sentimentalité.

— Oui, ici le professeur Wyler.

— C'est James Whiting à l'appareil, professeur. Vous n'allez peut-être pas me croire, mais j'ai égaré l'adresse où nous devons nous rencontrer.

— Je vais vous la donner à nouveau. (Lentement, il lut l'adresse). C'est un immeuble de la compagnie MacGregor, à Brooklyn Heights.

— Qu'est-ce qu'il y a là, déjà?

— Comme je vous l'ai dit hier soir, c'est un vieil entrepôt qui va être transformé en coopérative avec vidéo, ordinateur et matériel de télédistribution.

— Bien entendu.

— Et nous devrions tous nous poser la question suivante, dit le spécialiste en communications de l'Université de Columbia: Qu'est-ce que MacGregor a l'intention de faire du pouvoir qu'il est en train d'amasser?

— Bien. À l'heure convenue donc?

— C'est cela, répondit le professeur. Neuf heures. J'y vais en auto pour ne pas être en retard.

— À bientôt.

Len Haley raccrocha le récepteur. C'était Vicki Rogers qui lui avait donné le nom de Wyler. Haley donna un coup de téléphone à un nommé Johnny Mendoza, à New York. C'était un homme de main très en demande dans les familles qui régnaient sur la mafia des trois États. Mendoza n'était pas un ancien combattant, mais Haley avait déjà travaillé avec lui et lui faisait confiance: rapide et efficace. Un psychopathe. Dans l'allée qui flanquait sa maison, se trouvait une Buick Riviera rouge, dont l'avant était enfoncé et le pare-brise complètement en miettes.

— Ouais ?

— C'est Haley. J'ai besoin de toi et d'un autre homme aujourd'hui. Je vais te donner l'occasion de prendre ta revanche sur les individus qui t'ont balancé dans la neige de l'Illinois.

Haley donna à Mendoza l'adresse du professeur Josh Wyler.

— Trouve quelqu'un de sûr pour le suivre ce matin. Quand il sera en direction de Brooklyn Heights, vers neuf heures moins vingt, je veux qu'il ait un accident. Démantibulez complètement son auto si possible, et envoyez-le à l'hôpital s'il n'y a pas d'autre solution. Mais je veux qu'il soit au moins une demi-heure en retard à son rendez-vous de neuf heures.

— Quoi d'autre ?

— J'ai le pressentiment que Jeanne Darrow et son petit ami, vont aller faire un tour par là. S'ils se montrent le nez, ils sont à toi. Et débrouille-toi pour que cela ait l'air d'être le boulot d'un authentique cinglé.

32

J'attendais de tes nouvelles, dit Harriet lorsque, vers huit heures, Jeanne lui téléphona.

— Tu savais que je te ferais signe.

— Avant que tu ailles plus loin, ma chérie, nous devons nous parler.

Jeanne enroulait le cordon du téléphone autour de son doigt, puis le laissait se dérouler. Tout en lançant à Whiting un regard anxieux, elle répondait à Harriet :

— Je veux d'abord parler à Miranda Blake.

— Veux-tu réellement la voir ? En es-tu sûre ? demanda Harriet.

— À l'époque où Roger est arrivé ici, elle était son seul espoir, répondit Jeanne.

Les coudes sur la table, la tête entre les mains, Whiting écoutait. Elle était obsédée par Miranda, et il ne pouvait l'aider à chasser cette idée fixe.

— Son numéro n'est pas dans l'annuaire et je n'ai pas son adresse, disait Jeanne à Harriet. Avec ou sans ton accord, je la trouverai. Où demeure-t-elle ?

Harriet décida de lui donner l'adresse. Puis elle ajouta :

— À quelle heure veux-tu la voir ?

— Pourquoi ? dit Jeanne méfiante.

— Je connais ses horaires.

— Neuf heures.

— Elle devrait être là, répondit Harriet.

— Bon, dit Jeanne. Whiting et moi, nous te verrons à déjeuner, au Grand Central Oyster Bar, midi trente.

Harriet d'accord, Jeanne raccrocha le combiné.

Elle regarda Whiting.

— Je dois absolument la voir.

— Jeannie, Roger est mort. Rien de ce qui a pu se passer entre lui et une autre femme n'a désormais d'importance. Ce qui est arrivé entre lui et Vaughn Lawrence importe plus et, sûrement plus encore, ce qui s'est produit entre nous.

Jeanne s'assit à côte de Whiting et lui mit la main sur le bras.

— Cette bande tournée à New York me résonne encore dans la tête : au diable tout le reste.

Sa main se glissa sous le poignet du pull de Whiting et remonta le long du bras jusqu'au creux du coude. Jim eut peine à résister à cette caresse.

— Il faut que je voie Miranda, dit-elle. *Seule.*

— Non répliqua Whiting.

— C'est une affaire entre Miranda et moi, insista Jeanne. Cette partie du voyage, je dois la faire seule.

— Non, répéta-t-il d'un ton ferme.

— Ta présence ne m'aidera pas du tout. Elle ne va que compliquer les choses.

— C'est trop dangereux.

— Je vais demander à Henry Baxter de m'accompagner. Il pourra attendre à l'extérieur.

Après un moment, Whiting accepta à contre-coeur.

— Et si Greenwich Village est trop dangereux, ajouta-t-elle, peut-être devrais-tu réfléchir avant d'aller à Brooklyn Heights. Roger ne s'est même jamais donné la peine d'interviewer ce professeur Wyler.

— C'est pourquoi je dois le rencontrer, répondit Whiting. Roger, à son arrivée à New York, était en train de perdre les pédales. Il n'a même pas terminé les prises de vue. Je vais achever ce qu'il a laissé en plan, même si je dois le faire tout seul.

Jeanne porta une main au visage de Jim. Elle n'essaierait pas de le dissuader. D'une certaine manière, elle était contente de cette preuve d'autonomie ; elle espérait pouvoir elle-même en faire autant.

Howard Rudermann était installé au Carnegie Deli, une tasse de café à la main. Devant lui, deux bagels frais avec saumon fumé et fromage à la crème. Chaque fois qu'il venait à New York, il passait par le Carnegie. Là il humait l'arôme acide des cornichons à l'aneth, du vinaigre et du pain de seigle. Il tendait l'oreille aux conversations des jeunes acteurs et actrices qui hantaient l'endroit. Et il mangeait. Mais ce matin il n'avait pas faim.

Il avait dans sa poche le numéro de téléphone de l'hôtel Algonquin. Harriet le lui avait donné. Il n'avait cependant pas composé le numéro, ne sachant quoi dire. Ç'allait être aujourd'hui l'un des jours les plus importants de sa vie. Devant la projection du premier épisode des *Redgates de Virginie,* le public prendrait conscience que côté talent Howard Rudermann n'avait jamais rien eu à envier à son jeune associé. Il ne voulait pas que la moindre fausse note vînt assombrir son triomphe.

Il mit la main dans sa poche et joua avec la monnaie qu'il s'était procurée pour le téléphone. Il se demandait ce qu'il pourrait bien dire à Jeanne ou à Whiting. Il les savait en danger, maintenant que Vicki Rogers ne veillait plus sur eux, mais il ne voulait pas les voir à la conférence de presse, ni à la première de son oeuvre, qu'ils gâcheraient. Il décida de finir son petit déjeuner et de réfléchir à tout cela.

Billy Singer, en quittant l'ascenseur, pénétra dans le petit vestibule sombre de l'appartement-terrasse de John Meade. Il était venu seul affronter le neveu de MacGregor.

Le maître d'hôtel accueillit le Révérend, dont il prit le manteau et le chapeau, puis se tourna et ouvrit les portes intérieures. Billy Singer eut l'impression de pénétrer dans une cathédrale séculière. La face sud de l'appartement était en verre, du sol jusqu'au plafond. Les rayons du soleil matinal y répandaient une douce lumière mordorée. Au-delà des fenêtres, New York ressemblait à un champ où des fleurs de béton et de verre tendaient leurs corolles, vers la lumière du matin.

La salle de séjour s'étalait sur deux niveaux. Les murs du plan supérieur, tapissés de livres, étaient décorés de peintures qui, aux yeux profanes de Billy Singer, parurent des originaux. Le niveau inférieur constituait un espace rectangulaire ; trois côtés étaient réservés à l'équipement audio-visuel : téléviseur à écran géant, chaîne stéréo, magnétoscopes, et haut-parleurs.

— Révérend Billy !

John Meade fit son apparition, vêtu d'un costume gris clair parfaitement coupé et d'une cravate d'un gris presque argenté.

Chevelure blonde et soyeuse, encore humide de l'eau de la douche; visage rasé de près, où luisait une touche d'eau de toilette Pierre Cardin. Il accueillit Singer avec chaleur, commanda deux cafés et entraîna son visiteur vers le niveau inférieur de la salle de séjour. John Meade était contrarié de cette visite; mais, sauf raison bien précise, il n'extériorisait jamais son mécontentement.

— Nous sommes heureux que vous ayez pu venir à la projection, mon révérend. Votre présence ajoutera beaucoup d'éclat à la cérémonie d'aujourd'hui.

— Ce n'est pas vraiment la raison de ma venue à New York.

Billy Singer était assis au bord du divan et jouait avec son anneau à pierre rose. Son costume bleu sombre et sa chemise blanche étaient rehaussés d'une cravate à pois. Cette allure d'agent de change de Wall Street lui permettait de garder, à New York, un certain anonymat, qu'il préférait.

— Je suis ici pour obtenir, du patron lui-même, certaines réponses.

— Mon oncle est dans le Maine, répondit Meade d'un ton neutre. Il a tourné une bande vidéo qui sera présentée à la presse cet après-midi. Je peux vous la montrer si vous le désirez.

— Non, merci, John. Une bande vidéo ne peut répondre aux questions.

Meade se pencha en arrière, les mains croisées autour d'un genou.

— Puis-je y répondre à sa place? demanda-t-il d'un ton affable.

Billy Singer inspira profondément.

— Il y a par ici, John, des gens qui me prennent pour un hâbleur, des gens qui pensent que mes discours à la télévision sur la vérité et l'honnêteté ne collent pas à ma propre vie.

— Je n'ai jamais rien entendu de tel, mon révérend.

Singer leva la main.

— Et ils ont parfois raison, John. Mais j'ai reçu hier la visite de la jeune veuve de Roger Darrow, avec le type qui a subi une greffe du rein.

Meade hocha la tête.

— Nous avons suivi leur périple, à la télévision.

— J'ai promis à ces deux personnes de poser quelques questions auxquelles elles n'ont pu obtenir réponse et je tiens ma parole.

Billy observa un temps d'arrêt.

— Dites-moi, John, quelle est votre opinion sur Vaughn Lawrence?

John Meade ne répondit pas.

— Ou sur Reuben Merrill?

— Vous avez été un chaud partisan de Merrill dès son entrée au Congrès, mon révérend. Vous le connaissez mieux que moi.

Billy fixait Meade et continuait à jouer avec son anneau, comme s'il n'était pas satisfait de la réponse.

Meade se leva et croisa les bras.

— Venons-en au fait, mon révérend. J'ai une longue journée qui m'attend.

Billy se leva. Il dépassait Meade d'une tête. Sa forte taille et son complet sombre, par leur effet de contraste, faisaient paraître Meade frêle et juvénile. Billy essuyait la transpiration qui perlait à ses favoris.

— Voici les questions auxquelles je voudrais que vous répondiez en toute franchise. Dans quel but la société MacGregor Communications a-t-elle uni ses forces à celles de Lawrence/Sunshine Productions ? Et comment envisagez-vous le rôle de l'Église de la Sainteté évangélique, au sein de cette nouvelle société ?

— Est-ce tout ?

— Non, répondit Billy Singer. La mort de Roger Darrow était-elle réellement accidentelle ? Et ces deux jeunes gens sont-ils en danger ?

John Meade ne répondit pas immédiatement. Il se détourna de Billy Singer, monta au second niveau et déambula devant les fenêtres. Il regarda dehors quelques instants, puis il parla.

— Mon révérend, si nous munissons d'un réseau de câblodistribution la société américaine, c'est pour assurer la cohésion de celle-ci.

Il reprit son va-et-vient le long des fenêtres, et son ombre dansait sur le tapis beige.

— Notre réseau apporte dans tous les foyers des distractions, des idées, un système de sécurité ; les moyens d'effectuer, sans se déplacer, des opérations bancaires et des transactions. Il apporte aussi la lumière de votre enseignement — Meade s'arrêta de parler et revint vers Singer — et un phénomène nouveau : la télédémocratie.

Billy essaya de parler, mais John Meade s'était remis à arpenter la pièce, et son ombre le pourchassait comme un farfadet quand il s'avançait vers le révérend.

— Avec le système de télévision en duplex, on peut protéger ses libertés et mettre en oeuvre son indépendance, sans quitter son salon. Réfléchissez-y : d'une pression sur un bouton, on peut faire savoir au monde ce qu'on pense. Vos disciples le font déjà, par le biais de votre propre Église.

— Dans de bonnes mains, dans les mains d'un homme comme Andrew MacGregor, c'est un instrument puissant pour le bien. Mais après avoir écouté la veuve de Darrow, et ce Whiting, je crois que votre oncle s'est acoquiné avec un individu dont l'honnêteté me paraît diablement suspecte.

Billy Singer pénétra dans la zone ensoleillée qui entourait John Meade.

— Pourquoi ?

John Meade tourna le visage vers la fenêtre.

À l'entrée d'un immeuble cossu de trois étages, dans Greenwich Village, Jeanne Darrow appuya sur le bouton surmonté du nom de *Blake.* Une voix familière répondit dans l'interphone. Puis la sonnerie de la serrure fit sursauter Jeanne, et ne s'arrêta que quand celle-ci saisit la poignée et poussa la porte.

Sombre, le hall d'entrée sentait le désinfectant. À gauche, une porte, à droite l'escalier. Jeanne monta. Au deuxième, le hall lui parut plus clair. Après un virage, elle monta au troisième et frappa.

— Jeanne ?

C'était une voix étouffée, familière, mais pas celle de Miranda.

Quelqu'un regarda à travers le judas, puis tira le verrou et ouvrit la porte.

— Harriet !

— Salut, ma chérie.

Jeanne restait plantée sur le seuil.

— L'as-tu prévenue de mon arrivée ?

— Elle n'est pas ici, dit Harriet.

— Quand sera-t-elle de retour ?

— Je ne sais pas, avoua Harriet en hésitant. À vrai dire, elle n'est pas ici très souvent.

Coup de sonnette. Harriet regarda l'intercom. Nouvelle sonnerie. Elle décida de répondre.

— Jackie ? demanda une voix d'homme à l'autre extrémité de l'intercom.

— Il n'y a pas de Jackie ici.

— Oh ! Désolé! J'ai appuyé sur la mauvaise sonnette.

Au rez-de-chaussée, Johnny Mendoza avait terminé son enquête. Il avait essayé tous les boutons. Personne au premier étage ni au second. Au troisième, Jeanne Darrow avec une femme âgée dont le visage disait vaguement quelque chose à Mendoza.

Jeanne se tenait debout dans la salle de séjour. Celle-ci propre et bien rangée, sommairement garnie de meubles en chêne et en érable, et décorée d'imprimés à motifs floraux. De vieilles affiches de théâtre ornaient les murs blancs. À droite, un petit couloir conduisait à la chambre. À gauche, une table où manger. La cuisine occupait une étroite pièce, qui avait autrefois été un cabinet, dans ce bâtiment vieux d'un siècle.

— O.K., dit Jeanne à Harriet. Pourquoi es-tu ici à la place de Miranda ?

Harriet sourit.

— Je suis sa doublure.

— Ne plaisante pas, Harriet. J'ai parcouru cinq mille kilomètres pour la voir.

— Je t'ai suivie grâce à Vicki Rogers. Je n'ai pas cru ce qu'elle a dit ce matin, mais j'étais d'accord avec elle sur un point.

— Lequel, je te prie ?

Harriet se détourna et se tint debout devant la fenêtre de la salle de séjour ; on avait vue sur une autre fenêtre par-delà l'allée.

— J'ai reconnu, avec elle, que votre voyage n'a été qu'une chasse aux ombres.

— Miranda est-elle une de ces ombres ?

— Oui, répondit Harriet en portant la main à sa gorge. Et Roger aussi.

— Je ne pourrai jamais attraper l'ombre de Roger, répliqua Jeanne, mains sur les hanches. Je peux attendre ici jusqu'à ce que Miranda paraisse.

— Elle ne veut pas te parler, Jeannie.

— Pourquoi la protèges-tu, Harriet ?

— C'est toi que je protège.

Jeanne se détourna et se dirigea vers la table. Elle en caressa la surface et sentit le grain du chêne. Roger avait probablement mangé ici avant de partir pour le Maine. Elle se demandait de quoi il avait parlé avec Miranda.

Puis, ses yeux se posèrent vers la cuisine. À peine assez grande pour une personne, peut-être deux. Des armoires en chêne ; des dessus de comptoir en blocs de boucher ; un ensemble de contenants aux formes modernes, avec couvercles de plastique brun, assortis à la couleur de la cuisinière et du réfrigérateur ; un babillard où des punaises de couleurs vives maintenaient en place des cartes postales, des notes et les pages d'un script. Le reflet même de Miranda : un soupçon d'organisation et un soupçon de négligé, du naturel et de l'esthétisme...

Jeanne se rapprocha du babillard et sentit son estomac chavirer. Une carte d'un vert cru était fixée au coin supérieur droit par deux punaises rouges. En haut de la carte, on pouvait lire : « Horaire du ferry-boat d'Easter's Haven, 31 octobre au 1er avril. »

— Viens ici, Harriet.

Au Carnegie Deli, Howard Rudermann, son bagel terminé, sirotait un café. Il avait décidé de parler à Whiting et à Jeanne, et de les avertir. Il marcha jusqu'au téléphone, à l'arrière du restaurant, inséra dans la fente une pièce de dix sous, et composa le numéro de l'hôtel Algonquin. Ayant demandé la chambre de Whiting, il compta dix coups, puis raccrocha au douzième.

James Whiting, à bord d'un taxi, faisait route vers le pont de Brooklyn. À côté de lui, sur le siège, la caméra portative, la batterie du magnétoscope et un trépied. Il portait un jean, des souliers de marche et un pull en laine sur un col roulé. C'était la première fois en dix jours qu'il se rendait quelque part sans être accompagné de Jeanne Darrow. Il était inquiet au sujet de celle-ci, et sa propre randonnée à Brooklyn le rendait nerveux.

Mais Whiting avait décidé de rencontrer le professeur Wyler, en quelque lieu que ce dernier suggérât. Il ne voulait pas céder à la peur sous prétexte que la Reine des commères l'avait lâché. Heureux, au fond, d'effectuer seul une démarche qui désormais ne concernait que lui, et non pas Jeanne ou son mari. Darrow, à son arrivée à New York, était désespéré et courait à l'aveuglette. James Whiting, lui, avait décidé de ne pas fuir.

Le soleil glissait vers le sud et brillait à travers les fenêtres, dans l'appartement-terrasse de John Meade. Ce dernier contemplait la ville. Billy Singer regardait Meade.

— L'alliance avec Vaughn accroît le pouvoir de mon oncle, mon révérend. Elle lui permet de contrôler la programmation des réseaux ainsi que les systèmes de diffusion. Et quand augmente la puissance de mon oncle, la vôtre croît également. Vous aidez mon oncle à atteindre ses buts, et mon oncle vous aide à accomplir votre mission.

— Mais il a toujours agi en pleine lumière, répondit Singer. Avec vous à ses côtés. À présent, vous avez ouvert la porte à un homme de Mammon.

Meade regarda Singer.

— Faites-moi grâce de la phraséologie biblique, mon révérend.

— Vous ne m'avez convaincu de rien, John.

— Vous faites erreur, mon révérend.

Singer avalait sa salive pour retrouver une voix calme :

— Si votre oeil est un objet de scandale, arrachez-le, John. Je suis désolé.

Billy Singer se dirigea vers la porte.

— Mon révérend, dit Meade.

Billy s'arrêta et se retourna, espérant que Meade donnât quelque répit à sa conscience.

— ... est-ce qu'une rencontre avec mon oncle pourrait vous convaincre que mes intentions sont pures, et Vaughn Lawrence digne de confiance ?

Billy sourit.

— Eh bien, John, cela m'apaiserait beaucoup. Cela fait des années que je ne lui ai parlé en privé.

— Peu de gens ont ce privilège, dit Meade. Mais s'il est persuadé que vous êtes sur le point d'abandonner le bercail, il quittera le Maine et viendra en personne. Pouvez-vous attendre jusqu'à demain pour rencontrer la presse ?

Billy fit quelques pas en arrière, jusqu'à la tache de soleil.

— Si je peux parler à votre oncle, j'attendrai jusqu'à la semaine prochaine.

Jusqu'à demain suffira, pensa Meade. Il sourit, entouré de soleil. Une fois de plus Andrew MacGregor avait opéré son miracle.

Dans l'appartement de Miranda Blake, Jeanne Darrow et Harriet Sears étaient assises sur le divan. Jeanne s'était lovée dans le coin, contre un accoudoir. Harriet était perchée sur le coussin du milieu.

Dans la rue, l'impatience gagnait Johnny Mendoza.

— Je pars pour le Maine, répéta Jeanne.

Harriet essayait de la convaincre de rentrer chez elle.

— Miranda n'a jamais voulu laisser savoir que MacGregor était son oncle, et John Meade son frère. Elle aurait ainsi bénéficié, pensait-elle, d'un injuste avantage. Aussi a-t-elle préféré se débrouiller par ses propres moyens.

— Si elle se trouve actuellement à Easter's Haven, je vais aller la voir, dit Jeanne en se levant.

Harriet la saisit par la main.

— N'y va pas, ma chérie, je t'en prie. Je ne suis même pas sûre qu'elle y soit.

Jeanne, agenouillée, prit les deux mains de Harriet dans les siennes.

— Je te connais trop bien, Harriet. Que se passe-t-il ?

Je ne sais pas, et je ne pense pas que Roger l'ait su. Et, si oui, il ne s'en souciait pas réellement au moment où il est arrivé ici.

Harriet enlaça Jeanne et les deux femmes se serrèrent l'une contre l'autre. Harriet ne pouvait être animée que des meilleures intentions, Jeanne en était convaincue.

— Et pourtant, il faut que j'aille dans le Maine, dit-elle doucement. Dès aujourd'hui.

Harriet la saisit par les épaules puis la repoussa. Les deux femmes se regardaient dans les yeux.

— Je ne sais pas ce que tu vas trouver, rendue là-bas. Mais souviens-toi de ce que je t'ai dit : ne sois jamais surprise de ce que les gens font pour assouvir leurs désirs — ceux du corps ou ceux de l'âme. Et la plupart des gens pensent que la satisfaction des premiers contribue beaucoup à soigner les seconds.

Quelques minutes plus tard, elles s'apprêtaient à partir. Harriet ouvrit la porte. Le vieux bâtiment était silencieux. Au-dessus d'elle, la clarté du soleil filtrait à travers le puits de lumière jusqu'au hall d'entrée, trois étages plus bas. Elle éclairait la peinture verte, écaillée sur les murs du couloir, et les particules de poussière qui dansaient dans les rayons.

Au-dessus du puits de lumière, une ombre passa. Un oiseau, pensa Jeanne, ou peut-être un avion. Soudain, le verre fut fracassé. Des éclats volaient en tous sens, et des particules, mortellement tranchantes, explosaient comme des balles de mitraillette.

Jeanne hurla. Une forme humaine traversa le puits de lumière. Jeanne vit fondre sur elle deux lourdes bottes, suivies d'un passe-montagne orange bordé de brun autour des yeux et de la bouche. Les yeux étaient ronds et vides ; la bouche était bâillonnée par le masque de laine.

Les bottes frappèrent Jeanne en pleine poitrine et la firent chanceler.

Harriet essayait désespérément de refermer la porte, mais la silhouette lui fonçait dessus et l'envoyait virevolter.

L'individu, entré dans l'appartement, referma du pied la porte. Un couteau à cran d'arrêt jaillit entre ses doigts. D'un déclic, il en fit jaillir une lame de quinze centimètres.

— Deux garces, une jeune et une vieille, grogna-t-il. D'la veine aujourd'hui.

De sa veste de daim, il tira une bobine de corde, qu'il lança à Harriet.

— Faites ce que je vous dis, et je vous donnerai à toutes les deux des raisons de vous souvenir de moi.

Jeanne, assise au sol, suffoquait.

Harriet attrapa la corde en même temps qu'elle saisissait le téléphone. L'individu, d'un coup de pied, lui arracha des mains l'appareil et, d'un coup de couteau en coupa le fil, non sans gifler Harriet en pleine figure.

Jeanne, ayant repris souffle, bondissait vers la porte. Mais une poigne vigoureuse l'attrapa au col et la lança à travers la pièce. Elle hurlait à pleins poumons.

— C'est pas la peine, chérie, disait la voix sortie du passe-montagne. Y a que nous trois dans c't immeuble. On va jouer un petit jeu. Moi, je serai le papa. Toi — il désignait Harriet — tu seras la maman. Et toi — il s'adressait à Jeanne — tu seras la petite garce qui lui a volé son mari.

Il regarda de nouveau Harriet.

— Attache les mains de ton amie derrière son dos.

Harriet ne fit pas un mouvement.

— Vas-y, grogna-t-il.

— Seigneur, murmurait Harriet.

— Henry ! hurla Jeanne.

Le masque se tourna vers elle : Henry ?

Jeanne bondit sur ses pieds, courut jusqu'à la fenêtre d'en avant et hurla le nom de Henry.

— La ferme ! dit le masque d'une voix rauque.

L'individu était adossé à la porte. Comme il se retournait pour la verrouiller, celle-ci — bang ! — s'ouvrit à toute volée et quittant presque ses gonds, le heurta en pleine figure. Puis Henry Baxter fonça dans la pièce.

Harriet se roula au sol pour lui laisser le passage.

L'individu au masque s'accroupit.

Il a un couteau, hurla Jeanne.

Dans un éclair, la lame pénétrait sous la veste de cuir de Henry, mais elle rata le bourrelet de graisse qui entourait sa taille.

Le poing de Henry s'écrasa lourdement sur le nez masqué.

Jeanne entendit un craquement sinistre, comme celui d'un os qu'un chien brise entre ses dents.

L'individu tomba à la renverse contre le divan. Déjà le sang coulait à flots de sa bouche.

La respiration de Henry était haletante. L'individu, dans ses efforts pour respirer par ce que Henry lui avait laissé de nez, faisait entendre toutes sortes de reniflements et de grognements.

Henry brandissait un siège de capitaine fait de chêne.

— C'est pas avec moi que tu vas jouer du couteau, espèce d'enfant de garce.

Le masque orangé, imbibé de sang, tournait au cramoisi.

Henry jeta un coup d'oeil aux deux femmes.

— Sortez !

L'individu s'était relevé, serrant dans sa main droite le couteau. Sous le masque, le sang lui ruisselait du menton et dégoulinait sur sa veste.

Les deux femmes étaient accroupies près de la porte de la cuisine, à quelques cinq mètres de la sortie.

Henry se déplaça, pour se situer à mi-chemin entre les deux portes. Pendant cette manoeuvre, l'individu, sans quitter son poste, pivotait sur lui-même avec son couteau. Henry s'attendait à le voir bondir vers la sortie ou vers une des femmes.

— Allez-y, dit Henry à Jeanne et à Harriet. Je vais vous couvrir !

Elles décampèrent en longeant le mur, tandis que de son corps il leur faisait un bouclier.

Harriet se glissa vers la porte. Puis Henry jeta un coup d'oeil par-dessus l'épaule, tandis que Jeanne se faufilait à l'extérieur.

L'individu se précipita.

— Attention ! hurla Jeanne.

Henry balança le fauteuil de toutes ses forces, de toute sa rage. Le dossier frappa de plein fouet l'individu, les barreaux se fracassant contre sa tempe. Le siège et les pattes furent projetés contre l'affiche de *Chorus Line* accrochée au mur et dont la vitre vola en éclats. L'individu oscilla, recula, mais ne tomba pas.

Henry, ébahi de voir l'homme toujours debout, tenait en mains les deux morceaux de chêne, qui lui semblaient deux cabillots d'amarrage.

L'homme cessa de vaciller et, soudain, fit un bond en avant. Sa lame traversa le blouson de cuir et la chemise de Henry. Celui-ci tourna sur lui-même ; la lame lui glissa le long de la cage thoracique, puis réapparut, couverte de sang. L'homme bondit de nouveau, mais Henry esquiva le coup et frappa avec un des morceaux de chêne. Il atteignit l'adversaire derrière l'oreille.

Harriet et Jeanne étaient debout dans le couloir, sous le puits de lumière. Elles virent le malfaiteur voler par la porte de l'appartement, enfoncer la rampe, et s'écraser dans l'escalier, un étage plus bas.

Henry se lança à sa poursuite. L'individu se remit péniblement sur ses jambes. Il leva les yeux, se mit à grimper les marches, puis tourna les talons pour dégringoler à l'étage inférieur.

Ils entendirent décroître le bruit des pas, puis la porte d'entrée claquer.

— Enfant de putain ! grommela Henry.

33

Lorsque l'armée continentale fit halte à New York en 1776, George Washington décida de fortifier Brooklyn Heights. Cet endroit dominait le Bas Manhattan ; des courants rapides et profonds le protégeaient là où l'East River pénètre dans le port de New York. Qui tient Brooklyn Heights, pensait-il, tient New York.

Cent sept ans plus tard, le pont de Brooklyn, prodige de l'architecture et du génie de l'époque, reliait Brooklyn à Manhattan. Deux tours de granite, qui furent les plus hautes constructions de leur temps, ouvraient leurs arches victoriennes sur la plus grande ville d'Amérique ; elles soutenaient une immense harpe éolienne de câbles d'acier, à laquelle était accrochée la route de New York.

Un siècle plus tard, le pont desservait bon nombre des trois millions de banlieusards qui chaque jour venaient grossir la population de Manhattan. Et Brooklyn Heights, encore à l'état de prairie à l'époque de Washington, était devenu l'un des faubourgs newyorkais les plus recherchés.

James Whiting y avait des amis à qui il rendait souvent visite. Il aimait explorer les boutiques et les restaurants de Henry Street, ou flâner dans les « rues des fruits » comme on les appelait — Pineapple, Cranberry, Orange Street — en admirant les façades de grès brun et les fenêtres en saillie, héritage du dix-neuvième siècle.

Et pour finir, il débouchait sur la Promenade et admirait l'un des panoramas les plus célèbres d'Amérique. La Promenade s'étirait sur près d'un kilomètre , aux confins de Brooklyn Heights. En dessous s'étalaient, par gradins successifs, la voie rapide Brooklyn-Queens, Front Street et les quais de Brooklyn. Et au-delà du port de New York s'élançaient les gratte-ciel du Bas Manhattan. La nuit tombée, il suffisait à Whiting de déambuler sur la Promenade — alors que chaque fenêtre de chaque immeuble semblait illuminée et que Manhattan regardait Brooklyn Heights comme un dieu bienveillant, prêt à dispenser son savoir et sa lumière — pour comprendre que New York eût autrefois symbolisé le brillant avenir de l'Amérique.

Whiting attendait le professeur Josh Wyler devant un vieil entrepôt de Front Street. La proximité des docks de Brooklyn avait fait autrefois de ce quartier un site propice à l'érection de manufactures et d'entrepôts. De nos jours, la proximité de Wall Street et la vue sur le pont et sur Manhattan attiraient de jeunes cadres supérieurs, qui y élisaient domicile.

Sur un petit square, à la base du pont, se trouvaient des restaurants, un musée et plusieurs immeubles recyclés en appartements de luxe. On avait planté des arbres et aménagé des jardins. Quant aux intérieurs, Whiting imaginait sans peine qu'ils satisfaisaient aux normes de l'appartement chic retapé : murs de brique mis à nu et poutres apparentes, planchers en chêne ou en pin remis à neuf, peinture d'un blanc monacal, spots alignés sur des rampes. Et chaque appartement créé par l'entreprise de construction, filiale de MacGregor Industries, était doté d'une pièce réservée aux loisirs, véritable salle de projection façon Hollywood : murs sans fenêtres, capitonnés de caoutchouc et de tissu aux vertus acoustiques irréprochables ; écran d'un mètre vingt de haut ; huit haut-parleurs stéréo ; pupitre de commande comprenant tête d'ordinateur, câble de télédistribution, magnétophone à cassettes, table de défilement, lecteur de disque à laser. Bref, *tous les raffinements électroniques grâce auxquels la vie vaut la peine d'être vécue...*

Bonne formule, pensa Whiting. Peut-être MacGregor m'embaucherait-il pour la promotion du nouveau concept ?

En bordure du square, à une centaine de mètres de l'endroit où Whiting attendait, on avait commencé la rénovation d'un immeuble. Des engins de chantier étaient stationnés à l'extérieur, partout s'affairaient des ouvriers, et le bruit des marteaux-piqueurs résonnait dans la rue. La rangée de bâtiments où Whiting devait rencontrer Josh Wyler, cependant, était vide et délabrée. Les fenêtres du rez-de-chaussée et du deuxième étaient bouchées de contre-plaqué. Des journaux et des ordures s'entassaient dans les recoins de l'entrée. Les tessons éparpillés sur les marches indiquaient qu'on avait fracassé des bouteilles de bière contre l'affiche qui, sur la façade, annonçait : « Phase III/Immeuble Bridgeview/Réalisation MacGregor Industries/Luxueux appartements informatisés/En copropriété, pour cadres new-yorkais/Ouverture prochaine. »

En travers du panneau, quelqu'un avait barbouillé, à l'aide d'une bombe de peinture : « Bande de crétins riches, allez vous faire foutre ! »

Whiting savait pourquoi le professeur avait choisi cet endroit pour leur rencontre : universitaire, Wyler était friand de comparaisons. Pour comprendre l'avenir, il était nécessaire d'étudier le passé. Il voulait donc que Whiting vît les entrailles d'un vieil entrepôt désert. Ensemble, ils se rendraient ensuite au square, près du pont, pour constater la métamorphose d'un autre vieux bâtiment en de luxueuses résidences informatisées.

Whiting avait déjà photographié l'extérieur du bâtiment, les quais auxquels était adossé celui-ci, et, de l'autre côté de la rue, la voie rapide Brooklyn-Queens. Il était planté sur le trottoir, frappant du pied un tas de neige encroûté de suie, et goûtant sur sa joue la chaleur du soleil. La température dépassait à présent cinq degrés. À New York, le redoux de janvier avait commencé. Il pouvait durer une seule journée et se terminer par une tempête, comme on le prédisait ; ou bien se poursuivre pendant une semaine.

Whiting jeta un coup d'oeil à sa montre : neuf heures dix. Il se demandait où était Wyler.

Le professeur Josh Wyler était au volant de sa vieille Volkswagen, au milieu du pont de Brooklyn ; en retard à son rendez-vous, il se hâtait.

Il n'avait pas remarqué la familiale cabossée qui le suivait depuis le Westside et qui arrivait à présent sur sa gauche. Il ne la remarqua pas, non plus, lorsqu'elle le doubla à soixante-cinq kilomètres à l'heure sur le pont. Il ne constata sa présence que lorsqu'elle l'eut dépassé d'une longueur, clignotant droit allumé.

Il y avait presque assez de place pour que la familiale glissât entre Wyler et la voiture qui le précédait, mais Wyler accéléra. Le professeur aux manières courtoises devenait, au volant, un vrai New-Yorkais. Il barrait le passage à la familiale, mais celle-ci s'obstinait à changer de voie, comme si Wyler n'avait pas été là.

Wyler appuya de toutes ses forces sur son avertisseur. Il poussa les freins au plancher. Et la familiale le frappa de flanc.

Grincement de pneus, éclats de verre, froissement de tôle. Wyler fut déporté sur sa droite et projeté contre le parapet. On vit voler rétroviseurs, poignées de porte et ailes. La Volkswagen racla le sol et s'immobilisa, son pare-chocs accroché à la roue avant gauche de la familiale, tandis que l'autre conducteur hurlait des obscénités.

— Monsieur Whiting ! Par ici !

Whiting leva les yeux. Un jeune homme, casque protecteur sur la tête, se penchait à une fenêtre cassée du quatrième étage.

— Montez l'escalier arrière ! cria-t-il.

Whiting lui répondit d'un signe de la main, ramassa son magnétoscope et sa caméra, et prit l'allée qui longeait le bâtiment. Celle-ci menait autrefois aux quais de chargement, mais à présent, toutes les portes en étaient verrouillées.

Whiting, pour éviter la plate-forme vide, prit le bord de l'allée, où le terrain s'affaissait. Il descendit quelques marches et atteignit la face arrière du bâtiment, donnant sur la rue suivante.

La porte arrière, faite de métal, servait de sortie de secours. Elle était généralement fermée à double tour, mais le cadenas en avait été ouvert pour laisser entrer Whiting. Celui-ci ouvrit la porte et pénétra dans une cage d'escalier faite de béton et de métal et qui, même en janvier, puait l'urine. La porte se referma bruyamment derrière lui.

— Quatrième étage ! cria le jeune homme.

— Professeur Wyler ?

La voie de Whiting résonna dans la cage.

— Charmé de faire votre connaissance, monsieur Whiting! Montez !

Un rat jaillit d'un coin et traversa la première marche.

Whiting se mit à monter. Ses pas résonnaient sourdement dans ce puits métallique, où naguère des centaines d'ouvriers avaient défilé chaque jour.

Les murs de la cage avaient été à l'origine peints en ocre, avec, à hauteur d'épaule, une bande écarlate qui guidait jusqu'au toit l'usager. Sur chaque palier, on avait peint en rouge vif au-dessus de la bande le numéro de l'étage, et dessiné au pochoir, une main à l'index tendu. Le doigt désignait la porte et surmontait une pancarte énumérant ce qu'on trouvait derrière.

Comme du sang séché, la peinture écarlate avait viré au brun. L'ocre des murs s'était dissoute dans le plâtre, et la moisissure avait envahi les coins où les ivrognes avaient uriné. Mais les petites pancartes livraient encore leurs messages :

« Premier étage : expédition, réception, accueil. Entrée du personnel. » Vieux journaux jonchant l'escalier. Sur le palier, une bouteille de muscat ; un pot de mayonnaise, vide.

« Deuxième étage : bureaux de l'administration. » Une caisse de bière vide. Des crottes de rat. Encore des journaux. Une vieille chaussure de cuir, à la semelle trouée. Sur le palier, un paquet de journaux sur quinze centimètres d'épaisseur. Une vieille seringue hypodermique. Des débris de plâtre. Du verre cassé.

« Troisième étage : entreposage. » Une puanteur semblable à celle des excréments humains. Encore des journaux. Une bouteille de bière Haffenreffer. Deux vieux pardessus sales. Une grande tache de sang. Que s'est-il passé ici ? Qu'est-ce que je suis venu foutre ici ?

« Quatrième étage : entreposage. » Un jeune aux cheveux blonds, une vilaine cicatrice au menton, salua Whiting.

— Bonjour, monsieur Whiting, Je suis Wyler.

Whiting tendit sa main libre.

— Je pensais que nous devions nous rencontrer en bas.

— Désolé pour ce malentendu.

Un mortier viêt-cong avait presque arraché la mâchoire à Ken Steiner. La chirurgie plastique et l'art dentaire lui avaient refait un visage, mais il lui était resté un léger défaut de prononciation. Dans sa bouche, « désolé » devenait « déjolé ».

Whiting, au cours de sa conversation téléphonique de la veille au soir avec Wyler, n'avait pas remarqué ce chuintement. Il se prit à regretter de n'avoir pas vu une photographie du professeur avant de venir à sa rencontre.

L'homme tendit à Whiting un casque protecteur semblable au sien.

— Règlement de la société MacGregor.

— Vous avez donc l'autorisation de pénétrer ici ?

— Oh ! oui, dit Steiner. Les professeurs obtiennent à peu près toutes les permissions.

Il ouvrit la porte, et Whiting pénétra sur l'étage, où des milliers de tonnes de marchandises avaient autrefois été entreposées. On n'y voyait plus ni caisses, ni cloisons, ni ouvriers. De la sortie de secours jusqu'à l'avant du bâtiment, sur presque cent mètres, rien ne bougeait, sauf les pigeons nichés dans l'embrasure des fenêtres. Celles-ci laissaient pénétrer par la gauche les rayons du soleil, qui illuminaient la moitié de l'étage. Des piliers de béton, disposés en quinconce au sol, soutenaient le plafond et le poids du bâtiment. Derrière l'un d'eux, Len Haley attendait.

Une rafale de vent pénétra par les fenêtres brisées et fit tournoyer sur le sol de vieux journaux et quelques plumes de pigeon. Ceux-ci s'accrochèrent aux piliers — ou aux vieux clous restés des anciennes cloisons.

— J'aimerais filmer à partir d'ici, dit Whiting. La lumière est parfaite, et nous avons une magnifique... — il cherchait le mot exact qui lui donnât l'air de connaître ce dont il parlait — ...perspective... euh... profondeur de champ.

— Bien, très bien, dit Steiner. Mais permettez que je vous guide d'abord dans la visite de l'étage, pour vous montrer les endroits intéressants sur le plan architectural.

Len Haley tira les gants de cuir qui lui moulaient déjà les mains. Il avait cédé à Steiner son manteau en poil de chameau. Il transpirait sous sa veste de tweed, et la sueur qui lui coulait le long du corps lui donnait le frisson.

Whiting ramassa sa caméra et suivit Steiner.

— Ça va faire des appartements de vrai grand luxe.

— Avec une vue spectaculaire, dit Whiting. Côté nord, les fenêtres donnaient sur le pont de Brooklyn, qui, tel un prisme, décomposait les rayons du soleil

Et de marcher, et de bavarder. Len Haley entendait se rapprocher la conversation. Il ne voulait ni frapper sa victime, ni l'abattre. Il ne voulait lui infliger aucune blessure qui pût attirer l'attention du médecin légiste de New York — qu'il ne comptait pas parmi ses proches connaissances.

— À votre avis, professeur, que recherchent ces promoteurs ?

Steiner se mit à rire.

— Ce qui fait courir tous les autres. L'argent.

— Mais vous m'avez laissé entendre que cette affaire avait des dessous plus inquiétants.

Le jeune homme éclata de rire encore une fois, sans se tourner vers son interlocuteur. En fait, pensa Whiting, il ne l'avait presque pas fixé dans les yeux depuis qu'ils s'étaient serré la main.

Devant la cage du monte-charge, Steiner s'arrêta et se tourna vers Whiting.

— Pourquoi ne postez-vous pas votre caméra ici ?

— Y a-t-il quelque chose de particulier à filmer? demanda Whiting.

— Eh bien, les salles de vidéo vont être installées, pour des raisons structurelles, à la place des puits des monte-charge. Il pourrait être intéressant de filmer un de ces puits, pour le comparer plus tard à l'une des salles vidéo du bâtiment transformé.

Whiting tomba d'accord. Il mit le trépied en place. Puis il remarqua que le puits de l'ascenseur était ouvert. La porte de soixante centimètres sur cent vingt, au lieu de fermer l'ouverture, gisait sur le sol, à côté du puits. Sur la porte, était fixé un panneau indiquant « Danger» .

Caché derrière son pilier, Haley jeta un coup d'oeil.

Whiting était presque en place, la caméra à la main gauche. Le trépied et l'appareil vidéo étaient à sa droite. Que Whiting se rapprochât d'un mètre ou deux, et Haley jaillirait de sa cachette.

— Avant de mettre la caméra sur le trépied, dit Steiner, vous devriez peut-être prendre une vue plongeante du puits ?

— Je pense que vous plaisantez, dit Whiting.

Haley perçut le changement dans la voix de Whiting. De derrière son pilier, il jeta encore un regard, qui rencontra celui de Steiner. Whiting vit les yeux de Steiner changer de direction. Il pivota sur lui-même, au moment où Len Haley bondissait sur lui.

— Non !

Whiting laissa échapper un cri et, instinctivement, recula pour lancer la caméra. Le câble qui reliait celle-ci au magnétoscope se tendit tel un lasso, autour de la cheville de Haley, qui trébucha et perdit son élan.

Steiner empoigna Whiting par son pull. Whiting lui lança la caméra en pleine poitrine, le frappant juste sous la gorge, au seul endroit que le manteau en poil de chameau laissait sans protection.

Sous le choc, le noeud de cravate de Steiner lui enfonça la pomme d'Adam et, l'étouffant, le fit tomber à la renverse. Whiting tira de nouveau à lui la caméra, entraînant la chute de Haley, dont le pied gauche était resté accroché au câble. Puis, de toutes ses forces, Whiting lança encore la caméra. Steiner, la recevant à l'estomac, recula d'un autre pas et bascula dans le trou.

Whiting lança un cri.

Steiner hurlait, pendu dans le vide à trente centimètres de l'étage. Il s'agrippait toujours à la caméra, dont le câble pouvait le soutenir pendant quelques secondes encore.

Len Haley saisit le câble enroulé autour de sa cheville et commença à tirer doucement, délicatement, une main après l'autre.

Ken Steiner eut un cri de panique.

— Tiens bon, bébé, murmurait Haley entre ses dents.

Whiting aurait dû s'enfuir à toutes jambes, mais il était cloué sur place et regardait.

Haley tirait de nouveau sur le câble, cette fois en lançant une bordée d'injures. Sur l'arête vive du puits d'ascenseur, le câble commençait à s'étirer. Le revêtement de caoutchouc cédait, laissant apparaître le fil blanc.

Haley parvint à mettre un genou à terre. Le câble s'étirait très rapidement.

— Au secours, lieutenant ! cria Steiner.

— Ta main ! hurla Haley.

Steiner tendit son bras gauche vers le haut. Leurs paumes se rejoignirent, Len Haley tenant ferme la main de son associé.

Whiting jeta un coup d'oeil dans le trou et aperçut les yeux, fous de panique. Quatre étages plus bas, des morceaux de verre brisés reflétaient la lumière.

— Laisse tomber la caméra, râlait Haley.

La caméra tomba encore d'un mètre et demi et pendit dans le vide.

— Essaie d'attraper le rebord.

Ken Steiner tâtonna de la main droite et attrapa la plaque de métal qui bordait le puits.

— T'es à mi-chemin, grogna Haley. Maintenant, cramponne-toi.

Haley essayait de le tirer, et Whiting voyait les muscles de son cou faire saillie comme les nervures d'un tissu.

Un autre cri étrange, comme un sanglot cette fois, s'échappa de la poitrine de Ken Steiner.

— Tiens bon, Steiner, gémit Haley.

Il se tenait au bord du puits, essayant de soulever Steiner vers le haut. Mais il lui aurait fallu un levier et un point d'appui.

Il jeta autour de lui un regard affolé. Sur son front, la transpiration perlait à grosses gouttes. Chacun de ses muscles était tendu à se rompre. S'il se penchait en avant, ne fût-ce que de quelques degrés, Steiner et lui basculeraient tous deux dans le vide.

Haley regarda Whiting et lui tendit la main gauche. Son visage était écarlate.

— Aidez-moi !

Whiting ne fit pas un mouvement. Du puits d'ascenseur montait un cri de peur et d'épuisement.

— Aidez-moi, répéta Haley d'une voix rauque.

— Vous venez d'essayer de me tuer, dit Whiting.

— C'est faux.

— Ne peux plus tenir, lieutenant Haley, criait Steiner.

Whiting savait que, dans le puits d'ascenseur, l'homme allait mourir. Et qu'il pouvait le sauver.

— S'il vous plaît, gémit Haley. Aidez-nous.

Whiting fit un pas vers Haley. Il s'apprêtait à lui tendre la main, mais il recula. Ils étaient ici pour le tuer.

— Salaud! grogna Len Haley.

Whiting regarda autour de lui. Une chaîne d'un centimètre de diamètre était là, entassée au pied d'un pilier voisin. Elle avait dû autrefois, avec des poulies, faire partie d'un palan employé à soulever de lourdes charges.

— Aide-moi, espèce de salaud!

Un autre cri s'échappait du trou béant.

Len Haley baissa les yeux vers Steiner. Il le savait incapable de tenir beaucoup plus longtemps. L'idée lui vint d'abandonner son compagnon et de basculer Whiting derrière celui-ci. Mais Ken Steiner était un de ses hommes. Il ne lâcherait pas un de ses hommes. À la guerre, un homme ne se bat pas pour sa patrie ou pour des idéaux, mais pour sauver sa peau et celle d'une poignée d'hommes pris au même piège. Haley hurla de nouveau à l'aide.

Whiting restait figé sur place, ou bien trop fou, ou bien trop humain. Il attrapa la chaîne par une extrémité, l'enroula autour d'un pilier et la referma sur elle-même. Puis il saisit l'autre extrémité, qu'il fit glisser sur le sol en direction de Haley.

Puis il tourna les talons et se mit à courir.

Haley enroula une main autour de la chaîne. Il disposait enfin d'une sorte de levier.

À l'arrière du bâtiment, Whiting enfila par la porte d'acier et dévala les escaliers quatre à quatre; il revit la tache de sang séché, les vieux manteaux, les paquets de journaux et les bouteilles de bière, jusqu'au troisième étage. Là, il perdit l'équilibre et tomba.

Ken Steiner était à moitié sorti du trou.

— Lève la jambe, hurlait Haley.

Steiner se coinça l'orteil au dos de la poutre de soutien, donna une poussée de tout son corps, puis, épuisé, s'effondra sur le sol devant le monte-charge. Len Haley se détourna aussitôt et partit à la poursuite de Whiting.

Whiting entendit la porte claquer au-dessus de lui. Il se trouvait sur le palier entre le deuxième étage et le rez-de-chaussée. Il vit voler son casque protecteur et en deux bonds fut hors de l'immeuble.

En arrivant dans la rue, il glissa dans la neige et tomba face contre terre.

— Eh là ! Du calme, l'ami !

Whiting leva les yeux.

Deux ouvriers passaient devant le vieux bâtiment. Pour leur pause café, *mouture spéciale,* ils partageaient le contenu d'un sac de papier brun.

— Ouais, dit le plus costaud. Tu vas te casser la gueule à courir comme ça.

Whiting venait de rouvrir l'entaille que Bert McCall lui avait infligée au menton, et le sang perlait à travers les points de suture. La sueur lui humectait les tempes et lui coulait goutte à goutte au bout du nez. Il essayait de parler, sans parvenir à rattraper son souffle.

— Hé, les gars... dit-il en avalant sa salive. J'ai besoin de votre aide. Quelqu'un me poursuit. Là, en-dedans, expliquait-il d'un geste par-dessus l'épaule.

— Quéqu'un te poursuit, là-bas ?

Le costaud au casque rouge s'esclaffa.

— Ouais, dit le maigrichon coiffé d'une casquette. Il a volé l'aiguille de qué'que drogué pour se raccommoder le portrait et à c't'heure, tous les drogués de Brooklyn sont à ses trousses.

Et en riant, ils passèrent leur chemin.

Whiting vacilla sur ses jambes et regarda par-dessus son épaule. Len Haley venait de faire son apparition à l'extrémité du bâtiment. Whiting reprit sa course titubante vers le bout de la rue. À une auto qui venait vers lui, il fit des signes désespérés pour demander du secours ; mais la voiture fit un crochet pour l'éviter. Il continua à courir, dépassa le chantier de construction, traversa le square et monta l'une des rues latérales qui conduisaient à Brooklyn Heights.

Il jeta un coup d'oeil derrière lui. Une vague de véhicules déferlait dans la rue ; Haley ne pourrait pas traverser.

Continue à courir, se disait Whiting. Il lui semblait que ses poumons allaient éclater. Continue à courir.

À une intersection, il prit Hicks Street. En haut de la rue, il aperçut la maison où habitaient ses amis : un immeuble de grès sombre, transformé en copropriété. Continuer de courir.

Il atteignit le perron de l'immeuble, grimpa les marches et appuya de tout son poids sur la sonnette.

Pourvu qu'Alice soit en retard pour l'école ! Pourvu que Bill soit retenu à la maison par une grosse migraine ou un accès de paresse-du-vendredi !

Pas de réponse. Il appuya sur les autres sonnettes. Pas de réponse. Brooklyn Heights était désert. Aucun policier ne déambulait sur Hicks Street à neuf heures vingt-quatre du matin, par cette douce journée d'hiver.

Il regarda à l'autre bout de la rue, par où il était venu. Len Haley tournait justement le coin. Whiting descendit quatre à quatre les marches du perron, tourna sur Pineapple Street et reprit sa course.

Au milieu d'une rangée de maisons serrées les unes contre les autres, il aperçut un espace ouvert, une sorte de petit parc au-delà duquel s'ouvrait un carré de ciel. La Promenade. Il traversa le petit parc à la course. Les arbres disparaissaient. La perspective s'élargissait. Manhattan surgissait devant Whiting. Celui-ci regarda à sa gauche : les lignes parallèles de la Promenade se rejoignaient au loin. Des gens se promenaient ou s'asseyaient sur les bancs, d'autres s'appuyaient au parapet ou faisaient du jogging, et tous profitaient du tiède soleil d'hiver. Whiting jeta un coup d'oeil à sa droite : encore plus de monde sur la courbe douce du chemin qui rejoignait le pont.

Il tourna à droite et reprit sa course. Il se sentit plus en sécurité, mais ne put apercevoir aucun policier. Or les policiers new-yorkais déambulent généralement deux par deux pour protéger les citoyens. Quant à ces derniers, Whiting ne comptait guère sur eux pour lui porter secours. Deux vieilles dames trottinaient, tirées à bout de laisse par un pékinois au trot rapide. Un père surveillait son jeune fils dans l'apprentissage de sa nouvelle bicyclette. Une collégienne, assise sur un banc, lisait Balzac. Assis à côté d'elle, un chauffeur de taxi mangeait un sandwich géant.

Encore une fois, Whiting sentit ses poumons lui brûler la poitrine. Il devait s'arrêter. Il ralentit et regarda derrière lui. Haley était debout à l'entrée de la Promenade et regardait dans l'autre direction. À la droite de Whiting, une jeune femme vêtue d'un pull de couleurs vives contemplait le port. Les écouteurs d'un Walkman la transportaient visiblement hors de l'espace et du temps. À côté d'elle, sa bicyclette de course était appuyée contre le parapet.

— Désolé, marmonna Whiting, qui la savait pourtant incapable de l'entendre.

Il saisit la bicyclette et l'enfourcha. Cela faisait des années qu'il n'était pas monté sur ce type d'engin, mais la bicyclette était bien ajustée à sa taille et, en deux coups de jarrets, il fut en route. D'un coup d'oeil par derrière, il vit la jeune femme, les yeux clos, se balancer d'avant en arrière. Il se demanda ce qu'elle pouvait bien écouter.

Len Haley vit Whiting s'échapper. Il le savait bien : il ne pourrait jamais rattraper un homme monté sur une bicyclette de course.

— Ça suffit, Bobby. Allons-nous-en !

Haley se retourna.

— Oh ! papa, encore un petit tour !

Le petit suppliait son père de le laisser monter encore une fois la bicyclette reçue en cadeau à Noël.

Grand et mince, avec ses lunettes, son pull à col roulé et sa veste en lainage, le père était vêtu comme quelqu'un qui travaille à domicile. Il mit ses mains en porte-voix et cria :

— Tu as prétexté la maladie pour ne pas aller à l'école ! Encore un tour et c'est vraiment fini !

— Promis, papa.

Le petit garçon se trouvait à un mètre ou deux de Haley.

Un croc-en-jambe, un coup d'épaule bien placé et Bobby se retrouva sur la chaussée, sa bicyclette par-dessus lui.

— Bobby ! cria le père, qui se mit à courir.

— Excuse-moi, petit, fit Haley. Je suis vraiment désolé. Je crois que je t'avais pas vu.

— Espèce d'engourdi ! cria le gamin, tu peux pas regarder où tu vas ?

— Je suis vraiment désolé.

Haley souleva la bicyclette, tandis que le gamin entreprenait de se remettre debout. Haley enfourcha la bicyclette et, d'un coup de pied, repoussa Bobby au sol.

— T'es censé être malade et garder la maison, grommela-t-il.

— Papaaaaaa ! hurla Bobby.

— Bobby ! qu'est-ce qui se passe ?

Le père accourut vers son fils. Le pékinois bondit vers l'endroit d'où émanait le bruit. La collégienne leva les yeux de son livre. Le chauffeur de taxi s'arrêta de mâcher tandis que Len Haley s'approchait de lui.

— Bobby ! qu'est-il arrivé ? cria le père.

Le petit garçon essuya ses larmes et désigna Haley du doigt.

— C'te sale type a volé ma bicyclette !

— Hé ! cria le père. Rapportez cette bicyclette !

Haley donna deux ou trois coups de pédales et vacilla quelque peu avant de prendre le large. Il jeta un coup d'oeil par en arrière sur sa gauche. Le père le poursuivait, en lui ordonnant de s'arrêter. Haley avait trouvé la bonne position et venait de changer de vitesse, quand il reçut derrière l'oreille le sandwich, à moitié mangé, du chauffeur de taxi.

Au moment où la bicyclette passait devant lui, le chauffeur de taxi sauta sur ses jambes.

— Rends sa bicyclette au gamin, ordure ! s'exclama-t-il en se lançant à la poursuite de Len Haley.

Le petit garçon et son père passèrent en trombe. Le pékinois, libéré de sa laisse, jappait sur les talons du gamin. Le fille qui lisait Balzac vit passer le pékinois, poursuivi par les deux vieilles dames. Elle tenta sans succès de saisir la laisse du chien.

— Reviens ! Reviens ! Président Mao ! Mao ! s'époumonait une des vieilles dames. (Mao, c'était le nom de son chien.)

Le fille enfonça son Balzac dans sa poche et se lança à la poursuite de Mao.

Whiting atteignait presque l'autre bout de la Promenade, et les muscles de ses cuisses demandaient grâce. Il entendit les cris et jeta un coup d'oeil par derrière son épaule. Haley lui donnait la chasse, et toute une troupe pourchassait Haley.

— Ma bicyclette ! ma bicyclette ! hurlait le petit garçon en passant devant la jeune femme au Walkman.

Sa bande venait de se terminer. Elle entendit l'enfant courir, puis réalisa que quelque chose manquait.

— *Ta* bicyclette ! cria-t-elle. Où est la *mienne ?*

Elle vit s'éloigner sa propre bicyclette et se mit à courir.

Deux joggers passaient par là. Cou puissant, tee-shirt arborant l'insigne du Brooklyn Heights Nautilus Club, ils se dirigeaient vers Len Haley.

— Arrêtez-le ! criait le père.

Les deux joggers échangèrent un regard, puis avisèrent Haley qui s'apprêtait à passer entre eux. L'un sauta devant pour barrer le chemin, l'autre fonça sur Haley.

Haley obliqua. L'un des joggers empoigna le guidon. Haley donna un méchant coup de coude dans la nuque puissante et l'homme tomba, la respiration coupée. L'autre essaya sans succès d'attraper Haley. Ce dernier continuait à pédaler, tandis que les deux joggers se joignaient à la foule des poursuivants.

Whiting arrivait à l'extrémité de la Promenade. Descendre Water Street, c'eût été revenir au square, au pied du pont. Mieux valait tourner à droite, sur Middagh Street, pour filer jusqu'à Cadman Park et de là sur le pont.

Haley tomba presque de sa bécane en prenant le trottoir de Middagh Street. Puis, ses pneus dérapèrent sur une plaque de glace. Il ne devançait que de quinze mètres les joggers, et Whiting avait sur lui une avance de deux pâtés de maisons. Mais Haley avait trouvé son rythme de croisière et se rapprochait de sa proie. Il espérait pouvoir semer ses poursuivants au prochain pâté de maisons, avant d'atteindre le carrefour très fréquenté de Henry Street.

Whiting, à l'approche de l'intersection, sauta de sa bicyclette. Un camion de livraison, stationné en double file, réduisait la circulation à une seule allée : tous les véhicules étaient immobilisés, et la rue retentissait d'un concert de klaxons et de vociférations. Whiting se faufila de son mieux dans l'embouteillage, sa bicyclette à bout de bras.

— T'as choisi la bonne solution, l'ami, cria un homme, d'une camionnette.

Whiting tourna la tête pour regarder en arrière. À une rue du carrefour, le lieutenant Haley ; une rue derrière Haley, la meute de ses poursuivants. Whiting remonta en selle. Il sentait tirer les points qui fermaient sa blessure au menton. Celle-ci s'était arrêtée de saigner, et le sang craquelait en séchant.

Middagh Street se poursuivait sur une certaine distance ; on passait devant un immeuble résidentiel moderne à dix étages avant de déboucher sur Cadman Park. Celui-ci était parsemé d'îlots de neige sale, mais ses sentiers restaient dégagés. De l'autre côté, le pont majestueux s'élançait vers Manhattan. Whiting haussa de quelques crans les vitesses et traversa à vive allure l'étendue d'herbe jaunie et d'arbres dénudés. Il sentait en lui un regain de vigueur.

En approchant de Henry Street, Haley se fraya un chemin entre les véhicules. S'il pouvait traverser l'embouteillage sans mettre pied à terre, ce serait dix ou quinze secondes de gagnées sur Whiting. Il s'élança dans le carrefour, dépassant une voiture puis une autre, lorsqu'une troisième lui barra le chemin. Il essaya de freiner mais heurta le pare-chocs avant d'une Camaro flambant neuve.

Le conducteur bondit hors de l'auto et se mit à vociférer.

— Espèce d'abruti ! T'as frappé ma voiture neuve !

Haley sauta sur le capot de la Camaro, souleva la bicyclette et la fit passer de l'autre côté de la voiture. Le conducteur criait de plus belle. Haley sauta en selle et pédala à toute vitesse vers Cadman Park. Le pékinois, jaillit de dessous la Camaro, se lança à sa poursuite en aboyant. Les deux joggers enjambèrent à leur tour le capot de la voiture, aux grands cris du chauffeur. Puis la femme au Walkman en fit autant derrière eux. Le chauffeur, les bras au ciel, s'assit au bord du trottoir.

Le père, son fiston à califourchon sur ses épaules, se faufilait entre les véhicules.

— Vas-y, papa. Ça y est ! On va l'avoir ! criait l'enfant.

Les deux vieilles dames traversaient au trot le carrefour, l'une brandissant une canne blanche à bout rouge, l'autre appelant sans relâche le Président Mao.

— Il est en conférence avec Brejnev, à l'autre bout de la rue ! cria le conducteur de la camionnette.

— Espèce de ver de terre ! Ordure puante !

C'était le chauffeur de taxi qui faisait sur le carrefour son apparition titubante, s'appuyait à un réverbère et aspirait l'air à grandes goulées. La collégienne batifolait derrière lui, le nez replongé dans son Balzac.

Whiting venait de traverser Cadman Park et avait atteint l'entrée du pont. Il souleva la bicyclette, respira profondément et entreprit de gravir l'escalier qui menait au trottoir, au-dessus du tablier réservé aux automobiles.

Haley, lui, se trouvait à quelque cinquante mètres de Whiting et pédalait ferme. Il commençait à sentir la fatigue, mais la carcasse tenait le coup.

James Whiting était sur le point de s'effondrer. Contrairement à Haley, il n'avait aucune réserve d'énergie, il arrivait mal à coordonner ses mouvements. Il n'avait plus que sa volonté de continuer coûte que coûte. Il faut continuer, ordonnait-il intérieurement; il faut survivre. Au plus profond de lui-même, il établissait un lien entre l'ancien James Whiting et le porteur du rein de Roger Darrow. Jamais l'ancien James Whiting n'avait abandonné la partie; pendant plus d'un an, il avait lutté et survécu. Il pouvait lutter encore un moment.

Il arriva au sommet des escaliers au moment où Haley en atteignait la base. La troupe s'était repliée. Seuls les joggers et la femme au Walkman couraient encore; les autres allaient au pas, ou s'arrêtaient pour reprendre souffle. Qu'est-ce qui animait ces gens? se demandait Jim.

Haley monta l'escalier quatre à quatre, portant à bout de bras sa bicyclette. Whiting enfourcha la sienne. L'allée piétonnière était presque déserte. Il baissa la tête et, rassemblant ses dernières forces, fonça vers Manhattan.

Haley déboucha sur l'allée piétonnière avec, sur les joggers, une avance d'une volée d'escalier. Il sauta en selle, pédala sur environ deux mètres et s'arrêta brusquement. Un clou venait de crever la chambre à air avant. Les joggers débouchaient au sommet des escaliers. Haley leva la bicyclette au-dessus de sa tête et la leur balança. Puis il tourna les talons pour se lancer à la poursuite de Whiting.

Whiting se déplaçait lentement. Haley pensait pouvoir encore l'attraper avant qu'il ne commençât la descente vers Manhattan.

Whiting avait la vue brouillée. La tête lui martelait. La sueur baignait son visage. Son coeur battait à se rompre.

L'approche du point qui marquait la mi-longueur du pont lui insuffla un certain regain de force. Pédale. Pédale. Pédale. La douleur lui taraudait tout le corps. Il avait brûlé son glucose jusqu'à la dernière goutte, et ses hydrates de carbone jusqu'au dernier gramme. Ses muscles se nourrissaient de leur propre substance. Puis, soudain, la douleur s'apaisa. Il venait d'atteindre le milieu du pont. En jetant un coup d'oeil derrière lui, il eut presque un éclat de rire à la vue de Haley, réduit à la marche à pied, loin derrière lui. Encore quelques coups de pédale, puis Whiting se calait à l'arrière de la selle et s'abandonnait à la pente. Aspirant à grandes bouffées l'oxygène, il admirait l'art déployé autour de lui: les câbles tendus avec une précision géométrique, l'imposante tour de granite, et le jeu délicat de la lumière sur la pierre et l'acier. Il écoutait le bourdonnement musical des autos qui roulaient en dessous de lui quand, passant en trombe sous une des arches de la tour de Manhattan, il aperçut plus loin deux vareuses bleues ornées de boutons dorés en rangées parallèles : N.Y.P.D.* Il s'arrêta devant les policiers.

— 'jour, dit l'un des flics.

— Il se passe quelque chose de bizarre là derrière, dit Whiting. Y a un gars qui court sur le pont en criant comme un fou.

Les deux policiers échangèrent un regard, puis se mirent à courir. Whiting donna un coup de pédale, pour ensuite se laisser glisser vers l'hôtel de ville.

Haley aperçut les policiers qui se dirigeaient vers lui. Il savait que les joggers étaient sur ses talons. Il sauta sur le petit parapet qui séparait l'allée piétonnière de la voie inférieure, réservée aux autos. Il saisit une poutrelle, s'y accrocha ferme, se balançant à six mètres au-dessus du flot de véhicules. Rassemblant ses dernières forces, il empoigna l'un des câbles de soutien et, une main après l'autre, descendit vers la chaussée. Il attendit une accalmie de la circulation pour sauter dans la voie la plus proche, et fit des signes de la main à l'automobile qui venait vers lui à toute vitesse.

Le véhicule s'arrêta, obligeant les autres derrière lui à grincer des pneus pour s'immobiliser. Un vieil homme était au volant. Haley monta à bord et brandit sa carte.

— Policier en service. J'ai besoin que vous me déposiez à Manhattan.

James Whiting abandonna la bicyclette dans l'escalier à l'extrémité du pont, côté Manhattan. Il courut vers le square, héla un taxi et se dirigea vers la haute ville.

34

Vingt minutes plus tard, Whiting était de retour à l'hôtel Algonquin. Il espérait que Jeanne l'attendît dans leur chambre. Il tourna la clef dans la serrure et poussa la porte. Celle-ci ouverte, il resta un instant immobile dans le couloir.

— T'arrives à temps, Whitey, dit une voix connue. Miss Rabat-Joie devient d'une familiarité...

Whiting pénétra dans la chambre. Henry Baxter était assis sur le rebord du lit, poitrine nue, les bras levés par-dessus la tête. Jean-

* New York Police Department, ou Service de police de la ville de New York. (Note du traducteur.)

ne se trouvait à côté de lui. Sa trousse de premiers soins ouverte, elle mettait en place le cinquième et dernier point de suture pour fermer une plaie qui, sur quinze centimètres, barrait la cage thoracique de Henry.

— Restez tranquille, dit-elle.

Whiting referma la porte, la verrouilla. Ses genoux se mirent alors à s'entrechoquer. Son cerveau venait enfin de permettre à ses muscles de se détendre.

— New York est une rude ville, pas vrai, Whitey ?

Whiting eut un rire et se laissa tomber sur le lit. Jeanne termina son travail sur la blessure de Henry, puis se mit en frais de traiter le menton de Whiting. Ensuite, tous trois échangèrent le récit de leur journée.

— Bon, quoi c'est que vous comptez faire à c't'heure, avec tout ce monde à vos trousses à travers la grand'ville ? interrogea Henry tout en enfilant sa chemise.

— Foutre le camp, dit Whiting.

— Où ça ? demanda Henry.

— Dans le Maine, répondit Whiting, le regard tourné vers Jeanne. Il n'y a pas grand intérêt à assister à la projection où la presse est invitée. On sait ce qu'ils vont annoncer ; on sait aussi ce que Billy Singer va faire après ça.

— Ce que t'*espères* qu'il va faire, corrigea Henry.

— Il va tenir parole, dit Whiting. Et il vaut peut-être mieux se rendre dans le Maine avant qu'il y envoie en foule les journalistes.

Henry observait Jeanne qui refermait méthodiquement sa trousse de premiers soins, la plaçait dans sa valise et tirait de sa poche la carte verte donnant l'horaire du ferry.

— Je connais pas de statistiques à ce sujet-là, mais pour vous deux, Easter Haven est p't'être plus dangereux que c'te sacrée ville.

— Tu as mis ton homme hors d'état de nuire aujourd'hui, dit Whiting. Et je pense que ce soi-disant lieutenant vient d'être arrêté. Combien de types comme ça peuvent-ils encore avoir à leur service ?

— Des gars comme ça, y en a plein les rues à New York, mon vieux. Comme de la mauvaise herbe.

— Peut-être, mais quand Billy Singer aura raconté en public que nous allons dans l'île, et quand il aura demandé pour nous une entrevue à Andrew MacGregor, je crois que nous serons en sécurité.

Henry secoua la tête.

— Pouvons-nous nous y rendre aujourd'hui même ? s'enquit Jeanne.

Whiting regarda sa montre, puis l'horaire du ferry-boat.

— Il est dix heures quinze. Nous pouvons être à Boston à onze heures trente si nous attrapons la prochaine navette. Là, nous prendrons ma voiture, nous ferons le reste du chemin par la route et nous arriverons largement en avance pour le traversier de quatre heures.

— Bonne occasion de jouer les Miss Rabat-Joie, dit Henry en regardant Jeanne.

— Si nous sommes venus dans l'Est, répliqua celle-ci, c'était pour gagner le Maine, rencontrer MacGregor et regarder Miranda Blake dans les yeux.

— Si vous prenez pas garde, vous allez vous trouver nez à nez avec d'autres que c'te Miranda. Ce matin, j'observais le type à la cagoule, juste à côté de c't'appartement. J'attendais qu'il se décide, pis quand il est parti, mon sixième sens me disait qu'il n'était pas parti pour de bon. Mais je me grouillais pas les fesses, tant que j'ai pas entendu c'te bruit de verre cassé. Mon trésor, t'es en train de te fourrer le nez dans un merdier et je sais pas comment ça va finir.

Whiting se leva, enfourna pêle-mêle ses vêtements et ses chaussettes dans sa valise, puis la ferma.

— Henry, tu étais prêt à risquer de détruire ton camion pour avoir l'occasion de regarder Billy Singer dans les yeux.

— Ouais.

— Et nous, nous avons encore quelques risques à prendre pour arriver à nos fins.

— Mais Whitey, je sais comment prendre soin de *moi-même.*

— Je crois que moi aussi, je me suis bien débrouillé ce matin, dit Whiting en souriant.

— T'as raison. Je pense que tu as pas mal suivi mes conseils depuis qué'ques jours.

Jeanne endossa le gilet de duvet et saisit sa valise.

— Veux-tu nous conduire à l'aéroport ? demanda Whiting.

Henry les regarda tour à tour.

— Vous aurez beau me faire croire qu'il faut que j'y aille, ma décision est prise : il vous arrivera ce que vous voudrez, c'est à vous deux d'y faire face, sans toujours avoir Henry Baxter pour enfoncer les portes chaque fois que z'êtes dans la merde. Ça fait assez longtemps que le Bébé de Mama vous chouchoute, mes agneaux.

— Nous n'insisterons pas, Henry, assura Whiting, qui entourait de son bras les épaules de Henry. Mais nous nous souviendrons toujours de ce que tu as fait pour nous.

— Soyez prudents, grommela Henry.

— Nous reviendrons te voir dans quelques jours.

Jeanne avança sa main vers son visage et lui tira doucement la barbiche.

— J'espère bien, reprit-il en souriant. Mais y a comme ça des choses qu'il faut faire soi-même. Y a des salauds que vous allez devoir regarder droit dans les yeux. Et si vous vous faites pas tuer, vous allez revenir plus forts que jamais.

— Comme ce type qui montait la garde quelque part dans la Province de Quang Tri, en 1968 ?

— Qué'que chose dans l'genre, approuva Henry. Et pis, rendus dans le Maine, vous voudrez pas vous faire trop remarquer. Je pourrais être encombrant dans le décor. Et pis, j'aime pas les îles.

— Manhattan est une île, observa Jeanne.

— Qui c'est qu'a dit que j'aimais Manhattan ?

Le trajet jusqu'à La Guardia prit vingt minutes, le vol jusqu'à Boston un peu plus d'une demi-heure, et le trajet en taxi de Logan à Beacon Hill dix minutes.

Le Boston Common couvert de neige, la coupole dorée de la State House, les conducteurs, les fondrières, les façades de brique rouge et de grès : Whiting était heureux de se retrouver dans sa ville, ne fût-ce que pour quelques heures. Les rues familières semblaient lui souhaiter la bienvenue, tout en respectant son confortable anonymat. En deux semaines et demie, rien n'avait changé.

D'ailleurs, à l'exception des voitures, rien n'avait changé, sur Mount Vernon Street, depuis presque deux siècles. La plupart de ces bâtiments, expliqua-t-il à Jeanne avec fierté, étaient ici quand Los Angeles n'était encore que le « Pueblo » entourant Olvera Street.

Whiting entra dans le vestibule, dont il reconnut l'odeur familière. Il demanda à Jeanne d'attendre au pied des escaliers. Il monta, passa devant la porte de son propre appartement et continua jusqu'au troisième étage. Il savait que Dave Douglas, qui passait ses nuits à présenter des disques sur une station radio, serait probablement chez lui en train de dormir.

Après plusieurs coups frappés à sa porte, Douglas apparut, vêtu d'un pyjama. Il se frottait les paupières et écarquillait les yeux.

— Je te croyais en Californie.

— Je suis de retour à l'instant, dit Whiting. Désolé de t'importuner, mais j'ai besoin d'un service.

— Si tu m'as réveillé pour me demander une tasse de sucre, je sens que je vais voir rouge.

— J'ai besoin d'emprunter ton pistolet, lâcha Whiting.

— Hein ?

— Je viens d'entrer chez moi et je pense avoir entendu quelqu'un dans mon appartement.

Douglas fronça les sourcils, grogna et réapparut un moment plus tard avec un revolver nickelé de calibre 22, le canon pointé vers le haut, près de son épaule.

— Allons-y, dit-il, l'air grave.

Dave Douglas se posta à droite de la porte de Whiting, comme un flic à la télévision.

— Ouvre-la, murmura-t-il à Whiting.

— Ne t'énerve pas, Dave. Il n'y a probablement rien à l'intérieur.

Whiting inséra la clef dans le verrou de sécurité et tourna. Puis il ouvrit la deuxième serrure.

Dave regarda Whiting.

— Entre d'abord. Je vais te suivre.

— Brave type, commenta Whiting dans un sourire.

Quelques instants plus tard, il remerciait Dave Douglas de son aide et demandait à Jeanne de monter.

— C'était par simple précaution, expliqua-t-il à son ami.

— Ravi de t'avoir rendu service, dit Dave. Ce revolver ne demande qu'à servir. Sans vouloir te vexer, tu aurais besoin d'une douche, James. Et si tu utilisais un rasoir électrique, tu ne te balafrerais pas le visage comme ça.

Lorsque Jeanne apparut à la porte, Whiting la présenta.

— Eh bien, dit Dave, en détaillant sa silhouette de haut en bas. Quand les gens rapportent des souvenirs de Californie, il s'agit généralement d'un cendrier d'Alcatraz ou d'une paire d'oreilles de Mickey Mouse.

Jeanne entrouvit les lèvres et lui adressa le sourire le plus enjôleur qu'elle pût composer.

— Souhaitons-nous bonne nuit, Dave, marmonna Whiting.

— Amusez-vous bien, souhaita Dave en souriant. Et n'ayez pas peur de me réveiller. Je dors comme une souche.

Tandis que Whiting prenait sa douche, Jeanne Darrow fouina dans la cuisine tout en repensant au sixième sens de Henry Baxter. *Y est pas parti pour de bon.*

Jeanne possédait elle aussi un sixième sens qui, à certains moments, lui avait lancé le même avertissement. *Y est pas parti pour de bon.* Elle l'avait toujours fait taire, même lorsqu'il la tirait d'un profond sommeil. Mais aujourd'hui — après le fol épisode new-yorkais et à quelques heures seulement du Maine, avec dans sa poche l'horaire du ferry de Miranda Blake et dans sa tête l'avertissement de Harriet Sears — Jeanne commençait enfin à écouter son sixième sens.

Quinze minutes passées sous le jet d'eau chaude apportaient à Whiting une agréable détente du dos et du cou. Il sortit de la baignoire et prit sur l'étagère une de ses serviettes de toilette — épaisse, douce et d'une riche couleur pourpre. Son contact lui donna envie de s'allonger et de piquer un somme. Les serviettes de toilette moelleuses avaient toujours été l'un de ses vices, et une douche était pour lui incomplète s'il ne pouvait s'envelopper de leur douceur, qui évoquait celle du foyer.

Il rentra dans la chambre. Jeanne était debout au soleil, près de la fenêtre.

— J'aime que tu sois ici, dit-il.

— J'aime être ici, c'est très paisible, répondit-elle en croisant les mains devant elle. J'aimerais y passer quelque temps.

Il contourna le lit et vint vers elle.

— Quand tu voudras.

De ses bras il lui entoura les épaules en l'embrassant doucement. Elle passa ses bras autour de son cou. Ils se serrèrent l'un contre l'autre, sentant sur leurs épaules la tiédeur du soleil. Ils écoutaient le silence de midi, qui régnait dans l'appartement.

— Nous pourrions abandonner dès aujourd'hui, dit-il en la regardant dans les yeux. Ne pas aller plus loin. Confier les bandes à quelqu'un d'autre, oublier les fantômes, oublier les démons du mal qui trament des complots pour polluer les esprits en Amérique. Ne plus penser qu'à toi et moi. Ici même.

Il l'embrassa de nouveau, plus longuement, plus passionnément. Il se pressait contre elle, dont le visage reposait sur sa poitrine. Son corps conservait la chaleur de la douche sur une peau douce et lisse. De nouveau les yeux de Jeanne cherchaient ceux de Jim, tandis que ses mains le caressaient, glissaient sur les muscles du dos et dénouait la serviette, qui tomba sur le sol. Whiting ainsi mis à nu, elle le touchait avec douceur, avec curiosité presque.

Le grand moment, pensa-t-il, était arrivé. Dans sa propre chambre, après cinq mille kilomètres d'un voyage qui lui avait permis de connaître Jeanne Darrow, il avait enfin trouvé ce que ses médecins avaient appelé le parfait contexte émotionnel. Son érection était ferme et, pour la première fois depuis plus d'un an, il se sentait confiant en lui-même.

Jeanne, quant à elle, jouissait d'un salutaire répit. À quelques heures d'une confrontation avec les circonstances qui avaient entouré la mort de son mari, James Whiting lui donnait l'occasion de réaffirmer sa confiance en la vie.

Elle se dévêtit en un tour de main. Elle frottait ses seins contre la poitrine de Jim et glissait entre les jambes de celui-ci, dans un mouvement de va-et-vient, ses longues cuisses lisses. Elle lui mordait le cou, lui embrassait les lèvres. Elle guidait, dans l'exploration de chaque partie de son corps, les mains de son partenaire et sentait le bout de ses doigts pénétrer en elle, l'exciter, la préparer à l'amour.

Il l'entraîna sur le lit. Elle enroula ses jambes autour de la taille de Jim et, de ses talons, lui frotta l'arrière des cuisses. Il approcha sa bouche de la sienne.

James Whiting avait conscience de quitter pour de bon Roger Darrow. Toutes ses pensées s'estompèrent alors et ses sensations se concentrèrent sur les mains délicates qui le caressaient.

— Fais-moi l'amour, Jim, murmura-t-elle.

— Oui, dit-il.

Ils reposaient maintenant sur le lit, baignés par la lumière du soleil. Du doigt, Whiting parcourait les taches blondes, à la naissance du cou de Jeanne. Celle-ci s'appuyait sur lui et s'y frottait comme un chat.

— Comment te sens-tu ? demanda-t-il.

— Plus détendue que je ne devrais l'être.

Whiting rejeta la tête en arrière.

— Et moi, donc !

— Nous ferions mieux de sortir, sinon nous allons manquer le ferry-boat.

Les yeux au plafond, Whiting ne répondit pas.

Un coude sur la poitrine de Jim, Jeanne rapprocha son visage du sien.

— Henry avait raison, Whiting. Nous devons regarder dans les yeux ce fils de putain.

Whiting leva la tête.

— Lynne Baker aussi avait raison. Il est plus important de devenir toi-même que de suivre l'ombre de Roger Darrow.

— Pour moi, le seul moyen de me libérer est de retourner à l'endroit même où il est mort. Et toi aussi, tu dois le faire.

Il l'attira à lui et l'embrassa.

— Dorénavant, je le fais pour nous deux.

Une fois rhabillé, Whiting monta à l'étage supérieur et réveilla de nouveau Dave Douglas. Il confia à celui-ci les bandes filmées par Darrow, et celles que Jeanne et lui avaient tournées au cours des deux dernières semaines. Il ne donna aucun détail à Douglas, lui demandant simplement de visionner ces bandes s'il ne recevait dans les quarante-huit heures aucune nouvelle de lui. Ensuite, Whiting emprunta à Douglas sa caméra et son magnétoscope, puis — non sans quelque discussion — son 22.

Au garage de Charles Street, Whiting jeta sa valise et son équipement vidéo dans le coffre de sa Volvo. Puis, il ficela sur le toit du véhicule deux paires de skis de randonnée — les siens et ceux de son ex-petite amie. La douche, l'amour et un hamburger lui avaient redonné des forces.

Conscient d'agir en insensé, il n'en était pas moins prêt à faire le reste du voyage.

— Grâce à ces skis, nous aurons l'air d'un couple de touristes inoffensifs venus goûter les joies de l'hiver sur les rochers du Maine, assurait-il.

Comme ils montaient dans le véhicule, Jeanne saisit le poignet de Whiting :

— Tu sais, des gens sains d'esprit ne feraient jamais cela.

— C'est juste. Mais ne t'en fais pas, Billy Singer veille sur notre sort.

— Et Roger a encore son emprise sur nous.

— Mais à présent, il y a entre nous deux quelque chose qu'il ne peut pas briser.

Whiting mit le moteur en marche. Après deux semaines et demie d'inactivité, celui-ci démarrait au premier tour de clef.

Trois heures plus tard, Vaughn Lawrence, Vicki Rogers et Kelly Hammerstein retournaient à Hollywood dans l'avion privé de Lawrence, échappant à la tempête de neige qui s'était abattue sur New York. La projection devant la presse et l'annonce de la fusion s'étaient déroulées sans encombre. *Les Redgates de Virginie* étaient promis à un immense succès. John Meade leur avait paru cordial et satisfait. Billy Singer avait regardé le film en silence, de l'arrière de la salle. Et l'apparition de l'ermite du Maine sur bandes magnétoscopiques avait eu quelque chose d'émouvant et de convaincant.

Kelly Hammerstein était en train de préparer des consommations. Vaughn et Vicki discutaient. Deux nuits auparavant, Vaugh avait accepté de produire en soirée une version d'une demi-heure de l'émission *Sur la Côte* qu'il distribuerait sur le nouveau réseau MacGregor/Lawrence. En échange, Vicki avait accepté de mettre fin à des comptes rendus sur Jeanne Darrow et James Whiting. Rien de tout cela, bien entendu, n'avait été couché sur le papier, mais Vicki, ayant décroché ce qu'elle désirait, était aux anges.

— Tu ne t'inquiètes pas au sujet de Jeanne Darrow et de Whiting, n'est-ce pas, Vaughn ?

Lawrence secoua la tête. Il ne lui raconta pas que Len Haley avait été envoyé dans le Maine.

— Il n'y a rien sur les bandes de Darrow qui puisse nous gêner. Sur celles de Whiting, non plus, j'en suis sûr.

— S'ils essaient encore de raconter des histoires sur nous, je serai toujours à tes côtés pour dégonfler leurs baudruches. Tu sais, les déclarations que Whiting me faisait par téléphone étaient parfois bizarres. On pourra même y voir le fait d'un déséquilibré. D'ailleurs, je les ai toutes enregistrées.

— Si elles étaient si bizarres, pourquoi les as-tu diffusées ?

Elle éclata de rire.

— Elles me fournissaient une bonne matière !

Kelly servit les scotches soda.

— Mais maintenant, poursuivit Vicki, je suis de retour à tes côtés. Sur les ondes et par écrit, j'attaquerai la crédibilité de Whiting, assura-t-elle en sirotant son scotch. Je me sens comme Louella Parsons prête à combattre pour son patron, William Randolph Hearst.

— Vas-y fort, dit Lawrence. Si nous remportons la victoire, nous aurons dans nos mains tout le pouvoir dont Hearst lui-même avait rêvé.

Vicki retira ses lunettes et regarda Vaughn. Elle lui aurait volontiers mis la main sur le genou, mais Kelly Hammerstein était assise de l'autre côté du compartiment. Jusqu'à ce que Vicki eût repris ses droits, Kelly restait pour Vaughn la femme — ou la fille — en titre.

— William Randolph Hearst rêvait de devenir président des États-Unis, dit Vicki.

— Je sais, répondit Vaughn Lawrence.

Une heure environ après avoir quitté Boston, Jeanne Darrow et James Whiting traversaient le pont de Portsmouth, dans le New Hampshire, tout près de la frontière du Maine. Le soleil brillait de tous ses feux.

Whiting remarqua, dans l'allée voisine de celle où il roulait, une fourgonnette des services de télédistribution MacGregor Communications.

— J'ignorais qu'ils possédaient des concessions dans le New Hampshire.

— Roger l'ignorait aussi, répondit Jeanne. Pourquoi cherchent-ils à acquérir des concessions dans le New Hampshire ?

— Pour les mêmes motifs qu'en Iowa.

CINQUIÈME PARTIE

DANS LE MAINE

35

— *Alors, Jake, de quoi ç'a l'air aujourd'hui ?*

— *Difficile d'en parler, Sandy, j'n'ai pas encore mis le nez dehors.*

Whiting se tourna vers Jeanne.

— Pourquoi ces types de la radio ne se contentent-ils pas de lire le bulletin météo, au lieu de jouer les petits malins venus du fin fond de l'Est ?

Jeanne haussa les épaules. Elle commençait à sentir le mal de mer et, de toute façon, elle ignorait ce que représentait au juste ce « fin fond de l'Est ». Elle savait seulement que cela entretenait quelque rapport avec l'État du Maine.

Le petit traversier, avec vingt voitures à bord, se frayait un chemin dans les flots agités de Penobscot Bay. Whiting et Jeanne étaient assis dans la Volvo ; Jeanne fixait le cadran de la radio, aggravant ainsi son malaise sans s'en rendre compte.

— *À New York, Sandy, la température a chuté de vingt degrés entre midi et deux heures trente. Il y a une heure, la neige s'est mise à tomber. À présent, l'aéroport de Logan et la station météo de Chatham signalent plusieurs tempêtes de neige de courte durée. Celle que voici se déplace très rapidement.*

Au sud et au sud-est, des nuages étaient apparus à l'horizon, mais à quatre heures quinze le soleil brillait encore. Ses rayons, longs et bas, rasaient le bastingage et découpaient sur le bleu de l'Atlantique, des centaines de pierres précieuses d'un gris-vert, faites de granite et de pins. Selon la carte que Whiting tenait déployée sur le volant de l'auto, Easter's Haven, la plus grande et la plus éloignée d'entre elles, se trouvait à sept milles marins de l'embarcadère du traversier.

— *Alors, Jake, j'imagine que tu as commencé à humer dans le vent une odeur de neige ? demande l'une des voix, à la radio.*

— *Non. Pas fait ça, non plus. Mais j'ai observé le radar.*

— *Et puis ?*

— *De deux choses l'une. Si la tempête se rabat sur la côte et nous frappe de plein fouet, on va bien écoper de douze ou quinze centimètres de neige, ce qui veut dire au moins vingt-cinq centimè-*

tres sur les stations de ski de l'arrière-pays. Ou bien la tempête peut dévier au large de Cape Cod, foncer sur les Maritimes et nous épargner. Ou bien...

— *Tu as annoncé* deux *possibilités.*

— *J'ai jamais dit que je savais compter, Sandy, répliquait Jake en riant. La tempête peut dévier au large de Cape Cod, ramasser de la vapeur d'eau au passage et nous atteindre par son prolongement nord-est. Ça signifie de cinquante à soixante centimètres de neige, dont la plus grande partie se déverserait sur la côte.*

— *Ç'a l'air sérieux.*

— *Euh — ouais. Si je projetais de quitter une des îles, je le ferais dans les quelques heures qui viennent.*

Whiting éteignit la radio.

De l'autre côté d'Easter's Haven, l'*Ellie B.*, ballotté par la houle, se dirigeait vers le port au rythme lent et régulier de son moteur. Sa coque, lourdement chargée de crevettes du golfe du Maine, s'enfonçait dans l'eau ; sa poupe était gréée pour le dragage. Dans la petite cabine, Cal Bannister tenait le gouvernail, tandis que Harry Miller versait de son thermos deux tasses de café.

Harry tendit une tasse à Cal.

— T'es sûr que tu veux pas que je prenne le gouvernail ? Y a rien de pire qu'une mer de l'arrière.

— Je peux me débrouiller, assura Cal.

Harry but une gorgée de son café.

— J'ai jamais dit que t'étais pas capable.

— Je demande de l'aide quand j'en ai besoin.

Harry hocha la tête.

— C'est pour ça que t'es en apprentissage.

Une lame s'abattit sur la poupe et claqua sur la cloison.

— Donne un peu plus de gaz, dit Harry. Une autre vague comme ça et on sera submergé.

Cal Bannister appuya sur la commande des gaz, et le bateau bondit en avant. Les fenêtres de la cabine étaient embuées : par la vapeur que dégageait le café, mais aussi par la respiration des deux hommes qui transpiraient dans leurs cocons hivernaux de laine et de caoutchouc.

Une voix féminine grésilla dans le haut-parleur de la radio. Elle donna son indicatif numérique puis celui du *Ellie B.*

— Répondez, s'il vous plaît.

Harry saisit le micro et répondit par son propre indicatif.

— Harry, c'est Lanie Bannister.

Sa voix semblait nerveuse, même dans le minuscule haut-parleur. Elle voulait parler à Cal. Harry tendit le micro à ce dernier et prit le gouvernail.

— Pour rentrer le bateau à bon port, faut avoir les deux mains libres pis l'esprit libre. Personne peut piloter mon bateau tout en parlant à sa femme.

— C'est Cal. Qu'est-ce que tu veux ? À toi.

Il était ennuyé et un peu inquiet. Les appels sur la radio du bord étaient réservés aux cas d'urgence.

— Un homme a appelé de New York, y a un moment. Il m'a dit de te signaler qu'il était le lieutenant et qu'il serait ici avant la tempête de neige.

Cal glissa un oeil vers Harry, dont le regard était fixé sur les vagues qui se déroulaient devant lui.

La voix de Lanie leur écorcha à nouveau les oreilles.

— Il a dit qu'il s'attendait à te voir ici à son arrivée. J'lui ai dit que t'étais en mer et que tu pourrais pas être de retour avant...

Une bordée de parasites rendit la phrase inaudible, puis s'atténua...

— ...Et c'était comme si j'avais rien dit. Il a seulement dit que tu devais être ici, un point c'est tout.

Harry regarda Cal, puis fixa la proue du bateau. Il pouvait apercevoir la bouée numéro trois, à l'entrée du passage d'Easter's Haven.

Lanie ajoutait une remarque qui se perdit dans la friture. Cal aspirait entre ses dents l'intérieur de ses joues et mâchonnait nerveusement.

— Chaque fois que le gros temps s'en vient, y a des parasites, expliqua Harry. J'ai l'impression qu'on va avoir une tempête monstre.

La voix inquiète de Lanie se fit entendre une fois de plus.

— Il te dit de surveiller Brisbane Road et de t'assurer que personne passe par là.

Harry tourna brusquement la tête.

— Qui est-ce, Cal ? Qu'est-ce qu'il veut, demanda Lanie.

Cal jeta à nouveau un coup d'oeil à Harry, puis poussa le bouton de transmission du micro.

— Un vieux camarade de travail, Lanie.

— Il dit qu'il a du travail pour toi, Cal. Quel genre de travail ? (Elle avait le ton de quelqu'un qui sait.) À toi.

— J't'en parlerai quand on sera rentrés.

Cal raccrocha le micro et baissa le volume du haut-parleur. Harry jonglait avec le gouvernail et la manette des gaz. Cal Bannister regardait droit devant lui, tout en se mâchonnant la joue.

— C'est pas mes oignons, dit Harry après un moment de silence, mais si t'as un problème et que t'as besoin d'aide, fais-moi signe.

Cal jeta un regard reconnaissant à Harry.

— Merci, grand-père.

Au fur et à mesure que les mois s'étaient écoulés depuis l'explosion du *Fog Lady*, Cal avait formé l'espoir de s'être acquitté de sa dernière mission et de se voir oublié désormais dans ce coin perdu de l'Amérique. Il adoptait petit à petit les rythmes de l'île. Il avait trouvé dans les caprices de la mer une secrète harmonie avec sa propre violence intérieure. Et voilà que le lieutenant en personne arrivait dans l'île ; Cal Bannister savait sa fragile paix sur le point de voler en éclats.

La voix de Lanie leur parvenait encore faiblement, brouillée par la friture. Cal éteignit le haut-parleur.

Harry Miller tenait le cap. À l'approche de la bouée numéro deux, avec à tribord les champs de St. Bartholomew couverts de neige, il laissa échapper les mots *Brisbane Road.*

Cal Bannister se raidit.

— Arrêter les gens sur Brisbane Road, c'est pas un boulot ben sympathique.

— T'as pas besoin de savoir. (Dans la bouche de Cal, ce n'était pas une menace. C'était un avertissement amical, proféré d'une voix calme.) J'suis pas seulement pêcheur.

— La plupart des gens sont plus que ce qu'ils paraissent, dit Harry — ou parfois moins.

Cal ne disait rien.

— Quand on sera rentrés, je pourrais juste aller faire un tour sur Brisbane Road, dit Harry. M'assurer que le vieux Andy a assez de scotch pour la durée de la tempête... Si tu vois pas d'inconvénient.

Cal ne fit pas un mouvement, ni ne regarda Harry. Il hocha simplement la tête.

À Brisbane Cottage, le téléphone sonna.

Edgar Lean, impeccable dans son gilet et sa veste de maître d'hôtel, répondit.

— Où est le vieux ? demandait la voix à l'autre bout du fil.

— Monsieur Meade ? dit Lean.

— Oui, Edgar. (La voix de Meade paraissait tendue.) Je suis à New York.

— Et comment s'est passée la projection cet après-midi ? demanda Lean poliment.

— Bien, très bien, dit Meade d'un ton bourru. Nous essayons depuis ce matin de vous atteindre. Où étiez-vous ?

— Une petite excursion sur le continent, monsieur. Un antidote contre la claustrophobie.

— Je vous ai demandé de ne jamais quitter l'île sans en avertir mon bureau de New York.

— Je suis désolé, monsieur, dit Lean.

— Où est le vieux ?

— Il est sorti en skis pour sa randonnée de l'après-midi, monsieur.

— Est-ce que Dodd est avec lui ?

— Non, monsieur.

— Où est-il ?

— En train de lire, monsieur.

— Et on appelle ça un garde du corps ? marmonna Meade. Envoyez-le à la recherche de notre ami, et je veux que dès leur retour tous les deux s'en viennent à New York.

— Mais, monsieur, la tempête menace...

— Je veux qu'ils quittent l'île dès cet après-midi.

— Oui, monsieur.

— Et il se peut que vous ayez la visite d'une personne qui se présentera comme la femme de Roger Darrow. Il vaudrait mieux qu'aucun des habitants de Brisbane Cottage ne parle avec elle ni avec son compagnon.

— Bien sûr que non, monsieur, dit Edgar Lean avec une nuance d'irritation dans la voix.

Voilà plus de trente ans qu'il était au service de la famille MacGregor. Pas besoin de lui rappeler que celle-ci tient à son intimité, surtout par les temps qui couraient.

— Je veux que le vieux quitte l'île aussitôt que possible, répéta Meade.

— Oui, monsieur.

Edgar Lean raccrocha, et regarda par la fenêtre de la cuisine. Le soleil de fin d'après-midi étincelait sur la bulle de verre de l'hélicoptère. Il déclara à sa femme qu'ils dîneraient seuls ce soir, puis se rendit dans la bibliothèque. Il y trouva Tom Dodd — à la fois garde du corps et pilote d'hélicoptère — le nez enfoui dans le dernier roman policier de Spenser. Dodd abaissa le livre et leva les yeux. Il était tout en biceps et en pectoraux, avec mâchoire carrée et tête assortie.

— Mets tes bottes de ski de fond, dit Lean.

John Meade contemplait l'Empire State Building, à peine visible à travers une neige de plus en plus dense. Il n'aimait pas, à si bref avis, faire venir les gens du Maine à New York. Mais il voulait soustraire le vieux à tout incident désagréable.

Tout cela pour une bonne cause, se dit-il en lui-même. Il était en train de concrétiser le rêve d'Andrew MacGregor, dont il était seul à comprendre la portée. Il avait été contraint de faire des concessions, mais, comme son oncle le lui avait toujours conseillé, il maintenait la Société en posture de tirer bénéfice de tout ce qui se produirait par la suite.

À Bangor, Len Haley affréta un avion. Le pilote, vieil ours natif de l'Est, demandait un prix exorbitant pour décoller à l'approche de la tempête et refusait de passer la nuit.

Len Haley avait amené avec lui Ken Steiner et Johnny Mendoza. De sa rencontre avec une poutre dans le puits d'ascenseur, Ken Steiner gardait une côte fracturée. Johnny Mendoza avait les yeux au beurre noir, et le nez recouvert d'épais pansements. Tous trois portaient des vêtements d'hiver : chandails de laine, vestes de duvet, sous-vêtements thermiques et bottes chaudes. Chacun d'eux était armé d'un pistolet mitrailleur Schmeisser, calibre 22.

Len Haley avait décidé que rien de ce que Jeanne Darrow ou James Whiting pouvaient apprendre dans l'île ne filtrerait sur le continent. Leur mort — ou, si tout se passait bien, leur disparition dans la tempête — aurait des conséquences moins graves que leurs continuelles interventions.

Len Haley le savait par expérience : une fois le tir engagé, il n'y a place ni pour la négociation, ni pour l'abandon des hostilités — tant que tout danger n'est pas passé. Il avait appris à la rude école de la guerre et avait enfin pu insuffler sa science à Vaughn Lawrence.

Jeanne Darrow et James Whiting, debout sur la petite plateforme qui dominait le pont du traversier, scrutaient devant eux le passage d'Easter's Haven. Les quatre maillons de la chaîne des îles de la Pentecôte se déroulaient à tribord. À bâbord s'élevaient les falaises de granite d'Easter's Haven.

Les nuages s'étaient déplacés vers le nord ; mais il en surgissait maintenant autant de l'est et du nord-est. Ils estompaient déjà le soleil de fin d'après-midi, envahissant rapidement le morceau de ciel bleu entre Easter's Haven et le continent. Au fur et à mesure de leur avance, l'océan perdait sa couleur émeraude et s'irisait comme une flaque d'huile. Son eau semblait s'assombrir dans sa course vers l'ouest avec les nuages. Elle s'engouffrait dans le passage, se répandait dans la baie de Penobscot et cernait la base de l'île, tandis que plus haut, le soleil folâtrait encore sur les pins et les falaises.

Au milieu du passage soufflait un vent violent et aigre, contre lequel le petit traversier luttait péniblement. Jeanne Darrow et James Whiting, emmitouflés dans leurs anoraks, bonnets de ski tirés sur les oreilles, étaient les seules personnes à se risquer en dehors du compartiment des passagers. Les quelques autres voyageurs à bord en ce vendredi après-midi — une poignée de pêcheurs, leurs épouses et quelques enfants d'âge préscolaire — étaient assis dans la chaleur de la cabine et échangeaient des commentaires sur ces étrangers qui sur le pont affrontaient la froidure.

Mais c'était sous cet angle que Roger Darrow avait présenté l'île. James Whiting et Jeanne Darrow se devaient donc de la découvrir à partir du pont du traversier. Whiting se tenait très près de Jeanne de façon que son corps touchât le sien.

— J'ai peur, dit-elle.

— Moi aussi, répondit-il. (Il plongea la main dans sa poche et en tira le pistolet de calibre 22 de Dave Douglas.) Ceci va peut-être te rassurer.

— Comment t'es-tu procuré cette arme ?

— J'ai promis à Dave de lui présenter ta soeur si je pouvais seulement garder ce pistolet jusqu'à demain.

— Ma soeur est mariée.

Whiting haussa les épaules :

— Dave ne s'est jamais laissé arrêter par ce genre de détails.

À l'exception de la bande bleue qui barrait l'horizon à l'ouest, le ciel s'était couvert de nuages gris et lourds.

36

Harry Miller rentra l'*Ellie B.* à Easter's Landing et l'amarra devant la glacière, où les membres de la coopérative de l'île entreposaient leur prise avant sa livraison sur le continent.

De l'autre côté du port, le traversier quittait à reculons le quai. La lumière de ses phares de marche perçait les premières rafales, et son pont hébergeait cinq véhicules.

Harry observa un instant le traversier, puis jeta un coup d'oeil du côté de Brisbane Road. Il vit émerger d'un bouquet d'arbres une voiture inconnue, qui traversait la prairie communale. Il interpella Cal, déjà sur le pont en train d'ouvrir la soute. Cal leva les yeux et aperçut les phares.

— Si t'étais censé les arrêter, dit Harry, c'est raté.

Cal vit le véhicule traverser la prairie et disparaître dans les arbres. Puis il regarda Harry.

— Je m'occuperai de Brisbane Road quand j'aurai déchargé le bateau.

— C'est bon, approuva de la tête Harry. La prise d'abord.

La neige, tombant par petites rafales que poussait un vent du nord-est, tourbillonnait devant le pare-brise. Whiting passa derrière des maisons de pêcheurs de homards, alignées face à la digue. Certaines d'entre elles étaient entièrement sombres. Ici et là, la lueur d'une lampe ; au-delà des maisons, l'océan devenu noir et menaçant.

Au fur et à mesure qu'ils s'éloignaient de la ville, les habitations devenaient de plus en plus clairsemées, parfois distancées d'un demi-kilomètre. Ils passèrent devant un chalet où une pancarte accrochée au réverbère affichait le nom de *Bannister*. Puis la route s'éloignait du rivage pour s'enfoncer dans les pinèdes de Louder's Point. Le crépuscule avait envahi toute l'île, mais on baignait ici dans les ténèbres épaisses d'une nuit de tempête.

L'auto de Whiting et de Jeanne traversa la forêt sur un kilomètre. Quand ils débouchèrent près de l'anse de Louder's Pond, le reste de l'île avait sombré dans l'obscurité. Un peu plus haut, des lumières luisaient aux fenêtres d'une maison de pêcheur. Pendant qu'ils contournaient l'anse, Jeanne demanda à Whiting de ralentir. Il changea de vitesse.

— Pourquoi ?

Elle jetait un coup d'oeil à la carte, puis regardait vers le passage où le traversier affrontait la grosse mer.

— Le bateau de Roger a explosé à cinquante mètres de l'embouchure de cette crique.

Whiting contempla quelques instants les flots menaçants, puis appuya sur l'accélérateur. Ce n'était pas le moment de s'attarder à ce spectacle.

Whiting suivit le chemin, qui replongeait dans l'obscurité de la forêt et conduisait à une fourche. Un panneau signalait à gauche Rumrunner's Bulge, et à droite Brisbane Road. Jeanne indiqua la droite.

À travers la forêt, le terrain commençait à s'élever. Ils parcoururent près d'un kilomètre et demi de virages abrupts et de pentes escarpées avant d'arriver aux barrières du domaine MacGregor. La route avait atteint un plateau, sans quitter la dense forêt de pins. De part et d'autre du chemin, deux piliers de granite soutenaient de lourdes portes de fer forgé, que nos voyageurs, étonnés, trouvèrent grandes ouvertes. Sur un des piliers, une vieille enseigne annonçait en lettres dorées « Brisbane Cottage ». L'autre panneau, de facture plus récente, avertissait de ses lettres rouges : « Propriété privée. Défense d'entrer. » Au-dessous, un écriteau plus petit précisait : « Danger : chiens méchants. »

Whiting et Jeanne parcoururent encore un kilomètre en forêt avant d'apercevoir devant eux Brisbane Cottage.

Une rafale tourbillonnait autour de la maison, renouvelant sur le toit rouge la mince couche de neige, et sur la demi-acre de pelouse, l'épais manteau blanc. Au milieu de toute cette blancheur, la maison elle-même semblait une ombre incolore, mais chaque fenêtre déversait une traînée de lumière dorée. Brisbane Cottage n'avait rien du lieu sinistre qu'avait imaginé Whiting. Mais celui-ci se souvint alors de la mise en garde de Howard Rudermann : tantôt la fumée ne cache rien, et tantôt elle dissimule un incendie.

— C'est magnifique, murmura Jeanne.

Whiting rangea le véhicule devant la maison et mit pied à terre. Il entendit les aboiements et aperçut deux dobermans arpentant, furieux, le chenil voisin de la maison.

À travers les conifères qui couronnaient la falaise, il put voir le traversier, minuscule, menacé, pressé de fuir la tempête et d'atteindre le continent. Whiting glissa la main dans sa poche et serra la crosse du pistolet. Il se tourna vers Jeanne, qui, debout devant la maison, regardait les piliers en pierres des champs qui soutenaient le toit de la véranda. Le froid lui avait rosi les joues. Des flocons s'accrochaient à ses cils. Whiting lui prit la main, et ils montèrent ensemble l'escalier.

La camionnette de Harry Miller se rangea dans l'allée privée de Cal Bannister. La lumière de l'après-midi avait pris une teinte trouble et lugubre.

— Une bonne pêche, dit Cal.

Harry hocha la tête.

— Merci de m'avoir déposé.

Nouveau hochement de tête. Cal s'apprêtait à ouvrir la porte.

— Qui es-tu, Cal ?

Cal prit un air énigmatique. Il fixa Harry pendant un instant. Puis Lanie Bannister cogna à la fenêtre de la camionnette.

Cal descendit la vitre. L'air froid et la neige lui cinglèrent le visage. Lanie passa la tête à l'intérieur. Elle avait jeté en hâte une veste de laine sur ses épaules.

— Il a encore appelé, dit-elle à Cal.

— Qui ?

— Le type qui se présente comme le lieutenant. Il a dit qu'il sera sur la piste d'atterrissage à cinq heures trente. Il veut que tu ailles le chercher.

Cal regarda sa montre.

— Quoi c'est qu'il y a de si important pour l'obliger à atterrir ce soir ? demanda-t-elle.

— Qui c'est, Cal ? demanda Harry au même moment.

Cal ordonna à Lanie de rentrer à la maison :

— J'te dirai ça en entrant.

Elle hésita un moment, puis souhaita une bonne soirée à Harry et rentra.

Cal remonta la vitre de la fenêtre.

— Alors, grogna Harry, qui c'est que t'es ?

— Un homme qui essaye de s'en tirer. C'est tout.

Les muscles de sa mâchoire commençaient à se contracter.

— Fiston, dit Harry avec colère, t'as pêché dans mon bateau. T'as mangé à ma table et je t'ai jamais demandé d'où tu venais et ce qui t'avait amené ici.

— Ça, je l'apprécie, Harry.

— Le passé d'un homme, c'est son affaire. S'il veut prendre un nouveau départ, cette île est le bon endroit pour ça. Mais si t'apportes la brouille, Cal...

— D'la brouille, y en a partout, Harry, grommela Cal. On peut pas y échapper.

Il entrouvrait la porte.

Harry lui saisit le bras, d'une poigne solide.

Quel genre de troubles se prépare dans mon île ?

— Sais pas, grand-père, mais j'en veux pas plus que toi. Pis je veux pas que tu sois mêlé à ça.

— C'est-y des problèmes qui te suivent ? C'est-y toi qui les a amenés avec toi ? questionna Harry.

Soudain, la neige se rua sur le pare-brise, et pendant quelques instants Cal resta silencieux. Puis la bourrasque s'apaisa.

— Je suis qu'un pion là-dedans, dit-il. Je suis ici parce que des gens de Los Angeles ont besoin de moi ici. Ils font pas confiance à l'entourage de MacGregor. Ils veulent quelqu'un sur l'île, un homme fort.

Harry regarda Cal de travers, puis le toisa comme s'ils se rencontraient pour la première fois.

— As-tu déjà imposé des choses ici ?

Cal secoua la tête. Il disait la vérité.

— J'espérais qu'il serait pas nécessaire de tordre le bras à personne. Et j'espère encore.

— Alors, va pas à la piste d'atterrissage. Laisse ton ami se geler les pieds là-bas.

— Je peux pas, répondit Cal en ouvrant brusquement la porte. Il m'a sauvé la vie.

En descendant de la camionnette, Cal entendit, porté par le vent qui s'élevait, le ronronnement lointain d'un moteur d'avion. Il regarda dans la direction du bruit et vit deux lumières rouges s'approcher de l'île.

Jeanne Darrow et James Whiting entendirent eux aussi le bruit du moteur. Ils avaient regagné l'auto, stationnée sur le bas-côté de la route, juste à l'extérieur du portail de granite du domaine MacGregor.

Edgar Lean les avait éconduits, déclarant que M. MacGregor ne recevait pas de visiteurs, et que l'adresse de Miranda Blake figurait à l'annuaire de Manhattan. Lean avait ajouté qu'ils auraient affaire au garde du corps de M. MacGregor s'ils s'avisaient de frapper à nouveau à la porte, et qu'on lâcherait les chiens de garde sur le domaine.

Le monomoteur émergea des nuages, soixante mètres au-dessus d'eux.

— Seigneur ! s'exclama Jeanne en sursautant.

Pour un moment, le bruit fit vibrer la voiture. Puis le rugissement s'éloigna et l'avion roula sur la piste d'atterrissage.

— Qui diable peut bien atterrir sur l'île ce soir ? demanda Jeanne.

— Sûrement une affaire urgente. Il tira de sa poche un thermomètre, qu'il déposa sur la neige. Puis il prit ses skis sur le toit de la voiture.

Jeanne sortit de son côté.

— Qu'est-ce que tu fais ?

— Nous sommes venus pour rencontrer MacGregor.

Whiting ouvrit le coffre et prit une boîte de plastique contenant des cires, des racles et des lièges.

— Nous pouvons traverser à skis le sommet de Cutter's Point et nous approcher à quelques mètres de la maison.

— Et les chiens.

— Peut-être qu'ils ne nous verront pas.

— Et quand nous aurons atteint la maison ? Allons-nous grimper aux gouttières pour pénétrer dans la chambre du maître ? Nous ne savons même pas où se trouve MacGregor.

Whiting jeta un coup d'oeil au thermomètre.

— Moins cinq degrés. C'est la cire bleue qu'il nous faut.

Il prit dans sa boîte deux jeux de cire et de grattoirs et en offrit un à Jeanne, qui le déposa sur le capot.

Whiting appuya ses skis contre la voiture et commença à les gratter.

— Il est toujours préférable d'enlever la vieille cire. Particulièrement lorsque, après une cire molle comme la rouge par exemple, on veut enduire les skis d'une cire bleue, plus dure.

— En ce qui concerne MacGregor, nous avons fait notre possible, dit Jeanne. Essayons de trouver Miranda.

— C'est sa nièce. Elle sera là elle aussi, insista-t-il. Bon, la cire bleue devrait faire l'affaire jusqu'à ce que la température tombe à moins vingt.

Cal et Lanie Bannister entendire l'avion survoler la maison. Cal s'apprêtait à partir pour la piste d'atterrissage. Lanie remuait le ragoût qui avait mijoté tout l'après-midi.

— T'avais dit que ça se reproduirait jamais, Cal, grommela-t-elle. T'avais dit que, quand on arriverait ici, tout serait changé.

— C'est ça qui s'est passé, pas vrai ?

— Non. Après la mort de ce producteur de télévision, t'as presque pas prononcé un mot pendant un mois. Et pis ça fait partie de la même sacrée affaire.

— Où c'est que tu penses qu'on a pris l'argent pour déménager ici et acheter c'te maison ? demanda Cal avec colère. Ça venait-il du père Noël ? Ça venait-il de tes économies ? — quarante-quatre dollars plus les intérêts ? Non, ça venait de l'homme qu'est dans c't'avion, pis de ses patrons.

— Ça veut pas dire que tu lui appartiens, Cal. T'appartiens à personne. Tu peux lui dire non à ce type.

— J'aimerais bien.

Il enlaça Lanie. Celle-ci lui serrait la taille, promenant une main sous son anorak, jusqu'au bourrelet de graisse imputable à la cuisine qu'elle lui fricotait.

— Je suis avec toi, dit-elle.

— Je sais, bébé. Mais l'homme qu'est dans c't'avion, je l'ai connu avant de te connaître. Je l'ai connu au 'Nam. Sans lui, on serait pas ici. (Il l'embrassa sur le front.) Alors, sois gentille avec lui et mijote-lui ton fameux ragoût de poisson.

Il sortit dans le jour tombant et marcha jusqu'à son Bronco. Lanie l'observait de la fenêtre de la cuisine. Elle lui envoya un baiser de la main. Il agita le bras.

Whiting se trouvait à environ six mètres devant Jeanne, sur une piste de ski qui longeait le bord de Cutter's Point. À sa gauche, vers l'est, le sol s'abaissait de soixante mètres en une succession de marches de granite, cicatrices laissées cinquante ans plus tôt par l'exploitation de la carrière. Au pied de la falaise, se trouvaient les chalets et les pinèdes de Rumrunner's Bulge.

À l'extrémité de Cutter's Point, Whiting s'arrêta pour attendre Jeanne, qui avançait péniblement sur la piste. La bourrasque de neige s'était calmée. Le vent faisait trêve.

— Pousse le pied et glisse. Pousse et glisse, cria-t-il. Je croyais que tu aimais le ski de fond.

— Une fois par année. Je préfère le tennis.

Whiting regarda vers l'ouest en direction de Brisbane Cottage. Il aperçut l'escalier qui conduisait du sommet de la falaise jusqu'au quai. Une rangée de pins plantée là-haut cachait la maison à la vue du traversier. Au delà des pins, il n'apercevait que la masse sombre de la maison, les hautes cheminées et la lueur jaune des fenêtres.

— Restons de ce côté-ci des pins ; peut-être que les chiens ne nous verront pas, dit Whiting. Lorsque nous serons près de la maison, je courrai à la petite terrasse, à l'arrière. Peut-être pourrai-je entrer par les portes-fenêtres.

— Et alors ?

Le nez de Jeanne était rouge de froid et commençait à couler.

— J'espère que c'est dans la pièce de l'arrière de la maison que le vieil homme passe ses soirées. Ça pourrait bien être la bibliothèque ; la cheminée fumait.

Ils reprirent leur marche à skis vers la maison.

Le monomoteur s'élevait déjà vers les nuages lorsque Cal Bannister arriva sur la piste d'atterrissage. Il aperçut trois hommes, dont Len Haley, debout devant une baraque à deux étages, à la fois tour de contrôle et aérogare. Bannister descendit de la camionnette et marcha à la rencontre des trois hommes.

Len Haley lui tendit la main et prononça le nom de Cal comme s'ils s'étaient vus quelques heures auparavant. Il présenta Cal à Steiner et à Mendoza ; l'état de ce dernier donnait à croire qu'on lui avait récemment claqué une porte en plein visage.

— Allons-y, dit Haley.

Les balises lumineuses de la piste d'atterrissage — bleu — blanc, bleu — blanc, s'arrêtèrent de clignoter et le surveillant mit le nez à la porte.

— Eh, Cal, tu dois donner une fameuse réception ce soir pour que tes amis aient loué exprès un avion et viennent te voir par une nuit pareille ?

— Ils aiment la neige.

— Bannister se glissa derrière le volant. Haley s'assit à ses côtés, les deux autres à l'arrière.

— T'as gagné leur confiance, dit Haley. Ils te traitent comme un des leurs.

— C'est du brave monde, répondit Bannister.

Il quitta le stationnement criblé d'ornières et retourna sur Midland Road. Ils roulèrent en silence sur une courte distance, puis

Haley ordonna à Cal de s'arrêter. Bannister appuya à la pédale du frein.

Haley descendit la vitre pour regarder là-haut l'antenne de télévision d'Easter's Haven. Elle était rouge et blanche et sa moitié supérieure disparaissait dans les nuages. Des feux de position clignotaient sur toute sa hauteur, teintant les nuages d'une lueur rougâtre. On eût dit que l'antenne répandait son énergie dans l'atmosphère plutôt que de l'en recevoir.

— C'est ici que tout a commencé, murmura Haley.

37

La neige s'était remise à tomber. D'énormes flocons moelleux folâtraient paresseusement avant de toucher le sol, comme dans ces boules de verre où flottent des confettis.

James Whiting et Jeanne Darrow enlevèrent leurs skis dans la pinède qui jouxtait Brisbane Cottage. Ils n'avaient pas éveillé l'attention des dobermans, encore blottis dans le chenil malgré l'avertissement de Lean.

— Encore quelques minutes et il fera noir comme dans un four, dit Whiting, occupé à rassembler son courage pour traverser furtivement le terrain. Peut-être que je devrais attendre.

— À ton goût, dit Jeanne, mais quelques minutes à rester assise ici et j'aurai la trouille.

Elle frissonnait, reniflant le liquide qui perlait au bout de son nez.

— Dès qu'on s'arrête de bouger, la transpiration refroidit et les orteils s'engourdissent.

— Ce n'est pas le froid qui me donne la trouille.

Du revers de la manche, elle s'essuyait le visage. Whiting regardait la maison. La lumière était encore allumée dans la pièce arrière, un panache de fumée s'échappait de la cheminée qui correspondait à celle-ci. On pouvait sentir l'arôme d'un feu de bois.

— Très bien, dit-il. Descends les escaliers jusqu'à ce que tu sois juste sous le sommet de la falaise. Je vais essayer d'entrer et de voir MacGregor. Si dans quinze minutes je n'ai pas reparu, essaye de retourner en ville et d'obtenir l'aide de la police.

— Bon, répondit-elle. Et si tu entends des haut-le-coeur, dis-toi que c'est seulement moi qui vomis.

Il fouilla dans sa poche et en tira un mouchoir.

— Essuie ton nez.

Puis il se faufila dans la pinède, qui le dissimulerait jusqu'à ce qu'il fût à vingt pas de la maison.

Jeanne descendit les marches, déneiga l'une d'elles et s'y assit. Le contact du bois gelé lui transperça le postérieur. Elle mit un genou à terre, mais sentit une écharpe d'air froid s'enrouler autour de son cou.

Une porte claqua. Jeanne baissa les yeux vers le petit hangar à bateaux, près du quai. Un homme venait d'en sortir, qui entreprenait la montée des escaliers. Elle retourna à toutes jambes vers le sommet de ceux-ci et se dissimula dans les arbres.

Elle eut beau regarder vers la maison, Whiting avait disparu. Elle observa sous elle l'escalier qui, en cinq paliers, s'élevait de l'eau jusqu'au sommet de la falaise. L'homme venait de grimper la première volée; il faisait une pause pour reprendre haleine. Jeanne écarquillait les yeux, mais la neige et la distance l'empêchaient de détailler la silhouette.

Whiting s'accroupit à l'orée du bosquet de pins et regarda vers la maison. Il s'en était assez approché pour voir les livres qui tapissaient les murs de la pièce arrière.

Il inspira profondément deux ou trois fois, se leva, et partit à la course. Il traversa la pelouse jusqu'à la terrasse, dont il sauta les marches. Il se précipita vers les portes-fenêtres. Puis il s'arrêta un moment pour examiner les alentours. Les dobermans étaient encore au chenil. Personne ne regardait par les fenêtres donnant sur la terrasse. Dans la bibliothèque, personne ne bougeait. Sur le mur opposé, la cheminée avec à droite, le bureau, et à gauche le sofa; derrière ce dernier, un secrétaire sur lequel était étalée une sorte de planche à jeu. Droit devant Whiting, derrière la porte, un fauteuil à oreillettes recouvert de cuir. Sur le bras de ce fauteuil, un livre ouvert; sur la table, à côté, un verre de whisky. Sans voir le vieillard, Whiting était certain que MacGregor était assis là, peut-être à somnoler ou à regarder les flammes.

Whiting s'attendait à ce que des sonnettes d'alarme retentissent dès qu'il pénétrerait à l'intérieur. Mais peu lui importait, pourvu qu'il pût se trouver quelques secondes face à Andrew MacGregor. Il avala sa salive, approcha la main et tourna la poignée. Pas de verrou, ni de sonnette d'alarme, ni de garde du corps.

Whiting ferma la porte derrière lui. Dans l'âtre, une bûche crépita, qui le fit sursauter. Avalant sa salive, il murmura: « Monsieur MacGregor ? »

Le silence lui répondit.

Il répéta le nom. Pas de réponse. Il fit le tour de la table. Quittant le cercle lumineux de la lampe, il regarda le fauteuil.

Vide.

Jeanne Darrow observait l'inconnu dans son ascension à travers les rafales de neige. Deux volées d'escalier, puis un arrêt de plusieurs minutes pour reprendre son souffle avant de repartir. La lumière était encore suffisante pour permettre de voir les traits du visage. Jeanne sentit son estomac se contracter. C'était lui.

Debout, tranquille au milieu de la bibliothèque, Whiting écoutait. Quelque part, à l'étage, un poste de radio diffusait de vieux airs de jazz des années trente.

Craquement dans la maison. Un moment, Whiting fut pris de panique. Il entendait des bruits de casseroles entrechoquées et deux personnes qui conversaient. La bonne et le maître d'hôtel étaient en train de préparer le dîner. Whiting remarqua, à sa droite, deux portes coulissantes, fermées ; elles isolaient de la bibliothèque un passage conduisant, pensa-t-il, à la salle de séjour. Il colla son oreille contre ces portes, mais n'entendit rien. Devant lui, à droite de la cheminée, une autre porte, à demi ouverte, donnait sur un couloir. Whiting la poussa discrètement, jusqu'à la refermer presque complètement.

Puis il retourna au pupitre, fait d'acajou massif, mais délicatement sculpté, poli avec soin, et recouvert d'un buvard. Pour l'éclairer, une lampe en laiton ornée d'un abat-jour en verre de Venise couleur d'émeraude. D'un côté, un téléphone à cadran rotatif. De l'autre, un ensemble stylo-crayon en or, fiché sur un socle de même métal ; un bout de câble de télévision de quinze centimètres, immortalisé dans un bloc de plastique transparent ; un presse-papier en granite poli, et une photographie en noir et blanc.

Whiting examina de près la photographie. Elle avait été prise à New York. À en juger par l'aspect des voitures à l'arrière-plan, elle devait dater des années trente. Une belle jeune femme — manteau et toque de vison — tenait dans ses bras un nouveau-né et souriait, radieuse. Le poupon, enveloppé de châles tricotés à la main, portait un bonnet crocheté. Il ressemblait à n'importe quel bébé d'une semaine ou deux, et la fierté de la jeune mère laissait penser qu'elle présentait pour la première fois un nouveau-né à l'objectif.

Whiting replaça sans bruit la photographie sur le pupitre et se rendit au secrétaire, derrière le sofa.

Ce qui, de loin, ressemblait à un jeu de Monopoly était en réalité une immense carte des États-Unis, couverte de punaises colorées, de flèches, de pions mobiles et de légendes imprimées.

Sous le nom de chaque État, figuraient quatre séries de chiffres ; le nombre total de concessions de télédistribution, le nombre qu'en détenait MacGregor, la population totale, et le nombre de délégués au collège électoral.

Les punaises à tête rouge indiquaient les concessions appartenant à MacGregor. Les têtes noires correspondaient, d'après la légende explicative, aux « intouchables » ; elles couvraient la plus grande partie de la carte, particulièrement dans les zones fortement urbanisées. Puis venaient, entre parenthèses, les noms de quelques-uns des réseaux de télédistribution les plus importants, les plus puissants : Warner / Amex, Continental Cablevision, Westinghouse, etc. Les punaises blanches, selon la légende, représentaient « les municipalités sur le point d'autoriser des concessions ». Les têtes vertes signalaient « les concessions à renouveler ». Une punaise jaune, fichée à côté d'une blanche ou d'une verte, signifiait, toujours d'après la légende, « une concession-cible ».

Comme un général préparant une bataille, Andrew MacGregor avait évalué le statut de chaque concession de télédistribution située aux États-Unis. Les punaises rouges de MacGregor parsemaient la carte dans la zone de la baie de San Francisco et dans plusieurs des faubourgs riches de New York. Il y avait même, sur Brooklyn, une épingle surmontée d'une étoile. MacGregor possédait des concessions dans les États du Maine, de New York et du Massachusetts. Il avait cependant concentré ses efforts sur certains États. Dans l'Est, le New Hampshire était saupoudré de punaises rouges. Dans l'Ouest, celles-ci couvraient le Wyoming et l'Iowa. Et Los Angeles, fief de Lawrence / Sunshine Productions, n'était qu'une grosse punaise rouge.

Ce que Whiting avait sous les yeux, ce n'était pas seulement les traces de quelque séance de stratégie d'un conseil d'administration. Cette carte constituait le plan d'une bataille politique et confirmait tous les soupçons de Whiting. MacGregor avait amassé assez de concessions dans le Wyoming pour battre à plate couture l'un des porte-parole conservateurs les plus puissants et les plus respectés du pays. Ses réseaux s'étendaient à travers le New Hampshire et l'Iowa. Deux des États à la population la plus clairsemée certes, mais à l'influence prépondérante sur le plan politique.

Il avait en outre envahi de ses épingles jaunes l'Ohio, le Texas et l'Illinois. Il lorgnait vers ces États, où il entendait acheter le plus de franchises possible ; car, dans toute élection serrée, c'étaient toujours des États-pivots, capables de faire basculer de grands pans du collège électoral dans le camp d'un candidat à qui le vote populaire n'accorderait la victoire que par une très faible majorité.

Voici donc, pensa Whiting, une preuve décisive pour Lyle Guise, Billy Singer et Lynne Baker. Andrew MacGregor allait essayer de hisser Reuben Merrill jusqu'à la Maison-Blanche, ou tout au moins aux portes de celle-ci. Il ne reculerait devant aucune dépense pour mettre la main sur les concessions de l'Iowa. Il abuserait ceux-là mêmes qui croyaient en l'honnêteté de ses intentions. Pour détruire un rival, il n'hésiterait pas à manipuler les électeurs. Et il ferait assassiner quiconque entraverait la réalisation de ses plans, comme Jack Cutler... ou Roger Darrow.

Dans la cuisine, Tom Dodd brossait la neige qui recouvrait son blouson.

— J'ai parcouru toutes ses pistes de ski favorites. Aucune trace de lui.

— As-tu regardé dans le hangar à bateau ?

Dodd secoua la tête.

— Qu'est-ce qu'il serait allé foutre là ?

— De temps à autre, il descend au hangar pour y déclamer des tirades de Shakespeare, expliqua Lean. Il dit que c'est le seul endroit où il peut s'exercer, hors de portée de nos oreilles.

— Oui, marmonna madame Jean. Je pense que ce pauvre vieux a la tête un peu fêlée.

— Pourquoi ne m'as-tu pas dit de regarder à cet endroit ?

— Parce qu'il est parti à skis. Généralement, il va là à pied.

Le vieillard, ayant atteint le sommet des escaliers, s'arrêta pour contempler le passage. Une bouée rouge lançait ses éclairs, que la neige n'arrivait pas encore à voiler. Il observa plusieurs fois le retour du faisceau de lumière, puis, se retournant, entreprit de gravir le sentier qui menait à la maison.

Il marchait tête basse, épaules voûtées, un livre sous le bras.

Jeanne sortit de sa cachette et se planta devant lui. Il faillit la heurter avant de l'apercevoir. Elle vit, sur son visage, la surprise faire place à l'effroi, puis réapparaître quand il s'aperçut qu'il s'agissait d'une femme. Pendant un moment, ils restèrent immobiles dans la neige, nez à nez, les ténèbres refermées autour d'eux.

— Monsieur MacGregor ? dit-elle, d'une voix à peine audible à travers le bruit du vent.

Il avait les yeux écarquillés, dans sa figure longue et mince, sillonnée de rides.

— Qui êtes-vous ?

— La femme de Roger Darrow.

Elle vit sa bouche s'ouvrir toute grande, puis se refermer lentement. Le visage, en quelques instants, manifesta toute une gamme d'émotions, de la surprise à la curiosité et, de nouveau, à la crainte. Puis, il leva soudain les yeux vers le vent, le ciel, les arbres, et hurla : « Un cheval ! Un cheval ! Mon royaume pour un cheval ! »

Whiting en était encore à examiner la carte lorsqu'il sentit le canon du revolver contre sa nuque.

Whiting obéit, immobile, tandis que Dodd fouillait ses poches et en retirait le pistolet.

— Lean ! cria Dodd. Quelqu'un a oublié de verrouiller les portes de la terrasse !

Edgar Lean se rua dans le bureau et aperçut Whiting.

— Oh ! Mon Dieu !

— Quelqu'un a aussi oublié de mettre en marche le système d'alarme, accusa Dodd.

— Je croyais que c'était ton travail, répondit Lean avec humeur. Le mien consiste à accueillir les visiteurs et à faire marcher la maison.

— Qui est avec vous ? demanda Dodd à Whiting.

— Il est venu un peu plus tôt, dit Lean. En compagnie d'une femme.

— Et, malgré ça, tu n'as pas branché le système d'alarme ?

Dodd était furieux.

Lean haussa les épaules :

— Je me fais vieux. Je dois avoir des absences de mémoire.

— Où est la femme ?

Whiting haussa les épaules.

Jeanne était encore debout dans le bosquet de pins.

— Je vous en prie, ne nous éconduisez pas, monsieur MacGregor. Nous avons parcouru cinq mille kilomètres pour vous rencontrer.

Le vieil homme écoutait Jeanne attentivement, mais gardait le silence depuis la tirade shakespearienne.

— Nous voulons vous parler de la visite de mon mari et de la fusion entre votre société et celle de Vaughn Lawrence.

Il scruta Jeanne encore un moment. Puis, relevant les épaules, il y enfonça tellement la tête qu'elle parut sourdre du milieu de sa poitrine. D'une voix rauque à l'accent britannique, il répondit :

— Je ne saurais dire. Le monde est si bouleversé/Que les roitelets vont nicher/Là où les aigles n'osent percher.

— Quoi ? fit Jeanne.

Puis il tenta de la contourner. Elle lui barra le passage. Elle ne s'en laisserait pas imposer par la stature d'Andrew MacGregor ou par ses étranges tirades.

— Monsieur MacGregor, je vous en prie. (Une soudaine rafale soulevait contre eux la neige.) Je dois vous parler. Et je dois voir Miranda Blake. Je sais qu'elle est ici.

Puis une porte s'ouvrit sur la terrasse. On vit briller, tout autour du terrain, de puissantes lampes au quartz, semblables à celles qu'on trouve généralement dans les zones urbaines où la criminalité est élevée. Leur éclat jetait une teinte orangée sur la neige des pins et des épinettes. Un cri s'éleva dans l'air.

Dans cette étrange lumière, le vieil homme parut une nouvelle fois transformé. Il abandonnait son allure bizarre pour afficher plus d'assurance. Il regarda vers la lumière, puis adressa à Jeanne un jovial sourire à la MacGregor.

— Monsieur MacGregor! Monsieur MacGregor! criait Tom Dodd.

Lean ouvrait le chenil et lâchait les chiens.

— Par ici! cria le vieil homme. Dans le bois de pins.

Il contourna Jeanne et se dirigea vers la maison.

Jeanne le saisit par le bras.

— Où est Miranda Blake?

Se tournant, il désigna du doigt la bouée qui clignotait:

— Elle est dans l'île St. Matthew. Mais écoutez le conseil d'un vieil homme et laissez-la tranquille.

Harry Miller, debout dans sa salle de séjour, regardait par la fenêtre. À petites gorgées, il buvait un grog chaud. Ellie, en train de préparer un ragoût de crabe, faisait la conversation depuis la cuisine.

— On va avoir une grosse tempête. J'suis contente que tu sois rentré.

— Euh... ouais.

— Paraît qu'on va en avoir quarante-cinq centimètres.

— Ouais.

— Comment trouves-tu le grog?

— Fameux.

Harry regardait la lumière de la bouée qui clignotait près de l'île St. Matthew. Elle signalait un haut-fond.

— Ell, dit-il.

— Ouais?

— Y a eu des autos sur Brisbane Road c't'après-midi?

— Seulement une. (Ellie était en train de saupoudrer de chapelure le ragoût.) Une voiture que je connais pas, avec des skis sur le toit. Bizarre. Z'ont ralenti juste ici, z'ont reluqué la maison, pis z'ont repartis.

Harry ignorait ce qui se passait. Mais il soupçonnait qu'Easter's Haven — cet univers que depuis quarante ans il s'efforçait de protéger et d'isoler, ce monde pour lequel il avait créé des mythes et inventé des mensonges — était sur le point de subir le choc de la réalité.

— Dans combien de temps qu'on va manger, Ell ?

— Euh, dans quarante minutes à peu près.

Harry termina son grog et passa à la cuisine.

— J'pense que j'vas faire un tour du côté de chez MacGregor.

— Ce soir ? Pourquoi ?

Déjà Harry revêtait son gilet.

— J'ai l'impression qu'il pourrait se passer des choses...

Le visage d'Ellie se figea. Elle s'essuyait les mains à son tablier en y laissant des traces de chapelure.

— Quelles sortes d'ennuis ?

— Suis pas sûr.

Harry enfilait son épais caban.

— C'est-il les passagers de c'te voiture ?

— Peux pas dire. Sais pas.

Il coiffa une casquette à carreaux rouges et noirs, munie d'une visière, et en rabattit les cache-oreilles.

— Je veux seulement jeter un coup d'oeil.

— Sois prudent, Harry.

— J'serai de retour avant que c'te ragoût soit prêt.

Len Haley regardait les bois sombres qui encadraient Midland Road.

— Ça m'a l'air plutôt désert.

— Seulement la moitié ouest, celle qui appartient à MacGregor, corrigea Bannister. Il y a plus de monde en bas, du côté de la ville.

— Y a des femmes faciles ? questionna la voix de Steiner, venue du siège arrière.

Haley eut un rire qui tenait plutôt du reniflement.

— J'en ai pas vu, répondit Cal. Faut dire que j'ai pas cherché.

— T'es heureux ici ? demanda Haley.

Bannister hochait la tête.

— Bon, fit Haley sur le ton de la sincérité. C'est bon qu'un de nous puisse s'échapper du merdier.

Bannister le regarda.

— On va essayer d'être prudents pour pas te faire de tort, poursuivit Haley. On arrive. On repart. Et on te fout la paix.

— C'est ben tant mieux si vous pouvez vous arranger comme ça, approuva Bannister.

Haley hocha la tête :

— On va s'efforcer d'éviter les bavures. T'as qu'à faire ce qu'on va te dire et à nous donner les renseignements dont on a besoin.

Cal acquiesça :

— Tout mon possible.

Déjà, il leur avait menti en assurant n'avoir vu aucune voiture sur Brisbane Road au cours de l'après-midi. Quelle que fût l'identité des passagers de la Volvo, il avait décidé de leur accorder un délai.

James Whiting et Jeanne Darrow étaient debout dans la bibliothèque. Tom Dodd se tenait près de la porte. Le vieil homme était assis dans le sofa de cuir. Edgar Lean était planté à ses côtés, avec à ses pieds un des dobermans.

Mme Lean apparut dans la porte, une valise à la main.

— Voici, monsieur MacGregor. Tout ce dont vous aurez besoin pour le voyage.

Le corps de MacGregor retrouva son étrange allure, et sa voix rauque retentit à nouveau :

— Scélérate, infâme sorcière, comment oses-tu t'imposer à ma vue ?

Mme Lean sourit.

— Ah ! mon Dieu, je vois que vous avez encore lu *Richard III* !

— Peu importe ! Que fais-tu avec mes effets ? demanda-t-il.

Jeanne et Whiting échangèrent un regard.

— Monsieur Meade a demandé que vous quittiez l'île ce soir, dit Lean. Il veut que vous soyez à New York demain.

Le vieil homme se redressa, abandonnant sa démarche de bossu.

— Je ne quitterai pas cette île, ce nouvel éden, cet autre paradis/Cette forteresse que la nature s'est construite pour elle-même...

— Ah ! oui, Jean de Gaunt ! dit Lean en jetant un coup d'oeil vers Whiting et en articulant des lèvres le mot *sénile*.

— Je ne suis pas sénile, tonitrua le vieil homme, de sa voix redevenue naturelle. Et je n'ai aucun point commun avec Jean de Gaunt.

Whiting chercha à nouveau le regard de Jeanne, mais celle-ci dévisageait le vieillard. En pleine lumière, elle reconnaissait l'Andrew MacGregor des quelques photographies aperçues au cours des années précédentes. Mais elle croyait y voir quelque chose de plus.

— Monsieur, nous pensons vraiment que vous devez partir.

Dodd le saisit par le coude. Le vieil homme se dégagea avec rudesse :

— Où me conduirez-vous ? Parlez. Je n'irai pas plus avant.

— À New York, grogna le garde du corps.

— Vous avez l'air de connaître Shakespeare sur le bout des doigts, lança Jeanne.

Le vieil homme s'inclina et se mit à chanter :

— Dépoussiérez les vieux classiques, et tout le monde vous fera des courbettes.

Jeanne reconnaissait maintenant le vieillard. Mieux encore, elle savait désormais ce que son mari avait découvert. Elle regarda le vieil homme :

— Avez-vous entendu parler d'un vieil acteur classique du nom de Ben Little ?

Le visage du vieux s'illumina d'un sourire.

— Il y a dix ans, il donnait des spectacles dans les collèges et jouait seul tous les personnages du répertoire shakespearien. Puis il a mystérieusement disparu.

— Catastrophe, murmura Lean.

— Votre ressemblance avec ce Ben Little est frappante, monsieur MacGregor.

Le vieillard eut cette fois un large sourire :

— Comme c'est intéressant ! Était-il bon acteur ?

— Son spectacle m'avait beaucoup impressionnée, poursuivit Jeanne. Je me souviens de *Richard III* : c'était sa meilleure composition.

Pendant un moment, personne ne rompit le silence. Dehors, le vent rugissait, secouant les portes-fenêtres. James Whiting, qui n'avait jamais entendu parler de Ben Little, était convaincu que si ce vieillard était au centre de toute l'affaire, c'était un centre bien creux. Qu'il s'agît d'un Andrew MacGregor sénile ou d'un acteur shakespearien raté, Whiting comprenait enfin pourquoi le personnage avait été entouré d'un tel mystère. Il prenait aussi conscience de ce que cette découverte avait probablement entraîné la mort de Roger Darrow.

Edgar Lean jeta un manteau sur les épaules du vieillard et regarda Dodd.

— Pouvez-vous encore partir en hélicoptère ?

— Si nous partons immédiatement. Mais il vente de plus en plus fort.

Le vieil homme jeta le manteau sur le sol.

— Personne ne m'a fourni une raison valable de partir pour New York ce soir. Je préférerais rester ici à discuter théâtre avec cette jeune femme.

Lean se rendit jusqu'au pupitre et décrocha le téléphone.

— Peut-être monsieur Meade pourra-t-il vous convaincre.

— Quoi donc, Ariel ! Ariel, mon fidèle serviteur ! Peut-être en vérité. Mandez-le sur-le-champ. (Le vieil homme se détourna et sourit à Whiting et à Jeanne.) Le monde entier est un théâtre/Dont les hommes et les femmes ne sont que les acteurs.

Whiting regarda Jeanne.

— Comment se fait-il ? Je m'attendais à ces paroles.

Lean échangea quelques mots avec son interlocuteur, puis tendit le combiné au vieil homme.

— Salut, John, dit celui-ci. Je suis sûr que le public et la presse ont apprécié mon jeu cet après-midi... Mais ça n'est pas une raison pour me faire voyager par une nuit pareille...

Whiting essayait d'imaginer la réponse à l'autre bout du fil.

— Rencontrer Billy Singer ? (Le vieillard soulevait les sourcils, visiblement flatté.) Oui, bien sûr.

Whiting regarda Jeanne. Billy Singer ou bien les avait trahis, ou bien n'avait pu résister au magnétisme d'Andrew MacGregor, dont, à une telle distance, ni Whiting ni Jeanne n'avaient mesuré la force. Ils se sentaient désormais isolés ici, sans aucune aide extérieure.

— Mon texte est écrit et vous voudriez que je l'étudie ce soir ? disait le vieil homme dans l'appareil. Allons-y. Puisque j'ai désormais une raison d'affronter cette tempête, je suis à vos ordres.

Il rendit le combiné à Lean, puis regarda Jeanne et Whiting.

— Encore sur la brèche, chers amis, pour Dieu, pour Harry et pour MacGregor Communications !

Il ramassa son manteau et s'en couvrit les épaules.

Lean parla encore une minute ou deux au téléphone, levant les yeux de temps à autre sur Jeanne et Whiting. Ce dernier savait que l'interlocuteur parlait d'eux. Lean dit au revoir, et Whiting remarqua que sa main tremblait légèrement en raccrochant le combiné, et en saisissant le pistolet de Whiting.

— Pouvons-nous prendre congé ? demanda Whiting ironiquement.

— J'ai bien peur que ce soit impossible, dit Lean.

Andrew MacGregor leva la main.

— Ne vous torturez pas l'esprit / avec l'étrangeté du destin : bientôt, lorsque j'en aurai le loisir... je résoudrai votre dilemme... En attendant, réjouissez-vous/et prenez la vie avec confiance.

Il agita la main, invita Dodd à le suivre, ouvrit les portes-fenêtres et sourit dans la tourmente.

Dodd regarda Lean.

— Monsieur Meade m'a demandé de les garder ici. Des gens vont bientôt venir s'occuper d'eux.

— As-tu besoin d'aide ?

Len baissa les yeux vers le doberman assis près du pupitre.

— Mon assistant et moi, nous obéirons à tous les ordres de monsieur Meade.

— En es-tu sûr ?

— Je suis entré au service de MacGregor bien avant ta naissance ; j'étais son domestique personnel et son garde du corps.

Dodd quitta la pièce. Edgar Lean demanda à sa femme de préparer le thé. Whiting et Jeanne restèrent plantés au milieu de la pièce, les yeux rivés sur le chien, qui grognait et montrait les dents au moindre de leurs mouvements. À l'extérieur, le battement des hélices de l'hélicoptère s'enfla, puis s'estompa dans la nuit.

Ils restèrent tous les trois debout au milieu de la pièce, jusqu'à ce que le bruit de l'hélicoptère se fût éteint. Sur la cheminée, le tic tac de l'horloge Seth Thomas remplissait de nouveau le silence. Le vent secouait les portes-fenêtres.

— De nouveau sur la brèche, chers amis, parodia Lean avec une nuance de sarcasme.

Il ouvrit les portes-fenêtres, laissant s'engouffrer dans la pièce l'air froid, porteur de légers flocons de neige. Lean siffla, et le chien s'en fut à l'extérieur.

— C'est une nuit affreuse pour voyager, dit-il en refermant les portes. Je ne pense pas qu'ils aillent bien au-delà de Rocktown. Mais ça leur donnera une bonne avance pour repartir vers New York demain matin.

— Ils ont bien de la chance, dit Whiting.

— De sacrés imbéciles, tous ces types.

Lean traversa la pièce et rendit à Whiting son pistolet.

— Vous nous laissez partir ? demanda Whiting, qui flairait un piège.

— Je ne suis plus garde du corps, monsieur.

— Mais il y a dans l'île quelqu'un qui va faire le travail pour vous ?

— Personne dans cette île n'a offert ses services pour accueillir les visiteurs ou faire le ménage, si c'est ce dont vous voulez parler.

Il tira de sa poche un mouchoir et épousseta le pupitre.

— Je veux dire quelqu'un qui nous empêchera de quitter cette île avec ce que nous savons.

Le maître d'hôtel les étudia tous deux pendant un moment, puis les fit asseoir sur le sofa. Fidèle à un réflexe acquis au long des années, Lean restait debout au milieu de la pièce.

— Je peux vous offrir un repas chaud et quelques conseils, mais pas grand-chose d'autre. Trouvez un endroit sûr où passer la nuit, ajouta-t-il, les mains derrière le dos. Et quittez l'île demain matin.

— Pourquoi faites-vous cela? demanda Whiting d'un ton soupçonneux.

Edgar Lean abaissa le regard vers le tapis.

— J'ai servi fidèlement cette famille pendant trente ans. J'ai obéi à ses ordres et j'ai gardé ses secrets, dont le plus étrange s'est trouvé sous vos yeux.

Son corps se mit soudain à trembler, comme prêt à se rompre. Il porta une main à sa bouche et attendit un moment pour reprendre contenance.

— J'ai fait tout ce qu'on exigeait de moi. Mais le Andrew MacGregor que je servais avec fierté ne m'aurait jamais demandé de tenir en joue deux personnes jusqu'à l'arrivée des agents de sécurité de la Compagnie — que je n'ai jamais rencontrés...

Il s'arrêta de parler. Les chiens s'étaient mis à aboyer. La femme de M. Lean accourut de la cuisine.

— Le camion de Harry Miller est en train de monter l'allée.

Quelques minutes plus tard, Edgar Lean introduisait Harry Miller dans la pièce.

Whiting fit le tour du sofa pour serrer la main de Harry.

— Nous vous avons déjà vu sur les bandes magnétoscopiques.

— Vous avez été l'une des dernières personnes à passer quelques moments avec mon mari, ajouta Jeanne.

— Toutes mes condoléances, dit Harry en lui tendant la main.

Une main froide et calleuse. Mais Jeanne lut sur son visage quelque chose que la bande magnétoscopique n'avait pas révélé : une force et une honnêteté presque burinées dans les traits.

— J'ai pas l'habitude de me mêler des affaires des autres, commença Harry. Mais j'me demande ce que des gens comme vous font ici au creux d'l'hiver. Pis j'me dis que vous feriez p't'être mieux de quitter l'île.

— Cette nuit même ? demanda Jeanne.

— Eh ben, fit Harry en se grattant la nuque. Ça pourrait poser un problème. Mais vous êtes pas d'ici. Et pis, y a d'autres gens de l'extérieur qui viennent d'arriver par avion ; et j'ai pas l'impression que c'est du monde ben intentionné.

— Qu'est-ce qui vous fait dire ça ?

Whiting ne savait pas encore s'il devait faire confiance à ce vieux pêcheur de homards.

— J'suis pas sûr. Mais vous devriez savoir mieux que moi. (Il tira sa pipe de sa poche et s'approcha de la boîte à tabac posée sur le bureau de MacGregor.) Z'avez été poursuivis ces derniers temps ?

— Vous pourriez répondre à ma place, fit Whiting, le regard tourné vers Lean.

— Eh ben, j'ai l'impression qu'ils vous courent encore après, continuait Harry. Puis, regardant Jeanne : Vot' mari avait l'air d'un bon diable. J'vas essayer de vous aider tous les deux de mon mieux, mais faut faire vite.

— Pourquoi ne pas rester ici et appeler la police ?

Harry pouffait de rire en bourrant sa pipe.

— Y a pas de police ici. Y a un shérif pour toutes les îles, mais il reste là-bas, à North Haven. Pis, il viendra pas par une tempête pareille, j'pense. On pourrait appeler la Garde Côtière, mais ça leur prendrait une bonne demi-heure pour s'amener ici avec leur hélicoptère ; et avec c'te bourrasque qui empire de minute en minute, je pense pas qu'ils ont grande envie de prendre le large. Tom Dodd aura beaucoup de chance s'il arrive en bon état sur la terre ferme. Mais c'est à vot' goût.

Harry tira sur sa pipe.

— Bon, dit Whiting. Allons-y.

Whiting et Jeanne sortirent sur la terrasse pour y prendre leurs skis. La neige, qui tombait de plus en plus dense, avait ajouté trois centimètres aux trente qui couvraient déjà le sol.

— Qu'est-ce qu'ils savent au juste ? demanda Harry Miller à Edgar Lean, resté avec lui à l'intérieur.

— Qu'Andrew MacGregor est ou bien un vieillard gâteux, ou bien un imposteur du nom de Ben Little.

— Pour la sécurité de Ben, il vaut mieux leur dire qu'il est gâteux, commenta Harry en tirant sa casquette sur ses oreilles. Qu'est-ce qu'ils savent au sujet de l'île St. Matthew ?

— Que Miranda Blake y vit. C'est tout.

— Bon.

Harry quitta la pièce.

— Dans quel guêpier on s'est foutus il y a quatre ans, Harry ? laissa échapper Lean.

— On aimait trop le vieux pour le laisser mourir, je crois.

Harry tira de nouveau sur sa pipe.

— Nous, on l'aimait, mais son neveu aimait son pouvoir, répondit Lean. On aurait dû le laisser mourir et laisser ses rêves s'évanouir avec lui.

— Si on avait laissé mourir le vieux, protesta Harry, notre île aurait été obligée de regarder l'avenir en face. Et ça, on l'a jamais accepté.

38

— Et à quelle heure l'auto est-elle passée ? demanda Haley.

— Il y a à peu près une heure, répondit Lanie Bannister.

Haley regarda Cal :

— T'as pas fait ton boulot.

— J'étais en train de décharger la prise, dit Cal.

Peu de gens parvenaient à intimider Cal Bannister, mais Len Haley était de ceux-là.

— Une auto seulement ? demanda Haley à Lanie.

Elle hocha la tête.

Haley regarda la carte d'Easter's Haven étalée sur la table de cuisine des Bannister. Steiner et Mendoza, dans la salle de séjour, regardaient la télévision tout en dégustant le ragoût de poisson de Lanie Bannister.

Haley désigna du doigt Rumrunner's Bulge.

— C'est quoi ces terrains-là ?

— Dix ou quinze chalets d'été, répondit Cal. En hiver, c'est désert.

Lanie jeta un regard à Cal. Elle savait qu'il mentait.

— Bon, dit Haley, ça veut dire qu'entre la maison de MacGregor et la tienne, Harry Miller est le seul pêcheur de homards ?

— Oui, m'sieu, dit Cal en faisant presque le salut militaire.

— Et y a encore un kilomètre sans rien, en allant vers la ville.

— C'est ça, répondit Cal.

— Quelqu'un habite avec Miller ?

— Sa femme, dit Lanie.

C'était la première fois qu'elle parlait sans qu'on l'interrogeât.

— C'est une de vos amies ?

Lanie hocha la tête :

— Une dame ben gentille.

— De toute l'île, c'est Harry qui est le plus proche ami de MacGregor, souligna Cal.

— Pourquoi tu mêles les Miller à tout ça ? demanda Lanie.

— Ils y sont déjà mêlés, ma chère, répliqua Haley. Ça fait quatre ans qu'ils sont dans le coup. Alors, avez-vous noté la marque de cette voiture ?

— Pourquoi j'aurais dû ?

Lanie devenait agressive. Cal marmonna « Lanie ! » comme pour la mettre en garde. Haley lui tapota le bras.

— Z'avez raison. C'était à votre mari à faire ça.

Puis, se tournant vers Bannister :

— À présent, voyons voir si on peut trouver l'auto.

Haley appela ses hommes, qui sortirent derrière lui dans la neige.

Cal entoura Lanie de ses bras.

— Tout sera fini demain matin.

Elle le repoussa.

— C'est pas pour moi que je m'inquiète. Avec toi, j'aurais dû savoir dans quoi je m'embarquais. Mais s'il arrive quelque chose aux Miller, quoi que ce soit...

Haley passa la tête dans la porte.

— Plus vite on règle cette affaire, plus vite on vous laissera tous les deux en paix.

— T'as raison, dit Cal.

Il embrassa Lanie sur le front et sortit. La neige tombait désormais avec force. Le vent soufflait en rafales. Finis les signes avant-coureurs : on était en plein blizzard.

Cal releva le capuchon de son anorak et regarda vers la route. Une silhouette sombre descendait du poteau situé devant la maison. C'était Steiner.

— Hé, cria Cal. Qu'est-ce que tu fais ?

Steiner sauta du poteau et atterrit dans un tas de neige.

— Simple précaution, cria Haley, installé dans la Ford. Ils ont aussi débranché la radio de la salle de séjour. Ta femme a l'air du genre nerveux. On veut éviter les erreurs de jugement.

Cal resta un moment immobile dans les rafales de neige. Il portait le plus épais de ses anoraks, des sous-vêtements thermiques et des bottes rembourrées. Et pourtant, il n'avait jamais eu si froid.

— Allons-y ! cria Haley.

La vieille camionnette de Harry Miller se frayait un chemin dans la tempête, au rythme régulier de ses chaînes antidérapantes. La neige tombait à présent si fort que les essuie-glace ne suffisaient plus à la tâche. Whiting, Jeanne et Edgar Lean étaient à bord. À la barrière, Edgar Lean descendit ; chaussé de raquettes, il s'en allait cacher la voiture de Whiting dans un des chemins charretiers qui s'ouvraient au bord de la maison.

Puis Harry Miller entreprit la lente descente de Brisbane Road, à la surface verglacée.

— Si j'avais des ceintures de sécurité, je vous demanderais de les boucler. J'ai conduit des milliers de fois dans la neige sur cette route, et j'ai toujours détesté ça.

À mi-pente, il appliqua les freins. La camionnette dérapa et se mit à glisser vers le bas-côté. Jeanne serrait le bras de Whiting, qui lui-même enfonçait les ongles dans le tableau de bord. La camionnette s'arrêta brutalement en travers de la route, les phares pointés vers un sombre ravin. Sitôt le véhicule immobilisé, Harry éteignit les phares.

— Pourquoi avez-vous fait cela ? demanda Whiting.

Du regard, Harry scrutait la route plongée dans l'obscurité.

— On va le revoir dans une seconde, au prochain tournant de la route. Là-bas !

Au loin, dans la tempête, deux phares brillèrent puis disparurent.

— Qu'est-ce que c'est ? demanda Whiting.

— Une auto. Les types qui vous poursuivent, j'suppose.

— Comment le savez-vous ? demanda Whiting.

Harry se pencha vers Jeanne et adressa à Whiting un regard dédaigneux.

— Vous vous imaginez pas qu'un habitant de l'île s'aventurerait dehors par une nuit pareille ?

Whiting ne trouva rien à répondre.

— Alors, qu'est-ce qu'on fait ? demanda Jeanne.

— Va falloir que vous sortiez. Je vas voir si je peux convaincre ces individus de retourner là d'où ils viennent.

— Ils viennent de loin, dit Whiting.

— Euh... ouais.

Harry ralluma ses phares. À travers la neige, le faisceau de lumière éclairait le ravin.

— Au-delà de ce ravin, dit Harry, il y a une centaine d'acres de bois de pins, sur une pente pas mal dangereuse. Rendus en bas, vous vous trouverez à Rumrunner's Bulge.

Les phares du camion Bronco de Cal Bannister réapparurent à une autre courbe de la route, plus proche cette fois.

— Vous serez encore en pleine forêt, poursuivit Harry, mais vous apercevrez de temps à autre un chalet d'été.

Puis il s'arrêta et regarda Jeanne dans les yeux. Que lisait-elle sur son visage ? Elle ne le savait pas très bien. Affection ? Pitié ? Un moment, il sembla indécis, peu sûr de lui.

— Monsieur Miller ? demanda-t-elle. Qu'y a-t-il ?

Il reprit la parole.

— Continuez vers la mer jusqu'à un chalet portant le nom de Knudsen. Il fait face au passage.

Les phares de Bannister apparurent de nouveau, leur faisceau dirigé cette fois vers le haut ; le camion grimpait une côte. Tout près.

Harry poursuivait ses explications.

— Entrez dans ce chalet, faites un feu de bois et restez là. À la fin de la tempête, je viendrai en bateau et je vous prendrai sur les roches.

— Et si nous nous égarons ? demanda Jeanne.

Harry la regarda dans les yeux.

— Vous mourrez de froid. Mais si j'étais vous, j'aimerais mieux affronter la tempête que de tomber dans leurs griffes.

Le faisceau grossissait, sa lumière se faisait plus vive. Harry regarda Whiting.

— À mon avis, z'avez pas le choix, mais vous le saviez que vous courriez après les ennuis.

Whiting hocha la tête.

— Y a-t-il des points de repère, d'ici au chalet ?

— Guidez-vous par le bruit des vagues, et essayez de garder les falaises à votre droite. (Il allongea le bras et fouilla dans la boîte à gants). Prenez ma lampe de poche.

Whiting la saisit et descendit du camion. Jeanne hésita un moment.

— Allez-y, avant qu'ils nous tuent tous les trois ! cria Harry.

Elle sauta en bas du véhicule.

— Remontez un peu la route dans les ornières de mes pneus, pour pas laisser de traces, hurlait Harry, dans un effort pour dominer le bruit du vent. Et mettez pas vos skis avant d'atteindre le bas de la pente. Vous pourriez vous briser une jambe en skiant à travers c'te forêt.

— On ne pourra jamais entendre le bruit de l'océan, hurla Whiting. Ni voir la falaise dans cette tempête !

— Guidez-vous d'après le vent !

Des tourbillons de neige s'engouffraient dans la cabine et s'écrasaient contre le pare-brise. Les phares venaient de disparaître encore. Harry savait qu'entre Bannister et eux il ne restait plus qu'une seule courbe de la route.

— Comment ? cria Whiting.

Harry se pencha sur le siège, empoigna Whiting par l'anorak et le tira à l'intérieur du véhicule.

— C'est un vent du nordet. Vous devez vous diriger vers le sud-est. Le vent frappe les falaises et c'est de là que vient le bruit. Arrangez-vous pour avoir toujours sur votre gauche le choc du vent, et sur votre droite son sifflement. Autre chose, ajouta-t-il après un moment d'hésitation, il se peut que vous voyiez une lumière là-bas. Sais pas.

Il poussa Whiting hors du véhicule.

— Allez-y !

Whiting claqua la porte. Jeanne remontait déjà la pente à la course, mettant ses pas dans une des traces de pneus de Harry. Whiting empoigna ses skis, les prit sur son épaule et suivit Jeanne.

Harry fit reculer le véhicule jusqu'à ce que ses roues arrière s'enfoncent dans la neige du bas-côté. Puis il joua de l'accélérateur jusqu'à ce qu'elles creusent un trou de quinze centimètres. Il bloquait la route.

Il releva le col de son caban, enfila ses moufles et sauta du camion. Il fit plusieurs fois le tour de celui-ci, de façon à brouiller les autres traces de pas. Il prit une pelle à neige à l'arrière de la camionnette, et entreprit de creuser encore sous les pneus.

Les phares balayèrent la dernière courbe de la route et s'arrêtèrent à quelques mètres de la camionnette de Harry, Harry leva les yeux vers le sommet de la pente. Il n'y vit que des nappes de neige : Whiting et Jeanne avaient disparu. Il entendit claquer une porte de camion. Il vit Cal qui, accompagné d'un inconnu, accourait vers lui.

— Content de te voir, dit-il.

James Whiting et Jeanne Darrow, ayant quitté la route, avaient plongé dans les ténèbres du ravin, la neige à hauteur des genoux. Ils apercevaient entre les arbres les phares du véhicule de Harry Miller. Le vent soufflait à leur gauche, mais ils l'entendaient siffler et hurler tout autour d'eux. Il couchait la cime dès arbres pour aller s'écraser contre les falaises.

Whiting et Jeanne descendaient péniblement la pente. Ils pouvaient voir briller à travers la neige des petits points lumineux filtrant de la route.

Jeanne empoigna le bras de Whiting et s'accroupit.

— Ils nous cherchent avec des torches électriques.

Whiting la força à se relever.

— Ils ne peuvent pas nous voir. Viens-t'en !

— J'ai peur, Whiting, dit-elle, pleurant presque.

— Moi aussi. Et je parie que le vieux, sur la route, doit lui aussi être terrifié.

Len Haley, muni de lunettes protectrices, n'avait pas à écarquiller les yeux dans la nuit neigeuse. Il braque une torche électrique dans les yeux de Harry Miller.

— Vous dites que vous étiez en train de monter la pente quand vous avez dérapé ?

— Euh... ouais.

Le ronronnement du moteur de Cal Bannister s'était ajouté aux gémissements du vent sur Brisbane Road. De sa torche, Johnny Mendoza scrutait toujours le ravin. Cal Bannister et Ken Steiner creusaient la neige pour dégager les roues arrière de Harry.

— Je vous crois pas, disait Haley.

— À votre aise, répondait Harry.

— Moi, je le crois, hurla Cal.

Haley foudroya Bannister du regard

— Continue de creuser.

Cal soutint le regard de Haley pendant un moment, puis se remit à pelleter. Harry avait espéré que Cal assommât Haley d'un coup de pelle sur la tête.

— Comment c'est que votre camion a pu s'arrêter le nez tourné vers le bas si vous vous dirigiez vers le haut ?

— Un tête-à-queue, cria Harry.

— Pas d'après ce qu'indiquent les traces de pneus.

— J'en ai rien à foutre, m'sieur.

Puis, contournant Haley :

— Je vais donner de l'accélérateur, pis vous autres, vous allez me pousser.

— Ces gens sont venus pour voler le secret, Harry.

Len Haley avait parlé sans se retourner, mais assez fort pour dominer le bruit du vent.

Harry sauta du marche-pied et regarda Haley :

— Quel secret ?

— Celui que vous protégez depuis quatre ans.

Cal leva les yeux. Il pensait que Harry allait éclater de rire ou se détourner. Mais Harry restait immobile, tandis que la neige s'entassait sur la visière de sa casquette ; il cherchait le regard de Haley derrière les lunettes.

— On est ici pour vous aider à garder le secret, Harry. Cessez de nous raconter des histoires.

— Cherchez des traces dans la neige, si vous pensez que j'essaye d'aider ces gens-là.

— J'ai jamais dit que vous les aidiez, répliqua Haley, qui ajouta, glissant une main gantée sous le revers du caban de Harry : Mais on est de votre côté, et on a besoin de votre aide.

Harry regarda Cal, puis de nouveau Haley. Après un instant, il hocha la tête :

— Comment ?

Johnny Mendoza, la figure couverte de sa cagoule orange tachée de sang, redescendait péniblement la côte.

— Che fois rien. S'il y a eu des traces de pas, la neiche les a décha recoufertes.

Le nez brisé, la cagoule de ski, les analgésiques : tout cela rendait presque incompréhensible le discours de Mendoza.

— Y a pas de traces, dit Harry. Parce qu'ils sont encore à Brisbane Cottage.

Haley sourit et donna une tape sur le bras de Harry.

— J'espère que vous dites vrai, parce qu'on vous emmène avec nous.

Jeanne Darrow et James Whiting se frayaient un chemin à travers la pente boisée, dans une obscurité devenue totale. Plus aucune lumière ne brillait devant eux ; les faisceaux des phares avaient disparu dans la tempête. Les flocons de neige se faisaient minuscules et acérés, pour cribler la peau de leurs aiguilles glacées.

Whiting et Jeanne enfonçaient, sautaient, trébuchaient dans la neige, s'empêtraient dans leurs skis et leurs bâtons. Ils se coinçaient les pieds dans les broussailles dissimulées sous la neige. À vouloir marcher trop vite, ils glissaient, et tombaient nez au sol.

Jeanne sentait ses orteils comme autant de morceaux de métal, petits et lourds. De ses skis, elle se faisait une paire de béquilles, qu'elle enfonçait devant elle dans la neige. Ses mains s'y crispaient tellement qu'elle pensait ne plus pouvoir jamais lâcher prise. Quant à Whiting, il sentait la neige s'insinuer par tous les interstices de ses vêtements. Il commençait à frissonner, son corps perdant sa chaleur. Il se mettait lui-même en garde contre tout symptôme d'hypothermie. Il sentait encore sur sa joue gauche la poussée de la neige et du vent. Le sifflement de celui-ci gagnait en intensité et en précision, et ses saccades frappaient comme des fouets.

Quand Edgar Lean ouvrit la porte de Brisbane Cottage, Harry Miller prit la parole avant même que Haley pût ouvrir la bouche.

— Est-ce que ces gens sont encore ici, Edgar ?

Lean scruta Harry, puis Haley et Bannister et les deux lourdauds qui se tenaient au sommet des marches.

— Tu veux parler des deux personnes qui sont venues ici plus tôt ?

— Ouais, celles dont tu m'as parlé au téléphone.

— Euh...

Embarrassé, Lean ouvrit la porte et leur fit signe d'entrer tous. Une fois dans le vestibule, Harry Miller présenta les autres. Haley relevait sur son front ses lunettes protectrices. Cal Bannister examinait les imposantes boiseries de chêne, l'escalier à balustres du vestibule et dans le salon et la salle à manger, les massives cheminées en pierres des champs.

— Est-ce qu'ils sont ici ? demanda Haley.

— Non, répondit Lean. Ils sont partis quelques minutes après monsieur Miller.

Il pensait avoir inventé là un habile mensonge. Haley regarda Harry.

— Vous avez dit que vous n'étiez pas venu ici ce soir.

— Jamais dit ça, corrigea Harry. J'ai dit que j'avais dérapé en montant la pente.

Haley sourit, amusé de sa propre méprise :

— C'est vrai. (Puis, se tournant vers Lean :) Où sont-ils ?

— Ils ont quitté peu après monsieur Miller, répéta Lean en lançant à Harry un regard nerveux.

— Alors, on va jeter un coup d'oeil dans la maison.
— Je crains que ça ne soit pas possible, avança Lean.
Haley envoya Mendoza à l'étage, et Steiner dans la cuisine.
— Non! hurla Edgar Lean, qui attrapait Mendoza par la manche. En vingt ans, aucun étranger n'est monté à l'étage de Brisbane Cottage.
Haley posa la main sur l'épaule de Lean:
— Du calme, vieux. On connaît la vérité et on est ici pour la protéger.
— Il monte l'escalier. Il ne peut pas faire ça!
Lean semblait stupéfait. Mme Lean, à la vue de la cicatrice au visage de Ken Steiner, se précipita en hurlant vers la salle à manger:
— Edgar! Edgar! Au secours!
Elle se tut subitement, quand Haley se présenta lui-même.
— Bonsoir, madame Lean.
— Il est monté, Mary, il n'aurait jamais dû faire ça! répétait Lean à sa femme.
Mendoza descendait déjà.
— Y a rien là-haut, à part un poste à ondes courtes dans le grenier. Je l'ai cassé.
— Bon.
Haley envoyait maintenant Mendoza explorer les alentours de la maison.
— Vous n'auriez pas dû faire ça, gémissait Lean, que l'invasion de l'étage avait jeté dans la confusion. Quand monsieur MacGregor saura ça, ma situation sera...
— Pas grave, Edgar, dit Cal d'un ton calme. Il comprendra.
— Non, il ne comprendra pas, répondit Lean.
Haley regarda Bannister.
— C'est vrai. Il ne comprendra pas parce qu'il est mort.
Bannister redressa la tête.
— T'es le seul du groupe à pas savoir, dit Haley, et pourtant, c'est grâce à toi qu'on l'a découvert!
Cal se tourna vers Harry, qui hochait la tête. C'était vrai. Haley, se retournant, passa dans l'imposante salle de séjour. Avec ses boiseries, ses meubles recouverts de cuir et ses animaux empaillés, elle avait des airs de pavillon de chasse bavarois.
Près de la cheminée, Haley retira ses gants.
— C'est toi, Cal, qui nous a envoyé ses empreintes sur une bouteille de bière, puis les photographies; et ça nous a suffi. On a comparé les empreintes avec celles du fichier de sécurité du FBI; par les dossiers médicaux, on savait que le vieil homme avait sur le ventre une cicatrice de laparotomie.

— Ça n'apparaissait pas sur mes photographies, répéta Bannister, qui, l'air sombre, essayait de cacher son trouble.

Haley hochait la tête.

— Sans toi, Cal, John Meade aurait pu avaler Lawrence / Sunshine Productions et cracher à l'égout Vaughn Lawrence.

Steiner était de retour.

— Rien au rez-de-chaussée, ni dans la cave.

Haley se tourna vers Lean :

— Avez-vous une motoneige ?

— Oui, monsieur. Nous en avons deux.

Haley lui ordonna d'en remettre les clefs à Steiner, qu'il envoya à l'extérieur pour accompagner Mendoza.

Les bras croisés sur la poitrine, Haley se tourna vers Bannister :

— Sachant qu'Andrew MacGregor était un imposteur, Vaughn Lawrence a pu contrer l'offensive de Meade et ramener celui-ci à la table de négociation. Moyen peu orthodoxe de gagner une bataille, mais qui veut la fin veut les moyens.

Haley donna une claque sur l'épaule de Cal.

— Bien joué !

— Merci, m'sieur.

Cal Bannister sentit une pointe de fierté. Après tout, il avait été capable d'influencer la destinée de cette île ; il n'était pas dénué de tout pouvoir. Mais à quoi bon son pouvoir, pensa-t-il, puisque c'en était fait de la paix de l'île.

Poussée par le vent, la neige cinglait les vitres. Haley regarda à l'extérieur. Les phares d'une des motoneiges allaient et venaient à côté de la maison.

— Je sais pas pourquoi tu les protèges, Harry. Blizzard ou non, il faut qu'on les trouve. Ils sortiront pas de cette île.

Mme Lean regarda son mari.

— Qu'est-ce que ça veut dire, Edgar ?

— Que ces jeunes gens vont mourir.

Elle étouffa un cri.

— Avant de tuer quelqu'un, dit Cal, j'aimerais bien savoir pourquoi je le fais.

Haley le regarda.

— Dans ton cas, c'est très simple. S'ils quittent l'île vivants, tout le monde va savoir ce qui a été caché ici, et on va rouvrir le dossier de la mort de Darrow. S'ils disparaissent quelque part entre ici et New York, les gens poseront moins de questions sur toi, sur ceux qui savaient depuis longtemps que MacGregor était mort, et sur le réseau de télédistribution MacGregor / Lawrence.

Le bruit des motoneiges s'éloignait. Les hommes de Haley élargissaient le cercle de leurs recherches. L'un d'eux semblait se déplacer vers le sud-est, en direction de Cutter's Point, tandis que l'autre, au nord de la maison, explorait les chemins charretiers où Lean avait caché la voiture.

— En quoi ça nous regarde, les Lean et moi ? demanda Harry.

— Pourquoi qu'on vous laisserait tuer deux innocents ?

— Ils sont pas innocents, répondit Haley, soudain exaspéré. Ils sont venus ici pour détruire le mythe.

— Je suis pêcheur de homards, grommela Harry. Je crois pas aux mythes.

— C'est pas ce que Meade nous a dit à votre sujet, Harry. Il nous a raconté votre réaction quand MacGregor est tombé raide mort sur la terrasse par un après-midi d'été ; vous auriez tout fait pour garder le vieux vivant aux yeux du reste du monde.

Pendant un moment, Harry se tut. Puis il regarda Cal qui, sous le coup de la révélation, était resté debout dans le passage reliant le vestibule et la salle de séjour.

— MacGregor était toujours du bon côté quand il fallait se battre pour protéger l'île, dit Harry. Il l'aimait comme pas un, et son nom est encore une arme quand on se bat contre un projet de dépotoir nucléaire ou de grande construction.

— Son nom est encore synonyme de pouvoir, approuva Haley. MacGregor n'a qu'à lever le doigt pour tenir à distance le monde moderne. Et ce pouvoir, on en a autant besoin que vous, Harry.

Cal secouait la tête.

— Tu m'accusais d'être un fauteur de troubles, Harry, mais c'était toi le vrai.

— T'as p't'être raison, répondit Harry.

L'une des motoneiges était de retour ; on entendait le bruit du moteur s'approcher, jusque dans la maison. On vit se précipiter dans le vestibule Johnny Mendoza, couvert d'une épaisse couche de neige.

— J'ai trouvé leur auto.

— Quelle marque ?

— Une Volvo.

Le regard de Haley fit le tour du groupe.

Jeanne Darrow et James Whiting avaient atteint le creux de Rumrunner's Bulge, mais ils n'entendaient plus l'océan. Aucun chalet en vue. Le vent soufflait encore du nord-est et frappait de plein fouet les rochers de la carrière.

Beaucoup plus haut, à Cutter's Point, une motoneige écumait le bois de pins, à la recherche de traces de pas.

Pour Whiting et Jeanne, désormais chaussés de skis, la marche devenait moins épuisante. Mais leurs pieds étaient en train de geler et leurs visages découverts s'engourdissaient de froid. Toujours, Whiting surveillait mentalement les signes d'hypothermie : ressentez-vous des frissons incontrôlables ? Perdez-vous le sens de l'orientation ? Tant qu'il pourrait se poser ces questions, pensa-t-il, il n'y avait pas de danger.

Soudain, ils débouchèrent de la forêt, et les ténèbres devinrent grisaille. Mais en terrain découvert, sans les arbres pour faire obstacle au vent, les rafales cinglaient plus violentes encore.

Jeanne sentait à vif le côté gauche de son visage, comme si la chair s'en était en bonne partie détachée.

Avec Whiting, elle traversa une petite clairière, où il reconnut la cour d'une maison. Il aperçut un petit chalet, fenêtres barricadées, volets clos, portes-moustiquaires clouées. Ils skièrent jusqu'à l'extrémité du chalet ; là, à l'abri du vent, ils s'accroupirent pour se reposer.

— Whiting, dit Jeanne à bout de souffle, il faut nous arrêter !

— Non, cria-t-il. Ce n'est pas l'endroit que Harry nous a indiqué.

— Je ne peux pas aller beaucoup plus loin.

— Moi non plus, mais nous devons trouver le chalet de Knudsen. C'est notre seule chance de quitter cette île.

Il offrit au vent le côté gauche de son visage.

— Viens-t'en !

— Jim...

— Oui ?

— Dire qu'on pourrait se chauffer les oreilles devant un bon feu, en buvant de la bière !

Il se détourna et repartit en skis vers le sud-est. Il faisait quelques pas, puis, d'un regard par-dessus l'épaule, s'assurait que Jeanne suivait ; il craignait que, tombée, elle ne pût se faire entendre dans le vent.

Ils avançaient sur leurs skis, traversant des clairières et des cours, longeant des chalets barricadés, croisant des routes qui semblaient ne mener nulle part. Après quinze ou vingt minutes dans le blizzard, Whiting s'arrêta brusquement.

— Qu'est-ce qui ne va pas ? cria Jeanne.

Whiting se mit la main en cornet autour de l'oreille gauche.

— Écoute !

Il entendait un bruit nouveau, un rugissement au timbre plus grave que celui du vent : le bruit de l'océan qui s'écrasait contre la rive granitique de l'île. Il tourna vers Jeanne une figure au sourire paralysé par le froid.

— Nous touchons au but.

Ils longèrent un autre bouquet de pins ; le rugissement s'accentuait. Whiting crut un instant sentir la fumée d'un feu de bois. Son imagination lui jouait des tours, pensa-t-il. Puis là-haut, où la vague rugissait le plus fort, il aperçut de la lumière. C'était comme une fleur dont les pétales blancs eussent dansé autour d'un coeur doré.

Ils traversèrent un taillis, longèrent une citerne — simple toit de plastique ondulé, posé en « A » au-dessus d'un bassin en béton — et atteignirent la tête d'un coteau. À leurs pieds, dans une clairière, le chalet.

— Je croyais cet endroit désert, cria Jeanne.

— Le pêcheur a dit qu'on verrait peut-être une lumière.

Le petit chalet disparaissait déjà à moitié dans la neige. Une motoneige était stationnée à côté. De part et d'autre, des pins décharnés dressaient leurs maigres silhouettes secouées par le vent. Derrière Jeanne et Whiting, l'obscurité, presque palpable, se ruait en rugissant contre les rochers. Ils avaient atteint l'océan.

Débarrassés de leurs skis, ils déboulèrent la petite pente et traversèrent en courant la clairière, tout en évitant le rayon de lumière qui filtrait par le judas. S'approchant, ils purent lire le nom de *Knudsen* sur la petite plaque qui flanquait la sonnette.

D'un coup d'oeil à l'intérieur, on voyait d'abord un étroit couloir. La maisonnette offrait à gauche une salle de bains, à droite une chambre et, au fond, la salle de séjour baignée de lumière.

Une jeune femme apparut ; elle marchait vers la porte et pénétrait dans la chambre. Une lampe s'alluma, qui fit sur la neige une tache lumineuse. La femme se pencha, puis se redressa, un bébé dans les bras. Le bébé pleurait, mais Whiting et Jeanne ne l'entendaient pas dans le vacarme du vent et de la vague.

La femme se tourna et appela quelqu'un dans la salle de séjour.

James Whiting, voyant son visage, sentit un frisson. Il connaissait cette femme. Il regarda Jeanne, dont le visage à moitié recouvert de neige, avait perdu toute expression avec ses yeux fixes, grands ouverts.

À l'intérieur, la jeune femme appelait de nouveau. Elle souriait, l'air heureux. Un homme apparut, grand, barbu, vêtu d'une épaisse chemise de bûcheron. En passant, il enlaça d'un bras la femme, avec qui il échangea quelques mots au sujet du bébé ; puis il embrassa l'une et l'autre.

— Oh, mon Dieu ! dit Jeanne.

Whiting la regarda.

— C'est Roger !

39

À Cutter's Point, Ken Steiner arrêta le moteur de la motoneige et, les gaz d'échappement s'étant dissipés, sentit une odeur de feu de bois. La fumée s'élevait du pied de la falaise. Or, Rumrunner's Bulge était censément désert.

Il mit le moteur en marche et retourna vers la maison.

James Whiting frappa à la porte du petit chalet, et les lumières s'éteignirent dans la chambre.

Jeanne Darrow était encore accroupie dans la neige, clouée sur place par le froid et, maintenant, par le choc de ce qu'elle venait de voir et dont, au fond d'elle-même, elle avait eu le pressentiment.

Whiting frappa à nouveau. Il vit la silhouette masculine sortir de la chambre et suivre le petit couloir jusqu'à la salle de séjour. Puis, les lumières s'éteignirent dans toute la maison. Au-dessus de la porte, la lumière extérieure s'alluma et, de l'angle de la maison, un puissant projecteur illumina la clairière.

Whiting regardait Jeanne, fascinée par la lumière, tel un être primitif que la tempête aurait jeté en un lieu que d'habitude il fuyait.

Puis la porte s'ouvrit brusquement. La barbe noire prenait un aspect étrange sous les yeux bleus si familiers à Jeanne et à Whiting. Ces yeux qui, pendant sept heures de bandes magnétoscopiques, avaient fixé James Whiting à travers un écran de télévision ; ces yeux qui lui avaient offert leur vision des choses ; ces yeux, à présent, scrutaient la nuit avec méfiance. Et de derrière la porte on voyait sourdre le canon d'un fusil de chasse.

Dans ce froid vif et cette lumière aveuglante, Whiting éprouvait des sentiments confus. Il avait parcouru cinq mille kilomètres à la recherche du testament de cet homme, et voici qu'il trouvait l'homme lui-même. Pendant deux semaines, James Whiting s'était glissé dans la vie de cet homme, et voilà celui-ci en chair et en os devant lui.

Les yeux bleus passaient de Whiting à la femme accroupie dans la neige. Darrow plissa un instant les paupières, puis, de surprise, écarquilla les yeux.

— Toi ! s'exclama-t-il.

Lentement, Jeanne se redressa. Elle avait le côté gauche de la figure blanc de neige, les yeux fixes et grands ouverts. Ce mari qu'elle croyait mort, elle le voyait sortir de l'ombre et s'avancer en pleine lumière. Il bougeait les lèvres, répétait ce qu'il venait de dire, mais elle ne l'entendait pas.

Il traversa le petit cercle lumineux. La neige posait des touches blanches dans sa barbe noire. Il s'arrêta à quelques pas de Jeanne. Insensible au froid, à la neige, au vent, il gardait les yeux fixés sur elle.

Comme un fantône, pensa-t-elle, une apparition.

Il se mit à crier :

— Qu'est-ce que tu fais ici ? Comment m'as-tu trouvé ?

C'étaient de vrais mots, que lui adressait un être réel. Autour d'elle, le vent hurlait.

— Sacré nom de Dieu ! lança Len Haley en frappant du poing le pupitre d'Andrew MacGregor. Vous m'avez dit que Rumrunner's Bulge était désert, Harry.

— Ça l'est, dit Ellie Miller.

Le petit cercle de Brisbane Cottage s'était agrandi. Len Haley avait envoyé Bannister et Mendoza au creux de la route pour ramener Ellie Miller et Lanie Bannister. Malgré les quatre roues motrices, ce court trajet avait été rude et les conditions ne feraient qu'empirer avant la fin de la nuit.

Lanie était dans la cuisine, en train d'aider Mary Lean à la préparation du repas. Johnny Mendoza était à moitié endormi sur le sofa, où il cuvait une nouvelle dose d'analgésiques. Ken Steiner, de retour de Cutter's Point, laissait dégouliner sur le tapis la neige de ses vêtements. Cal Bannister étudiait la carte, sur la table de la bibliothèque. Ellie et Harry Miller étaient assis sur le divan, tandis qu'Edgar Lean époussetait et s'agitait autour d'eux.

— Êtes-vous sûr ? demanda Haley.

— J'aurais pas dit ça si j'avais pas été sûr, répliqua Harry.

— Bon, dit Haley. Dans ce cas, d'où vient cette fumée de bois ?

— Du bois, p't'être.

Haley fixa Harry pendant cinq secondes, question de lui faire sentir son irritation. Harry, tirant sa pipe, se mit à la bourrer, comme si rien de tout cela ne lui faisait ni chaud ni froid.

— Harry, je vous crois pas.

— C'est votre affaire.

Harry se leva et marcha vers la cheminée. Il craqua une allumette, qui refusa de s'allumer. Il en essaya une autre.

— Les allumettes sont mouillées, n'est-ce pas, Harry ?

Haley traversa la pièce en éclair et plaqua Harry sur le chambranle de la cheminée.

Ellie Miller étouffa un cri.

— Je déteste voir quelqu'un sucer une pipe éteinte, grogna Haley.

Il brandit son briquet allumé. Une flamme de huit ou dix centimètres jaillit dans les airs.

— Et j'ai horreur de voir un homme en train de sucer un nichon tout sec. Et c'est ce que j'ai l'impression de faire quand je vous parle.

Il rapprocha la flamme du menton de Harry.

— On va tous les deux cesser de sucer.

Harry mâchait sa bouffarde, tout en regardant la flamme s'approcher du bout de son nez.

— Vous avez raté le fourneau.

— Où sont-ils, Harry ?

— Mais z'avez pas raté mon nez.

— Je r'commence à l'instant, dit Haley. Vous en aurez plus, de nez. Où sont-ils ?

— S'il vous plaît, monsieur, suppliait Ellie. Faites-lui pas de mal.

— Votre femme s'inquiète, Harry.

Harry ne répondit rien.

Cal Bannister réalisa que Harry ne céderait pas.

— Il sait pas, lieutenant.

— Si, il sait. (La flamme du briquet se rapprochait du nez de Harry.) Allons-y pour une narine au lieu du bout du nez. On va vous brûler l'intérieur. Comme ça, vous aurez pas de cicatrice.

— J'en ai déjà plein le corps.

— S'ils sont partis vers le nord-est, vont mourir de froid dans les bois, dit Cal. Ou tomber dans une des anciennes carrières et y crever.

— Bon débarras.

Haley approcha si bien la flamme du briquet qu'un des poils du nez grilla. Ellie Miller bondit vers Haley, mais Steiner la retint.

— Ils nous ont pas dépassés sur la route, poursuivait Cal. Ils pouvaient pas.

— T'as raison.

Haley gardait les yeux sur Harry. Il allait le briser, ce vieil entêté.

Harry détournait les yeux de la flamme et fixait Cal. Sous son regard, Cal se sentait coupable, mais continuait à parler.

— Ça fait qu'on aurait seulement à se diriger vers Rumrunner's Bulge.

— Bonne idée, répondit Haley. Dites-nous que c'est une bonne idée, pas vrai, Harry ?

Harry baissa les yeux sur la flamme.

— Vous serez pas les premiers étrangers à perdre vot' temps à Rumrunner's Bulge. Sauf que vous serez plus stupides que les autres, en faisant ça en plein hiver.

Haley éleva de nouveau la flamme vers le nez de Harry.

— Et qui d'autre est à Rumrunner's Bulge ?

— Miranda Blake, bredouilla Ellie, et son... bébé. Elle a déménagé là-bas avant la naissance du p'tit, pour être près du docteur.

— Et son mari ? demanda Cal.

Il avait menti à Haley une fois. Il avait décidé de ne plus le faire.

Harry jeta à Cal un regard courroucé.

— Qu'est-ce qui va pas, Harry ? demanda Haley. Elle doit avoir un mari. Tu penses tout de même pas qu'elle s'est fait engrosser par un homard de huit kilos ?

Ken Steiner ricana.

Edgar Lean entrait dans la pièce, l'air de plus en plus frêle au fur et à mesure que l'heure avançait. En une soirée, la maison avait été envahie par plus d'étrangers qu'elle n'en avait vu en trente ans.

— Euh... ma femme et madame Bannister ont préparé pour le souper un buffet.

— Ça peut attendre, dit Haley.

— Oui, m'sieur.

Len Haley regarda Harry :

— Avez-vous une motoneige ?

Harry acquiesça. Haley demanda la clef, puis se tournant vers Cal debout près de la carte :

— On va prendre celle de Harry, puis la tienne.

— J'peux m'rendre là-bas avec mon Bronco, proposa Cal.

Haley secoua la tête.

— Plus mobiles, les motoneiges.

— Vas-y pas, Cal, dit Harry.

— Restez tranquille, Harry, menaça Len Haley.

— Il va te demander de tuer Miranda Blake, et son mari avec.

— La ferme, dit Haley. Miranda Blake est comme vous autres. Elle a trop à perdre si le monde découvre qu'Andrew MacGregor est trépassé.

— Fais pas ça, Cal, répétait Harry.

— C'est mon boulot, Harry.

— T'es pas obligé de les suivre. (Harry fit une pause. Il essayait de convaincre Cal pour les sauver, lui et les gens de Rumrunner's Bulge.) C'est-y toi, Cal, qu'as fait exploser *le Fog Lady* ?

Cal regarda Len Haley, puis ses yeux revinrent à Harry.

— Non, dit-il à voix basse. Mais Roger Darrow est bien mort sur le bateau.

— Non, il est pas mort.

— Quoi ? fit Haley. Qu'est-ce que tu dis là ?

Lentement, Cal Bannister s'enfonça dans un fauteuil.

— Roger Darrow est encore vivant, Cal. Le gars à la grosse barbe noire qui vit avec Miranda, c'est lui, expliqua Harry.

— Je peux pas croire, jeta Haley en se tournant vers Cal. Qu'est-ce qui s'est passé, sapristi ?

Cal haussait les épaules, souriant presque de soulagement. Il n'avait tué personne.

— Allons-y, dit Haley. On va te laisser finir le travail.

— T'es pas obligé d'y aller, répétait Harry. T'es un sacré bon pêcheur de homards, pis t'as rien fait de mal.

— Il a fait plein de conneries, reprit Haley. Et pis, d'ailleurs, il fait partie de mon unité.

Haley ordonna alors à Steiner de retirer le distributeur d'allumage, dans tous les véhicules qui appartenaient à la maison. Il demanda à Mendoza de déconnecter le poste radio de la cuisine, ainsi que les radios CB des camions. Ses hommes se retirèrent.

Lanie Bannister surgit dans la bibliothèque en s'essuyant les mains à un torchon.

— Allons-y, Cal, ordonna Haley en boutonnant sa veste.

— Où allez-vous ? dit Lanie.

— Dis-lui, Cal, demanda Harry.

Len Haley se tourna vers Lanie.

— Il va remplir la dernière clause du contrat qui l'a amené ici.

— Une affaire de rien, grogna Harry. Ça lui demande simplement de descendre deux ou trois personnes.

— Oh ! merde !

Lanie s'effondra contre la porte, en laissant tomber le torchon. Une rafale de vent s'abattit sur la maison et ébranla les carreaux.

— Il a passé un contrat avec l'homme qui lui a sauvé la vie et l'a tiré d'un véritable enfer, dit Haley à l'intention de Lanie. Puis, s'adressant directement à Cal : Sans moi, t'aurais rien de ce que tu possèdes à présent. Tu fais partie de mon unité, Cal. À ton poste !

Cal regarda Haley, puis sa femme. Il se mordillait la joue en écoutant le vent qui soufflait dehors. Il se leva bientôt et tira la fermeture-éclair de son anorak.

— C'est mon dernier boulot.

— Merde, répétait Lanie.

— Je r'grette, bébé.

Puis il se dirigea vers la porte.

Harry secoua sa pipe dans la paume de sa main.

— C'est rare que je me trompe sur les gens, dit-il à Ellie.

Cal s'arrêta et se retourna.

— Y a une première fois à tout, intervint Haley avant que Cal pût répondre. Puis, enfilant ses gants : Quant à vous autres, jouissez bien de la belle tempête qui fait rage dehors. Tout autour de vous, c'est la forêt, la mer, les falaises de granite. Nulle part où aller. À peu près rien d'autre à faire que de rester confortablement assis, en réfléchissant sur ce qu'Andrew MacGregor représente pour tous nous autres.

— MacGregor ? ça veut rien dire pour moi, lança Lanie, furieuse.

— Peut-être, dit Haley. Mais tous les autres, ici, ont conspiré pour garder en vie un homme qu'ils savaient mort. En agissant comme ça, ils ont trompé toutes les personnes avec qui MacGregor a fait affaire depuis sa mort. Puis, se dirigeant vers Harry : Faut pas oublier ce que Cal Bannister signifie pour vous.

— Si c'est un meurtrier, je le renie.

Haley s'accroupit, nez à nez avec Harry.

— J'ai l'impression que vous l'aimez pas mal, Harry. Et si on fait notre travail proprement, vous accepterez peut-être de voir les choses d'un autre oeil. Ce ne sera pas la première fois que vous vous seriez trompé.

Le regard de Cal rencontra celui de Harry, puis se tourna vers sa femme. Celle-ci secouait la tête et allait parler quand Cal se précipita vers la sortie, suivi de Len Haley.

Pendant quelques instants, personne ne bougea dans la bibliothèque. Puis Lanie se rendit dans la salle de séjour et regarda par les fenêtres avant. Deux motoneiges, avec chacune deux hommes à bord, disparaissaient en rugissant dans le blizzard.

Lanie regardait tourbillonner la neige lorsqu'elle sentit la présence d'Ellie Miller à ses côtés.

— Il le fera pas, Ellie. Je le sais.

Ellie posa la main sur l'épaule de Lanie.

— C'est un brave garçon. Ça se voit.

— Pis j'aimerais ça pouvoir compter sur lui pour aider les gens d'en bas. Mais je pense pas qu'on est capables. Ce lieutenant a trop d'influence.

Harry revêtait son caban en traversant la salle. De son côté, Edgar Lean portait des skis de randonnée, des bottes et des bâtons.

— Voici l'équipement du vieux.

Ellie regarda Harry qui s'asseyait et enfilait les bottes.

— Peux-tu bien me dire ce que t'es en train de faire ?

— Je vas contourner en skis Cutter's Point jusqu'en haut de la vieille carrière, pis je vas descendre les rochers.

— Harry ! Oublie pas que t'as soixante-douze ans !

— C'est vrai et j'ai pas skié depuis qu'Hector était un petit chiot.

— Et ça fait encore plus longtemps que t'as pas escaladé la carrière. Tu vas te tuer sur ces rochers-là.

Harry feignait de ne pas entendre les conseils de sa femme.

— Quelle température à l'extérieur, Eddie ?

— Moins dix.

— Harry, suppliait Ellie, agenouillée devant lui. Tu peux pas aller là. T'es trop vieux.

— J'vas y aller, intervint Lanie. Je sais skier. Je sais grimper et descendre sur les rochers.

Ellie se leva.

— Personne n'ira. En s'installant par ici, les gens d'en bas savaient à quoi s'attendre. Ils ont un fusil. Roger Darrow en a un. Pis, vont entendre venir les motoneiges.

— Pas avant qu'elles leur arrivent dessus.

Harry se leva et enfila ses gants.

— Et pis, c'est moi qui les a envoyés dans cette maison. Je crois que j'avais pitié de c'te fille.

— Les motoneiges vont arriver là avant toi, dit Ellie.

— Ils vont perdre quarante minutes à se rendre chez Bannister et revenir, répondit Harry.

— Et s'ils y vont à deux par machine ?

— Trop dangereux en terrain accidenté, répondit Harry. Ils vont en utiliser quatre. Avec un peu de chance, je peux les devancer.

— Tu peux pas descendre dans une carrière par un mauvais temps comme ça.

— Quand on était p'tits gars, Andy MacGregor et moi, on connaissait chaque prise de pied et chaque raccourci. Dès le commencement de la descente, je vas me reconnaître. Sur presque toute sa longueur, c't'un trajet facile, concluait Harry en coiffant sa casquette à carreaux.

— Je t'en prie, Harry — les mots s'étranglaient dans la gorge d'Ellie —, on doit rien à ces gens-là.

Harry enlaça sa femme.

— Si on n'avait pas tous essayé de garder en vie MacGregor, rien de tout ça serait arrivé. Ce Haley a raison. C'est nous autres qui avons déclenché toute cette histoire.

Lean sortit de l'armoire du hall un pistolet lance-fusée ainsi qu'une boîte de fusées de signalisation.

— On utilise ça pour signaler la position, Harry. C'est la seule arme qu'il y ait dans la maison.

Harry prit le pistolet, mit les skis sur son épaule et partit dans le blizzard.

James Whiting regardait les vagues s'écraser sur le plateau de granite, à deux ou trois mètres de la façade de la maison. Sur le côté sud de celle-ci donnaient de larges baies vitrées ; dehors, des projecteurs lançaient dans toutes les directions, à l'assaut de la tempête, leurs faisceaux lumineux.

En été, pensa Whiting, les fenêtres devaient donner vue sur un paysage serein et paisible : l'azur du passage, le blanc des voiliers, et le traversier qui amenait les visiteurs dans l'île. Mais cette nuit-là, le petit chalet, malgré son air chaud et accueillant, était perché au bord de l'abîme.

C'était une vieille maison, aux lambris de pin brut, aux plafonds bas, et aux planchers à larges lames de pin. L'aire de séjour mesurait environ trois mètres sur six. À l'une de ses extrémités, une table et des chaises, ainsi qu'une porte conduisant à un petit patio. Au mur sud, sous les fenêtres, une bibliothèque. Des fauteuils éparpillés à travers la pièce : vieilles chaises à bascule, au dossier rigide ; fauteuils à oreillettes, dont l'épaisse bourre disparaissait sous des housses à motifs floraux. Sur l'accoudoir de l'un d'eux, une lampe éclairait un livre resté ouvert : l'*Histoire du déclin et de la chute de l'Empire romain.* Bonne lecture, se dit Whiting, pour une longue soirée d'hiver. Dans le coin, un magnétophone jouait un morceau de Mendelssohn qui tentait de rivaliser avec le vent. Du Moussorgsky aurait mieux convenu, pensa Whiting.

Jeanne Darrow occupait une chaise à bascule près du poêle à bois, tandis que ses bottes et ses chaussettes séchaient sur le sol. Emmitouflée dans une couverture, elle se berçait en silence, les yeux rivés sur les flammes, pour ne regarder personne.

Miranda Blake était assise près de Jeanne, ses cheveux blonds tirés en arrière en une seule natte. Elle portait un jean et un pull à col roulé en laine. Elle n'avait aucun maquillage ; sa beauté, se disait Whiting, l'en dispensait. Ses yeux d'un bleu de Delft, qui dès son arrivée à Hollywood avaient conquis tous les coeurs, avaient aussi attiré Roger Darrow dans cette île. Ce soir, elle se berçait, silencieuse ; elle observait Jeanne et jetait de temps à autre un regard au bébé.

Roger Darrow surgit de la petite cuisine située près du hall d'entrée. Il portait sur un plateau quatre grosses tasses de thé. Il s'accroupit près de Jeanne et lui en tendit une. Elle refusa d'un signe de la main.

— Ça te réchauffera, Jeannie, dit-il doucement.

Elle le fixa de ses grands yeux, sans un battement de paupières :

— Pourquoi ?

Darrow se leva sans répondre, donna une tasse de thé à Miranda et en tendit une à Whiting.

Whiting regardait le thé, puis Darrow.

— Jeanne vient de vous poser une question très pertinente.

— J'en ai une plus pertinente encore. Pourquoi êtes-vous venus ici ? Pourquoi ne pas me laisser en paix ?

Dehors, le vent et l'océan semblaient se répondre.

— À cause des bandes magnétoscopiques, répondit Whiting. À cause du rein greffé.

— Dans l'ordre indiqué ?

Whiting secoua la tête. Darrow déposa le plateau.

— Vous êtes ici, vivant de ma vie, parce qu'un de mes reins vous a maintenu vivant. C'est cela ?

Whiting ne répondit pas. Ses motifs étaient devenus plus complexes que cela.

— Bon.

Darrow se tourna, leva sa chemise et exhiba son dos devant Whiting.

— J'ai encore mes deux reins, monsieur. Ce n'était pas moi, le donneur.

Whiting le regarda :

— Puisque vous voilà à moitié nu, pourquoi ne pas baisser votre caleçon et nous montrer aussi votre cul ?

Darrow se redressa, fronça les sourcils, puis sourit, décidé à se montrer amusé de la répartie.

— Bien, très bien.

James Whiting avait parcouru cinq mille kilomètres à la poursuite d'une ombre. Il était encore hébété de sa rencontre avec l'homme lui-même, survenant peu après sa découverte du faux Andrew MacGregor. Et pourtant, il trouvait encore moyen de lancer des sarcasmes. Bon signe, pensa-t-il.

— Vous n'avez toujours pas répondu à la question de votre femme.

— À son « pourquoi » ? Ce n'est pas une question facile. C'est trop vague, trop général.

Jeanne leva les yeux.

— Je vais la préciser. Pourquoi m'as-tu laissé parcourir cinq mille kilomètres pour venir pleurer dans cet hôpital un cadavre qui n'était même pas le tien ?

Darrow s'agenouilla près du fauteuil de Jeanne.

— Tu n'étais pas censée venir dans le Maine. Tout était arrangé. Tu n'avais qu'à signer les papiers et fournir les dossiers dentaires. Bien sûr, ce n'était pas légal, mais Andrew MacGregor pouvait tout arranger.

— Qui était mort, dit Whiting.

Darrow se releva.

— Vous êtes au courant ?

— Jusqu'à présent, je me posais la question.

— Ben Little joue depuis quinze ans le rôle de MacGregor. Quand MacGregor voulait endormir la presse, Little faisait le travail. À la mort de MacGregor, Ben Little n'a fait que prendre le rôle principal. Il vit comme un roi. Tout le monde, à part Harry Miller et le personnel de Brisbane Cottage, le comble de flatteries et de courbettes. C'est une retraite dorée pour un vieil acteur.

— Tant qu'il ne se met pas en tête de débiter du Shakespeare à longueur de journée !

— Il est un peu sénile. C'est là le problème. Mais certains hommes sont si importants qu'on ne peut les laisser mourir.

— C'est ce que j'ai pensé ces dernières semaines, dit Whiting.

Darrow sourit. Même sous l'épaisse barbe, c'était le sourire séduisant et gamin auquel personne ne résistait ; James Whiting, cependant, n'eut aucune peine à le faire.

— Merci, dit Darrow. Mais il y en a d'autres qu'on devrait laisser mourir, même de leur vivant. Des coeurs sans noblesse, incapables de grands sacrifices. Des hommes qui n'ont pas su faire don de leurs reins pour le bien de l'humanité. Des hommes qui, pensant avoir trouvé mieux que leur femme, n'ont pas hésité à abandonner celle-ci.

Jeanne leva la tête vers Miranda. Les deux femmes se regardèrent fixément pendant plusieurs secondes, puis, d'un commun accord, l'une revint à son feu et l'autre à son bébé.

Whiting s'assit près du poêle à bois. Il s'enveloppa d'une couverture et but quelques gorgées de thé. Son corps, qu'il avait amené aux limites de ses forces, aurait dû être épuisé. Whiting était conscient d'avoir, au cours des deux dernières semaines, mis en danger sa santé fragile. Mais il n'était pas encore à court d'énergie mentale, et son organisme lui avait fourni au cours des douze dernières heures une phénoménale dose d'adrénaline.

— Vous avez perdu votre temps à venir ici me remercier, dit Darrow. Adressez plutôt vos remerciements au chirurgien résident qui a effectué des tests de routine sur la victime d'un accident de bateau.

Whiting buvait son thé, se demandant s'il voulait entendre les confidences de Darrow. Oui, il voulait savoir la vérité.

— Le résident, poursuivait Darrow, a enregistré dans l'ordinateur deux reins de type A positif, avant que le chef du service chirurgical n'ait pu intervenir. La victime de l'accident portait une étiquette à mon nom, avait à peu près la même stature et le même poids que moi. On lui a rasé la poitrine pour qu'elle ressemble à la mienne. Mais il s'agissait en réalité d'un certain Izzy Jackson, qui vivait seul sur une des îles de la Pentecôte. (Darrow sourit à Whiting, comme s'il s'amusait à l'avance à ses dépens.) Izzy, c'était l'idiot du village.

Whiting sentit un frisson, nullement provoqué par la révélation de la vérité. Celle-ci, il s'en rendait compte, avait perdu toute importance. Il rapprocha son fauteuil du feu.

— Donc, on ne prévoyait aucune transplantation ?

— Oh, oui, répondit Darrow. Vous avez peut-être reçu son rein. Mais, après l'explosion du *Fog Lady*, j'ai dû adopter le style de vie de la victime. (Darrow fit quelques pas et vint se placer derrière Miranda.) Avec l'évidente différence que voici.

Miranda leva les yeux et regarda timidement Darrow.

Jeanne observait Miranda et le bébé, sans arriver à en croire ses yeux.

Les vagues de l'océan s'écrasaient sur le granite dans un tel fracas qu'elles faisaient trembler le petit chalet et projetaient leurs embruns sur les fenêtres.

Trois motoneiges s'étaient arrêtées devant la maison de Cal Bannister. Len Haley, Ken Steiner et Johnny Mendoza, debout dans le garage, étudiaient la carte de l'île. Cal sortit de la maison avec un fusil de chasse, un bonnet de laine pour Haley et trois paires de lunettes protectrices.

— On va descendre Rumrunner's Road, puis on va se disperser pour vérifier tous les chalets qu'on pourra, annonça Haley.

— On aura le nez aux aguets pour repérer l'odeur du feu de bois, d'ajouter Steiner.

— On sentira pas grand-chose, avoua Haley, parce qu'on va avancer contre le vent. Surveillez surtout les lumières. T'as des suggestions ? demanda-t-il, les yeux tournés vers Cal.

— Faut se diriger vers le bord de mer. C'est par là que Harry les aurait envoyés.

Haley approuva de la tête. Puis, désignant de l'index chaque homme successivement :

— Souvenez-vous, avertit-il, on touche pas à Miranda Blake. C'est la soeur de John Meade. Quant aux trois autres, c'est comme s'ils étaient morts.

Cal poussa sa motoneige hors du garage.

— D'accord, Cal, cria Haley, tu ouvres la marche.

Cal mit ses lunettes et enfourcha la machine.

Len Haley caressait de la main le mufle métallique et brillant de la motoneige.

— Du matériel de guerre, dit-il. La première escadrille aérienne qui rasait la cime des arbres. Tu te souviens ?

Cal acquiesça d'un signe de tête.

— Nous étions les meilleurs — Haley hurlait pour couvrir le bruit du vent et des moteurs — les meilleurs.

— Alors pourquoi c'est qu'on a perdu la guerre ? questionna Cal.

Len Haley grimaça de colère.

— On a pas perdu. On a été trahis.

Haley tourna les talons et monta sur sa motoneige. Cal Bannister tourna la manette des gaz et démarra dans un rugissement.

Harry Miller avait atteint le sommet de la carrière. Rumrunner's Bulge était là, soixante mètres plus bas. Mais Harry ne voyait pas dans les épaisses rafales de neige. Il avait attaché à l'un de ses poignets une torche électrique. Il braqua celle-ci vers le fond de la carrière. Le premier palier était à environ deux mètres.

La carrière, d'après ses souvenirs, affectait la forme d'un escalier géant. Certaines marches avaient deux ou trois mètres de haut ; d'autres un mètre — celles où seuls de petits morceaux avaient été prélevés. Certaines étaient larges et plates ; d'autres offraient à peine une prise au pied. Il y avait aussi des monceaux de débris, des traînées d'éboulis et, sous la neige, des mousses, des herbes et des broussailles accrochées au granite. Même par une journée ensoleillée, ç'aurait été une descente périlleuse.

La neige, poussée par les rafales, griffait au visage Harry Miller. S'il ne se cassait pas le cou, pensa-t-il, les intempéries auraient sa peau. À peine à mi-chemin, il se sentait déjà glacé jusqu'aux os, épuisé. Il fut tenté de revenir sur ses pas. Mais, venue d'en bas, l'odeur du feu de bois frappa ses narines. Il attacha ensemble skis et bâtons, qu'il laissa tomber sur la plate-forme suivante. Puis il se coucha ventre dans la neige, s'accrocha aux branches d'un pin pendu à la falaise, et se laissa descendre jusqu'à ce que ses bras, ne pouvant plus le soutenir, il lachât prise et tombât en douceur dans un tas de neige. Impossible désormais de revenir en arrière et de regagner le sommet. Il devait aller jusqu'au fond de la carrière.

Il se releva et, de sa torche électrique, balaya les alentours. Facile, la marche suivante, moins d'un mètre plus bas. Elle était suivie d'une autre dénivellation d'un mètre puis d'une succession de petites marches.

Pendant quelques minutes où il descendait de rocher en rocher, Harry Miller oublia son âge. Puis le vent glacial s'éleva de nouveau dans l'obscurité. Ses griffes saisirent Miller et le clouèrent à la paroi de granite.

— Ne pouvais-tu pas tout simplement revenir demander le divorce ?

Jeanne regardait toujours le feu, parlant d'une voix monotone, dans un état voisin de l'hypnose. Même le bébé restait silencieux.

— Pourquoi te fallait-il faire *cela ?* Pourquoi n'as-tu pas eu le courage d'un face à face ?

Darrow était debout près de la fenêtre.

— J'étais une épave quand je suis arrivé ici. Au départ, je voulais prouver à quel point nous sommes liés les uns aux autres, d'un océan à l'autre. Mais à mon arrivée ici, je ne voyais plus que la prison où nous sommes enfermés nous-mêmes — cette fichue société.

— Quel philosophe ! lança Whiting d'un ton sarcastique.

Il regardait Jeanne et levait les yeux au ciel. Il essayait de remettre Darrow à sa place, dans l'espoir de soustraire Jeanne à l'effet du choc qu'elle avait subi.

Le regard de Jeanne se posa sur Whiting, pour revenir bientôt vers les flammes comme si elle ne l'avait pas entendu.

Roger Darrow se planta alors devant Whiting et, penché en avant, le regarda dans les yeux.

— Vous gardez en tête tout ce que vous avez vu au cours de ces dernières semaines, monsieur, et peut-être avez-vous le désir de me rejoindre ici, disait-il d'une voix sourde et dure. Mais on affiche complet.

Il retourna vers les fenêtres et se mit à déambuler de long en large. Physiquement, il ne ressemblait plus que de très loin au Roger Darrow des bandes vidéo. Ses cheveux et la barbe avaient poussé. Sept mois d'un dur travail au grand air avaient ajouté plusieurs centimètres à la poitrine et aux épaules, basané le teint et rendu calleuses les grandes mains. Mais les yeux, remarqua Whiting, gardaient encore la colère et l'inquiétude du regard qui, à New York, fixait la caméra.

— Cet endroit doit être charmant en été, dit Whiting. Mais je n'ai aucune envie de fuir dans une île.

Darrow cessa son va-et-vient.

— Je ne fuyais rien... sauf...

— Sauf les bandes vidéo, interrompit Whiting. Vous saviez ce qui se préparait là-bas, même dans le cas de Tom Sylbert, n'est-ce pas ?

Pendant un moment, Roger Darrow dévisagea Whiting. Darrow était tourné vers la fenêtre, mais sa tête pivotait comme celle d'un prédateur observant sa proie. Il se mit à sourire. Puis à rire. Les mains dans les poches, il traversa la pièce pour s'écraser sur le petit divan, derrière le fauteuil de Miranda.

Miranda le regardait du coin de l'oeil. Whiting fixait tour à tour Darrow et Jeanne, qui paraissait indifférente au comportement de son mari. Et celui-ci de rire de plus belle.

Puis Jeanne, comme réveillée en sursaut, quitta des yeux les flammes et dit, d'une voix nette et tranchante :

— Cesse ton cirque, Roger !

Darrow ravala son rire sur-le-champ.

— Bien dit, souligna Whiting.

— À Los Angeles, il avait recours à ce genre de connerie lorsque je voulais pousser une discussion jusqu'au bout.

Whiting la savait prête à la contre-attaque. Et c'était la seule chose à laquelle il accordât quelque importance.

— D'une certaine manière, je crois que je m'attendais à ce dénouement.

Jeanne regarda son mari.

— Un coup monté, signé Roger Darrow. Ça paraît sorti tout droit d'un de tes scripts.

Les jambes de Darrow quittèrent le sofa, et son visage se trouva juste au-dessus de l'épaule de Miranda.

— Si le peuple américain est assez stupide pour laisser la télévision lui dicter ses choix électoraux, alors, qu'il aille au diable !

Il se leva et, à grandes enjambées, regagna son poste à la fenêtre. Jeanne regardait Miranda.

— Je lui parle de notre couple et il me parle de politique. J'espère qu'il vous écoute plus attentivement lorsque vous lui parlez.

Miranda esquissa un sourire. Ce n'était pas l'expression moqueuse de la maîtresse affrontant l'épouse légitime. Plutôt une offre d'amitié, ou de compréhension. Le bébé s'agita dans les bras de Miranda, qui lui murmura quelques mots pour le calmer. Le regard de Jeanne revint vers le feu.

— La politique, disait d'un ton calme Darrow rendu de l'autre côté de la pièce, a toujours été un sujet plus intéressant que notre couple. À présent que l'aile ouest du parti a perdu Tom Sylbert grâce à un scrutin douteux, les électeurs se tourneront naturellement vers un autre représentant originaire de l'Ouest.

— C'est bien ce que je pensais, dit Jeanne avec un intérêt feint.

— C'était la théorie de départ, continuait Darrow à l'adresse de Whiting. Alors, vous achetez toutes les concessions possibles, pour mieux influencer les réunions du parti dans l'Iowa et les élections primaires dans le New Hampshire. Vous dénichez un commis voyageur religieux, genre Billy Singer, qui promet l'enfer et la damnation en invoquant le nom de Dieu sur le pays profond...

— Il se peut que vous ayez tort au sujet de Singer, intervint Whiting.

— ... Et vous trouvez des hommes comme Lyle Guise qui se mouilleront lorsqu'il n'y aura pas d'autre moyen de rafler une concession clef.

— Je *sais* que vous vous méprenez sur Lyle Guise, dit Whiting.

— Il m'a laissé tomber.

— Seigneur ! s'écria Whiting en sautant sur ses jambes et fonçant sur Darrow. Il ne vous a pas laissé tomber. Vous vous comportez comme si le monde entier tournait autour de votre nombril. Lyle Guise se fichait éperdument de vous. Il faisait tout simplement ce qu'il pouvait pour s'en tirer. Et il n'a rien fait d'illégal.

— *C'est toi* qui l'as laissé tomber, Roger, dit Jeanne. Tu ne lui as jamais laissé la chance de se justifier.

— Je le considérais comme mon père, dit doucement Darrow. Il est parfois difficile d'être objectif quand un être aimé vous déçoit.

— Je sais, répondit Jeanne.

Cal Bannister fonctionnait par automatisme. Il faisait corps avec la machine qu'il chevauchait. Il avait adapté son corps aux mouvements de la motoneige, ses oreilles à son bruit, ses yeux au faisceau de lumière qui dansait à quelques mètres devant. Il avait dépassé la maison de Harry Miller et conduisait le groupe vers Rumrunner's Bulge. Il avait l'intention d'aller droit vers les chalets du bord de l'eau, à environ un kilomètre et demi de là.

La carabine attachée sur le siège arrière faisait aussi partie, à ses yeux, de son équipement. Il ne s'était pas encore demandé s'il l'utiliserait ou non.

Compte tenu du déplacement de l'air, la température sur la motoneige en marche était bien inférieure à zéro. Mais Len Haley ne sentait pas la morsure du froid. Il était en mission et s'apprêtait à nettoyer une dernière poche de résistance. Devant lui, il apercevait le feu rouge arrière de l'éclaireur. Derrière lui, les phares de son escadron suivaient en bon ordre de marche.

Harry Miller se savait en difficulté. D'après le bruit du vent et la distance parcourue, il devait être à une douzaine de mètres du sol. Mais il s'était juché, Dieu sait comment, sur une petite plate-forme de granite, sans issue vers le bas. Il avait beau braquer sa torche électrique au-delà de ce balcon, impossible de voir le fond. À gauche, la dénivellation était de cinq mètres, et d'un peu plus de trois à droite.

Il avait bien tenté une remontée, mais par deux fois il avait glissé et était tombé.

Il apercevait justement les lumières du chalet, à environ cent mètres du pied de la falaise ; déjà il entendait les vagues s'écraser sur le granite. Il allongea le cou et tendit l'oreille, sans percevoir le bruit des motoneiges.

Jouant le tout pour le tout, il prit le lance-fusée et le chargea. Les motoneigistes, s'ils se trouvaient encore en forêt profonde, ne verraient peut-être pas le signal, mais celui-ci alerterait les habitants du chalet. Il visa droit au-dessus de l'eau et tira.

Les falaises de granite furent un instant baignées d'une lumière blanche et irréelle. La force du vent était telle qu'elle rabattit la fusée de magnésium sur les rochers, bien au-dessus de la tête de Harry. Mais la brève clarté avait montré à celui-ci une issue par où descendre. Il enfonça le pistolet dans sa poche et se dirigea vers le rebord droit du précipice. Tirant sa torche, il examina de nouveau la paroi rocheuse. Elle lui offrait plusieurs petites saillies. Du pied, il déneigea l'une d'elles, et y monta.

— Avez-vous vu un éclair ? demanda Whiting.

— Non. Vous avez dû voir Dieu, plaisanta Darrow. Ou Billy Singer.

— Non, dit Whiting. On ne le voit qu'en télédistribution.

La conversation était devenue moins tendue. On eût dit deux couples causant au coin du feu après dîner. Chacun avait apprivoisé — ou encaissé — le choc initial. Le magnétophone avait fini de dérouler son Mendelssohn. Le vent et l'océan gémissaient en duo. Le bébé dormait. Jeanne contemplait le feu. Miranda berçait doucement. Et Darrow pérorait.

— Certains, comme le professeur Wyler, voient partout le danger de la vidéo. À les croire, on devrait même éviter d'allumer la télé, dont les radiations seraient cancérigènes. D'autres prétendent que le contenu des émissions va vous corrompre l'esprit ; ou que l'achat d'un des appartements informatisés de MacGregor vous livrera corps et âme à l'empire de Big Brother, qui influence déjà votre pensée par les émissions qu'il vous présente. Et une fois introduite dans votre foyer la vidéo en duplex, Big Brother vous possède. Car, tous nous avons besoin de quelqu'un à qui parler, même si nous avons seulement à répondre par « oui » ou par « non », ou par « envoyez-moi ce service à pâtisserie, à vingt-neuf dollars quatre-vingt-quinze.

Le feu languissait. Darrow glissa dans le poêle une autre bûche.

— Croyez-vous que cela va se produire ? demanda Whiting.

— Pourquoi suis-je ici, pensez-vous ?

— Je ne suis pas convaincu que les gens soient si crédules, répondit Whiting. Surtout après ce que j'ai vu depuis deux semaines. Et je pense qu'il faut renseigner le public sur ce qui s'est passé, entre MacGregor et Vaughn Lawrence, autour de leur nouveau réseau de télédistribution.

— Bien dit, dit Darrow. Allez vous-même proclamer ça. Mais ne m'embarquez pas là-dedans ; désormais, je m'en contrefous.

La nouvelle bûche commençait à crépiter dans le poêle. Whiting l'observa un moment et reprit la parole.

— Il y a ce soir, dans cette île, des gens qui veulent nous tuer. Peut-être les mêmes qui ont voulu vous descendre.

— Sauf que toi tu as choisi de te tuer pour eux, dit Jeanne.

Darrow regarda longuement Jeanne, puis Miranda. Se levant, il retourna à la fenêtre.

— J'ai peut-être fui devant la vérité, Jeanne. Un divorce aurait peut-être mieux valu qu'une disparition, mais cette fuite m'était nécessaire. J'avais besoin d'un vide pour retrouver foi en la beauté des choses, en leur ordre profond ; j'avais besoin de quelque chose à la mesure de notre faculté d'émerveillement.

Whiting reconnut une citation de *Gatsby le Magnifique*. Il regarda Miranda.

— Passe-t-il son temps en citations de grands écrivains ?

— Non, sourit Miranda. Il se cite parfois lui-même.

Darrow la fixa un moment. Mais elle lui sourit doucement, sachant exactement la manière de l'apaiser.

Darrow tourna alors vers Whiting un regard qui, l'espace d'un instant, parut moins trouble.

— Vous et moi, nous avons beaucoup en commun. Vous avez vécu une forme de mort et moi une autre, mais la vie nous a donné à tous deux une seconde chance. Vous êtes débiteur des merveilles de la médecine et de la technologie. Quant à moi, j'ai ceci...

Il se rendit dans un coin de la pièce, d'où il éteignit toutes les lumières, à l'intérieur et à l'extérieur. Seule brillait la lueur orangée du poêle à bois. Miranda cessa son bercement. Jeanne se tourna vers son mari. Les yeux de Whiting suivaient Darrow dans son va-et-vient devant les fenêtres. À l'extérieur, le vent soufflait, la neige tourbillonnait, les vagues frappaient la plate-forme de granite, et leurs embruns brouillaient les vitres.

Jeanne regarda Whiting.

— Tu te rappelles sur cette gravure, le pêcheur solitaire luttant contre le vent ? C'est lui qui, derrière moi, cherche la brise.

Dédaigneux des sarcasmes, Darrow poursuivait son monologue.

— Je suis au balcon du Nouveau Monde. J'ai pour moi les sombres tempêtes des nuits d'hiver, les levers de soleil en été, et, à l'automne, le vol des oies sauvages venues du Canada. Et je vivrai cette année mon premier printemps aux côtés d'un nouveau-né.

James Whiting aurait voulu éclater de rire, tourner en dérision la folle vanité de Roger Darrow. Mais il en était incapable. Roger Darrow croyait ce qu'il disait, il avait tout abandonné pour entrer dans ce nouvel univers. Quelque tort qu'il eût envers sa femme, sa décision lui avait demandé un courage contre nature. Et, après tout, ce qu'il disait n'était pas si insensé.

Whiting observa Darrow qui, traversant la salle, revenait s'agenouiller à côté de Jeanne ; et son visage, à moitié plongé dans l'ombre, touchait presque celui de sa veuve.

— Nous avions perdu, dit-il, la faculté de nous émerveiller l'un devant l'autre ou face à notre monde.

— Je ne l'avais pas perdue.

Il fixa Jeanne quelques instants d'un regard froid et impitoyable, soit au souvenir de quelque vieille blessure, soit à la recherche d'un nouveau motif pour la rejeter.

— Tu as été élevée à Los Angeles. Peut-être ne l'as-tu jamais eue, cette grâce.

Elle retourna à sa contemplation du feu. Elle avait dépassé la souffrance.

Darrow s'adressait à Whiting :

— Nous sommes toujours les mêmes, mais nous voyons désormais le monde avec des yeux dessillés. Ainsi, poursuivons chacun notre chemin. Je ferai mon possible pour vous faire quitter cette île. Je n'ai ni le courage ou la crainte de retourner sur le continent.

Le bébé commençait à s'agiter dans les bras de Miranda.

Jeanne regarda son mari.

— Il me reste seulement deux questions à te poser, dit-elle. Premièrement, pourquoi t'ont-ils laissé vivre, après ce que tu as appris ?

— Il y a sept mois, John Meade s'est trouvé en désaccord avec les tactiques de Vaughn Lawrence pour disposer de moi. Et surtout — Darrow, ici, baissait les yeux vers Miranda — il voulait rendre sa soeur heureuse. Et c'était aussi mon désir.

Miranda déboutonnait son chemisier et présentait le sein au bébé.

— L'autre question ? demanda Darrow.

— Qui est le père ?

40

Cal Bannister arrêta sa motoneige à environ cent mètres du bord de l'eau, devant une bifurcation de la route. Côté gauche, celle-ci menait au rivage. Côté droit, elle s'enfonçait dans les terres, longeait plusieurs chalets et se terminait à l'endroit même où le terrain commençait à s'élever. De son gant, Cal tentait d'essuyer la neige qui embrouillait ses lunettes.

Haley se rangea à ses côtés, et les deux autres motoneiges ralentirent avant de s'immobiliser.

— Quel chemin on prend ? demanda Haley.

Cal Bannister indiqua la mauvaise direction : comme ça, sans préméditation.

— As-tu idée du chalet où il se trouve ? cria Haley.

Bannister secoua la tête.

— On va se guider sur la lumière. Si on n'en voit pas du tout, va falloir vérifier chaque maison.

Haley fit signe de la tête.

— D'accord. Rendus assez proches, on laisse les motos et on continue à pied.

Bannister appuya sur la manette des gaz et démarra. Sa manoeuvre de diversion n'arrangerait rien pour personne, pensait-il. Tôt ou tard, il devrait reconnaître son erreur. Le groupe retournerait alors vers le rivage et tuerait les gens qu'on avait mission d'abattre. Et Len Haley mettrait en doute la loyauté de Cal Bannister.

Harry Miller, incapable de relever son col, sentait le vent glacial sur sa nuque. Debout sur une petite saillie d'environ trente centimètres de côté et couverte de neige, il s'agrippait des dix doigts à une crevasse ouverte devant lui.

Il venait de glisser, manquant tomber. Voici qu'il sentait ses jambes s'affaiblir et son genou gauche trembler. Pas d'issue. À la brève clarté de la fusée, il avait aperçu des aspérités qui n'en étaient pas, et d'autres qui semblaient plus proches qu'en réalité.

Il courba les épaules, dans l'espoir de se protéger le cou. Mais il faillit perdre équilibre, sous la poussée du vent. Trop vieux pour ce genre de sport, il se sentait faible, traqué. La rafale enfin apaisée, il relâcha son étreinte. Avec prudence, il retira sa main droite de la crevasse et braqua sous lui sa torche électrique. Il se trouvait à deux mètres du plus proche palier. Telle une touffe de mousse, il s'accrochait à la paroi de la carrière.

Puis, à la faveur de l'accalmie, il entendit les motoneiges, dont la meute mécanique parcourait la forêt. Le son venait de sa droite et semblait se diriger vers les falaises plutôt que vers le rivage. Mais les poursuivants avaient atteint la colline et se rapprochaient de leur proie.

Il regarda à nouveau par-dessus son épaule gauche, vers l'océan, mais ne vit plus aucune lumière autour du chalet Knudsen. Panne de courant ? Précaution ? Ou bien les motoneigistes avaient-ils fait leur oeuvre pendant que Harry se concentrait sur sa descente ? Non. Il devait descendre, et avertir les occupants du chalet. Car c'est par sa faute à lui, Harry, qu'ils s'étaient réfugiés là.

Il relâcha sa prise dans la crevasse, tout en plaquant son corps contre la paroi. Il voulait faire vite, avant que ne reprennent les hurlements du vent. Avec précaution, il se laissa glisser en position accroupie. Sa joue droite, couverte de neige, lui semblait mordue par le gel. Il avança les genoux, qu'il posa au sol, sur l'étroit éperon de granite.

Ramassé en boule, les mains sur le côté de la plate-forme, Harry descendit une jambe, puis l'autre, faisant porter tout son poids sur ses bras et sa poitrine. Il voulait se laisser glisser vers le bas, jusqu'à ce qu'il pût relâcher son étreinte et se laisser tomber en douceur dans la neige. Mais, au moment même d'amorcer la descente, il sut qu'il n'en avait pas la force. Ses bras lâchèrent prise sous le poids de son corps. Il glissa dans le précipice et roula vers le bas. Lorsqu'il toucha le sol, la cheville gauche pliée sous lui, il hurla de douleur.

Il lança un juron et la douleur s'accentua. Il tomba en avant, sur les mains et les genoux. Fouetté par le vent, il serrait les dents pour retenir un nouveau cri, mais la douleur lui paralysait la cheville et allumait entre ses deux yeux une lumière aveuglante.

Il resta allongé là pendant plusieurs minutes, tentant de chasser la douleur qui lui taraudait la tête. Il attendait du froid et du choc l'apaisement de cette douleur, mais il savait qu'un séjour en cet endroit, si court fût-il, signifierait la mort. Lorsqu'il sentit la vague douloureuse se retirer, un peu, il glissa avec précaution la main le long de sa jambe, jusqu'à sentir le gonflement autour du sommet de la botte. Sa main tâta enfin l'arête d'un os contre la chaussette.

Il devait descendre, avec ce qui lui restait de cheville. Il ramassa ses skis, qu'il avait laissé tomber du haut de la carrière, et s'en servit comme de béquilles. Il clopina jusqu'au bord du précipice, braqua sa torche et regarda vers le bas.

D'après ce qu'il put voir, le pire était passé. Il s'assit sur le rebord du rocher, jambes pendantes, enfonça les skis dans la neige un mètre plus bas et, lentement, se leva. Il examina les alentours, gagna à cloche-pied le bord de la prochaine marche taillée dans le roc. Il répéta l'opération jusqu'au pied de la falaise, où il glissa dans une congère. Là, il sentit autour de ses testicules un froid pénétrant. Au moins, se dit-il, ils sentent encore quelque chose.

La bourrasque glaciale s'était apaisée et Harry, malgré sa douleur, s'estimait capable de parcourir en boitant les derniers cent mètres qui le séparaient du chalet. Il fallait faire vite, parce que déjà, sur sa gauche, lui parvenait le bruit des motoneiges. Celles-ci n'avaient pas encore changé de direction, mais, Harry le savait, elles auraient tôt fait de revenir vers le rivage.

Harry planta les skis dans la neige, devant lui, puis balança vers l'avant sa jambe intacte. Encore. Puis encore. Il commençait à s'éloigner de la paroi rocheuse, mais la neige devenait de plus en plus profonde. Puis, le vent reprit soudain sa violence froide et rageuse. Harry baissa la tête, attendant une accalmie qui ne vint pas. Le vent soufflait de plus en plus fort. Il hurlait tout autour de Harry, comme pour l'empêcher à tout prix d'atteindre à temps le chalet. Le vent soulevait la neige du sol pour la mêler aux flocons qui tourbillonnaient dans les airs. Le nuage de neige roulait sur la paroi de granite et se rabattait sur Harry, l'enveloppant d'un froid glacial.

Harry Miller avait passé toute sa vie dans l'île. Il avait vu les vagues de l'océan se dresser à trois mètres à côté de son bateau. Il avait vu le ciel s'envelopper des sombres couleurs de la mort. Mais, il s'en rendait compte aujourd'hui, il ne savait rien de l'île. Par-delà les verts et les bleus de l'été, où les voiles blanches pavoisent le passage, par-delà les rouges et les bruns de l'automne où la chair des homards se fait la plus savoureuse, par-delà les jaunes printaniers des jonquilles épanouies aux fenêtres des insulaires, par-delà tout cela tournoyait cet infernal nuage sombre qui consumait à présent les dernières énergies de Harry.

Le vent ne lâcherait pas sa proie. Sa violence aspirait l'air du centre du nuage. Ses griffes tenaient Harry à la poitrine et le secouaient comme un fétu.

Il tomba à genoux. De toute sa vie, il n'avait jamais ressenti douleur pareille à celle qui lui serrait la poitrine. Les griffes du vent le déchiraient, lui faisant oublier sa cheville endolorie. Il tomba en avant dans les ténèbres. Le vent, son oeuvre accomplie, relâcha son étreinte ; mais la douleur était toujours là.

Et quelque part sur la gauche, les motoneiges rôdaient. Elles avaient pris la direction de la mer.

Harry mit la main à sa poche, en tira le lance-fusée et le chargea. Jamais il n'atteindrait le chalet.

— Tu serais mieux de pas faire le malin avec nous, Cal, cria Len Haley.

— J'ai pris le mauvais embranchement, sacrebleu, c'est tout !

Les quatre motoneiges faisaient halte, moteurs allumés, à côté du chalet où, une heure plus tôt, Whiting avait débouché à sa sortie du bois. Les quatre conducteurs étaient couverts de neige.

— On n'aura qu'à retourner sur nos pas, cria Bannister.

— Hé, regardez !

Johnny Mendoza éclairait la neige avec le faisceau de sa torche électrique. On apercevait des traces de skis à côté du chalet, là où la neige n'était pas parvenue à les effacer.

Au pied de la falaise, Harry Miller pointait en l'air le canon lance-fusée et appuyait sur la gâchette.

— Encore une fois ! s'écria Whiting.

— Et ce n'est pas un éclair, fit remarquer Darrow.

Dehors, une lueur dansante, scintillante, illuminait tout. Le vent secouait les pins de spasmes déments. La neige tourbillonnait. L'océan noir lançait dans le chalet de petites paillettes de lumière.

Roger Darrow enfila son anorak et prit sa carabine au passage.

— Une fusée ! cria Haley. À deux heures.

Trois des motoneigistes avaient déjà eu l'occasion de voir des fusées : des fusées qui se déployaient, immenses et phosphorescentes, en lueurs infernales au-dessus de la jungle en feu. Ils ne furent donc pas surpris d'en voir une traverser le ciel d'Easter's Haven pour s'écraser contre la paroi de granite.

Rumrunner's Bulge fut à nouveau plongé dans l'obscurité.

— Distance ? demanda sèchement Haley à Steiner.

— Cinq cent quatre-vingts mètres, répondit aussitôt ce dernier.

Haley regarda Bannister.

— Je te donne encore une chance. Est-ce qu'on coupe à travers bois, ou est-ce qu'on retourne à la route ?

Cal essaya de se rappeler la disposition des chalets sur le rivage. Puis il demanda à Haley de sortir sa carte. Au même instant, une autre fusée éclatait au-dessus de l'eau.

— Ici, par ici...

Harry, incapable de se faire entendre dans le vent, avait lancé une autre fusée. Dans la fugitive lumière de cette dernière, il avait aperçu Roger Darrow qui courait vers lui.

Puis le vent poussa la fusée à travers ciel jusqu'à la falaise et l'univers de Harry bascula de nouveau dans les ténèbres. Les griffes du vent lacéraient la poitrine du vieillard.

— Harry !

Roger Darrow, agenouillé à ses côtés, lui prenait la tête dans ses bras.

Harry sentait une respiration tiède sur sa joue.

— Fais attention, haletait Harry. Quatre moto... quatre motoneiges... ici... pour tuer... Écoute...

Harry sentait le vent se calmer. Darrow, levant la tête, entendit le bruit, lointain, mais distinct, des moteurs. L'un se dirigeait vers l'ouest, un deuxième venait droit vers eux. Et deux autres rôdaient vers l'est.

Un étrange cri étouffé s'éleva de la poitrine de Harry Miller. Roger Darrow souleva le vieillard, le mit sur son épaule et sa hâta vers la maison.

Il ouvrit la porte d'un coup de pied et regarda Jeanne.

— Je suppose que tu sais faire un massage cardiaque ?

— Bien sûr.

Darrow étendit Harry sur le sol.

— Alors, vas-y !

Harry était inconscient et son visage virait au bleu.

Darrow regarda Miranda.

— Quatre hommes arrivent pour tuer ces deux-là. Nous aussi peut-être.

Miranda serra l'enfant sur sa poitrine.

— Oh ! mon Dieu !

Darrow prit une carabine dans l'armoire et, le regard tourné vers Whiting :

— Avez-vous déjà utilisé un fusil ?

Whiting secoua la tête.

— Toi-même, tu ne sais pas t'en servir, lança Jeanne qui levait les yeux sans interrompre ses mouvements de pompe sur la poitrine de Harry.

— J'ai appris.

Darrow donna son fusil à Whiting et prit sur son épaule la carabine.

Dans la cuisine, la bouilloire se mit à siffler.

— À quoi chauffez-vous le poêle ? demanda Whiting.

— Au gaz propane, répondit Darrow.

— Le réservoir est-il à l'extérieur ?

— Ouais.

— Une balle pourrait le faire exploser, non ?

— Possible.

— Vaut mieux sortir d'ici.

Après un instant de réflexion, Darrow dit à Miranda :

— Enveloppe la petite dans une couverture et amène-la dans le hangar. Puis, à Whiting : allumez toutes les lumières à l'extérieur, et mettez ces vêtements. (Il prit dans l'armoire un ciré jaune et une salopette caoutchoutée et les lança à Whiting.) Parce que vous allez vous tremper.

— Je pense que ce vieux pêcheur est mort, dit Jeanne. Je n'arrive pas à sentir son pouls.

— N'abandonne pas, répondit son mari.

— Je n'abandonne jamais, tant qu'il y a espoir.

Elle venait d'effectuer quinze pressions consécutives sur la poitrine. Elle tira la tête vers l'arrière, pinça le nez. Sur la bouche, elle posa la sienne et souffla à deux reprises.

Darrow s'accroupit à ses côtés.

— Prend ton manteau et une couverture.

Il souleva Harry et le chargea de nouveau sur son épaule. À l'extérieur, un large cercle de lumière entourait maintenant le chalet. Du côté ouest de celui-ci, se trouvait une petite remise.

D'un coup de pied, Darrow en ouvrit la porte. C'était une resserre sombre et petite — environ deux mètres sur deux. Accrochés au mur, des cannes à pêche, des outils de jardinage, un casier à homard, un grappin et une gaffe. Darrow étendit Harry sur le sol et Jeanne le couvrit d'une couverture. Elle repéra immédiatement l'appendice xiphoïde. Elle mesura du doigt la distance pour trouver l'emplacement exact au-dessus du diaphragme et commença à pomper le sang dans l'organisme de Harry.

Pendant un instant, Roger et elle furent accroupis ensemble près du corps.

— Je te demande pardon, dit Roger.

Il se pencha vers elle et l'embrassa. Le bruit des motoneiges devenait de plus en plus fort. Darrow se leva. Les yeux remplis de larmes, il regardait Jeanne.

— Sois prudent, recommanda-t-elle.

Il se détourna et sortit. Jeanne rapprocha sa bouche de celle de Harry. Miranda apparut, le bébé dans les bras. Elle se blottit dans un coin et s'enveloppa de couvertures. On entendait s'approcher les motoneiges.

— Je me sens si impuissante, dit Miranda. Il faudrait faire quelque chose.

— Votre bébé a besoin de vous, répondit Jeanne.

— Et nous ne pouvons pas laisser mourir Harry, ajouta Miranda dans un hochement de tête.

Jeanne continuait ses mouvements de pompe.

Darrow donna à Whiting une dernière instruction :

— Essayez d'en avoir un seul.

Puis, tournant les talons, il monta en courant vers la citerne, tandis que Whiting se dirigeait vers le rivage.

Environ cinq mètres derrière le chalet, une crevasse en forme de V avait été creusée dans la plate-forme de granite. Comme Darrow le lui avait indiqué, Whiting s'y glissa, complètement protégé sur trois côtés. Il pouvait s'y tenir debout et tirer, sans exposer plus que le sommet de son crâne. Quelques mètres derrière lui, la mer s'écrasait contre les rochers. Les pieds dans une flaque, Whiting était aspergé d'embruns. Poste inexpugnable, à moins d'être balayé par une vague.

Whiting avait le chalet sur sa gauche. Au-delà, il apercevait le hangar où Jeanne Darrow et Miranda Blake s'étaient réfugiées. À six mètres devant lui, appuyé au flanc du chalet, se trouvait le réservoir de gaz propane ; au-delà, la clairière. Cinq mètres au-dessus de la clairière, dans l'obscurité et les arbres, la citerne.

Whiting était posté dans la crevasse, avec mission de faire feu sur tout ce qui bougerait et de se baisser pour éviter la riposte. Ou bien, si les motoneiges se dirigeaient droit vers la clairière, Darrow et lui pourraient les prendre sous leurs feux croisés. Whiting s'accroupit pour se protéger du vent et saisit la crosse du fusil. Il n'hésiterait pas à l'utiliser. Il voulait survivre. Il avait parcouru cinq mille kilomètres pour perpétuer l'héritage de Roger Darrow. Et voici qu'ensemble, lui et Roger se battaient pour sauver leur peau.

Roger Darrow était accroupi derrière le mur de soutènement de la citerne. Il voyait nettement tout ce qui entrait dans le cercle de lumière autour du chalet, et il entendait les quatre motoneiges avancer dans la tempête. Au bruit, il jugea que deux d'entre elles circulaient sur sa droite et deux autres sur sa gauche.

Dans le hangar, Miranda Blake serrait son enfant contre sa poitrine et, avec Jeanne, comptait à haute voix pour aider celle-ci à maintenir le rythme. Quinze poussées du bras sur la poitrine. Deux respirations bouche à bouche. Quinze poussées. Deux respirations. Cela semblait efficace. Jeanne vit palpiter les paupières de Harry et sentit son pouls battre faiblement.

Quinze poussées. Deux respirations.

Cal Bannister et Ken Steiner dévalaient à toute vitesse Rumrunner's Road. Len Haley et Johnny Mendoza prenaient un raccourci à travers les bois, près du sentier que James Whiting et Jeanne Darrow avaient emprunté un peu auparavant.

Haley avait confié à Bannister une mission suicide. Tandis que les trois autres se déplieraient en fantassins pour cerner le chalet, Cal pénétrerait en motoneige dans la clairière. Trois hypothèses possibles : traverser les lieux, effectuer une reconnaissance et tirer ; s'arrêter, frapper à la porte et demander innocemment si les fusées étaient un signal d'alarme ; ou essayer de faire exploser le réservoir de propane pour forcer l'évacuation du chalet.

Cal Bannister s'arrêta au début de l'allée, qui, longue d'une soixantaine de mètres, reliait le chalet Knudsen à Rumrunner's Road. Il expédia Steiner dans le cul-de-sac qui, à l'extrémité de la route, desservait les deux autres chalets surplombant la mer.

Il vit la motoneige de Steiner s'arrêter et son feu arrière s'éteindre. Il regarda sa montre. Steiner mettrait cinq minutes à couper à travers la forêt qui bordait le rivage et à reparaître, cette fois à côté du chalet Knudsen. Après cela, il attendrait encore quelques minutes afin de s'assurer que les autres avaient pris position. Alors il entrerait. Il se faisait du souci au sujet de Mendoza, ce civil trop indiscipliné peut-être pour attendre la fin du déploiement.

Roger Darrow avait écouté les motoneiges qui, une à une, avaient éteint leurs moteurs. Il ne restait plus qu'un moteur allumé, en position d'arrêt ; il l'entendait sur sa gauche.

Au bord de l'eau, James Whiting attendait, accroupi dans sa crevasse. Il avait vu le faisceau d'un phare fuser au-dessus de l'eau pour disparaître ensuite. Le regard maintenant braqué sur la rive rocheuse, il s'attendait à voir surgir de l'ombre la silhouette du motoneigiste.

Les dix centimètres de glace qui recouvraient le sol de la citerne absorbaient toute la chaleur que recélait l'organisme de Roger Darrow. Celui-ci frissonnait. Il jeta un coup d'oeil derrière lui, dans l'obscurité. Il serait facile de disparaître dans l'ombre, pensa-t-il.

Il arma sa carabine et regarda à travers le viseur.

Une énorme vague se dressa au-dessus des rochers et prit Whiting par l'arrière. La mer se gonflait, s'élançait vers lui, comme pour l'entraîner hors de sa crevasse. Une vague lui monta jusqu'aux genoux, puis se retira. Vint une autre, qui fit encore monter l'eau.

Il regarda sur sa droite. Aussi loin qu'il pût voir dans les bois qui bordaient la rive, rien ne bougeait. Il regarda sur sa gauche, il crut voir quelque chose... ou quelqu'un.

Il leva la tête pour mieux voir, et une autre vague s'écrasa dans la petite crevasse.

Dans la remise, Jeanne Darrow venait d'arrêter le massage cardiaque. De ses bras, elle berçait la tête de Harry Miller. Celui-ci, les yeux grands ouverts, respirait sans aide mais semblait désorienté.

— Tout va bien, monsieur Miller. Nous allons vous tirer d'ici dans quelques minutes, disait-elle.

Le bébé s'était mis à pleurer. Miranda, ouvrant sa veste, lui offrit le sein.

Une ombre passa devant la fenêtre de la resserre. Jeanne leva les yeux. L'ombre s'arrêta, se retourna et regarda à l'intérieur.

— Oh ! mon Dieu ! murmura Jeanne.

Le passe-montagne orangé, à la tache de sang écarlate. L'individu les avait suivis depuis New York.

On fracassait la fenêtre.

Miranda hurlait.

La vitre volait en éclats.

Un pistolet mitrailleur, calibre .22, jaillit à travers la vitre brisée.

Une plainte — douleur, panique et impuissance mêlées — s'éleva de la poitrine de Harry Miller.
D'un bond, Jeanne saisit le grappin qui pendait au mur.

Whiting aperçut l'homme qui regardait par la fenêtre de la remise. Il leva son fusil mais, voyant quelqu'un à l'intérieur, ne put tirer.
Il bondit de la crevasse et courut vers la resserre.

Darrow vit Whiting jaillir de son trou et disparaître derrière le chalet. Il maudit l'imprudence qui lui faisait abandonner son fusil sur place. Mais, apercevant l'inconnu près de la remise, Darrow comprit où se dirigeait Whiting.
Darrow, l'oeil au viseur, voyait la cagoule orangée. L'individu, son arme braquée à l'intérieur, était aux prises avec quelqu'un. Darrow visa et appuya sur la gâchette. Trop haut, et trop vers la gauche.

Jeanne, le grappin à la main, avait frappé à l'aveuglette, déchirant l'un des bras de l'individu et lui arrachant des mains son arme. Elle tentait de retirer le grappin pour frapper de nouveau. Mais le cagoulard lui tenait fermement le bras, en même temps qu'il retenait le crochet.
Sur le sol, au pied de Jeanne, Miranda cherchait à tâtons le pistolet tout en serrant son bébé contre elle.

L'oeil collé au viseur, Roger Darrow appuya encore une fois sur la gâchette. La balle frappa l'angle de la remise et fit voler des éclats de bois.

Whiting glissa sur les rochers, devant la grande baie vitrée. Quelques mètres plus bas, une vague s'écrasa. Le revoilà debout, au pas de course, à quatre ou cinq mètres de la resserre. Il pouvait voir le visage de Jeanne de l'autre côté de la fenêtre.
Il sentit alors à la cuisse droite une douleur aiguë, violente, un choc qui le terrassa. La balle avait traversé la salopette de caoutchouc jaune, y laissant un trou de part et d'autre.
Puis, une balle ricocha et Whiting vit un rocher exploser à quelques mètres de son visage. Il regarda en arrière, vers le rivage.

Un homme armé d'un fusil jaillissait de la forêt, près de la crevasse. C'était Steiner. Il mit un genou à terre et tira à nouveau sur Whiting. La balle s'écrasa sur un rocher à quelques centimètres de la tête de ce dernier.

Darrow vit Steiner accroupi à découvert et tenant à deux mains un pistolet braqué sur James Whiting. Il visa Steiner en pleine poitrine.

Whiting se releva, tentant de reprendre sa course vers la remise. Le regard tourné par-dessus l'épaule, il vit derrière lui l'arme de Steiner. Puis celle-ci vola dans les airs et Steiner bascula parmi les rochers, pantin désarticulé.

Cal Bannister consulta sa montre. Il était temps de se mettre en route. Il appuya sur la manette des gaz et la motoneige bondit dans l'allée.

Dans la citerne, Roger Darrow vida le chargeur et introduisit une nouvelle cartouche. Il ressentait le même calme, la même assurance, que lorsqu'il avait abattu son premier chevreuil et l'avait dépouillé pour l'offrir à Miranda. Il chercha à nouveau sa cible dans le viseur : près du hangar, le cagoulard reculait, le grappin à la main, vacillant comme si, de l'intérieur, quelqu'un l'avait atteint ; puis Whiting jaillissait de derrière le chalet et lui sautait dessus.

Une motoneige rugissante faisait son entrée dans la clairière. Darrow chercha le conducteur dans son viseur, puis se remémora les conseils de Harry Miller pour la chasse aux canards : suivre les mouvements de la proie, afin que celle-ci aille au-devant de la balle.

Il pressa de nouveau la gâchette. Explosion de la neige devant la motoneige. Darrow laissa échapper un juron.

Le bruit de la machine empêcha Cal Bannister d'entendre les coups de feu. Il arrêta son véhicule devant la porte et une balle fit éclater le carreau à deux doigts de sa tête. Il se jeta à plat ventre derrière la motoneige et lança un coup d'oeil circulaire.

James Whiting griffait des doigts, sous la cagoule, le visage de l'individu, qui lança un cri de douleur.

Jeanne se rua à l'extérieur, tenant à la main le pistolet que Miranda lui avait tendu. La balle avait frappé en plein ventre, mais l'individu était toujours debout.

Il lança vers elle le grappin, lui arrachant des mains le pistolet, qui ricocha sur les rochers et tomba à l'eau. Puis, se penchant en avant, l'individu délogea Whiting de son dos.

Whiting bascula et s'affaissa lourdement sur les rochers. Pendant un instant, il ne sut plus où il se trouvait. Ses oreilles tintaient. L'esprit vide, il avait les yeux fixés sur le treillis de bois du casier à homards accroché au mur du chalet.

L'image de la cagoule orangée envahit le champ de sa conscience. Il entendit le cri de Jeanne.

Il vit le grappin s'élever dans les airs, puis abattre vers sa gorge ses crocs menaçants.

Whiting roula sur le côté et les crochets vinrent frapper le roc à l'endroit même où, l'instant d'avant, était sa tête. Une gerbe d'étincelles jaillit.

De nouveau, le grappin s'éleva dans les airs.

Jeanne sortit du hangar, portant à la main une pelle dont elle assena un coup au cagoulard.

Cal Bannister fit voler en éclats l'ampoule allumée au-dessus de la porte. Puis il fit sauter les projecteurs, à chaque coin de la façade. Devant le chalet, la clairière était replongée dans les ténèbres ; mais des projecteurs éclairaient encore les côtés et l'arrière.

De la citerne, quelqu'un tenait en joue Bannister, qui le savait. S'il courait vers sa droite, il serait à découvert. Il fallait prendre la gauche et plonger derrière la resserre à outils.

Darrow gardait sa carabine pointée sur la clairière devant le chalet. Ne voyant plus Whiting et ne sachant pas où était rendu le quatrième motoneigiste, il se concentrait sur Bannister. Dans l'espoir d'atteindre le réservoir à essence, il arma sa carabine et fit feu sur la motoneige.

Derrière la citerne, Len Haley se déplaçait péniblement dans l'osbcurité, la neige aux genoux. Il avait entendu les coups de feu. Puis il avait vu briller le canon de la carabine de Darrow.

James Whiting et l'homme à la cagoule tournaient l'un autour de l'autre, dans un cercle étroit et menaçant. Le cagoulard tenait le grappin par la corde et le faisait tournoyer autour de sa tête comme un lasso. Whiting avait ramassé la pelle, qu'il tenait de manière à pouvoir repousser le grappin.

Les deux hommes étaient épuisés par l'effort qu'ils avaient fourni et par le sang qui s'écoulait de leurs blessures.

La balle déchira le siège rembourré de la motoneige et s'écrasa sur la maison.

Cal Bannister décida de changer de place. Il se mit à genoux et tira trois coups rapides vers la citerne. Puis, replié sur lui-même, moitié courant, moitié roulant, il atteignit le flanc du chalet. Il contourna d'un bond le coin de la maison et s'aplatit contre celle-ci. Derrière lui, il aperçut Mendoza et un autre homme qui s'affrontaient.

Puis Jeanne Darrow mit un oeil hors du hangar, ce qui attira l'attention de Bannister. Celui-ci leva son fusil. Dans un hurlement, elle se plaqua au sol.

Roger Darrow lança un juron et rechargea sa carabine. Il venait de perdre de vue sa cible. Il savait la présence d'un quatrième tireur, mais il fallait aller au secours des occupants de la resserre. Il glissa cinq balles de plus dans le chargeur et se tint debout.

Len Haley venait d'atteindre l'arrière de la citerne. Darrow leva son arme.

Le grappin alla s'enfoncer dans l'épaule gauche de Whiting. Celui-ci hurla de douleur.

L'homme à la cagoule tira de sa poche un couteau automatique et s'avança vers Whiting. Mais, blessé au ventre, il se déplaçait péniblement.

De la main droite, Whiting leva la pelle et l'abattit sur la cagoule. L'homme tomba à la renverse. Au même instant, une vague noire, accourue du détroit, frappa les rochers. Whiting en reçut dans les yeux les embruns salés et piquants. Il s'essuya les yeux et, les rouvrant, constata la disparition de l'homme à la cagoule.

Whiting retira de son bras le grappin et, chancelant, prit la direction de la resserre. La douleur le taraudait. À l'angle du chalet, il tomba à genoux, les avant-bras au sol.

Devant lui, une ombre bondit du rocher. Levant les yeux, il vit une paire de lunettes protectrices, un anorak vert et le canon d'un fusil, calibre .12 ; il n'avait plus la force de fuir ni de combattre.

Roger Darrow, à peine enjambé le mur de la citerne, reçut une balle au dos. Tout son corps s'arc-bouta. Une deuxième balle lui pénétra de quelques centimètres le côté gauche, sectionnant l'aorte et perforant l'estomac. Mais Roger Darrow ne s'effondrait toujours pas. Robuste, il s'adossait à la paroi de la citerne.

Len Haley traversa à pas feutrés l'intérieur de la citerne. Darrow se retourna. Haley, jugeant que Darrow avait son compte, abaissa son pistolet.

Roger Darrow, une main posée sur la blessure béante de son estomac, passa la jambe droite par-dessus le mur. Pas possible, se disait-il en lui-même. C'est pas à moi que c'est arrivé. Il s'agit de quelqu'un d'autre.

Il réussit à faire quelques pas vacillants avant de s'effondrer face contre terre dans la neige et de dégringoler la petite pente boisée jusqu'à la clairière.

Whiting attendait que le fusil lui explosât en plein visage. Lentement, Cal Bannister frôlait de son canon l'oreille de Whiting, puis posait l'arme contre le mur de la maison. Agenouillé, il traînait Whiting près de celle-ci.

La neige tourbillonnait encore. Whiting frissonnait, transi de froid et perdait son sang. Cal, relevant la manche du ciré jaune, examina le bras. La chair avait été déchiquetée comme du gibier. Cal retira sa ceinture et en fit un garrot au-dessus de la blessure. Puis il retira son anorak pour en envelopper Whiting.

— Roger!

Jeanne Darrow fut la première à apercevoir son mari. Celui-ci luttait dans la tempête, essayant de se diriger vers la lumière de la cabane à outils, tombant à genoux, se relevant.

Quittant la resserre, elle se précipita vers lui.

Len Haley resta aux aguets dans la citerne jusqu'à ce qu'il put apercevoir Cal Bannister devant le hangar. Sachant ainsi la voie libre, il sauta le muret et suivit la traînée de sang dans la neige.

Miranda sortit du hangar, tenant toujours dans ses bras le bébé. Dans un cri, elle courut vers Darrow.

Cal Bannister examina l'intérieur de la remise et vit par terre Harry, qui luttait pour reprendre sa respiration. Cal s'agenouilla à ses côtés. Harry tourna les yeux vers lui.

— Tu vas devoir me faire sauter le crâne, dit-il dans un râle.

— Non, Harry. Je suis ici pour t'aider, répondit Cal en remontant la couverture autour du cou de Harry. Tu vas te remettre.

Le vieil homme leva les yeux vers lui :
— Et les autres ?
— Ça va aussi.
Harry sourit.

Roger Darrow titubait. Il ne sentait plus la neige qui lui cinglait le visage, mais un froid glacial qui envahissait tout son corps, et une douleur qui, à chaque coup de pompe du coeur, naissait et disparaissait.

Jeanne le rejoignit la première, au milieu de la clairière. Elle l'appela par son nom. Il la regardait comme sans la reconnaître.

Elle saisit la main appuyée sur la blessure et la souleva. Elle sentit l'anorak humide de sang chaud. Impossible, dans cette obscurité, d'examiner la blessure.

— Ça va aller, murmura-t-elle. Ça ira.

Miranda appela Roger, dont le regard se détourna. D'un coup d'oeil par-dessus l'épaule, Jeanne vit Miranda quitter en courant le cercle de lumière, fantôme éploré poursuivant son mari à elle, Jeanne Darrow.

Darrow parvint à répondre à Miranda par son nom. Puis, s'éloignant de Jeanne, il tenta de marcher vers la lumière. Deux pas et il s'effondra dans la neige.

Jeanne, agenouillée à ses côtés, le retourna sur le dos. Darrow leva les yeux vers elle.

— Miranda ?

— C'est Jeanne.

Elle crut le voir sourire. Mais voilà Miranda à leurs côtés. Roger la regarda.

— Miranda ?

Répondant, elle lui prit la main. Les yeux de Jeanne se remplirent de larmes. Miranda rapprocha son visage de celui de Roger.

— Je t'aime, Roger.

Un spasme secoua le corps du blessé, qui étouffait.

— Montre-moi... montre-moi... le bébé.

Les larmes coulaient le long des joues de Miranda. Elle retira le châle qui protégeait la figure de l'enfant et rapprocha ce dernier de Darrow.

— Elle t'aime, disait Miranda d'une voix plus forte, pour couvrir le bruit du vent qui de nouveau s'élevait. Elle t'aime, et je t'aime.

— Nous t'aimons, Roger, dit Jeanne.

Darrow tourna la tête. Encore un spasme de tout le corps, un hurlement de douleur. Jeanne mit les mains sur les épaules de Roger, dont le corps bientôt se détendit. Un long soupir s'exhala de sa poitrine.

— Roger ? criait Miranda. Roger ?

Jeanne sentait les larmes couler le long de ses joues. Les flocons de neige blanchissaient la barbe et les sourcils de Darrow. Miranda prononça encore une fois le nom de Roger puis, dans un grand cri, se mit à trembler.

Haley passa à côté d'eux et se dirigea vers Cal Bannister, qui sortait de la cabane à outils.

— Est-ce que l'autre gars est mort ? demanda Haley.

Bannister secoua la tête. Haley lui lança un regard désapprobateur, puis contourna le chalet. Whiting, le voyant s'approcher pistolet à la main, leva les yeux. Haley braqua son arme, puis l'abaissa.

— Dis-moi un peu, fit Haley, pourquoi m'as-tu lancé cette chaîne ?

Whiting secoua la tête, trop faible pour parler ou pour bouger. Il ferma les yeux dans l'attente du coup de grâce. Cal Bannister venait d'apparaître à l'angle du chalet.

— Lieutenant ! appela-t-il.

Haley se retourna.

Cal Bannister leva le fusil et, dans les ténèbres, abattit Len Haley.

41

Le corps de Roger Darrow fut transporté trois jours plus tard à l'île St. Matthew, où un service funèbre eut lieu en fin d'après-midi. Le cercueil fut placé sur un petit promontoire qui, orienté vers l'ouest, dominait le détroit d'Easter's Haven. De là, un chemin serpentait à travers bois jusqu'à la petite maison où Roger Darrow et sa compagne avaient vécu, mises à part la dernière semaine de la grossesse de Miranda et la première de la vie du bébé. C'était la seule maison de l'île.

C'était un après-midi froid et ensoleillé. Cinquante centimètres de neige recouvrant le sol, on avait dégagé une aire afin que l'assistance pût entourer le cercueil. Après le service funèbre, le corps de

Roger Darrow serait transporté au petit caveau du cimetière d'Easter's Haven ; il y reposerait jusqu'au dégel printanier, en compagnie des autres personnes décédées au cours de l'hiver.

Miranda, debout près du cercueil, tenait dans ses bras la petite Elizabeth. Ses cheveux dénoués encadraient son visage ; c'était ainsi que Roger Darrow l'aimait. Sa toilette était aussi celle que préférait Roger : pull à col roulé noir, anneaux d'or aux oreilles, blue-jean, bottes, et gilet en duvet.

Elle avait habillé Roger des vêtements qu'il affectionnait : blue-jean confortable, chemise de laine à carreaux, pull à grosses mailles.

Ellie Miller, vêtue d'un manteau noir, se tenait aux côtés de Miranda. Jeanne Darrow, qui portait encore son anorak molletonné et son blue-jean, se tenait de l'autre côté de la jeune femme. James Whiting était debout près de Jeanne, le bras gauche en écharpe, une béquille au bras droit.

Le couple Lean était debout de l'autre côté du cercueil, ainsi que les frères Webb. Ceux-ci connaissaient Roger Darrow sous le nom de Jim Carraway, nom qu'il avait adopté pour sa première sortie hors de l'île St. Matthew, le samedi avant Noël.

À leurs côtés, Cal et Lanie Bannister se tenaient par le bras. De temps en temps, les yeux de Cal allaient du cercueil à Ellie Miller. Quand le regard de celle-ci croisa enfin le sien, Cal la remercia silencieusement. Elle hocha la tête d'un air entendu et ses yeux revinrent au cercueil.

Le matin qui avait suivi la tempête, Harry, de son lit d'hôpital, avait déclaré à Ellie : « Il est venu ici pour fuir des hommes comme ce sacré lieutenant. Tout ce que j'ai connu de lui depuis lors, c'est un homme juste et loyal, malgré son passé. Faut lui donner une autre chance. »

Ellie avait convaincu les autres — les Lean, Jeanne Darrow, James Whiting et, avec plus de difficulté, Miranda Blake — qu'ils devaient tous faire bloc derrière Cal Bannister. Celui-ci avait fait tout son possible pour se libérer de ses chaînes et rompre avec son passé. Les habitants de l'île devaient lui donner l'occasion de se refaire un avenir.

Harriet Sears et Howard Rudermann, seules personnes de Hollywood invitées aux funérailles, se tenaient au pied du cercueil, bras dessus bras dessous, comme pour se soutenir l'un l'autre.

L'accès à l'île St. Matthew avait été interdit aux journalistes. Et pourtant, quatre bateaux remplis de photographes allaient et venaient dans les eaux tumultueuses au large du promontoire, tandis que l'hélicoptère d'une station de télévision de Boston survolait l'endroit à plusieurs reprises.

Malgré les interdictions, les représentants des médias avaient envahi Easter's Haven sitôt la tempête apaisée, et l'histoire s'était répandue comme une traînée de poudre à partir du Maine. Les reporters avaient également assiégé Vaughn Lawrence à Hollywood, John Meade à New York, le révérend Billy Singer dans l'Ohio, ainsi qu'un vieil acteur classique qui, depuis de nombreuses années, exploitait sa ressemblance avec l'un des hommes les plus puissants du siècle.

Le SEC, la FCC et le FBI s'étaient joints aux journalistes. La société de télédistribution MacGregor/Lawrence, de création récente, avec John Meade et Vaughn Lawrence, ses principaux directeurs, fut inculpée, un jour ou deux plus tard, d'une avalanche d'accusations : violation des lois antitrust, conspiration contre les lois des élections fédérales, etc.

Aux reporters, Billy Singer déclara avoir été dupé par John Meade et Vaughn Lawrence, et son éloquence convainquit même James Whiting et les agents du FBI.

Aux journalistes qui lui demandaient d'évoquer la vie qu'il avait menée comme doublure de MacGregor, Ben Little refusa toute déclaration, se contentant d'une citation : « À présent, j'ai épuisé mes sortilèges / Et dès aujourd'hui, je veux vivre ma propre vie / Même dans un rôle moins prestigieux... Vous qui cherchez le pardon de vos crimes, / Accordez-moi au moins votre indulgence.»

Le matin où le scandale éclata, et avant même que son nom y fût associé, le représentant Reuben Merrill fit une apparition à l'émission *Aujourd'hui,* réclamant une nouvelle législation qui réglementât l'usage des consultations populaires par télévision en duplex. L'après-midi même, des sondages ponctuels révélaient que Reuben Merrill n'était plus désormais un candidat sérieux à la présidence — à supposer qu'il l'eût jamais été. Le lendemain, le FBI se présentait à son bureau.

Sur ces entrefaites, l'ex-sénateur du Wyoming, Thomas Sylbert, quittait les Caraïbes et accourait à Washington. Avec la fougue d'un ange exterminateur et d'un amant trompé, il convoqua à l'hôtel Madison une conférence de presse où il prétendit avoir, dès le début, vu juste au sujet de MacGregor Communications ; il annonçait du même souffle son entrée dans la course à la présidence. À Las Vegas, on le tenait perdant à quatre contre un.

En Iowa, Lyle et Betty Guise pleuraient une seconde fois Roger Darrow. Puis Lyle appela à Des Moines le bureau de l'Associated Press, déclarant avoir aussi son mot à dire sur cette histoire. Le lendemain, une tempête paralysait tous les aéroports de l'Iowa, privant Lyle et Betty Guise d'assister aux funérailles.

Dans l'île de St. Matthew, le révérend Forbison lut des extraits de la Genèse, chapitre I, versets 1 à 31, des strophes du trente-troisième psaume et, dans l'Évangile de saint Luc, les versets 27 à 31 du chapitre XII, consacrés aux lis des champs. C'était là, expliqua Forbison, les passages favoris de Roger Darrow.

Forbison demanda alors si quelqu'un avait quelque chose à dire.

Après un instant de silence, Howard Rudermann leva les yeux et se mit à parler :

— *If I should get a notion to jump into the ocean/T'ain't nobody's business if I do.*

Jeanne reconnut le refrain de la chanson favorite de Roger Darrow. Elle sourit. Son sourire gagna le visage de Harriet. L'instant d'après, Miranda était gagnée par la contagion.

Le révérend Forbison, interloqué un moment, ne savait s'il fallait voir là une parodie de cérémonie funèbre, ou quelque rite tribal propre à Hollywood. Il choisit d'en sourire et remercia Rudermann de ses commentaires.

On récita le Notre-Père et, à la suggestion du révérend, on chanta *Rock of Ages* — du moins les couplets qu'on avait en mémoire.

Puis on couvrit le cercueil de branches de pin que Miranda et Jeanne avaient cueillies sur l'île, et on regagna la maison par la forêt.

Les habitants de l'île marchaient ensemble. Harriet cheminait entre Jeanne et Miranda. Howard Rudermann fermait la marche pour tenir compagnie à Whiting, qui clopinait sur sa béquille.

— Est-ce que tout cela vous ennuie ? murmura Whiting après que le gros de la troupe les eut distancés de quelques pas.

Rudermann haussa les épaules.

— Je n'ai jamais été suffisamment au courant pour savoir ce qui allait se produire. J'avais de nombreux soupçons, mais ces gens-là étaient avides de produire des émissions. J'ai tourné la semaine dernière le dernier volet de *Un nouveau drapeau.*

Whiting s'arrêta. Il sentait des élancements à la jambe et des douleurs à l'épaule.

— C'est tout ce qui compte pour vous, n'est-ce pas, Howard ? Mettre de la pellicule dans la boîte.

Rudermann avait le bout du nez et l'extrémité des oreilles rougis par le froid. La vapeur qui sortait de ses narines lui donnait l'allure d'un taureau furieux, tiré d'un vieux dessin animé de la Warner.

— Comment pouvez-vous dire ça ? N'ai-je pas essayé de vous avertir à New York ?

Whiting secoua la tête.

— Je n'ai jamais reçu votre appel, Howard. D'ailleurs, c'était trop peu. Vous avez épaulé les gens qui ont assassiné votre associé. Ou peut-être le saviez-vous vivant ?

Howard nia d'un signe de tête.

— Seule Harriet le savait et ce secret était pour elle un terrible fardeau. Tout ce que je savais, c'est que Miranda vivait ici. Je soupçonnais quelque chose, mais je ne pouvais me permettre de créer des remous.

— Vous m'avez conseillé la prudence parce que, disiez-vous, les choses ne sont pas toujours ce qu'elles paraissent. Mais vous-même, vous ne vous êtes jamais soucié d'aller au-delà des apparences. Si vous aviez eu ce courage, Roger Darrow serait peut-être encore en vie.

— Allez au diable, Whiting, dit Rudermann sans hausser le ton. Pourquoi me demander d'être plus que ce que je suis. J'ai fait de mon mieux.

— Vous vous êtes comporté comme l'autruche qui se cache la tête dans le sable, Howard, parce que vous aviez peur.

— Ouais, bon. Roger, lui, avait tout découvert. Et voyez où ça l'a mené.

— Jusqu'à la fin, Roger a fui, lui aussi. Il voulait se perdre quelque part entre le passé et le présent, mais chaque matin, sitôt franchi le pas de sa porte, il regardait au loin le détroit. Qu'est-ce qu'il voyait? Ceci.

Whiting désigna d'un geste Easter's Haven. L'antenne de télévision s'élevait au-dessus des pins, carcasse d'acier d'un univers nouveau et inconnu. Les lumières rouges brillaient et clignotaient, sans ordre ni rythme préétablis.

— Il ne pouvait échapper à ça, Howard, même ici. Et il ne pouvait pas non plus faire de compromis.

— Tout tourne autour de ça, dit Rudermann après un moment de silence. Les compromis.

Whiting secoua la tête.

— Howard, je vous aime bien, mais parfois, votre conscience est un peu facile à apaiser.

Les habitants de l'île étaient entrés dans la maison. Miranda, Harriet et Jeanne restaient debout sur la véranda. En bas du sentier, elles apercevaient Whiting et Rudermann, le cercueil sous ses rameaux de pins, et le soleil rouge qui glissait vers l'horizon.

Le froid devenait plus vif.

— Est-ce que nous entrons? demanda Jeanne.

— Dans une minute, dit Miranda. Mais avant, j'ai quelque chose à vous donner. (De sa poche intérieure, elle tira une cassette magnétoscopique.) C'est la dernière bande. Tournée le matin de l'explosion du *Fog Lady*. Ça vous aidera à comprendre.

Jeanne prit la cassette, la soupesa et la glissa dans sa poche. Puis elle fixa Harriet.

— Est-ce que cette cassette va m'expliquer pourquoi ma meilleure amie m'a menti ?

Harriet baissa le regard.

— Quand as-tu appris la vérité ? demanda Jeanne, en essayant de maîtriser sa colère.

— Le soir des funérailles. Roger m'a appelée. Il souffrait de ce qu'il appelait un accès de dépression posthume. Le choc a été si rude que j'en ai eu la nausée.

— Je connais cette sensation, dit Jeanne froidement.

Harriet avança la main, puis la retira, comme si elle craignait que Jeanne ne refusât son contact.

— Il m'a dit ce qu'il avait fait, mais n'était pas sûr d'avoir pris la bonne décision.

— Cette décision qui m'a rendue folle de joie, commenta Miranda.

— Sa conscience, à ce qu'il me disait, ne le laisserait en paix que le jour où il te saurait en compagnie de quelqu'un qui prenne soin de toi et t'aide à refaire ta vie. Il m'a demandé de veiller sur toi.

Jeanne gardait les yeux fixés sur l'horizon et sur le soleil couchant.

— Pourquoi as-tu fait cela, Harriet ?

— Par amour pour toi, Jeanne. (Harriet se mordait la lèvre inférieure pour refouler ses larmes.) Et je n'avais jamais cessé d'aimer Roger.

— Il aurait mieux valu pour nous tous que tu me dises la vérité.

— Non, répliqua Harriet. Puisque vous ne pouviez pas être heureux ensemble, je voulais pour chacun de vous la chance d'être heureux de son côté. Je pensais bien faire en agissant ainsi.

— Ce n'était pas le cas, dit doucement Jeanne.

Harriet lui toucha le bras.

— Peut-être qu'un jour, tu me pardonneras.

Jeanne se tourna vers Harriet et, après un moment de silence, lui sourit.

— Ça peut sembler difficile à croire, mais certaines personnes m'ont traitée plus durement au cours de cette dernière année.

Harriet se jeta au cou de Jeanne et se mit à pleurer doucement. De son bras libre, Miranda entoura les épaules de Harriet et les trois femmes se tinrent ainsi jusqu'à l'arrivée de Whiting, qui montait à cloche-pied les escaliers.

— On regarde le coucher du soleil, lui dit Miranda.

— Oui, très beau, assurait Harriet en essuyant ses larmes.

Whiting monta la dernière marche et prit place près de Jeanne.

— Dépêche-toi, criait Harriet à Rudermann, qui traînait encore dans le sentier. Tu vas rater le coucher de soleil !

— Dites-lui de m'attendre!

Il courut jusqu'à la maison et monta les marches. Ils regardèrent en silence le soleil basculer derrière l'horizon. Pendant un moment, tout baigna dans le pourpre: les arbres, la neige, l'océan luimême semblaient incandescents. Tout au long du jour, le soleil les avait gorgés d'une lumière dont l'éclat demeurait même dans le couchant.

— C'est toujours ici que nous regardions le coucher du soleil, dit Miranda. Et à partir du solstice d'hiver, Roger remarquait que, chaque après-midi, le soleil se couchait un peu plus au nord.

Jeanne enfonça les mains dans ses poches. Son agressivité envers Miranda s'était apaisée, pour faire place à un sentiment de pitié et de douleurs partagées. Mais elle sentait renaître sa rancune et luttait pour la surmonter. Elle sentit alors la présence de Whiting à ses côtés, et glissa sa main dans celle de son ami.

— C'était l'heure du jour que nous préférions, continuait Miranda d'un ton rêveur.

— De son promontoire, commenta Rudermann, il pourra contempler pour toujours le coucher du soleil. Il aura pour toujours la paix qu'il avait trouvée avec vous au cours des sept derniers mois.

Jeanne regarda Rudermann comme s'il venait de la gifler.

— Vous avez tort, Howard, dit Miranda. Il essayait de se convaincre qu'il était heureux. Et de m'en convaincre. Mais, la semaine dernière, il m'a dit son projet d'un voyage solitaire en Europe. Il n'était jamais satisfait.

Jeanne se tourna vers Miranda.

— Je vous ai posé une question dans la cabane l'autre nuit, et vous ne m'avez pas encore répondu. Qui est le père?

Sans hésitation, Miranda répondit:

— Ce n'est pas Roger.

42

On était en janvier, mais à Los Angeles cela aurait pu être juillet. Les camélias étaient en fleurs devant la maison de Jeanne Darrow. Pelouse verte. Acacias et palmiers couverts de feuillage.

Après deux semaines sans aération, la maison sentait le renfermé, tout comme la première fois où Jeanne avait pénétré dans le vestibule.

La jeune femme se prépara un gin tonic dans la cuisine. Puis elle se rendit dans le bureau de Roger. Elle tira les rideaux, alluma la télévision et glissa la bande dans le magnétoscope.

John Meade est assis sur la terrasse qui longe la bibliothèque, à Brisbane Cottage. Le soleil brille haut à l'horizon. Des reflets dorés s'accrochent dans la chevelure de John. Celui-ci porte une chemise Lacoste verte et un short de tennis.

Roger Darrow, assis à côté de lui, porte un survêtement. Il transpire et paraît essoufflé, comme s'il venait de faire du jogging.

Edgar Lean entre dans le champ, portant sur un plateau deux verres de jus d'orange, du café et des croissants. Lean verse le café tandis que les deux hommes discutent du beau temps, des pistes de jogging de l'île et du match de tennis qu'ils comptent disputer à la fin de l'après-midi.

— À propos, dit Darrow. Avez-vous entendu ce bruit ce matin ? On aurait dit une explosion.

Meade hoche la tête.

— Un bateau de pêche.

— Quelqu'un que je connais ?

Meade secoue la tête, puis s'enfonce dans son fauteuil.

— Ainsi donc, commence-t-il, il semble que ma soeur vous ait tout dit.

Darrow esquisse son sourire magnétique.

— La raison de votre échec dans la prise de contrôle de Lawrence / Sunshine ; les dessous de votre fusion avec eux, vos ambitions politiques, et la raison de la frappante ressemblance entre Andrew MacGregor et un vieux cabot nommé Ben Little.

— Êtes-vous surpris ?

— J'ai été surpris de trouver Miranda ici. Je la croyais à New York. Quant au côté politique, je dois dire que je m'y attendais.

Meade éclate de rire.

— Monsieur MacGregor a toujours eu une influence énorme à Washington...

— C'est une des raisons pour lesquelles vous ne pouviez le laisser mourir ?

— Oui. Et aussi le fait que, à sa mort, Miranda et moi nous perdrions la maîtrise de la compagnie, mais l'idée de lancer Reuben Merrill dans la course à la présidence est une évolution toute récente. C'est moi qui y ai pensé le premier, mais ce plan a immédiatement séduit Vaughn Lawrence.

Meade boit une gorgée de son café. Darrow beurre un croissant. À l'arrière-plan, une douce brise fait bruire les pins.

— Une fois qu'on pense posséder le pouvoir, dit Meade, il faut essayer de l'utiliser. Sinon, il vous glisse des mains. Et à présent, vous êtes un homme très puissant, parce que vous en savez long.

Darrow contemple la mer.

— C'est beau ici.

— Avez-vous l'intention d'utiliser votre pouvoir ?

Darrow ne répond pas.

— Pour l'utiliser, vous devrez quitter cette île, dire à tout le pays ce que nous avons fait. Et vous détruirez Miranda en même temps que MacGregor Communications et Vaughn Lawrence.

Darrow se raidit dans son fauteuil.

— J'ai l'intuition que vous aimeriez rester ici, surtout après la nuit que vous venez de passer dans l'île St. Matthew.

Darrow regarde au loin le passage.

— Lorsque vous êtes arrivé il y a quelques jours, poursuit Meade, vous sembliez mal dans votre peau. Déjà, la vie ici a commencé à vous guérir.

Darrow regarde l'océan pendant un long moment, puis se met à parler.

— Au-delà de cette île, tout semble en décomposition. Et, arrivé ici avec l'espoir d'y trouver un MacGregor capable de tout expliquer, on découvre que cet homme n'existe même pas.

— Oh! il existe... quelque part, dit Meade, et ses idées sont là. Mais, ayant réalisé qu'il ne résoudra pas vos problèmes ni ne répondra à vos questions, vous pouvez remettre votre vie en ordre et vivre avec ça.

Roger Darrow fixe la caméra.

— C'est le premier endroit où j'ai perçu l'harmonie des choses. Miranda et moi, nous étions assis à la belle étoile la nuit dernière et nous avons regardé la Voie lactée. Nous sommes restés couchés l'un près de l'autre pendant des heures à la regarder tournoyer dans le ciel. Je n'avais pas fait ça depuis mon enfance.

— Vous ne pouvez pas faire ça à Los Angeles, dit Meade.

— Nous... Darrow hésite. Nous avons fait l'amour sous les étoiles.

Meade sourit, ni surpris ni offensé.

— Nous avons encore contemplé les étoiles pendant un long moment, et elle m'a dit qu'elle était enceinte. Elle m'a dit que la matière même qui compose les étoiles est en elle. Elle m'a demandé d'être le père.

Meade observe un moment de silence avant de reprendre la parole.

— Au cours de la journée, vous voyez l'harmonie des choses. La nuit, vous voyez leur majesté. Et vous êtes comblé par l'amour d'une femme qui, comme vous, a fui la complexité et le chaos.

— Pour trouver la paix, ajoute Darrow avec envie.

— Non. Elle trouvera la paix si vous restez. Et si vous quittez cette île, vous êtes un homme mort.

Darrow fronce les sourcils.

— Vaughn Lawrence a peur de vous, dit Meade, et il ira jusqu'au meurtre. Parce qu'il connaît la vérité sur la mort de MacGregor, il a pu contraindre nos deux sociétés à la fusion, et selon ses propres conditions. Il ne veut pas que tout le pays apprenne la vérité. Et vous la crierez sur tous les toits si vous quittez cette île.

Meade boit une gorgée de café et mord dans un croissant. Puis il essuie soigneusement les miettes aux commissures de sa bouche.

Darrow se penche en avant et fait quelques flexions sur la pointe des pieds.

— En raison de ma situation dans tout ce gâchis, dit Meade, je n'ai pas d'autre choix que d'accepter le chantage de Lawrence. Vous, par contre, vous avez peut-être une ou deux solutions.

Darrow lève le regard.

— Cette explosion que vous avez entendue ce matin...

Darrow hoche la tête.

— C'était le Fog Lady, *le bateau d'Izzy Jackson. Pur accident, à ce qu'il semble. Mais vous deviez être sur ce bateau.*

Darrow soutient le regard de Meade.

— Izzy Jackson a été transporté à l'hôpital MacGregor, où il a été admis sous le nom de John Doe.

— Pourquoi?

— Pour que vous puissiez avoir le choix d'une nouvelle vie. Pour éviter que les secrets que vous avez découverts ne quittent cette île et ne causent votre mort. Et pour que ma soeur puisse posséder l'homme qu'elle aime.

— Izzy Jackson devient Roger Darrow ?

Meade hoche la tête.

— MacGregor possède cet hôpital. Le médecin légiste du comté doit son poste à MacGregor. Et le chirurgien en chef, le docteur Sanderson, ferait n'importe quoi pour avoir sa propre émission médicale sur le réseau de télédistribution.

Darrow ne répond pas, mais l'idée semble faire son chemin.

John Meade sent Darrow sur le point d'accepter. Il pose la main sur le bras de Darrow.

— Vous percevrez ici des rythmes naturels que vous ne pourrez trouver à aucun autre endroit. Ils vous apaiseront, et vous apporteront cette compréhension de vous-même que vous avez cherchée au long de ce voyage de cinq mille kilomètres. Vous aurez l'occasion de renouer avec la simplicité de la vie. Peu d'hommes y arrivent. Vous pouvez rompre avec tout, déconnecter tous les signaux rouges ou verts qui vous farcissent la tête, et vivre votre vie à vous. Vous avez tout essayé. Essayez cela, et peut-être trouverez-vous les réponses que personne ne peut vous donner — ni moi, ni MacGregor, ni personne.

— *À moins que ce soit Miranda ?*

Meade hoche la tête.

— *Qu'avez-vous à dire à ce sujet ?*

Long silence. Darrow contemple le passage. Il caresse sa barbe, qui a commencé à pousser. Le vent fait doucement frémir les arbres.

— Refuse, Roger, refuse.

Les yeux de Jeanne étaient rivés à l'écran. Il lui semblait pouvoir changer le cours des événements en transformant la fin de cette dernière bande.

— Refuse, répétait-elle.

— *D'accord, répond Roger Darrow. J'accepte.*

— Imbécile ! lança Jeanne.

La bande était terminée. Des parasites dansaient sur l'écran.

43

Le lendemain matin, le docteur Joseph Stanton, examinant le rein de James Whiting, en constata le bon fonctionnement— en dépit des épreuves que l'organisme avait subies. Il avertissait Whiting : la greffe n'avait pour fonction que de retarder la progression de la maladie ; il ne faudrait jamais plus s'exposer aux blessures infligées au cours des dernières semaines. Whiting reconnut que parfois la vie même ne lui semblait qu'un sursis, un long effort pour maintenir ensemble le corps et l'âme. Il affirma son intention de persévérer dans cet effort, et promit de mieux prendre soin de son rein.

Pendant le retour à la maison, au fil des fondrières bien connues de Fenway et de Back Bay, James Whiting songeait au sursis que Roger Darrow avait arraché aux vieux rochers du Maine. Cette pensée ramenait Whiting à sa propre vie. Roger Darrow avait choisi un endroit qui excluait tout compromis avec l'avenir. Dans le cas de James Whiting, le compromis avait été facile. Les techniques médicales, appliquées au rein d'un nommé Izzy Jackson, avaient ouvert à Whiting une nouvelle vie ; mais, jusqu'à ce voyage dans les pas de Roger Darrow, il avait oublié l'art de vivre. Il avait embrassé l'avenir avec un enthousiasme impossible à Darrow ; mais, jusqu'à sa découverte de l'Amérique de Roger Darrow, il avait craint comme celui-ci cet avenir.

Puis ses pensées se dirigèrent vers Jeanne. Elle était retournée à Los Angeles pour se donner à elle aussi un petit sursis. Elle avait besoin de temps pour oublier sa douleur, pour mettre de l'ordre dans ses pensées, pour faire le tour de son propre univers. Après deux semaines aux côtés de James Whiting, elle avait besoin de s'éloigner de lui. Mais, pendant leurs adieux, elle lui avait promis qu'un matin, il entendrait sonner le téléphone et, sitôt le récepteur décroché, apprendrait son arrivée impromptue à Boston.

Il était dix heures trente lorsque le taxi s'arrêta devant l'appartement de Whiting. Celui-ci, à sa descente, vit une silhouette qui ne lui était pas inconnue descendre la colline. Il tendit un billet au chauffeur et monta sur le trottoir en boitant.

— Bonjour, dit-il.

— Salut, répondit la jeune femme en poursuivant son chemin.

— Vous ne me reconnaissez pas, n'est-ce pas ? dit Whiting.

Elle s'arrêta, le regarda et sourit d'un air surpris.

— Votre nom est Carla Glynn et vous m'avez donné la sérénade quelques jours avant Noël.

— Oh ! oui, je me rappelle !

Son sourire se fit plus familier.

— Et avant cela... et il y a environ huit mois.

Elle se souvenait. Elle sembla rougir jusqu'aux oreilles. Elle avait des cheveux bruns, un beau sourire, et pour fêter la douceur du temps, elle ne portait pas de chapeau. Elle était enceinte d'environ sept mois.

— C'est pour quand, le bébé ?

Elle tapota son ventre qui bombait sous le manteau.

— Dans trois semaines environ.

— Bon. Félicitations.

Pendant quelques instants, ils demeurèrent immobiles, se regardant l'un l'autre comme dans ces conversations banales qu'on ne sait comment relancer.

— Bon, je dois filer, dit Carla. Prenez soin de vos blessures. Je suppose que ce n'est pas dans la chambre d'une p'tite dame que vous avez attrapé ça.

— J'aurais préféré, dit Whiting en riant.

Elle agita la main et s'éloigna.

— J'espère que votre bébé aura une aussi belle voix que sa mère, lança-t-il.

— Pourvu qu'elle ait la santé.

— Pourvu qu'elle ait la santé, répétait-il en lui-même.

Il la regarda descendre la rue avec une prudence non dénuée de grâce, et ne la quitta des yeux qu'à sa disparition au coin de Charles Street.

Il entreprit de monter à l'appartement, mais s'aperçut de quelque chose d'insolite. Il regarda le trottoir de l'autre côté de la rue, puis consulta sa montre.

Le jour de son départ pour Los Angeles, le soleil de midi atteignait à peine le toit des maisons de Beacon Hill. À présent, à dix heures trente du matin, ses rayons frappaient les congères, de l'autre côté de la rue. La neige fondait, et l'eau s'écoulait vers le bas de la colline.

Whiting resta un moment immobile sur le trottoir, les yeux levés vers la lumière, sentant sur son visage la chaleur du soleil. Puis il entendit le bruit étouffé d'une sonnerie de téléphone, à l'intérieur de l'immeuble. Dans l'appartement de Dave Douglas, peut-être. Ou était-ce Jeanne Darrow qui l'appelait de Los Angeles ? Il se dirigea vers la porte et monta l'escalier en clopinant.

Il restait encore huit semaines d'hiver, mais les jours allongeaient.